NICOLÁS

LA MENTIRA OFICIAL

El setentismo como política de Estado

Buenos Aires
2006

Márquez, Nicolás
 La mentira oficial : el setentismo como política de estado - 1a ed. - Mar del Plata : el autor, 2006.
 v. 1, 360 p. ; 22x15 cm.

 ISBN 987-05-1367-0

 1. Ensayo Argentino. I. Título
 CDD A864

Quienes deseen comunicarse con el autor, pueden hacerlo al e-mail:
lamentiraoficial@yahoo.com.ar
www.nicolas-marquez.com.ar

Adhiere a la siguiente publicación "Argentinos por la Memoria Completa" www.memoriacompleta.com.ar

(webmaster: Agustín Laje, agustin_laje@yahoo.com.ar www.cromo-web.com.ar <http://www.cromo-web.com.ar>)

© Nicolás Márquez, julio 2006.
 1ra. reimpresión, octubre 2006

ISBN: 987-05-1367-0

Hecho el depósito que determina la ley 11.723

IMPRESO EN LA ARGENTINA

Índice

Capítulo III
El proceso después de la guerra antiterrorista.
Del auge al naufragio

Capítulo IV
Los mitos del setentismo

Capítulo V
El progresismo y el setentismo

Capítulo VI
El setentismo como política de Estado

Capítulo VII
¿Quién ganó la guerra?

A Tato, Mecha, Aníbal y Victoria quienes, cada uno a su modo y desde su lugar, me brindan su afecto.

Prólogo

Traspasando todos los gobiernos, desde 1983 a la fecha, con diferentes niveles de intensidad o velocidad el setentismo ha pervivido expansivamente en la vida pública, constituyéndose tácita o expresamente en política de Estado. Esta no consiste en la sola imposición de argumentos arbitrarios, frases "talismánicas" y mitos embriagantes (los cuales intentaremos desnudar en el trabajo presente), sino que cuenta también con profusas apetencias revanchistas, políticas, ideológicas y económicas.

Quizás, el drama mayor en el tema que nos ocupa, no consiste en que los años 70 formen parte de un pasaje infructuoso de la Argentina, sino que dicho "pasado" forme parte del "presente" más inmediato; el problema no es tanto que el mentado período sea hoy contado de un modo deficiente, sino abiertamente mentiroso; el inconveniente no es que dichas mentiras provengan de un partido político, demagogo en campaña, ex terrorista o historietista de coyuntura, sino que el ardid ha sido "estatizado". Vale decir, el engaño se ha legalizado e institucionalizado. Estamos padeciendo y asistiendo a **la mentira oficial.**

Capítulo I

Introducción histórica

La Argentina en los años 30

En lo que iba del año 1930, no se había llevado a cabo ninguna sesión ordinaria en el Congreso, las provincias opositoras eran intervenidas, y el país padecía la incapacidad de un gobierno paralizado y agonizante. Fue en ese contexto, cuando el 6 de septiembre de 1930 el general Uriburu desfilaba acompañado por solo tres escuadrones de Caballería y seiscientos cadetes, en un marco de júbilo popular que colmó la Plaza de Mayo con el fin de deponer al gobierno de Hipólito Yrigoyen, quien, sin resistencia alguna, no vaciló en renunciar. Parecía un efecto *boomerang*, pues Yrigoyen supo participar de todas las conspiraciones e intentonas fallidas de golpes de estado (la última fue en 1905), y precisamente él iba a ser luego el primer presidente depuesto por uno de ellos. El antecesor de Yrigoyen, Marcelo T. de Alvear, había culminado su mandato en 1928, y esta fue la última vez en la historia en que la UCR pudo terminar un gobierno.

El de 1930 no fue un golpe "antiradical": relevantes hombres del radicalismo como el ex presidente Alvear, el ex vicepresidente Mosca y el ex gobernador de Buenos Aires Crotto o Melo y Gallo (cabeza de lista de diputados de la UCR) reivindicaron luego el "golpe". El propio ex presidente radical, Marcelo T. de Alvear (antecesor inmediato de Yrigoyen), en un reportaje para *Crítica* desde París, también lo reivindicaba y con lenguaje socarrón arremetía: *"Tenía que ser así. Yrigoyen con una absoluta ignorancia de toda práctica de gobierno democrático, parece que se hubiese complacido en menoscabar las instituciones. Gobernar no es payar. Para él no existía ni la opinión pública, ni los cargos, ni los hombres. Humilló a sus ministros y desvalorizó las más altas investiduras. Quien siembra vientos cosecha tempestades"*.[1] De inmediato, la Corte Suprema reconoció al Gobierno provisional. El futuro presidente Juan Domingo Perón también participó y apoyó la reacción encabezada por Uriburu.

12

El historiador radical Félix Luna cuenta: *"La ciudad entera acompañó a los cadetes del Colegio Militar desde San Martín hasta Plaza de Mayo, entre apretadas filas de hombres, mujeres, ancianos y niños que los victoriaban y arrojaban flores a su paso"*.[2] El pensador Vicente Massot agrega: *"El derrocamiento de Hipólito Yrigoyen se pareció más a un desfile militar que a cualquier otra cosa [...]. El 6 de septiembre el gobierno yrigoyenista ya estaba vencido. Careció de voluntad y de la inteligencia estratégica necesarias para desbaratar la conspiración cuando todavía podía hacerlo. Pasado ese momento, su inacción y su incapacidad lo condujeron a un final que a nadie sorprendió"*.[3] Al día siguiente de producido el derrocamiento, el diario *La Nación* en su editorial comentaba: *"Nunca en la Argentina un gobernante quiso mostrarse y se mostró más prepotente, mas omnisciente, ni llegó a dejar mayor constancia de su incapacidad de actuar, respetar y ser respetable"*. El 8 de septiembre, el editorial del mismo diario complementaba: *"La manifestación incontenible de un pueblo que, como ya lo dijimos ayer, fue llevado a un extremo que él hubiese deseado evitar, pero que se hizo inevitable porque vivía bajo una prepotencia como régimen o sistema de gobierno que importaba la subversión total de la democracia y del régimen jurídico constitucional"*.

Uriburu se constituyó así en el primer presidente de facto de la historia nacional; gobernó un lapso breve (un año y medio) y al poco tiempo se reanudaron los comicios y la actividad política, consagrándose Presidente el ex ministro radical Agustín P. Justo.

Empero, las jornadas electorales de los años 30 no gozaban de la transparencia debida: el fraude fue una práctica constante en esos tiempos. Con Uriburu, en 1930, se inauguró un período histórico que fue bautizado como la "Década infame". El apodo que signa dicho lapso resulta a todas luces injusto, pues como certeramente lo señala Massot: *"Por empezar, el período que va desde 1930 a la revolución del 4 de junio de 1943 excede los diez años. Y en cuanto a la presunta infamia, no se la encontrará por mucho que se recorran aquellos tiempos del derecho y del revés"*.[4]

En efecto, es erróneo juzgar los aconteceres históricos con la moral de hoy, aplicando la tabla de valores actuales a la comprensión de hechos pasados, cuando esa tabla no existía. Debe tenerse en cuenta el contexto de entonces. Al período 1930-43 que se inicia con la caída de Yrigoyen se lo llama "infame". ¿Infame comparado con qué y con quién?

En octubre de 1929, en EE.UU., once hombres del *establishment* se suicidaban, se estrenaba una depresión sin precedentes que duraría diez años. Millares de norteamericanos se arrojaban desde los rascacielos al ver pulverizadas sus fortunas. En 1931, hubo 5996 quiebras. En 1932 se habían esfumado 74 mil millones de dólares, 5 mil bancos cerraban, 86 mil empresas se derrumbaban, el precio del trigo se envilecía. En 1933, la desocupación trepó al 25%. En 1934, el 27% de la población urbana no poseía ingreso alguno.[5]

13

A la empobrecidísima Latinoamérica no le iba mejor, la región padecía grotescas dictaduras. Getulio Vargas en Brasil, el Grl. Gómez en Venezuela y el Grl. Ibañez en Chile, México dejaba atrás dos décadas de guerra civil y se instalaba el hegemónico PRI, Trujillo manejaba a su antojo República Dominicana, Paraguay y Bolivia se debatían en guerra, lo mismo hacían Perú y Ecuador. Centroamérica tambaleaba al compás de inacabables guerras civiles de todo orden.

En Europa, Italia se hallaba bajo el mando de Mussolini, Alemania bajo la tiranía hitleriana, España padecía una guerra civil (con 1.500.000 muertos), Rusia sufría el sanguinario despotismo iniciado por Lenin y continuado por Stalin (con 25.000.000 de muertos), y toda la gestación de la Segunda Guerra Mundial, que estalla en 1939, deja un saldo inédito de muertes y miseria.

En todo ese período, la Argentina fue tierra de paz. No tuvo guerras, la libertad de prensa no era cuestionada, el Congreso funcionó a pleno y la independencia del Poder Judicial nunca se puso en tela de juicio. La gran depresión fue superada rápidamente. En 1939, el PBI real de la Argentina era un 15% superior al de 1929 (en ese lapso el PBI de EE.UU. sólo creció un 4%). En 1934, la producción industrial equivalía a la agropecuaria; finalizando la década lograba duplicarla. El mito del "Peronismo industrializador" oculta que el pasaje de la economía agropecuaria a la industrial se produjo entre 1935 y 1936 y que durante los gobiernos de Justo, Ortiz y Castillo (los dos primeros con orígenes en el radicalismo y ex ministros del presidente radical Alvear) el desarrollo industrial alcanzó picos más altos que en el Peronismo.

En 1937, el PBI *per cápita* de Italia no alcanzaba al 50% del de la Argentina y el de Japón no llegaba al tercio. Fluían a borbotones opulentas construcciones, teatros, palacios e imponentes edificios (los estadios Luna Park, "La Bombonera", "El Monumental" y la apoteótica calle Corrientes de Buenos Aires emergía con la construcción de teatros como el Ópera o el Astral y numerosísimos cines y predios artísticos). La movida cultural crecía a pasos agigantados. Se filmaban cincuenta películas por año (desde 1937, la Argentina ocupó el primer lugar en la producción hispanoparlante), el arte y el buen gusto predominaban, la industria editorial argentina se convirtió en la primera de habla hispana. Ya por 1939, la producción de la Argentina era equivalente a la de toda Sudamérica, teniendo el 14,2% de la población y el 15,3% de la superficie total del continente.[6] No había desempleo, casi no existía analfabetismo, miles de europeos que escapaban del totalitarismo y la miseria eran recibidos a diario con los brazos abiertos. Las desigualdades sociales (que existían) eran sensiblemente menores a las del resto de Latinoamérica. Entre 1930 y 1943 la inflación fue nula. El crecimiento del salario real tuvo un promedio del 5% anual entre 1935 y 1943.[7] La expresión "década infame" es recurrentemente repetida a modo de acusación por izquierdistas, progresistas y populistas de todo pelaje. Probablemente omitan aclarar que dicha etiqueta fue puesta por el nacionalista ortodoxo José Luis Torres, columnista del periódico *Cabildo*. Vale decir, ese mote fue una suerte de forma de correr "por derecha" a los conservadores de los años 30.

Si bien el país no era ajeno a problemas sociales, en esos años no se llevaron adelante políticas populistas o demagógicas. No obstante, se creó la Confederación General del Trabajo, se incorporó el "sábado inglés" (Ley 11.640), se legisló sobre "horas de cierre y apertura" (Ley 11.837), se otorgaron indemnizaciones y vacaciones a empleados de comercio (Ley 11.729) y se sancionaron diversas leyes sociales y jubilatorias.

Los partidos políticos tenían representación parlamentaria y difundían con libertad sus doctrinas y diarios. La repudiable práctica del fraude electoral (argucia heredada de los radicales, que ya la practicaban efusivamente en consonancia con la sistemática intervención de provincias opositoras), estigmatizó para siempre la década. No pretendemos minimizar o justificar esas trampas electorales, pero, en verdad, estas se constituyeron en un mero pecado venial comparado con lo que pasaba en el resto del mundo, y con lo que sucedió en el país desde mediados de los años 40 en adelante. Datos anteriores al estallido de la Segunda Guerra Mundial (colocados por hora-trabajo de mayor a menor en *ranking* mundial), daban cuenta de que, en lo concerniente a su poder adquisitivo, los "obreros no calificados" tenían acceso al siguiente estándar de vida: *"Con el pago de una hora de trabajo en Estados Unidos se adquiría 3,40 kg de pan; en Argentina, 3 kg; en Inglaterra, 2,40 kg; en Francia, 2,27. [...] Carne por hora de trabajo en Argentina 1,50 kg; en EE.UU., 0,95; en Inglaterra, 0,63; en Alemania, 0,41. [...] Café en EE.UU., 1,18 kg; en Argentina, 0,50 kg; en Francia, 0,27; en Bélgica, 0,27; en Inglaterra, 0,23. [...] Manteca en EE.UU. 0, 72 kg; en Argentina, 0,50; en Inglaterra, 0,36. [...] Para comprar una camisa se debe trabajar en EE.UU. 3,26 horas; en Inglaterra, 4,30; en Argentina, 5; en Bélgica, 5,49..."*.[8]

Si aceptamos como válido que los años treinta fueron "infames", y con la misma rigurosa vara juzgamos a las décadas subsiguientes, se torna imposible encontrar palabras que puedan calificar a estas últimas. Al respecto, señala el pensador de origen marxista Juan José Sebreli: *"Las descripciones lúgubres sobre la crisis del treinta que hicieron J. A. Ramos o Hernández Arregui se ajustaban, en realidad, al último año de Yrigoyen, cuando estalló el crack de 1929[...] y el tango* Yira yira, *considerado como un reflejo de la 'Década infame', fue estrenado en 1929 durante el gobierno de Yrigoyen. En la creación de la leyenda de la 'Década infame' se recurrió a argumentos tales como atribuir el suicidio de algunos políticos y escritores en esos años a la angustia producida por la decadencia del país. En realidad, Lisandro de la Torre se mató por deudas, Alfonsina Storni y Horacio Quiroga por estar enfermos de cáncer, y Leopoldo Lugones por razones sentimentales y familiares"*.[9] En efecto, la realidad era bien distinta y ante tanto desarrollo y deslumbramiento, el premio Nobel de economía Colin Clark pronosticaba en 1942: *"La Argentina tendrá en 1960 el cuarto producto bruto* per cápita *más alto del mundo"*.[10]

Pero Clark vaticinaba tan auguruoso futuro suponiendo que la Argentina seguiría por la misma senda y, obviamente, nunca imaginó el dislate que se comenzó a gestar a partir del golpe militar surgido el 4 de junio de 1943, que dio por tierra con el período esplendoroso que estamos analizando, y cambió las páginas de la historia.

El preperonismo

Este alzamiento fue protagonizado por el GOU (Grupo de Oficiales Unidos), logia de extracción nacional-socialista integrada por Perón y otros colaboradores, que días antes del golpe (el 3 de mayo de 1943) emitió un comunicado que constituía su declaración de principios. El mismo decía: *"Alemania está haciendo un esfuerzo titánico para unificar el continente europeo. La nación más grande y mejor preparada para regir los destinos del continente en formación, en Europa será Alemania. [...] Con el fin de dar el primer paso hacia el camino arduo y difícil que nos conducirá a una grande y poderosa Argentina, debemos obtener el poder, los civiles deben ser eliminados del gobierno y darles la única misión que les corresponde: trabajo y obediencia. [...] Tenemos que armarnos sobreponiéndonos a todas las dificultades y luchando contra todos los obstáculos interiores y exteriores. La lucha de Hitler en la paz y en la guerra nos servirá de guía. [...] Así será en la Argentina. Nuestro gobierno será una dictadura inflexible aunque haya que hacer algunas concesiones para que pueda afianzarse sólidamente.*

Siguiendo el ejemplo de Alemania, por medio de la radio, la prensa controlada, el cine, los libros, la iglesia y la educación del pueblo, se podrá inculcar a este, el espíritu favorable para que marche por la senda heroica que tendrá que recorrer".[11]

Sin embargo, Perón y su *troupe*, una vez en el poder, en actitud especulativa, una semana antes de la caída de Berlín le declaró la guerra al reich alemán.

Lo cierto es que el 4 de junio de 1943, el GOU lleva adelante el "golpe". El jefe de ese movimiento fue el Grl. Rawson, que duró en el poder sólo tres días, seguido por el Grl. Ramírez, que tras ocho meses de gestión fue definitivamente sustituido por el Grl. Farrell. Este alzamiento se constituyó en el segundo golpe de estado de la historia. Afirma Félix Luna que los radicales, ante el "golpe" en cuestión: *"Recibieron con alborozo la caída de los conservadores y esperaban ser lógicamente sus beneficiarios. A su vez los máximos dirigentes, Ricardo Balbín, Alejandro Leloir y Oscar Alende decían que la UCR comparte con el pueblo de la república la emoción patriótica provocada por la decisión revolucionaria que ha terminado con un régimen de bochorno".*[12] En efecto, al día siguiente del triunfo de la revolución, la UCR publica un comunicado en el que expresa: *"Como consecuencia del período de desborde e impudicia impuesto a la República por los gobiernos al margen de la voluntad popular, las Fuerzas Armadas en un gesto de patriótica inspiración, han tomado a su cargo la tarea de reencausar las instituciones".*[13]

A diferencia del resto de los golpes de estado que se sucedieron en la Argentina (todos "cívico-militares", habida cuenta de la profusa adhesión y participación concreta de los partidos políticos y sectores civiles en cada uno de estos episodios), el de 1943 fue el único golpe estrictamente militar, con ausencia total de sectores civiles (la única excepción fue el ministro de Hacienda; el resto de los ministerios estaban ocupados exclusivamente por miembros de las FF.AA.). De allí en más, comenzó a incubarse el fenómeno que dominaría y protagonizaría la escena política hasta nuestros días: el Peronismo.

Durante el paso preperonista (1943-46), Perón ocupó en el gobierno de facto los cargos de ministro de Guerra, vicepresidente de la República y ministro de Trabajo y Previsión. Fue desde este último cargo de donde sacó los mayores réditos políticos que le permitieron conseguir la simpatía y adhesión de los sectores populares y asalariados del país. Para tal fin, Perón poseía una estrategia que él mismo había explicado el 25 de agosto de 1944 en la Bolsa de Comercio de Buenos Aires, siendo entonces coronel y secretario de Trabajo: *"Si yo fuera dueño de una fábrica, no me costaría ganarme el afecto de mis obreros con una obra social realizada con inteligencia. Muchas veces ello se logra con el médico que va a la casa de un obrero que tiene un hijo enfermo, con un pequeño regalo en un día particular, el patrón que pasa y palmea amablemente a sus hombres y les habla de cuando en cuando, así como nosotros lo hacemos con nuestros soldados".*[14]

El Peronismo irrumpe en escena

> *"Si alguien hubiese preguntado en 1945, ¿qué parte del mundo espera usted que experimente el más dramático despegue económico en las próximas tres décadas?, probablemente yo habría dado una respuesta parecida a la siguiente: la Argentina es la ola del futuro".*
>
> Paul Samuelson, premio Nobel

El régimen de facto llega a su fin y el 24 de febrero de 1946 se vuelve a las formas democráticas en donde Perón, quien ya era un líder popular indiscutido, compite electoralmente contra todo el arco ideológico-partidario (coalición que aglutinaba desde conservadores hasta radicales y comunistas, entre otros). Esta polifacética y heterodoxa conjunción que se dio en llamar Unión Democrática no logró impedir el avance de Perón, que gana ajustadamente las elecciones y se consagra Presidente de la República. Cabe aclarar que desde 1928 el país no gozaba de elecciones transparentes y en esta ocasión, el triunfo de Perón era constitucional y legalmente inapelable.

Al inicio de su gestión en 1946, el panorama económico era excelente. *"Durante la guerra, ante la imposibilidad de comprar bienes en el exterior, se fueron acumulando grandes saldos monetarios y de productos del país que al terminar el conflicto darían a la Argentina una notable oportunidad para desarrollar su economía. Al llegar Perón a la presidencia, las reservas monetarias internacionales sumaban más de 1.700 millones de dólares (equivalente a algo más de 20.000 millones actuales [1993]) y existía un considerable stock de productos agropecuarios que los países que salían del conflicto habrían de demandar a altos precios".*[15]

Se cuenta que gran parte de las prácticas políticas que Perón llevó a cabo, las incorporó observando al caudillo bonaerense Manuel Fresco (quien gobernó la provincia de Buenos Aires entre 1936 y 1940). Este último explotaba al máximo el culto a la personalidad, el clientelismo (bajo apariencia de "políticas sociales") y frecuentaba las arengas a la muchedumbre desde la Casa de Gobierno. Con este y otros antecedentes, Perón institucionalizó y nacionalizó una forma de hacer política que marcó a fuego la vida pública argentina hasta nuestros días: estamos hablando del populismo.

¿Y que es el populismo? El populismo no es una ideología, sino un modo execrable de hacer política. No es fácil dar una definición del todo precisa, puesto que hay diversos matices de populismo: los hay de corte seudonacionalistas, los hay de tinte "progresista", los hay civiles y los hay militaristas. Pero más allá de los subtipos, en líneas generales, el populismo se caracteriza por la práctica política del "cortoplacismo" y de toda una fraseología discursiva prometedora de espejismos imprecisos y de un porvenir rosado con horizontes tan promisorios como indefinidos y así, el mandatario populista promete y "decreta" una supuesta sucesión de éxitos fáciles y embriagantes. Pero si de algún modo podemos detallar cuál es la característica central, en materia económica, del populismo, es justamente la irracional adhesión al gasto público superfluo (colocado al servicio del clientelismo y la captura de voluntades) casi siempre acompañado por el desequilibrio fiscal.

El vicio en cuestión se institucionalizó a lo grande en los años 40, cuando las enormes reservas existentes ascendían a cifras siderales y el propio Juan Domingo Perón admitía que por los pasillos del Banco Central *"no se podía caminar de la cantidad de oro que había"*. No obstante, se encargó con tesón de fulminar esta fabulosa riqueza, tras una irresponsable administración estatista de corte festivo. En este lapso (1946-55), los servicios públicos y las grandes empresas consideradas "depositarias de la soberanía nacional" fueron estatizados. Entre ellos, los ferrocarriles, los teléfonos, las líneas aéreas, las flotas marítimas y fluviales, los puertos, la explotación del petróleo, el gas, la energía eléctrica, el carbón, el hierro, los más grandes bancos, la mayor parte de la industria naviera y aeronáutica, las presas y diques, la elaboración del cobre, la energía atómica, los seguros y reaseguros, las fábricas de pólvora, de armas y de equipos militares, los transportes terrestres, etc. Se aplicaron controles de precios, de salarios, de tipos de cambio, de las exportaciones e importaciones y demagógicas regulaciones laborales. Los desarreglos estatistas y patrioteros (que nada tienen que ver con el nacionalismo sano y genuino) no tardaron en hacerse presentes. De este modo, el vicio del empleo público comenzó a proliferar desembozadamente y, hacia 1954, *"el número de empleados públicos había ascendido a 725.000, en comparación con un promedio de 370.000 entre 1940 y 1944"*.16

Mientras la gestión peronista avanzaba en sus aventuras repartidoras de alegría, en 1949, el desabastecimiento comenzaba a hacerse notar y *"la cosecha de maíz del año 1939 y 1940 era de 10 millones de toneladas. En el año 1949 y 1950 fue apenas de 800.000 toneladas"*.17 Además, en 1951 la cosecha de trigo fue apenas *"de 2 millones de toneladas, notablemente menor a la de 1940 que fue de 8 millones"*.18 El sistema "industrialista" de Perón provocó que no produjéramos ni siquiera maquinarias para el campo. Tanto es así que quien en 1949 había demagógicamente declarado que *"se cortaría las manos antes de pedir un crédito al exterior"*,19 a principios de 1950 negociaba *"un crédito de largo plazo con el Eximbank por valor de 125 millones de dólares aplicado a la compra de maquinarias agrícolas"*.20 En 1952, el dispendio llegaba a su fin y el salario del peón industrial *"bajó el 25% con relación a 1948 y el del obrero especializado descendió el 30%"*.21

Las políticas "sociales" impuestas por el régimen lograron que el país "de las vacas y el trigo" se viera compelido a padecer un racionamiento tan severo, que hubo que comer pan negro y en 1952 "por vez primera en el siglo XX, la Argentina debió importar trigo de Canadá". En las postrimerías del régimen, en 1955, se *"estaba exportando por un monto en dólares menor al de 1920. [...] teniendo en cuenta que un dólar era en 1920 mucho más valioso que en 1955, la comparación es todavía peor: en moneda constante, la Argentina exportó en el primer lustro de los años 50 apenas la mitad de lo que había exportado en 1920-24"*.22

En medio de la escasez, Perón pronunciaba desopilantes discursos en los que afirmaba *"mirar los tachos de basura a las cinco de la mañana y encontrar en ellos demasiados desperdicios"*.23 En 1955, la Argentina (que pocos años atrás era una potencia pujante envidiada por toda la comunidad internacional) ya se encontraba sin reservas, con incipiente endeudamiento, y la emisión de moneda no disparó del todo la inflación, porque el régimen recurrió al saqueo de las cajas jubilatorias en forma compulsiva para apalear el déficit. La debacle se manifestó de un modo tan agudo que "*entre los años 1948 y 1963 el aumento del producto* per cápita *a nivel mundial promedió el 50%. En ese mismo lapso, la Argentina alcanzó un magro 4%*".[24] Así como nuestro crecimiento había sido meteórico, luego se dio el proceso inverso: "*caso único en el mundo, la Argentina había exportado en 1961 menos dólares que en 1928, siendo el valor unitario en dólares de las exportaciones aproximadamente el mismo*".[25]

Si la economía se desploma, va de suyo que se resiente la calidad de vida de los ciudadanos (fundamentalmente de los más pobres). Sin embargo, uno de los presuntos méritos que se le suelen atribuir a la prolongada gestión de Perón fue la eternamente mencionada "justicia social", la cual en verdad no fue más que un pasajero flujo de dicha y consumo como consecuencia del derroche promovido. Asimismo, parte de todo ese bagaje de recordadas políticas "populares" fue conformado por la enorme proliferación de leyes laborales (copiadas de la *Carta del Lavoro* mussoliniana), sustentadas por el impulso y consolidación que se le dio a la infausta corporación sindical. Luego de impuestas estas leyes presuntamente beneficiarias de los trabajadores, nunca más vinieron inmigrantes a trabajar al país. A *contrario sensu, "los seis millones de inmigrantes que vinieron a la Argentina entre 1853 y 1930 estaban protegidos por solamente seis artículos del Código Civil de 1871. No había desempleo, y los trabajadores progresaban como nunca antes lo habían soñado*".[26] En efecto, la movilidad social ascendente y la mejora en la calidad de vida del ciudadano se logran generando condiciones sensatas para invertir y no abarrotando de leyes simpáticas portadoras de rimbombantes declaraciones de principios y derechos que luego no sólo no mejoran la realidad del asalariado, sino que la complican. Efectivamente, el populismo ama a los pobres, y amándolos los multiplica.

En los últimos tiempos de su repartidora gestión, ante el desesperante desenlace de un país que mutaba de la grandilocuente prosperidad a la quiebra en tiempo récord, a modo de ultimo recurso y "manotazo de ahogado", Perón tiró a la basura sus desafortunados lemas tan festivamente cantados como "combatir el capital" y dictaminó *una ley que promovía las inversiones extranjeras en 1953". El año anterior, ya había firmado un acuerdo de negociaciones con la FIAT de Italia. [...] pero era sólo un modesto comienzo*".[27]

A esto hay que sumar el contrato petrolero con la empresa California Oil Company y en ese mismo año, la visita de Milton Eisenhower (hermano del presidente norteamericano), quien fue recibido a cuerpo de rey e incluso salió del brazo de Perón al balcón de la Casa Rosada a saludar a la muchedumbre. Con respecto a esta visita, el 30 de julio, Perón escribía en el diario oficialista *Democracia: "hace pocos días un americano ilustre, el Dr. Milton Eisenhower, llegaba a nuestro país en representación de su hermano, el presidente de los EE.UU. [...] Una nueva era se inicia en la amistad de nuestros gobiernos, de nuestros países y de nuestros pueblos*".[28]

Pero la lucidez tardía tiene su costo. El estatismo y el despilfarro instalados ya eran irreversibles para un régimen al que se le acortaban las perspectivas de vida y para darnos una idea de hasta dónde había ascendido el dispendio, tengamos en cuenta que *"el gasto del Estado en la Argentina representaba el 14% del PBI en 1925 y se transformó en 1955 en el 42%"*.[29]

Con esta formidable prodigalidad, Perón logró generar un desparramo transitorio de aparente bienestar a sectores de la sociedad que hasta entonces vivían sin caer en la indigencia; pero que llevaban una sacrificada vida de austeridad, aunque tenían un estándar de vida por lejos muy superior al de la mayoría de las grandes potencias del mundo y directamente incomparable con la calidad de vida del resto de los países latinoamericanos. Este disfrute, necesariamente pasajero instaurado por Perón, ocasionó que los sectores menos pudientes vieran en él una suerte de "patriarca salvador", imagen que nunca se borraría de sus vidas y se transmitiría de generación en generación. Al mismo tiempo, Perón fomentaba ese papel y entre otras cosas se hizo fabricar una "marcha" que repetía la consigna: *"Perón, Perón, ¡qué grande sos! ¡Cuánto valés, mi general! y la cantaban delante de él sus ministros, diputados, jerarcas, maestros y alumnos"*.[30]

Fue el único régimen totalitario de la historia nacional. Por el contrario, ciertos gobiernos de facto que hubo en nuestro país fueron, en todo caso, autoritarios. Sendos conceptos (totalitarismo y autoritarismo) que a veces se suelen presentar o utilizar como sinónimos poseen una diferencia vital. Mientras que el autoritarismo solo busca de los ciudadanos la obediencia, el totalitarismo, además de la obediencia, busca la adhesión.

Para lograr tal cosa, se tornaba indispensable llevar a cabo un abrumador y hegemónico bombardeo propagandístico en todas las escalas y en todas las edades. En los textos de las escuelas primarias, lo primero que los educandos aprendían a deletrear era la oración "Evita me ama". En los cines, la propaganda del régimen se transmitía a través del noticiario *Sucesos argentinos* y, complementariamente, se embestía con un hostigamiento visual conformado a base de bustos, estatuas, carteles, cambio de nombres a plazas, ciudades, calles y toda una multiplicación de afiches que a modo de seudoreligión rezaban el versículo "Perón cumple, Evita dignifica". Nunca en la historia nacional el culto a la personalidad fue explotado de modo tan grotesco. La ciudad de La Plata fue rebautizada con el nombre "Eva Perón", la estación de trenes de Retiro pasó a llamarse "Pte. Perón", las provincias de Chaco y Misiones cambiaron su nombre por "Pte. Perón" y "Eva Perón", respectivamente. El endiosamiento al matrimonio presidencial fue tan lejos, que Perón fue proclamado "Libertador de la República" y Eva Perón, "Jefa espiritual de la Nación" por los rastreros y subordinados legisladores del Congreso.

Se vivía en el absurdo. En los ya citados textos infantiles, la imagen de "Evita", cual estampa religiosa, aparecía con un halo dorado y rodeada de ángeles. Pero la teatralización mística del Peronismo no se limitaba a la propaganda visual, sino también doctrinal. Tanto es así que Perón creó una serie de "mandamientos" (algunos notablemente ridículos), que en lugar de llamarse (como sucede en cualquier partido político medianamente civilizado) "declaración de principios", "base doctrinaria", "principios partidarios" o algo por el estilo, cual decálogo mosaico se dio en llamar "Las veinte verdades peronistas". La sola mención de la palabra "verdad" nos conduce a una concepción dogmática que, si bien es aceptable en la religión (que necesariamente tiene que ser dogmática), es desechable en cuestiones políticas. Perón no era un profeta (ni traía verdades reveladas), sino un caudillo maquiavélico de notable carisma e inusual habilidad para el manejo político, pero tan falible como el resto de los hombres de la función pública, o incluso más todavía si nos detenemos a analizar un poco el resultado de sus desafortunadas gestiones gubernamentales.

En efecto, "Las veinte verdades" (que se siguen citando y repitiendo en unidades básicas y encuentros partidarios como si fuesen dogma de fe) tenían proverbios insólitos que exaltaban espectacular y demagógicamente a la muchedumbre a través de letanías, como *"En esta tierra lo mejor que tenemos es el pueblo"* ("verdad" número veinte), o *"No existe para el Peronismo más que una sola clase de hombres: los que trabajan"* ("verdad" número cuatro), o la "verdad" número siete destinada a masificar al sujeto y neutralizar sus iniciativas personales: *"Ningún peronista debe sentirse más de lo que es, ni menos de lo que debe ser. Cuando un peronista comienza a sentirse más de lo que es, empieza a convertirse en oligarca"*. Siguiendo en esta inteligencia destinada a despersonalizar al individuo y convertirlo en un instrumento del partido, la "verdad" número ocho ordena: *"En la acción política la escala de valores de todo peronista es la siguiente: primero la patria, segundo el movimiento y luego los hombres"*. Lo de la patria lo aceptamos, pero ordenar a sus adherentes a anteponer sus intereses particulares a los de un partido político (en este caso de propiedad de Perón) constituía una verdadera ruinada. Fomentando la división entre los argentinos, la "verdad" número seis rezaba: *"Para un peronista no hay nada mejor que otro peronista"*. Cabe destacar que esta última "verdad" fue modificada tardíamente por el propio Perón en los años setenta quien, ya en el regreso al país tras prolongado exilio, remplazó el aforismo antedicho por el siguiente: *"Para un argentino no debe haber nada mejor que otro argentino"*.[31] Obviamente, para que la masa acate estos y otros "pensamientos" tan primitivos, era necesario que sus seguidores no efectuaran un análisis de la realidad política y social demasiado complejos, y por ende (para controlar mejor a sus partidarios), el régimen promovía el desprecio por la inteligencia y la cultura, a través de frases tajantes de Perón tales como: *"alpargatas sí, libros no"*, *"haga patria, mate a un estudiante"*, o las arengas de Eva predicando: *"Aquí no necesitamos muchas inteligencias,*

sino muchos corazones, porque el justicialismo se aprende más con el cora-
zón que con la inteligencia".32

Desde el punto de vista institucional, Perón inauguró una argucia que marcó para siempre al resto de las gestiones peronistas: el desmantelamiento de la Corte Suprema a efectos de rearmar y forjar otra, pero adicta.

Lo primero que hizo entonces fue llevar adelante un juicio político a los miembros de la corte, con el insólito argumento de que dichos jueces habían "convalidado el golpe de 1943", en el cual, paradójicamente, participó Perón, nada menos que en carácter de ministro y vicepresidente del gobierno de facto.

En materia educativa, además del adoctrinamiento a los pequeños, manipuló la Universidad expulsando a más de mil doscientos profesores que no eran adictos al régimen. A los políticos que cuestionaban el Gobierno, sin demasiadas vueltas, se los encarcelaba y así numerosos dirigentes fueron privados de su libertad, entre ellos Arturo Frondizi y Ricardo Balbín. Otros opositores no ligados al partidismo, también padecían idéntica suerte de encarcelamientos y torturas, tal como le ocurrió a personalidades destacadas, como el escritor Félix Luna o el entonces joven estudiante Mariano Grondona (quien padeció simulacros de fusilamiento solamente por disentir con el régimen y nada más que por ello).

Al mismo tiempo, mucho se ufanan los peronistas de haber llegado a ser el partido "con mayor cantidad de afiliados de Sudamérica", pero nada dicen acerca de que la mentada afiliación fue de carácter obligatorio para todos los empleados públicos, bajo pena de expulsión a quienes no se sometieran a dicha adhesión. Los diarios opositores, como *La Prensa,* fueron confiscados y entregados a la CGT. El diario socialista *La Vanguardia* fue incendiado, al igual que numerosas iglesias de la Capital Federal y muchas otras instituciones en las que predominaban ambientes opositores. Ya por 1947, alegando "elementales razones de defensa nacional y concepción espiritual", se estatizaron las emisoras privadas a efectos de controlar absolutamente toda información e impedir el acceso a los medios de comunicación a los partidos opositores. De esta manera se manejaba discrecionalmente un país en el que estaba permitida la existencia de un solo noticiero radial (que obviamente era del Estado); el grueso de la ciudadanía, para saber lo que realmente ocurría en el país, se tenía que refugiar escuchando Radio Colonia de Uruguay.

En 1949, a efectos de perpetuarse en el poder, Perón modificó la Constitución, de facto y de cuajo (a través de una Convención Constituyente ilegal) e impuso así la Constitución de 1949 que, además de permitir la figura de "reelección indefinida", instituyó una deletérea legislación colectivista inspirada en las de Alemania (Weimar de 1919) y México (Querétaro de 1917).

A lo largo de sus años de gestión, los extensos discursos públicos de Perón (siempre oídos por una multitud de acólitos que abarrotaba las calles) poseían un frecuente contenido agresivo de connotaciones insólitas y desconcertantes. De entre ellos, rescatamos frases como *"el día que ustedes se lancen a colgar, yo estaré del lado de los que cuelgan"* (2 de agosto de 1946), *"con un fusil o con un cuchillo a matar"* (24 de junio de 1947), *"levantaremos horcas en todo el país para colgar a los opositores"* (8 de septiembre de 1947), *"vamos a salir a la calle una sola vez para que no vuelvan más ellos ni los hijos de ellos"* (3 de junio de 1951), *"distribuiremos alambre de fardar para ahorcar a nuestros enemigos"* (31 de agosto de 1951), *"eso de la leña que ustedes me aconsejan, ¿por qué no empiezan ustedes a darla?"* (16 abril de 1953), *"aquel que en cualquier lugar intente alterar el orden en contra de las autoridades puede ser muerto por cualquier argentino. [...] Y cuando uno de los nuestros caiga, caerán cinco de ellos. [...] Que sepan que esta lucha que iniciamos no ha de terminar hasta que los hayamos aniquilado y aplastado"* (31 de agosto de 1955).

Analiza Vicente Massot: *"Una de las principales características del régimen fue el contraste entre el terrorismo verbal del jefe del movimiento y la mansedumbre de sus seguidores. [...] Es que al tiempo que se les dirigía esos discursos cargados de odio, se les recomendaba, a manera de sentencia, que debían ir 'de casa al trabajo y del trabajo a casa'. Obviamente, Perón quiso meter miedo a toda la oposición desde el principio mismo de su gestión"*.[33] Es certero este análisis pues, durante su prolongada tiranía, en principio Perón no mató ni ordenó matar a nadie, ya que no había focos insurreccionales como para incurrir en tal cosa. Empero, vale complementar que después de su derrocamiento, él mismo justificó su escape alegando que *"quería evitar una guerra civil"*, cosa que no se ajusta a la verdad, pues tal como afirma el más importante biógrafo de Perón, Joseph Page: *"A mí me parece muy interesante que en 1955 Perón salió del país diciendo que no quería provocar una guerra civil. Pero de inmediato, en el exilio, organizó la resistencia. Y, si se quiere, condujo a una guerra civil"*.[34] Efectivamente, tanto durante su exilio (en donde se reunía con los montoneros y los instigaba a la guerra de guerrillas y aplaudía sus crímenes) como durante su tercera presidencia (en donde a través de López Rega creó la Triple A para eliminar a los montoneros), Perón fue uno de los principales responsables de la prolongada guerra civil que más tarde viviría el país (y cuyo análisis constituye el *leit motiv* de la obra presente). Si tanto amaba la paz, no hubiese promovido tales matanzas desde el extranjero. El hecho de que no las haya puesto en marcha desde su país obedeció probablemente a falta de coraje.

A pesar de que sus fervorosos acólitos se esfuerzan en imponer la ficción de presentar a su líder como un "estadista" (que por definición es aquel gobernante que gestiona previendo y anticipándose al futuro), nada más lejos estuvo Perón de tamaña etiqueta. Prácticamente fue infalible en el error: creyó firmemente en la inminencia de una tercera Guerra Mundial (incluso preparó tropas al efecto) que nunca hubo, aplicó una política estatista (copiando modelos caducos llevados a cabo en algunos países en los años 30) en lugar de una capitalista que luego hizo saltar al progreso a las potencias que la pusieron en práctica, llevó adelante una legislación laboral inspirada en la *Carta del Lavoro* de Mussolini creyendo que por mero voluntarismo leguleyo iba a generar empleo o aumentar la calidad de vida del asalariado (algo que ya está demostrado que no es así) e insistió arengando contra Gran Bretaña como potencia hegemónica cuando en verdad, después de la Segunda Guerra Mundial, EE.UU. era el país que claramente lideraba occidente.

Siempre en zigzag, Perón trataba de recolectar voluntades a cualquier precio, afirmando vaguedades como *"yo mando en conjunto, pero no en detalle. [...] ¡no estoy con nadie; estoy con todos¡"*.[35] La contradicción, por definición, es "la negación de la afirmación" y en esta disciplina el caudillo descollaba. Maestro en el arte de la declamación y destacado sofista, sus fieles suelen citar frases pretendidamente "visionarias", por ejemplo, aquella que rezaba: *"el año 2000 nos encontrará unidos o dominados"*, y risueñamente arremeten con admirado asombro: *"cuánta razón tenía Perón en su vaticinio"*. En rigor de verdad, el eslogan equivale a decir "mañana lloverá o no lloverá". Sin temor a equivocarnos, alguna de las dos posibilidades esbozadas en esta frase sucederá, lo curioso sería exaltar el no muy sofisticado apotegma como "premonitorio" dada la trampa intrínseca contenida en él. Sin embargo, suele ser uno de los "pensamientos" más aplaudidos y enaltecidos por la runfla que (para asombro del mundo civilizado) lo adula todavía. El ejemplo de frase que expusimos arriba simboliza y sintetiza la permanente dualidad con la que se manejaba el líder. Debido a esa pericia para armar y desarmar sus discursos según auscultaban los vituperios de la muchedumbre, el ya citado Joseph Page afirmó al respecto sobre Perón: *"elevó el ejercicio de la ambigüedad hasta una forma artística"*.[36] Pero la mentada elasticidad llega a su fin en su tercer mandato (dos décadas después, en 1973), en donde, como más adelante veremos, acorralado y coaccionado por las circunstancias (que ya no le permitían proseguir "jugando a dos puntas") en el epicentro de una guerra civil, no dudó en colocarse definidamente en la contrarrevolución anticomunista y, al mismo tiempo (es justo decirlo), en su tercera presidencia mostró una notable evolución hacia la tolerancia para con los partidos políticos opositores (a quienes en los años 40-50 perseguiría o virtualmente proscribiría).

Respecto del mentado "doble discurso" al que insistentemente recurría el iconográfico caudillo, el pensador y ensayista Alberto Benegas Lynch (h) explica: *"En este mismo contexto, también nos dice Orwell que 'el doble pensamiento significa el poder de mantener en la mente dos ideas contradictorias en forma simultánea y aceptar las dos'. Difícil tarea por cierto, pero esta es la razón de las actitudes incoherentes. Es cuando en el subconsciente se tienen archivados conceptos opuestos bajo un mismo rubro. Pero hay una situación peor que revela gran deshonestidad intelectual y es la de darse cuenta de la contradicción y, sin embargo, postular las dos ideas según la audiencia. Lo primero es un error, lo segundo pura malicia".*[37] ¿En cual de las dos categorías se encuentra Perón? Que cada uno saque las conclusiones que considere apropiadas.

En materia ideológica, Perón era una suerte de personaje de extracción "nacional-populista" al estilo latinoamericano y, como todo populista de tinte "movimientista", llevaba intrínseco un juego pendular que convirtió a su partido en un objeto reversible como una campera, adornado con un vagaroso discurso declamativo (al que sus adeptos sobredimensionan llamándolo "doctrina") cuyas palabras y fraseologías por su inherente imprecisión resultan adaptables y acomodables a cualquier coyuntura por cambiante que fuere.

En efecto, Perón nunca fue un hombre de definiciones ideológicas concretas. Sus notables habilidades discursivas lo transformaban en un eximio charlista capaz de arengar de izquierdas a derechas sin intervalos. Precisamente, el péndulo "movimientista" le permitía incorporar adherentes de todos los colores doctrinarios y hacía de esta práctica acumulativa de voluntades un culto al afirmar: *"Los votos son cuantitativos, pero los gobiernos son cualitativos".* Y con el objeto de que no se le "escape" ningún votante o militante (por más prontuario que tuviera) arremetía: *"Yo no soy juez. [...] estoy para llevarlos a todos, buenos y malos. [...] Porque si quiero llevar sólo a los buenos me voy a quedar con muy poquitos. Y en política con muy poquito no se puede hacer mucho".*[38] Por ende, con ese afán irrefrenable de colocar "lo que venga" dentro de la bolsa partidaria, el Peronismo quedó marcado para siempre (y en la actualidad más que nunca) como un movimiento que no es ni opositor ni oficialista, ni de derecha ni de izquierda, sin sitio concreto en ninguna parte, pero omnipresente en todo lugar. De esta manera, determinados sectores de izquierda alineados en el Peronismo rescataban el estatismo económico y las prebendas regaladas a sectores obreros y, a *contrario sensu,* algunos círculos nacional-socialistas (que mayormente lo apoyaron solo en los primeros tiempos) destacaban su origen militar, su prédica de la "alianza de clases", su formación en la Italia mussolinista, sus prácticas corporativistas, sus simpatías con el eje durante la Segunda Guerra Mundial y el refugio dado a soldados alemanes de posguerra (entre ellos a personajes como Adolf Eichmann o Joseph Mengele). Como si este cocoliche fuera poco, durante los años noventa, en pleno apogeo menemista, ciertos defensores del libre mercado destacaron de Perón su "faceta liberal" citando el inconcluso acercamiento a las privatizaciones al promediar los años 50.

Fuera del plano doctrinal y acercándonos a aspectos de su órbita personal, por entonces se produjeron episodios escandalizantes como el sospechoso "suicidio" de Juan Duarte (hermano de Eva) y como papelón mayúsculo, se dio a conocer la relación que Perón mantuvo *con una menor de 14 años llamada Nelly Rivas".*[39] (Lo cual constituía un delito previsto en el Código Penal Ordinario). En este último caso, creía ser coherente el estuprador lenguaraz al recitar su conocido apotegma: *"Los únicos privilegiados son los niños"*.

En las postrimerías de su kilométrica gestión, en el medio de la tensión y las conspiraciones políticas para derrocarlo, el 11 de junio de 1955, se llevó adelante una multitudinaria procesión de *Corpus Christi* (que había sido prohibida por el régimen) de doscientos cincuenta mil personas, y en ella los peronistas quemaron una bandera argentina intentando luego culpar a los católicos. Meses después, el vicepresidente Eduardo Teisaire reconoció: *"Dicha felonía se ejecutó no sólo con la autorización de Perón, sino bajo su inspiración"*. Cuenta Joseph Page: *"Del otro lado del Atlántico, Sir. Wiston Churchill pronunciaba un devastador dictamen: Perón es el primer soldado que ha quemado su bandera y el primer católico que ha quemado sus iglesias"*.[40]

Cinco días después, el 16 de junio, estalló un intento revolucionario comandado por civiles y militares, el que falló por falta de apoyo terrestre y naval. Los aviones de la Marina bombardearon la Plaza de Mayo (episodio del que Perón ya había sido anoticiado formalmente por sus enemigos con antelación suficiente), y Perón se escondió en el segundo subsuelo del edificio Libertador, mientras algunos de sus partidarios se convocaron en la plaza en defensa de su líder. Hubo numerosos muertos y heridos (las cifras más difundidas hablan de trescientos caídos), y la revolución no llegó a su fin. Ante el fracaso y el alarmante y desatinado cúmulo de víctimas, el contralmirante Benjamín Gargiulo (quien tenía a su cargo parte del accionar de los aviones de la Marina), en gesto que al menos pone de manifiesto sus conceptos de honor y honra, se suicidó. Finalmente, tres meses después (el 16 de septiembre de 1955), las fuerzas revolucionarias comandadas por el Grl. Lonardi se alzaron contra el régimen y, tras tres días de movilizaciones y enfrentamientos, el 19 lograron definitivamente derrocar a Perón, que se escapó refugiado en una cañonera paraguaya. La mitad del país salió exultante a las calles a festejar el derrumbe de los diez años de tiranía. A la otra mitad, se le había terminado la fiesta.

La Revolución Libertadora. Tras una década de opresión, en septiembre de 1955 al grito de "libertad" una multitud se congregó en Plaza de Mayo a festejar la caída de Perón y a saludar la asunción de las nuevas autoridades.
(Fuente Suplemento diario La *Nación*, "Testimonio de tres siglos, 135 años", editado el 4 de enero de 2005)

El Peronismo ha muerto. ¡Viva el Peronismo!

En el ambiente militar siempre estuvo presente la evitable riña entre "nacionalistas" y "liberales" aunque, en general, ningún bando solía ser puramente nacionalista ni puramente liberal, sino que mayormente sendas corrientes entremezclaban ambas doctrinas y en puridad, lo que había eran sectores con tendencias nacionalistas o tendencias liberales. Lo cierto es que Lonardi (cercano al nacionalismo) se consagró Presidente de la Nación, pero por muy poco tiempo, puesto que la fragilidad de su salud (sumándose los problemas internos entre la cúpula gobernante) ocasionó que seguidamente, el 13 de noviembre, lo reemplazara el Grl. Pedro Eugenio Aramburu, más cercano a sectores liberales.

La caída de Perón fue bautizada y popularmente conocida como la "Revolución Libertadora". Desde el mismo momento de su inicio, esta se comprometió a llevar a cabo una transición de dos años y así, en 1957 se recuperaron efectivamente las libertades civiles y políticas conculcadas durante casi una década. No obstante, estas últimas libertades (las políticas) tenían una discutible vigencia: el Partido Justicialista (que era el mayoritario en votos) estaba proscripto. Dentro de las proscripciones, se emitió un absurdo decreto (4161/55) que prohibía nombrar la palabra "Perón" y cualquier terminología o simbología que representara al Peronismo y a su exiliado jefe. De este modo, los enemigos de Perón, en lugar de erradicarlo de la vida nacional, lograban el efecto contrario, pues esa metodología "negatoria" hasta de las palabras, no hacía más que convertir a un caudillo carismático en un mito viviente. Además, esta política de tensión consistente en "desperonizar" el país provocó un alzamiento encabezado por los generales Valle y Tanco en 1956. Este fracasó y sus conspiradores fueron detenidos y a varios de ellos se les aplicó la ley marcial y, así, fueron fusilados once oficiales, siete suboficiales y nueve civiles. Procedimiento similar se llevó a cabo en José León Suárez con un grupo de comandos civiles que se habían plegado a la conspiración. La antinomia peronismo-antiperonismo dividía con odio las aguas del país.

Durante el interregno de la Revolución Libertadora, la Constitución Nacional de 1853-60 fue nuevamente puesta en vigencia, luego de la Convención Constituyente iniciada el 30 de agosto de 1957, y en ella se agregó el demagógico artículo "14 bis", verdadero mamarracho voluntarista totalmente desentonado con el espíritu del resto de la Carta Magna, pero que fuera puesto como una suerte de "compensación" tras tantos años de dispendio populista.

Desde entonces, los sucesivos gobiernos obrantes durante el lapso de proscripción del Peronismo conservaron intacto el aparato estatista y la política deficitaria en materia fiscal. Los gobiernos civiles que tuvieron lugar posteriormente (Frondizi e Illia) fueron exiguos, débiles y signados por la mediocridad. En materia económica el estatismo no se aminoró nunca, y si bien bajo el gobierno de Frondizi (1958-62) y el del general Juan Carlos Onganía (1966-68) en la cartera de Economía se habían designado ministros de extracción privatista y afines al libre mercado (Álvaro Alsogaray y Adalbert Krieguer Vasena, respectivamente), por diversos motivos, en estos fugaces intervalos, no se llevaron a cabo reformas profundas y el estatismo gestado en los años 40 no sufrió modificaciones sustanciales, sino que, más allá de algunos pasajes en los cuales el estatismo no fue promovido (como en los sendos casos citados), tampoco fue restringido y, como saldo final, siempre quedó un Estado que, con mayor o menor intensidad, se fue ensanchando sin pausa.

En definitiva, voces más que autorizadas sostienen que luego de la caída del régimen de Perón, en materia económica sobrevino un "Peronismo sin Perón". A modo de anécdota ejemplificadora, en un reportaje efectuado a Perón, estando en España, se le pregunta acerca de la composición ideológica de la sociedad argentina, a la que el caudillo (con la ironía que lo caracterizaba) responde: *En argentina hay un 33% de radicales, un 33% de socia-*

listas y un 33% de conservadores". "¿Pero cómo? –interrumpió el periodista–, *¿y los peronistas general?". "¡Ah, no!, ¡peronistas son todos!",* replicó.
Efectivamente, al caer el régimen peronista, la cultura del populismo estaba instalada y afianzada y, como ya no quedaban reservas para financiar la política estatista-deficitaria, hubo entonces que financiar al populismo de otro modo.
Se acudió entonces a un nuevo artilugio: la emisión de moneda sin respaldo.

Traspasando todos los gobiernos y extracciones (salvo muy fugaces intervalos), el sistema dirigista y emisionista permaneció intacto, y los gobiernos sucesores no cambiaron ni una coma de la política instaurada en los años
cuarenta, sino que la ampliaron y consolidaron. Como ya fuera dicho, luego
de la Revolución Libertadora, en 1955, se inicia un período de gestiones opa-
cas en el que alternaron democracias frágiles (con el Peronismo proscripto) y
golpes cívico-militares. Tanto es así que en ese lapso que duraría dieciocho
años, hubo doce presidentes de la Nación, seis de ellos generales (contando
a Perón) y cinco civiles –Lonardi, Aramburu, Frondizi, Guido, Illia, Onganía,
Levignston, Lanusse, Cámpora, Lastiri, Perón y María Estela Martínez de Perón– y al mismo tiempo, hubo veintiocho ministros de Economía. Como vemos, uno de los grandes dramas del período posperonista fue la falta de gobernabilidad y los sobresaltos institucionales.

Antes de 1930, la Argentina poseía crecimiento económico y estabilidad
institucional. Luego del derrocamiento de Yrigoyen, la estabilidad institucional se comenzaba a resquebrajar, pero proseguían intactas y pujantes la prosperidad económica y la movilidad social ascendente. A partir de la irrupción
de Perón, como protagonista absoluto de la escena (1946), el país no gozó ni
de estabilidad institucional ni de prosperidad económica. Según el pensador
Mariano Grondona, las constantes irrupciones de gestiones cívico-militares
obedecen a que en el sistema partidario de las democracias occidentales es-
tables *"alternan dos partidos profundamente diferentes. Uno populista, de
distribución y permisividad. Otro conservador, de orden y acumulación. [...]
los partidos que aquí predominan son (UCR y PJ), ambos, populistas. Nuestro sistema de partidos no es solamente bipartidario; es, además, bipopulis-
ta [...] suena la hora conservadora entonces, es necesariamente una hora
militar".*[41]

Después de la Revolución Libertadora

La Revolución Libertadora llama a elecciones al poco tiempo, y en 1958
asume la Presidencia el Dr. Arturo Frondizi, quien por entonces se había escin-
dido de la UCR y se presentó bajo la denominación "UCRI" (Unión Cívica Radical Intransigente). Pero para poder acceder al poder, Frondizi dejó a un lado
la "intransigencia" y llevó a cabo un pacto con Perón, dentro del cual este últi-

mo ordenaba a sus feligreses votar por Frondizi, quien una vez en el poder iría paulatinamente reincorporando al Peronismo a la vida política. Cuenta Jorge Antonio (dirigente del círculo más íntimo de Perón) que en este acuerdo también se incluyó un pago en dinero, y en cumplimiento *"le llevaron 85.000 dólares a Perón. Frondizi le mandó dinero por medio de Frigerio"*.[42]

Ya desde el comienzo, el gobierno de Frondizi tuvo serias contradicciones. Por un lado, poco antes de constituirse en Presidente, había publicado un libro titulado *Política y Petróleo* en donde proponía soluciones estatizantes para la explotación de los recursos naturales; por el otro, a poco de andar, nombró como ministro de Economía al ingeniero Álvaro Alsogaray, de inequívoca tendencia privatista. Asimismo, la mano derecha de Frondizi era el ya citado Rogelio Frigerio, personaje dogmático formado en la izquierda stalinista.

Si bien prácticamente no tiene seguidores y el partido fundado por el mismo Frondizi (el MID) hoy no es votado ni por el fiscal de mesa, resulta asombroso avizorar cómo, en la actualidad, muchos dirigentes políticos y periodistas de imprecisa tendencia suelen rememorar a Frondizi como un "estadista". Pero creemos que esta desmesurada exaltación a Frondizi tiene en verdad una finalidad más instrumental y demagógica que genuina, puesto que en los discursos laxos y descomprometidos de las vagarosas fuerzas del "centrismo" actual, reivindicar al ex Presidente cae como "anillo al dedo". En efecto, adular a Frondizi, de alguna manera, no despierta grandes odios en ningún lado y tácitamente cae relativamente simpático o en el peor de los casos es indiferente a todos los colores ideológicos. Los radicales, a la distancia, no lo odian porque en definitiva Frondizi era de origen radical. Los keynesianos tampoco lo abominan porque precisamente el "desarrollismo" (al que abiertamente adhería Frondizi) es de inspiración keynesiana. Los liberales tampoco lo detestan porque Alsogaray fue su ministro de Economía varios meses. Los peronistas tampoco lo odian porque fue precisamente él quien pactó con Perón y promovió políticas destinadas a apaciguar la proscripción del Peronismo. Finalmente la izquierda tampoco lo desprecia puesto que por entonces no operaba la guerrilla (por ende no fue reprimida) y al mismo tiempo, Frondizi se dio el lujo de recibir y reunirse en la Casa de Gobierno con el guerrillero Ernesto *Che* Guevara y durante su gestión se votó en contra de la exclusión de Cuba de la OEA (Organización de los Estados Americanos). En definitiva, hablar de "frondizismo" es no hablar de nada concreto, y para el difuso y descomprometido discurso actual, reivindicarlo como semiprócer encaja perfecto, o por lo menos no resta votos.

Respecto al nombramiento de Alsogaray en la cartera de Economía (cuyas ideas estaban en las antípodas de lo que el mismo Frondizi había escrito en su citado ensayo *Petróleo y Política*, en 1954), Frondizi efectuó una extraña confesión al pronunciar: *"Antepongo mi orgullo de escritor a los inte-*

reses de la patria", ante lo cual reconoció expresamente que su libro era contrario a los intereses del país. Gesto de sinceridad inusual en un político.

En cumplimiento de lo pactado con Perón, Frondizi normalizó la CGT, sancionó la Ley de Asociaciones Profesionales (inspirada por Perón) y liberó a presos políticos de extracción peronista. Lo cierto es que en 1962, con su posición dialoguista y aperturista frente al Peronismo, Frondizi genera un malestar que acaba teniendo por consecuencia su derrocamiento por una camarilla cívico-militar, y la sucesión en el cargo del presidente provisional del Senado por José María Guido, quien a poco de asumir llama a elecciones para octubre de 1963. En esta componenda para derrocar a Frondizi fue destacada la participación de relevantes miembros de la UCR, *"entre ellos el habitual golpista Zavala Ortiz, futuro ministro del gobierno de Illia; Carlos Perette, futuro vicepresidente; Santiago Nudelman y Arturo Mathov".*[43]

Como ya fuera dicho, el presidente de facto fue el civil José María Guido y *"los radicales ocuparon los ministerios claves de Defensa, José Luis Cantilo, del Interior, Jorge Walter Perkins, antiguo diputado radical y ex abogado de Yrigoyen, luego remplazado por otro radical, Carlos Adrogué".*[44] Meses después, ante el llamado a elecciones (siempre con el Peronismo proscripto), la UCR se consagra ganadora (Balbín no quiso encabezar la fórmula presidencial dado el desprestigio que implicaría asumir con tan poca legitimidad y dudosísima legalidad, al ganar con la mitad de la voluntad popular sin partido ni representatividad). Por ende, Balbín y los suyos, para salir del paso, pusieron a modo de "comodín" al médico Arturo Humberto Illia, hombre bonachón, de honestidad inversamente proporcional a su capacidad de gestión. El escrutinio arrojó a favor de Illia tan sólo el 24% de los votos y fue superado por los sufragios emitidos en blanco. Esto último obedeció a la forma escogida por el electorado peronista para deslegitimar los comicios ante la proscripción de su partido.

Como vemos, durante estos años la vida democrática argentina se encontraba en una encrucijada. Por un lado, el Peronismo que había sido democrático en cuanto al modo de acceso al poder (a través de los votos) no lo era en cuanto a su ejercicio, puesto que era abiertamente totalitario. Por eso fue prohibido en 1955; pero los partidos no peronistas que ganaban las elecciones tampoco eran democráticos auténticos, ya que competir electoralmente con la mitad de la voluntad popular proscripta daba cuenta de una democracia a medias o "lisiada". En efecto, los peronistas decían que aquello no era una democracia porque estaban proscriptos, y los antiperonistas decían que el Peronismo no era democrático por sus rasgos tiránicos. Ambos tenían razón.

Arturo Illia de inmediato fue apodado popularmente como "la tortuga", habida cuenta de la exasperante lentitud con la que obraba y tomaba decisiones (rasgo común en muchas gestiones radicales). Uno de los desaciertos más recordados de su intrascendente gestión fue la anulación de los contratos petroleros suscriptos durante la gestión de Frondizi, con la secuela de una formidable pérdida dineraria para el país (más de doscientos millones de dólares para indemnizar a las empresas) y el consiguiente desprestigio internacional, al provocar zozobra acerca de la seguridad y estabilidad jurídica del país.

Fue precisamente durante la gestión de Illia cuando el terrorismo de izquierda puso de manifiesto sus primeras acciones, siendo el Monte de Orán (provincia de Salta) el lugar escogido por los delincuentes para llevarlas a cabo. Estas acciones se dieron precisamente *"cuando en 1962 Cuba organizó el surgimiento del Ejército Guerrillero del Pueblo (EGP) al mando del periodista argentino Jorge Massetti y del capitán cubano Hermes Peña. Sin embargo ese proyecto fue más serio pues consistió en pulsar la capacidad de reacción militar y política argentina, la propagación de nuevos focos revolucionarios en otros puntos del país y la consiguiente preparación del desembarco del* Che *Guevara en el sur boliviano. El gobierno radical del entonces presidente Arturo Illia ordenó la represión de la banda que fue desbaratada, los prisioneros juzgados y sentenciados, hasta que les llegó el indulto al comenzar la presidencia de Cámpora".*45

Ya por 1966, diversos sectores de la ciudadanía fogoneaban enfáticamente a las FF.AA. para que nuevamente se hicieran cargo del poder (el sector más comprometido con la conspiración fue el frondizismo), y fue entonces cuando se produjo la innecesaria caída de Illia y la consiguiente asunción de Juan Carlos Onganía. Poco antes del golpe, Frondizi anunció a la prensa extranjera: *"Se habla de un golpe de Estado. Lo que está por ocurrir es mucho más que un evento de esa naturaleza, ya que un golpe de Estado equivale a un cambio de hombres en el gobierno mientras que lo que se avecina en mi país es la revolución nacional, que no será concretada exclusivamente por las Fuerzas Armadas sino conjuntamente con todos los sectores de la vida ciudadana".*46 El historiador Félix Luna reconoce: *"No fueron muchos los argentinos que lamentaron la caída del presidente radical, sólo sus correligionarios y algunos legalistas".*47

En rigor de verdad, nunca en la historia nacional hubo tan pocos argumentos para justificar el "golpe" a Illia. Fue un verdadero desatino, independientemente de la relativa y opaca capacidad de gestión del gobierno radical.

El líder exiliado

Antes de culminar este ligero relato cronológico de antecedentes para ya entrar de lleno y en detalle en la materia que nos ocupa, es dable una breve digresión sobre la situación y posición de Perón en el exilio, desde su huída en 1955.

Ante un mundo que distaba de ser aquel de los años 40-50, era de suponer que el mismo Perón iría acomodando su "doctrina" (supuesto que tuviese una) a la coyuntura imperante. Por entonces, diversos intérpretes disputaban los siempre heterodoxos y amorfos mensajes de Perón, intentando acomodarlos a la ideología del exégeta que osara descifrarlos. A caballo del vapor comunizante que se expandía en diversas latitudes y emborrachaba de entusiasmo a las nuevas generaciones, muchos jóvenes inclinados a la izquierda del abanico ideológico se autoconvencían de que Perón era el referente máximo de esta expresión, y muchos otros pícaros impostaban artificialmente esta teoría a efectos de acomodarse e infiltrarse en un movimiento que, por sus numerosos seguidores, tarde o temprano retomaría el poder y debido a su enorme caudal de votos y voluntades (que nunca desapareció a pesar de los años de proscripción y de los fallidos y torpes intentos por "desperonizar" el país) el Peronismo ofrecía en estado potencial no pocas posibilidades de alcanzar espacios políticos y superabundantes cargos en la elefantiásica administración pública.

Pero se presentaba una situación bastante difícil de explicar: el intento de amalgamar a Perón con el marxismo. Finalmente, los sectores marxistas encontraron una suerte de atajo, pues les resultaba más cómodo levantar la figura de Evita *"para convertirla en revolucionaria radical, afín con Guevara. Ambos serían los iconos preferidos de la juventud maravillosa mencionada por Perón en más de una alocución. Estos militantes creían en las promesas de Perón de un nebuloso 'socialismo nacional' que, curiosamente, nunca se supo con exactitud qué era"*.[48] No obstante, el halo "revolucionario", con el que la izquierda pretendía disfrazar la imagen de Eva Perón, chocaba ante una Eva verdadera que, cuando le tocó disfrutar del poder, se esforzó en ascender de clase no sólo en materia económica, sino fundamentalmente en los hábitos, gustos y costumbres que pretendía refinar y pulir, pavoneándose con costosísimas prendas de Christian Dior o ropajes confeccionados por el conocido modisto *Paco* Jamandreu para frecuentar al aristocrático Teatro Colón donde (a pesar de sus denodados esfuerzos por superarse) su enraizado estilo orillero nunca lograba disimularse del todo y en las elegantes veladas, no tardaba en desentonar. De todos modos, siempre resultaba más simplificador para la izquierda reivindicar a Eva Duarte, puesto que su condición de mujer protagonista (en un contexto histórico con absoluto predominio de hombres) y de desclasada que llega a lo más alto del poder, le propiciaba un tinte contestatario más fácilmente acomodable como personaje histórico del "reformismo" de izquierda, que la del militar mussolinista Juan Domingo Perón. Además, *Evita* había muerto muy joven, en 1952, de modo que todo lo que se dijera de ella en materia ideológica no iba a ser desmentido por la propia interesada por obvias razones.

Cuenta Sebreli que los años posteriores a la caída de Perón se caracterizaron por una época de notable confusión y mezcolanzas: *"Durante los se-*

senta y los setenta, Rosas se había convertido en superstar *de los jóvenes universitarios, el póster con su retrato lucía, junto a los del* Che *y* Evita*, en las habitaciones juveniles y el poncho colorado era* chic *entre la juventud peronista y montoneros".*[49] No obstante, y a pesar de la exaltación de *Evita* como "referente contestatario", el jefe del movimiento (que estaba vivo y con renovadas ambiciones políticas) seguía siendo indiscutiblemente Perón, por lo que llaman la atención las rebuscadas elucubraciones que hacían los marxistas para identificar a Perón con su doctrina. Basta con analizar someramente que, luego del 55, Perón no se escapó a la URSS, sino al Paraguay (gobernado por su amigo el Grl. Stroessner), luego vivió en Venezuela (gobernado por Marcos Pérez Jiménez), seguidamente se mudó al Panamá (gobernado por Ernesto de la Guardia) y finalmente (y como si faltara algún otro dato ratificatorio) se afincó en la España del generalísimo Francisco Franco Bahamonde. Hasta el mismo Perón confesaba: *"Yo me propongo imitar a Mussolini en todo, menos en sus errores".*[50]

A pesar de estos datos, ni siquiera voces del más alto prestigio se ponen de acuerdo en cuanto a la naturaleza ideológica de Perón, que autodefinía su doctrina como "humanista y cristiana". El pensador Juan José Hernández Arregui afirmaba: *"Soy marxista y soy argentino, por ende, soy peronista"*, aunque en la vereda de enfrente, el pensador católico Cosme Beccar Varela define al Peronismo como *"un comunismo criollo"*. El reconocido antiperonista y anticomunista Álvaro Alsogaray sostenía que el Peronismo, al menos, *"había sido una valla contra el Comunismo"*. El pensador marxista Pablo Giussiani reconocía en el Peronismo una suerte de fascismo que cumplió el rol de *"anestesiar la revolución comunista"*. El presidente Menem, quien privatizó las empresas que Perón había estatizado, afirmaba sin desparpajo que si Perón viviera haría lo mismo que él. Cada uno veía al Perón que quería.

En puridad, el Peronismo es una masa informe carente de principios y de doctrina, que acepta todas pero no se interesa por ninguna, puesto que la indefinición es una definición en cierta medida. Es además un movimiento humanamente tan inclusivo que tampoco indaga por la proveniencia de sus dirigentes, a los que exalta y elimina según una ley de conservación y expansión que sólo se conoce en su más recóndito interior. El Peronismo, finalmente, no es una ideología, sino un mal estilo.

Notas

[1] Laprida, Mario Horacio. *Los errores de los militares en el siglo XX*. Buenos Aires, Edición del autor, 2001.

[2] Luna, Félix. *Perón y su tiempo. La Argentina era una fiesta (1946-1949)*. Buenos Aires, Sudamericana, 1993. Citado en Laprida, Mario Horacio. *Los errores de los militares en el siglo XX*. (Buenos Aires, Edición del autor, 2001).

3 Massot, Vicente. *Matar y morir*. Buenos Aires, Emecé, 2003.

4 *Idem*.

5 Aguinaga, Carlos y Roberto Azaretto. *Ni década ni infame. Del 30' al 43'*. Buenos Aires, Ediciones Jorge Baudino, 1991.

6 *Idem*.

7 *Idem*.

8 *Idem*.

9 Sebreli, Juan José. *Crítica a las ideas políticas argentinas*. 4° ed. Buenos Aires, Sudamericana, 2002, p. 52.

10 Aguinaga, Carlos y Roberto Azaretto. *ob. cit.* supra, nota 5.

11 Laprida, Mario Horacio. *ob. cit.* supra, nota 1.

12 Citado en Laprida, Mario Horacio. *Los errores de los militares en el siglo XX*. (Buenos Aires, Edición del autor, 2001).

13 Laprida, Mario Horacio. *ob. cit.* supra, nota 1. p. 234.

14 De Santis, Daniel. *El ERP-PRT y el Peronismo*. Buenos Aires, Nuestra América, 2004, p. 22.

15 Alsogaray, Álvaro. *Experiencias de cincuenta años de política y economía argentina*. Buenos Aires, Planeta, 1993, p. 18.

16 Rojas, Mauricio. *Historia de la crisis argentina*. Buenos Aires, Distal, 2004. Citado en Massot, Vicente. *La excepcionalidad argentina. Auge y ocaso de una Nación*. (Buenos Aires, Emecé, 2005).

17 Luna, Félix. *ob. cit.* supra, nota 2.

18 *Idem*.

19 Aguinaga, Carlos y Roberto Azaretto. *ob. cit.* supra, nota 5.

20 Massot, Vicente. *La excepcionalidad argentina. Auge y ocaso de una Nación*. Buenos Aires, Emecé, 2005, p. 206.

21 Sebreli, Juan José. *ob. cit.* supra, nota 9. p. 276.

22 Gerchunoff, Pablo y Lucas Llach. *El ciclo de la ilusión y el desencanto. Un siglo de políticas económicas argentinas*. Buenos Aires, Ariel, 2003. Citado en Massot, Vicente. *La excepcionalidad argentina. Auge y ocaso de una Nación*. (Buenos Aires, Emecé, 2005, p. 205).

23 De Santis, Daniel. *ob. cit.* supra, nota 14.

24 Massot, Vicente. *ob. cit.* supra, nota 20. p. 186.

25 Gerchunoff, Pablo y Lucas Llach. *ob. cit.* supra, nota 22. p. 186.

26 Lazzari, Gustavo. "Contratar trabajadores es una irresponsabilidad social", *Infobae*. Argentina, 21 de septiembre de 2004.

27 Rojas, Mauricio. *ob. cit.* supra, nota 16.

28 De Santis, Daniel. *ob. cit.* supra, nota 14.

29 De la Balze, Felipe. *Retos y desafíos de la Argentina que viene: reflexiones locales y mirada europea*. Buenos Aires, Fundación José Ortega y Gasset Argentina, 2003. Citado en Massot, Vicente. *La excepcionalidad argentina. Auge y ocaso de una Nación*. (Buenos Aires, Emecé, 2005, p. 235).

30 Beccar Varela, Cosme. *Curiosidades. Panorama de la historia argentina. Diccionario político y manual práctico para destruir el poder de los corruptos*. Buenos Aires, Edición del autor, 1991.

31 Laprida, Mario Horacio. *ob. cit.* supra, nota 1. p. 49.

32 De Santis, Daniel. *ob. cit.* supra, nota 14.

33 Massot, Vicente. *ob. cit.* supra, nota 3. p.172.

34 Reportaje de Carlos Pagni a Joseph Page. "Al Peronismo le cuesta adaptarse a la democracia", *Ámbito Financiero*. Argentina, 22 de noviembre de 2005.

35 Massot, Vicente. *ob. cit.* supra, nota 3.

36 Page, Joseph. *Perón, una biografía*. Buenos Aires, Ediciones Vergara, 1984.

37 Benegas Lynch, Alberto. *Las oligarquías reinantes. Discurso sobre el doble discurso*. Buenos Aires, Editorial Atlántida, 1999, p. 20.

[38] Pigna, Felipe. *Lo pasado pensado. Entrevistas con la historia argentina (1955-1983).* 2°
ed. Buenos Aires, Planeta, 2005, p. 197.

[39] Laprida, Mario Horacio. *ob. cit.* supra, nota 1.

[40] Page, Joseph. *Perón, una biografía.* Buenos Aires, Ediciones Vergara, 1984. Citado en
Laprida, Mario Horacio. *Los errores de los militares en el siglo XX.* (Buenos Aires, Edición
del autor, 2001, p. 58).

[41] *El Cronista Comercial.* Argentina, 3 de octubre de 1979.

[42] Pigna, Felipe. *ob. cit.* supra, nota 38. p. 66.

[43] Sebreli, Juan José. *ob. cit.* supra, nota 9.

[44] *Ibidem.* p. 311.

[45] Acuña, Carlos Manuel. *Verbitsky de La Habana a la Fundación Ford.* 2° Reimp. Buenos Aires, Ediciones del Pórtico, 2003, p. 127.

[46] Sebreli, Juan José. *ob. cit.* supra, nota 9, p. 311.

[47] Laprida, Mario Horacio. *ob. cit.* supra, nota 1. p. 236.

[48] Rojas, Guillermo. *30.000 desaparecidos, realidad, mito y dogma.* Buenos Aires, Editorial Santiago Apóstol, 2003, p. 173.

[49] Sebreli, Juan José. *ob. cit.* supra, nota 9, p. 227.

[50] Giussiani, Pablo. *Montoneros. La soberbia armada.* Buenos Aires, Sudamericana, 2003,
p. 158.

Capítulo II

La guerra civil argentina

La guerrilla se prepara para invadir el continente

Al caer el presidente Arturo Illia, asume en su reemplazo el Grl. Juan Carlos Onganía (en 1966). El contexto internacional de entonces se enmarcaba en la guerra fría. El marxismo comenzaba a organizar y arbitrar los medios para invadir América Latina. Para tal fin, el tirano cubano Fidel Cástro convocó a todos los dirigentes de izquierda de diversos países a participar en una reunión llevada a cabo en La Habana, con el funesto objetivo de unir esfuerzos y preparar la lucha armada para la toma del poder en cada uno de los países del continente. Se crearon allí dos organismos: La Tricontinental Solidaria (presidida por el marxista Salvador Allende, futuro presidente de Chile) que abarcaba a los países de Asia, África y América Latina (a la que concurrieron 483 representantes de ochenta y dos países) y la Organización Latino Americana Solidaria (OLAS). Por parte de la Argentina participaron personajes que, poco tiempo más tarde, comandarían las principales bandas terroristas que aquí operaron. Entre ellos podemos mencionar a John William Cooke (peronista radicado en Cuba que obraba de agente de inteligencia del castrismo) y a los reconocidos terroristas montoneros Roberto Quieto, Norma Arrostito y Fernando Abal Medina. Los dos últimos participaron poco después en el secuestro y asesinato del Grl. Eugenio Aramburu, lo cual hace tambalear el argumento que atribuye este hecho a supuestos deseos de "*hacer justicia por los fusilamientos de militares peronistas sublevados en 1956*", cuando, al parecer, se trataba de dar curso a los compromisos firmados en La Habana al constituirse la OLAS.

Cabe adelantar (esto será tratado *in extenso* luego) que la mayor parte de los atentados y asesinatos perpetrados por terroristas sucedieron precisamente durante y contra el régimen peronista (que gobernó entre 1973 y 1976), hecho objetivo que fulmina los artificiosos argumentos que intentan justificar el accionar de Montoneros alegando que fue una suerte de respuesta a la "proscripción" que el Peronismo padeció durante diecisiete años. Efectivamente, la mayor parte de los crímenes y atentados que cometió Montoneros ocurrió, precisamente, después de levantarse la proscripción del Peronismo, y muchos de los asesinatos que consumó la agrupación fueron cometidos justamente contra los más relevantes o influyentes dirigentes del Partido Justicialista.

En la mencionada reunión de creación de la OLAS, en Cuba, se firmó un documento que ya vaticinaba lo que se viviría en la década siguiente. Entre otras cosas, ordenaba:

> *"Declaración general (1967)*
> *El primer objetivo de la revolución popular en el continente es la toma del poder mediante la destrucción del aparato burocrático-militar del Estado y su reemplazo por el pueblo armado para cambiar el régimen social y económico existente. [...] Dicho objetivo es sólo alcanzable a través de la lucha armada. Los hechos ocurridos demuestran que la guerra de guerrillas, como genuina expresión de la lucha armada popular, es el método más eficaz y la forma más adecuada para librar y desarrollar la guerra revolucionaria en la mayoría de nuestros países. [...] Constituye un derecho y un deber de los pueblos de América Latina hacer la revolución a través del camino socialista orientado por los principios del marxismo-leninismo. El proceso violento hacia el comunismo es inevitable y exige la existencia del mando unificado político y militar como garantía de su éxito".*

La muerte del *Che* Guevara

El 8 de octubre de 1967, en Bolivia, es abatido Ernesto *Che* Guevara y, a partir de allí, quedó emblematizado para siempre. No hablaremos del *Che* en este trabajo; empero, para que los jóvenes puedan conocer algunas de sus "idealistas" acciones, basta con enunciar: *"Luego de la entrada en La Habana y al asumir la comandancia de la fortaleza militar de La Cabaña* [el guerrillero] *dirige la represión de las fuerzas vencidas, hecho conocido en todo el mundo como 'el paredón' y a raíz del cual se ejecutan algo más de 15 mil personas (según el Boletín Internacional de Noticias, Vol. VI, N° 754, del 27 de diciembre de 1967, la cantidad exacta fue de 17.121 personas)".*[1]

El mismo Perón, que por entonces fogoneaba y coqueteaba con la izquierda (la que coyunturalmente le era funcional), expresó ante la muerte de Guevara: *"Hoy ha caído en esta lucha, como un héroe, la figura joven más extraordinaria que ha dado la revolución en Latinoamérica: ha muerto el co-*

*mandante Ernesto Guevara. [...] Su muerte me ha desgarrado el alma porque era uno de los nuestros. [...] Las revoluciones socialistas se tienen que realizar; que cada una haga la suya, no importa el sello que tengan".*² Perón proseguía lamentándose por la muerte del idolatrado guerrillero en una famosa carta a Ricardo Rojo: *"Ha muerto el mejor de nosotros"*, y le confesaba a Pino Solanas: *"El mejor peronista es el peronista armado [...] si tuviera veinte años las bombas las estaría poniendo yo"*.³ Efectivamente, tal como vemos y como lo veremos más adelante, el brillante titiritero Perón para con los futuros montoneros utilizó la siguiente mutación: primero los alentó, después los usó, luego los abandonó y finalmente los combatió.

Por múltiples factores (uno de ellos es el de morir joven en el fragor de la notoriedad y la fama), cada aniversario de la muerte de Guevara, acólitos y adherentes de las prácticas homicidas le efectúan encendidos homenajes y, ya en el primer aniversario de su caída (octubre de 1968), desde las páginas de la revista *Cristianismo y Revolución*, en extensa nota panegírica del adulado criminal se pregonaba: *"[...] Este es el homenaje que le rendimos al* Che Guevara *en esta declaración. [...] Nuestra revolución será antiimperialista, antioligárquica y antimonopolista encabezada por la clase obrera y se apoyará en la lucha diaria de las masas oprimidas, eligiendo desde ya como único camino para la toma del poder, al que juzgamos inevitable: el de la lucha armada"*.⁴ La misiva fue firmada por numerosas personalidades, entre ellas el actor Emilio Alfaro, la terrorista Alicia Eguren de Cooke, el terrorista Juan Gelman, Héctor Polino, el dirigente gramsciano Juan Carlos Portantiero, León Rozichtner, Alberto Fernández de Rosa, el siempre extravagante Dalmiro Sáenz, el terrorista Rodolfo Walsh, y hasta un pensador de talla como el mismo Juan José Sebreli se dio el gusto de firmar el texto exhortador a la lucha armada como *"único camino"*. Si bien Sebreli, años después, cambiaría sus solicitadas de apoyo a la guerrilla guevarista por las de respaldo a la candidatura presidencial del centrista Ricardo López Murphy (año 2003), su caso resulta harto interesante, puesto que por entonces insistía en impulsar la subversión terrorista arengando: *"[...] toda lucha, toda revolución exige indefectiblemente el sacrificio de una generación o una colectividad"*, que la misma además se lleva a cabo con *"suciedad, sangre, con sudor y vidas humanas"* y prosigue: *"[...] Toda innovación en el terreno de lo político y lo social implica por tanto el escándalo de la violencia y la dictadura"*. No obstante, a pesar de mostrarse Sebreli desembozadamente a favor del homicidio guerrillero, con respecto a la banda Montoneros manifestó cierto rechazo o animadversión, pero no porque estos asesinaran niños, ancianos, policías, militares, empresarios y civiles de todo orden (tal como efectiva y comprobadamente lo hacían), sino que, en probable defensa de sus gustos personales, manifestó: *"Siempre me resultaron rechazantes. [...] Según testimonio de Silvina Walger, los montoneros ejecutaron a dos compañeros homosexuales, por considerar que todos los homosexuales eran apretables. [...] Sí, rechazaron por completo el derecho a la homosexualidad".*[5]

Pero no todos los intelectuales cantaban loas a Guevara. El mismo día de su muerte en Bolivia, mientras el notable escritor Jorge Luis Borges dictaba cátedra en la Universidad, irrumpió en el aula un activista; acababan de matar precisamente al *Che* Guevara. Con actitud patoteril, el muchacho le avisó que una asamblea estudiantil había decidido rendirle un homenaje a Guevara y que, por lo tanto, se interrumpían las clases.

–*Hagan el homenaje después, falta media hora para terminar*, –contestó Borges.

El estudiante prepoteó: –*¡No!, tiene que ser ahora y usted se va*. A lo que Borges redobló: –*No me voy nada. Y si usted es tan guapo, venga a sacarme del escritorio.*

–*Si usted no desaloja la sala vamos a cortar la luz*, –amenazó el estudiante.

–*He tomado la precaución de ser ciego esperando este momento*, –remató Borges y se quedó en el aula dando su clase.

Ningún alumno se movió de su sitio. Fue el único profesor en la facultad que dictó la clase hasta el final.

La guerrilla en los tiempos de la "Revolución Argentina"

Los primeros tiempos de gestión de Onganía pasaron sin mayores sobresaltos y con relativa tranquilidad (por entonces se hablaba de la *"pax ongánica"*); empero, dicha calma iría diluyéndose más adelante a través de la gestación de un terrorismo que por entonces se hallaba en estado larvario. Mientras tanto, Onganía llevaba a cabo una gestión austera y de orden, con relativo crecimiento, revalorización de la moneda y estabilidad monetaria (toda una novedad tras casi dos décadas continuas de inflación y sobresaltos) de la mano del ministro de Economía, Adalberto Krieguer Vassena. Se mantuvieron relaciones tensas con los EE.UU. (tanto es así que durante los primeros siete meses de gestión, los EE.UU. no nombraron embajador alguno) y se promovieron actividades religiosas y espirituales, pero no hubo reformas políticas e institucionales de fondo e incluso se incurrió en algunas prácticas absurdas tales como censurar el conocido tango *Cambalache* de autoría de Enrique Santos Discépolo o la ópera *Bomarzo* de Alberto Ginastera.

Mientras tanto, la hediondez comunizante en plena moda mundial se expandía en todos los ambientes y latitudes y, ya por 1968, la simbología marxista mayormente representada por el despliegue de banderas rojas al viento y la mítica imagen del flamante "mártir libertario" *Che* Guevara comenzaba a influir tanto en grupos juveniles locales como extranjeros, fascinando a las nuevas generaciones. Todo esto, acompañado de episodios revoltosos como la reyerta del Mayo francés (que despertaba admiración en las universidades) y un acentuado bagaje mitológico sostenido a base de eslóganes que prometían felicidad y embriagaban el raciocinio y el sentido común en numerosos ambientes. Como acertadamente se dijera, "la izquierda está conformada por ideas débiles y emociones fuertes".

Con un mundo bipolar y con el imperialismo marxista en plena vigencia (recién implosionaría formalmente en 1989), mucha gente creía que el Socialismo servía para algo. Cerca de la mitad del mundo se hallaba bajo dominio comunista (Europa oriental, gran parte de Asia y África). En América, el Comunismo ya se había apoderado (o se apoderaría en breve) de Cuba, Nicaragua y Chile, llegando a constituir un imperio que controlaba el 26% de la superficie terrestre y al 36% de la población mundial.

En la Argentina, de inmediato y como consecuencia de esta estrategia continental puesta de manifiesto en la ya citada OLAS, el 25 de febrero de 1968, se emite el documento del IV Congreso del PRT (Partido Revolucionario de los Trabajadores), el cual reza: *"Dentro de nuestra estrategia de guerra civil prolongada, la creación de una fuerza militar revolucionaria es nuestro objetivo táctico principal [...] nuestro Partido y los destacamentos armados deberán librar mil pequeños encuentros tácticos, algunos subordinados a la estrategia del ejército revolucionario"*.[6] Precisamente, el PRT (que en puridad había sido fundado por dirigentes trotskistas en 1965) tendría luego su brazo armado: el ERP (Ejército Revolucionario del Pueblo), la banda terrorista más importante de la Argentina después de Montoneros. Como vemos, luego de la conferencia de OLAS, los grupos izquierdistas locales comenzaban a preparar sus respectivas estructuras político-militares. Poco tiempo después, también se lanzaría a escena la organización terrorista Montoneros. A pesar de que en la Argentina varias fueron las organizaciones terroristas y guerrilleras que operaron con destaque, fueron el ERP y Montoneros, por lejos, las dos más relevantes y cuyo accionar protagonizaría y condicionaría la vida política y social de toda la década del 70.

El marco en el cual se desarrollaría la lucha revolucionaria fue muy bien señalado y anticipado, precisamente, por Fidel Castro: *"Nadie se llame a engaño. [...] Nadie se haga ilusiones de que conquistará pacíficamente en ningún país del continente. [...] La guerrilla es la forma principal de lucha y eso no excluye todas las demás formas de lucha armada que pudieren surgir"*.[7]

A modo de ensayo y de infiltración ideológica, ante determinados reclamos de tinte gremial, el 29 de mayo de 1969 se produjo una grandilocuente reyerta callejera en Córdoba, impulsada por la confraternidad de las dos CGT de la época (la de los argentinos y la de la calle Azopardo) en consonancia con los sindicatos clasistas y (además) con el apoyo de ciertos activistas del estudiantado universitario. Este cóctel sectorial comenzó con un paro de treinta y siete horas, acompañado por virulentas manifestaciones en las que hubo heridos y muertos. Las acciones estuvieron signadas por diferentes grupos subversivos que con numerosos *"francotiradores [varios de ellos desde techos y torres de iglesias] mantuvieron a raya a la policía provincial"*.[8] Cuenta Gorriarán Merlo (líder del ERP y del MTP): *"Nosotros durante el Cordobazo participamos activamente. Ya teníamos la idea de la lucha armada desde principio del 67"*.[9] A decir verdad, la dirección del Cordobazo tuvo más que ver con los sindicatos clasistas que con el Peronismo. Su principal dirigente, el gremialista Agustín Tosco, confesaría: *"La heterodoxia de nuestro socialismo está en que tiene raíz peronista, marxista y cristiana por el movimiento de los sacerdotes del Tercer Mundo"*.[10]

En el fragor de estas escaramuzas, el poco confiable Grl. Alejandro Lanusse (quien era el encargado de repeler las insurrecciones) se mantuvo sospechosamente inactivo a efectos de que estalle el desmadre y, así, potenciar la desacreditación de Onganía e incentivar su caída, pero no para volver a las formas democráticas, sino para constituirse él en heredero del poder.

No obstante, Lanusse siempre excusó su inactividad alegando que Onganía no había emitido en tiempo y forma el decreto ordenando la reacción y que, desde el punto de vista político, lo que este pretendía era esperar que el accionar subversivo avance con sus desmanes y así, el descontento y rechazo del pueblo cordobés para con los insurgentes se afiance y de esta manera, neutralizar el eventual papel "victimista" de los activistas ante la futura reacción de las FF.AA. Sea como fuere, esa dilación fue clave para el debilitamiento y posterior caída de Onganía.

El 30 de junio de 1969 (exactamente un mes después del Cordobazo), *"ocho miembros de Descamisados, de acuerdo con la planificación pergeñada por Rodolfo Walsh y sus colaboradores, irrumpieron en la sede de la Unión Obrera Metalúrgica, la célebre UOM, y asesinaron a balazos a quien entonces era su dirigente principal: el* Lobo, *Augusto Timoteo Vandor. [...] Los atacantes fueron Dardo Cabo, Horacio Mendizábal, Fernando Saavedra Lamas, Osvaldo Sicardi, Norberto Habegger, Oscar de Gregorio, Alberto Girondo y Roberto Cirilo Perdía. Al final de la guerra los dos últimos fueron los únicos sobrevivientes: el primero radicado en Francia y el segundo empleado en el Congreso Nacional, con buen respaldo de los últimos gobiernos"*.[11] El investigador Guillermo Rojas incluye, además, en la lista de personajes que participaron del citado homicidio a los hermanos Raimundo y Rolando Villaflor (primos de la emblemática activista de Madres de Plaza de Mayo, Azucena Villaflor), a Rodolfo Mendizábal y al iconográfico adalid de los "derechos humanos", Miguel Bonasso.[12]

Pero el gran golpe de efecto que terminó de debilitar por completo la imagen de Onganía, lo encabezaron los montoneros cuando en acto inaugural de sus operaciones, el 29 de mayo (día del Ejército Argentino) de 1970, secuestraron al ex presidente de la República, Pedro Eugenio Aramburu, asesinado luego el 2 de junio. El crimen fue celebrado desde España por Perón, quien no vaciló en calificarlo como *"políticamente correcto y útil a la causa peronista"*.[13] El dirigente justicialista Jorge Antonio, quien estaba en Madrid junto a Perón, cuenta: *"Es triste decirlo, pero [Perón] tuvo una reacción de alegría. Perón me dio la noticia. A él le avisaron por teléfono y vino a verme y me dijo: "Mataron a Aramburu, Jorge Antonio. Ese se lo merecía"*.[14]

Cuenta Firmenich que para tamaño atentado: *"Hicimos una planificación operativa que nos daba como única posibilidad entrar a buscarlo a su departamento. Y la única posibilidad era hacerlo caracterizados como militares. Emilio Maza había sido liceísta, o sea que tenía impronta militar. Y Fernando (Abel Medina) creo que ni siquiera había hecho el servicio militar. Pero era el jefe del grupo y, por filosofía, en el lugar más riesgoso debía estar el jefe. Después estaban Ignacio Vélez, también ex liceísta, con impronta, y por lo tanto los acompañó a ellos. Ese fue el esquema para entrar. Pero teníamos afuera el problema de que la zona era muy transitada y con mucha vigilancia. Era muy difícil mantener los autos en el lugar sin llamar la atención, de modo tal que implementamos un sistema de camuflaje para evitar problemas. Dentro del auto que estaba estacionado frente al colegio Champagnat (en la calle Rodríguez Peña) alguno debía vestirse de cura, y como estábamos interfiriendo el tránsito, pues alguno de policía tenía que estar ahí, dirigiendo el tránsito. Carlos Maguid fue con una sotana, yo me vestí de policía. Norma Arrostito se paró en la puerta del edificio. Lo menos sospechoso era una mujer. Carlos Ramus iba vestido de chofer. [...] Y Carlos Capuano (Martínez) estaba en una playa de estacionamiento como chofer de los oficiales falsos. Cada uno cumplió su rol. Para nosotros este hecho era histórico. Teníamos plena conciencia de eso, como también de que había altas posibilidades de no salir bien de ahí. Salió todo muy limpio y ordenado, pero si hubiera habido un mínimo problema sabíamos que de ahí no salíamos porque era una zona muy controlada y no era muy fácil salir del caos de tránsito"*.[15] La runfla subversiva festejó el homicidio con algarabía y el ex terrorista y actual gobernador de Entre Ríos, Jorge Busti, recordando el crimen, confiesa: *"Visto a la distancia eso fue una barbaridad, pero en su momento lo festejamos"*.[16]

En aquella época, la banda homicida relató aspectos del crimen resaltando precisamente el coraje y entereza con la que Aramburu padeció el secuestro y su sentencia de muerte a través del "juicio revolucionario" llevado adelante por los "adolescentes sensibles". Este episodio lanzó a la notoriedad a la organización que estuvo comandada por Mario Firmenich y Fernando Abal Medina (este último fue el autor material del asesinato y tenía por cuñada a Nilda Garré). Reconoce, además, con imperturbable frialdad el montonero Firmenich: *"Desde el punto de vista del sentimiento popular, Rojas era más odiado, pero era más importante políticamente hacer el fusilamiento de Aramburu".*[17]

Asimismo, la criminalidad terrorista contaba con el aplauso y beneplácito de relevantes intelectuales que efusivamente los piropeaban y ayudaban. Tal el caso del escritor y activista Julio Cortázar que, en 1970, predicaba: *"Mi idea de socialismo no pasa por Moscú sino que nace con Marx, para proyectarse a la realidad latinoamericana [...] y que hoy se expresa históricamente en la Revolución Cubana, la guerra de guerrillas en distintos países del continente y las figuras de Fidel Castro y el Che. [...] Mi mayor contribución al futuro de la Argentina está en hacer todo lo posible para ampliar el ámbito continental de la Revolución Cubana".*[18]

El 8 de junio de 1970, finalmente, Onganía es derrocado. Lanusse decide controlar a las FF.AA. y no desgastarse en el poder político; por ende, convoca como heredero del trono al ingeniero y general Marcelo Levingston, hombre pacífico y muy poco cuestionado, a quien Lanusse había escogido como presidente pues intuía que era una persona manejable y manipulable, y ese fue uno de los motivos de su designación.

En tanto, el flamante presidente Levingston, quien era poco conocido por la opinión pública, retornó a la Argentina proveniente de EE.UU., donde estaba desarrollando actividades. A veinte días de su asunción, el 1 de julio, Montoneros vuelve a la carga tomando la localidad de La Calera, Córdoba, acto calificado por la propia organización como *"el primer gran operativo militar de la lucha guerrillera urbana en la Argentina"*.[19] El día 30, las FAR atacan y toman la localidad de Garín, Pilar, en una operación orquestada por treinta y seis terroristas que durante la toma asaltaron un banco y en el mismo hecho mataron a una mujer y a un suboficial de la policía que lo custodiaba. Al mes siguiente los montoneros asesinaron al secretario general de la CGT, José Alonso, y atacaron y tomaron la comisaría de Rosario asesinando a dos policías.

Durante su breve gestión, Levignston se inclinó hacia una línea de extracción nacionalista, teniendo por primer ministro de Economía a Carlos Moyano Llerena, luego sucedido por el populista Aldo Ferrer, autor del lema: *"Vivir con lo nuestro"*. El flamante presidente fue apoyado además por varios radicales (entre ellos Oscar Alende), e incluso designó como ministro del Interior precisamente al radical Arturo Mor Roig. Contrariamente a lo que sostenía Lanusse, Levingston no resultó un mero "títere" digitable y esto ocasionó la ira de aquel, quien no tardó en prepararle una nueva componenda a efectos de derrocarlo, y asumir él definitivamente al PEN, el 23 de marzo de 1971.

En ejercicio de su presidencia, Lanusse se constituyó en un personaje indescifrable. Ante un panorama (nacional e internacional) en el que el totalitarismo comunista avanzaba con violencia y gobernaba numerosos países de los cinco continentes, subyugando a sus respectivas poblaciones bajo un dominio criminal (las muertes ocasionadas por el Comunismo han superado a las cien millones de víctimas) y con objetivos expansionistas a los que la Argentina no era ajena, era imperioso tomar definiciones y posiciones políticas concretas e inequívocas. Sin embargo, Lanusse (a quien le gustaba jugar a la política) no dejaba ambigüedad por pronunciar ni vaguedad por practicar. En efecto, su origen presidencial de raigambre cívico-militar, su prosapia de familia tradicional y su condición de católico practicante hacían suponer *prima facie* que el país estaba siendo gobernado por un presidente "contrarrevolucionario". Empero, gestos desconcertantes –como la recepción del presidente marxista Salvador Allende (aliado de la URSS y punto de apoyo del terrorismo castro-comunista) y las consiguientes adulaciones de Lanusse hacia él: *"Formulo mi más ferviente deseo para que el gobierno del presidente Allende pueda realizar su programa"*,[20] (que era netamente marxista); junto con afirmaciones insólitas esbozadas en Perú, donde autodefinió su gestión diciendo: *"El sistema político imperante en la Argentina puede considerarse de centro-izquierda"*[21]– confundían a los analistas más agudos. Seguidamente, Lanusse reconoció a la China comunista (la tiranía de mayor cantidad de disidentes asesinados de la historia de la humanidad) *"como el único gobierno legal de China"*[22], en flagrante actitud hostil a un Estado amigo como lo era Taiwán. A todo esto deben agregarse el acuerdo comercial con Rusia (firmado en 1971) y la cálida invitación efectuada al jefe comunista y sanguinario tirano de Rumania, Ceausescu, para que visite la Argentina.[23]

En materia económica, Lanusse afianzó el estatismo (adquisición de empresas y manejo de estas por parte del Estado, como Siam-Di Tella, Ingenieros Azucareros, Swift, Astrasur) y las políticas intervencionistas. En consonancia con el preocupante rumbo económico que había tomado su gobierno, Lanusse formulaba declaraciones a los medios de comunicación relativizando el concepto de propiedad privada: *"Ya no puede reconocerse vigencia al viejo concepto de la propiedad"*.[24] Escapándose de la toma de posiciones políticas definidas y diluyendo las pugnas ideológicas (en una guerra civil naciente) expresó: *"Las habituales rotulaciones de izquierda y de derecha tienen poca relevancia. Los extremos se tocan"*.[25] Esta última expresión (comúnmente repetida en la actualidad por los demagogos de turno, que no lo advierten) encierra una flagrante contradicción, puesto que "si se tocan" dejan de ser extremos opuestos. Estos coqueteos ambivalentes de Lanusse no dejaban de ser inoportunos ante un panorama en el cual (tanto en Latinoamérica como en la Argentina) la guerrilla marxista se manifestaba cada vez más omnipresente y en constante ascenso a través de ejércitos irregulares que incurrían en prácticas "foquistas" y terroristas.

En puridad, los orígenes intelectuales de estos focos insurreccionales en la Argentina los apreciamos a fines de los años 50, cuando el ideólogo marxista John William Cooke (quien contaba con el grado de "mayor" en el ejército cubano e intervino en el combate de Bahía Cochinos),[26] comenzó a promover aquello que se dio en llamar el "entrismo" (estrategia marxista de penetración en el movimiento peronista dirigida fundamentalmente a los jóvenes). Si bien Cooke ejercía deletéreos influjos revolucionarios en vastos sectores, vale aclarar que el mentado activista no obraba solamente por ser un fanático "autodidacta", sino que el propio Perón lo fogoneaba y utilizaba políticamente a través de mensajes epistolares en los que lo animaba, argumentando: *"Algunos idiotas temen el caso de que se produzca un caos. Las revoluciones como las nuestras parten siempre desde el caos; por eso, no sólo no debemos de temer el caos sino tratar de provocarlo; sólo allí el pueblo podrá tomar las cosas en sus manos y cobrarse la tremenda deuda que los "gorilas" han contraído con él. [...] Si hay que matar sin remedio es mejor que ello sea rápido y cuanto antes".*[27]

Por entonces, eran muy comunes las instigaciones que Perón, desde su exilio en Madrid, enviaba estimulando la violencia a través de epístolas o filmaciones con rememoradas frases tremebundas, como *"al enemigo, ni justicia"*, *"yo hubiera podido ser el primer Fidel Castro de América"*, *"si tuviera cincuenta años menos, yo también estaría poniendo bombas o tomando justicia por mi propia mano".*[28] Pasaban los años, pero las mañas del general no habían variado demasiado. En diciembre de 1970, llegó al extremo de expresar lo siguiente: *"La revolución mundial va hacia formas socialistas, es legítimo asociarse a Rusia para luchar contra el imperialismo, quizás si en 1955 los rusos hubieran estado en condiciones de apoyarme, yo hubiera sido el primer Fidel Castro del continente. [...] Si yo hubiera previsto lo que iba a pasar (en 1955), hubiera fusilado a medio millón o a un millón si era necesario, tal vez ahora se produzca, porque frente a la contumacia de esa gente, va a venir un movimiento revolucionario o una guerra civil. Entonces va a morir el millón".*[29]

ERP y Montoneros: diferencias y coincidencias

A pesar de que en la Argentina varias fueron las organizaciones subversivas que, con diversos métodos y tácticas, peleaban con el objeto de efectuar la revolución comunista, dos de ellas tuvieron especial destaque. Por un lado, Montoneros que, a pesar de su desembozada ideología marxista, optó por infiltrarse en el Peronismo (creyendo que así iba a influir con mayor facilidad en los sectores obreros) y desde allí levantó estandartes insólitos tales como *"Evita, Guevara, la patria liberada"* o *"Perón, Evita, la patria socialista"*. Fue responsable de miles de atentados, convirtiéndose en la organización terrorista que más muertes causó.

Como no pocas veces se identifica a Montoneros con una suerte de prolongación de la vieja "resistencia peronista", vale efectuar aquí la siguiente disquisición: la llamada "resistencia peronista" fue una corriente del Peronismo conformada a fines de los años 50, que tenía por finalidad operar en pro del regreso de Perón y el levantamiento de la proscripción. Absolutamente nada tienen que ver los montoneros con esto, por más similitudes o rebuscadas conexiones que se le quiera encontrar. Primeramente, en los años 50, los militantes montoneros ni siquiera habían nacido o, en todo caso, eran muy pequeños en edad y, además, a quienes más asesinaron y combatieron los montoneros fue precisamente al régimen peronista de 1973-76. Lo que pone de manifiesto la ausencia total de conexión entre lo que se llamó la "resistencia peronista" y la citada banda marxista. Ocurre que la confusión surge porque Montoneros comenzó a operar en el marco de un gobierno de facto (1970) y para justificar sus crímenes, argumentaban falsariamente el estar peleando por *"el regreso de Perón y el levantamiento de la proscripción"*. Asimismo, Montoneros especulaba con ocupar un fuerte espacio en el Peronismo y, desde allí, tratar de copar el movimiento y luego arrastrarlo hacia el marxismo y llevar definitivamente adelante la Revolución Bolchevique.

Esa notable e insalvable diferenciación y desconexión entre Montoneros y la "resistencia peronista" está, inclusive, muy bien explicada y analizada por los mismísimos "socios" de los montoneros (el ERP) a través de la revista *El Combatiente,* en donde con buen criterio arremetían: *"La vieja resistencia peronista y las actuales organizaciones armadas peronistas son fenómenos cualitativamente distintos. [...] En consecuencia, los militantes peronistas al hacer uso de la violencia están utilizando el método más revolucionario posible, pero en función de un objetivo que nada tiene de revolucionario, como es la vuelta de Perón y la reconstitución de su gobierno burgués que intente la conciliación de clases"*.[30] Por el contrario, Montoneros utilizaba como bandera el regreso de Perón, pero cuando este volvió, se quedaron sin eslogan y tuvieron que cambiar las frases y fundamentos de sus crímenes. En efecto, el objetivo ulterior y verdadero de Montoneros era la instauración de la patria socialista, y para tal fin combatieron bravamente a Perón y al gobierno peronista de 1973-76. Encendidos debates y profusos estudios ha suscitado la naturaleza de este singular acontecimiento consistente en la infiltración marxista en un movimiento nacional-populista fundado por un militar adorador de Mussolini. Una definición muy interesante acerca de esta dualidad la esboza el ex montonero Humberto Roggero, quien cuenta: *"La ideología de su grupo era marxista-peronista. Nosotros éramos políticamente peronistas y doctrinariamente marxistas"*.[31] Con menos sutileza, Miguel Bonasso sintetiza: *"Montoneros tenía un objetivo, la construcción del Socialismo, y este objetivo no tenía nada que ver con el objetivo que tenía Juan Perón"*.[32] Respaldando esta afirmación, Mario Firmenich agrega: *"Perón no era socialista, esto está claro"*.[33]

La justificación de los crímenes de Montoneros tuvo tres etapas distintas: 1) durante el período 1970-73, explicaban sus matanzas diciendo que "*luchaban por el regreso de Perón*"; 2) durante la democracia 1973-76 (ya con Perón de regreso y en pleno gobierno constitucional), justificaban sus asesinatos alegando luchar "*contra la burocracia sindical y el lopezreguismo*"; 3) en el gobierno provisional, (1976 en adelante) justificaban sus asesinatos alegando resistir "*contra la dictadura militar*". Siempre encontraron excusas mutantes y acomodables para sus masivos homicidios. La realidad es que mataban para imponer el totalitarismo marxista. Las explicaciones y las consignas variaban según la coyuntura. La excusa número tres, por ser la más cercana en el tiempo y la más "argumentable", es la que suelen repetir numerosos idiotas útiles por televisión y, por ende, es con la cual se ha confundido y engañado a las nuevas generaciones.

Montoneros operó mayormente en ámbitos urbanos, con impresionante organización logística, aparato militar y de inteligencia. Además poseían un riguroso Código de Justicia Militar interno al cual se subordinaban sus miembros y, entre otras cosas, por el que se les ordenaba suicidarse, tomando una pastilla de cianuro (que siempre llevaban consigo los militantes), ante la inminencia de ser capturados por las fuerzas legales (uno de los delincuentes más conocidos que incurrió en tal medida extrema fue el poeta y terrorista Francisco *Paco* Urondo). El código interno contemplaba un frondoso articulado penal que, además de instituir los juicios revolucionarios con sus pertinentes procedimientos, observaba para sus integrantes los delitos de "traición", "deserción", "confesión" y "delación", y todo subversivo que incurría en alguna de estas tipificaciones era sancionado con penas que iban desde la degradación o la expulsión, a la prisión y el fusilamiento.

El ERP, por su parte, adhería al trotskismo sin eufemismos y sin rebuscadas "infiltraciones" en ningún aparato partidario. No estrechaba vínculo alguno con el Peronismo (al que abominaban), pero sí mantenía profundo respeto (que era recíproco) hacia Montoneros (a quien llamaba "organización hermana") e incluso, las dos agrupaciones llegaron a efectuar operaciones de combate y atentados de manera conjunta, puesto que, en definitiva, ambos pretendían como resultado final llevar adelante la revolución comunista, independientemente de que en el aspecto metodológico o estratégico tuvieran importantes diferencias. La estructura político-militar del ERP, según explica el jerarca Luis Mattini, estaba compuesta por "*un Estado Mayor que era su máxima dirección, donde estaba Santucho, obviamente. Estaba compuesto por miembros del Comité Central del PRT pero, a su vez, el plan de operaciones globales lo decidía el Comité Central y el Buró Político del partido*".[34]

A pesar de la hermandad que unía sendas bandas, las diferencias ideológicas y metodológicas se hacían presentes a través de encendidos debates bibliográficos. El ERP, desde su revista *El Combatiente*, criticaba a Montoneros alegando, con respecto al "Peronismo de izquierda" o "entrismo": *"Las numerosas variantes de esta experiencia significan la integración de algunos marxistas intelectuales que 'entran' al movimiento peronista para trabajar sobre la clase obrera que permanece en él. [...] La limitación de esta política es su carácter oportunista. No da una batalla ideológica contra la influencia burguesa en el movimiento obrero"*,[35] y fustigaba a Perón por adjudicarle un carácter nada revolucionario, sino apenas concesivo, a los reclamos obreros a efectos de "anestesiar" el descontento y, así, evitar una revolución radicalizada. De este modo, el ERP se preguntaba: *"¿Por qué no realizó Perón la reforma agraria, la nacionalización de la industria, el armamento del proletariado? Ciertamente no fue por falta de apoyo popular. Jamás gobierno alguno en nuestro país contó con tanto apoyo. [...] Si Perón no realizó una auténtica revolución fue simplemente porque no quiso hacerla. Porque no estaba en sus planes, encerrados dentro del marco estrictamente burgués de su proyecto bonapartista"*.[36]

Cuenta Gorriarán Merlo: *"[Santucho a Perón] lo consideraba un opositor a los cambios propuestos por el Socialismo, que era la pretensión nuestra. Lo consideraba un peligro, desde el punto de vista ideológico, por la política populista que llevaba adelante"*.[37] A pesar de estas diferencias estratégicas, en materia militar, el ERP pregonaba: *"Unidad en la acción particularmente con las organizaciones armadas peronistas, que por su práctica son nuestras hermanas en la guerra revolucionaria, y unidad en la acción también con las corrientes combativas del Peronismo"*.[38] Por su parte, Montoneros respondía a través de Roberto Quieto, esbozando: *"Para ser revolucionarios en nuestro país es necesario asumir la experiencia histórica de nuestro pueblo, que es el Peronismo; por lo tanto aquellos que lo enfrenten o lo ignoren quedan al margen de la historia real y no pueden autodenominarse revolucionarios. Cuando el ERP o cualquier otro sector llama a la unidad revolucionaria debe tener en cuenta que la única unidad posible es en torno al movimiento peronista como Movimiento de Liberación Nacional cuyo jefe es el Grl. Perón"*.[39] En efecto, si bien los montoneros eran marxistas, el Peronismo no lo era (por más voluntarismo y autoconvencimiento que estos pusieran). Por ende, tenía razón el ERP al denunciar que Montoneros estaba en el lugar equivocado y que prontamente sería traicionado. Asimismo, Montoneros también tenía razón al fustigar al ERP por su carencia al comprender el sentir de las masas, que eran emocional y mayoritariamente peronistas.

El apostolado guerrillero

El grado de internalización, compromiso y dogmatismo existente en el *modus vivendi* de los miles de activistas subversivos abarcaba todos y cada

uno de los detalles de la vida cotidiana. Al respecto, cuenta el jerarca montonero Roberto Perdía: *"Nuestra vida montonera fue mucho más que una ra-
cionalidad política. Fue una pasión, una forma de estar en el mundo, una solidaridad entrañable, un compromiso que involucró todo el ser y el hacer, el
pensar y el sentir y el obrar, en construcción de ese 'hombre nuevo' que dominaba nuestras utopías. [...] Existía una palabra clave en la jerga interna:
'ámbito'. Esta era la estructura orgánica a la que cada militante pertenecía.
Era un lugar propio y el lugar común. Allí se sintetizaba la vida personal con
la colectiva. Era el sitio donde se discutían y se decidían desde los problemas personales hasta la estrategia política. En sus temarios aparecían tanto
las características de la etapa en debate como las cuestiones de pareja, la
crianza de los hijos, el trabajo, la seguridad. [...] Cada ámbito era el núcleo
vital de la vida del militante montonero. [...] es posible que todo aquello se
parezca más al esquema de una secta que de una organización política".*40
En efecto, nadie estaba "de paso" en las bandas terroristas. Todos tenían y
asumían un compromiso *full time*, tanto es así que Raúl Magario (ex jefe de
finanzas de Montoneros y futuro colaborador duhaldista) dice: *"Si me lo decís hoy, a mis 56 años, te digo que un revolucionario es lo más parecido a un
cura. [...] su dedicación y su vida es la revolución. O te incorporabas con todo lo que tenías o te desprendías de eso".*41

Y tanto es así, que hasta la vida sexual era condicionada y digitada desde la misma estructura organizacional. A diferencia de los postulados del progresismo actual que (si bien adhiere y reivindica totalmente a la subversión
de los años 70) abraza las políticas de distensión y heterodoxia, en cuanto a
las conductas sexuales, tanto el ERP como Montoneros, en esta materia, y a
efectos de no "relajar" la moral del combatiente revolucionario, dirigían a sus
subordinados órdenes incuestionables de rígidas concepciones en lo relativo
a la moral sexual. Si algún integrante de la organización quebrantaba alguna
de esas normas, era sancionado por sus propios compañeros. Una de las consignas cantadas con entusiasmo en los actos por los montoneros era, precisamente: *"No somos putos, ni somos faloperos, somos soldados, soldados montoneros".* Las directivas, mayormente, consistían en acatar la fidelidad absoluta a la pareja y el rechazo a todo tipo de conductas tales como el *menage a
troi* y (aún más) prácticas de tinte homosexual. El pensador Juan José Sebreli comenta que el rechazo a la sodomía *"variaba según los grupos. El ERP
no quería saber nada de los gays por su castrismo, mientras que en Montoneros lo que influía principalmente era el catolicismo".*42 Incluso, se le atribuye a Fidel Castro (quien también desprecia a la homosexualidad) el apotegma: *"La revolución no necesita de peluqueros".*43 Agrega Sebreli: *"El
grupo Eros del poeta Néstor Perlongher, que también participaba en el frente, se volcó a Montoneros. El sector peronizado del Frente de Liberación Homosexual se hizo presente en Plaza de Mayo con carteles identificatorios que*

decían: 'Para que reine en el pueblo el amor y la igualdad'".[44] Episodio que ocasionó la ira de la muchedumbre montonera. Concluye Sebreli explicando con cierta gracia: *"El amor entre los gays peronistas de izquierda y los montoneros fue un amor no correspondido".* Cuenta Viviana Gorbato: *"Rafael Freda, militante homosexual de izquierda, me cuenta una anécdota en la cual ciertos dirigentes gays le dijeron a la cúpula montonera: 'Ustedes ponen los huevos por la revolución. Nosotros ponemos el culo'".* En cuanto a la "homofobia" del ERP, este movimiento *"denunció con horror que sus militantes eran recluidos en las mismas celdas de los homosexuales".*[46]

En cuanto al estricto deber de fidelidad entre las parejas o matrimonios de militantes, Horacio Mendizábal (jefe del ejército montonero) refiere: *"Hay una exigencia ante la cual no transigimos y es la del cumplimiento estricto de una moral de la fidelidad. La fidelidad en su sentido más global: la fidelidad como principio. Al compañero, pero también a la esposa. Descartamos de nuestras filas al que es infiel a su compañera".* Cuenta Bonasso, con motivo de una infidelidad cometida por el terrorista *Paco* Urondo: *"Discutimos hasta los calzones que llevamos puestos, analizamos si era correcto o no que la Orga lo hubiera sancionado por haberse metido con 'Lucía' cuando todavía no había roto su relación anterior con Lily, otra compañera muy valiosa y querida por todos los presentes. Hubo una áspera discusión entre 'liberales' y 'moralizadores' y estos últimos llegaron a enarbolar el artículo 16 del Código Montonero, que pena con degradación y arresto la infidelidad conyugal".*[47] Del mismo modo, Ernesto Villanueva, vicerrector de la Universidad de Quilmes, comenta: *"La primera reunión de Montoneros en la que participé fue un juicio político a un señor que se había acostado con dos señoritas a la vez".*[48] Si bien a las relaciones de pareja o matrimoniales no se les exigía la indisolubilidad, si se exigía bajo pena de sanción la estricta fidelidad. La ex terrorista Alicia Pierini (ex subsecretaria de Derechos Humanos de Menem) reconoce: *"Lo que frecuentemente sucedía era que a los compañeros no les gustaba vivir solos. Entonces, antes de romper un vínculo, empezaban otro. [...] La monogamia sucesiva era la forma más habitual de la relación erótica dentro de Montoneros".* El terrorista Ernesto Jauretche confiesa: *"Recuerdo que cuando en Madrid me hicieron un juicio revolucionario por una disidencia política muy clara, mezclaron también cuestiones de mi vida personal. Me echaron en cara los romances con una garota en Brasil y que yo saliera a bailar samba".* Del mismo modo, el guerrillero Miguel Angel Lico (quien luego ocupó responsabilidades en la Secretaría General de la Presidencia del gobierno de Menem) *"cuenta orgulloso que en su época dormían cuando escapaban de la policía con las compañeras en hoteles alojamiento y totalmente vestidos [...] nadie podía molestar a una compañera o tener relaciones con otra mientras estaba en pareja. Si lo hacía, lo arrestábamos. En los primeros tiempos, en la Unión de Estudiantes Secunda-*

rios, el arresto lo tenía que cumplir en el baño de la casa. Los baños eran los calabozos. Ahí debía pasar dos o tres días, según fuera la sanción".[49]

Pero el acatamiento y subordinación a la estructura iba mucho más allá del comportamiento sexual. El terrorista montonero Sverko afirma: *"[Montoneros] era una organización de cuadros, la pertenencia a la organización implicaba un grado militar, es decir no se trabajaba en una organización de periodistas o de simpatizantes, no era la barra de la esquina, había un código de justicia interna, había una jerarquía, había grados, había reglas que se respetaban y el que las violaba era sometido a un juicio que podía desembocar incluso hasta en la pena de muerte. Uno tenía que pedir permiso hasta para casarse"*.[50]

Incluso, muchas secuelas del rígido comportamiento vivenciado por los terroristas perduran hasta el día de hoy, tal como lo reconoce el ya citado Humberto Roggero, quien confiesa que en la actualidad *"jamás me siento en un bar con la espalda hacia la vidriera. Nunca hablo en un taxi. Nunca hablo fuerte en un bar. Cuando escucho a los que están conmigo hablar fuerte, les hago bajar la voz. No puedo caminar con gente a mi espalda, sin saber a quién tengo atrás de mí. Todavía sigo caminando con los autos de frente. Si alguien me toca el brazo, salto. Todavía no doy el teléfono de mi casa, casi a nadie. Trato de que no sepan dónde vivo. Antes de bajarme de un taxi, miro quiénes están y qué están haciendo"*.[51]

El ERP, por su parte, no se quedaba atrás y al respecto, Luis Mattini (quien sucedió en jerarquía a Santucho tras la muerte de este) relata: *"En el PRT se impuso de entrada la idea de que no se podía tener un doble discurso. Si se decía que estábamos haciendo una lucha política revolucionaria para la clase obrera y el pueblo, había que ser coherente. Cada uno de los miembros tenía que ser clase obrera y pueblo. No se podía vivir en Barrio Norte con todos los privilegios y de ahí militar a la villa. Entonces, muchos compañeros que venían de origen de clase media más o menos acomodada abandonaban todo y se iban a vivir a un barrio e incluso se conseguían trabajo, vivían de su trabajo. Eso fue una condición básica para pertenecer al PRT"*.[52]

El grado de compromiso y fanatismo de los terroristas era tan alto que estaban psicológica y espiritualmente preparados para morir sin mayor trámite si las circunstancias lo ameritaban. Cuenta el terrorista poeta Juan Gelman: *"Se entró en la alucinación de formar militantes de acero [...] mesiánicos. Si te morís no importa, cuando triunfemos va a haber una escuela con tu nombre"*.[53] Del mismo modo, el citado terrorista *Paco* Urondo, temeraria y necrológicamente, afirmaba: *"Nos vamos a morir de todas maneras. Nos juguemos o no nos juguemos: el problema en todo caso no consiste en morirse joven, sino en haber vivido al pedo"*.[54] En su ya mencionada declaración judicial, el terrorista Sverko reconoció que el número de montoneros suicidados con pastillas de cianuro (ante la inminencia de la captura legal) ascendía a mil. El máximo jefe montonero, Mario Firmennich, predicaba: *"Si uno se preocupa por las vidas no hace política. Hacer política es preocuparse por el poder, no por las vidas"*.[55] Los dirigentes del ERP, por su parte, no se quedaban atrás y ya, desde las mismas resoluciones del Comité Central PRT (octubre 1970), se instigaba: *"Ante las dificultades, comportarse heroicamente. Ir dispuestos a matar o morir"*,[56] y desde la revista *El Combatiente*, el ERP cerraba sus artículos con la efectista consigna de guerra: *"¡A vencer o morir!, ¡libres o muertos!, ¡jamás esclavos!, ¡la sangre derramada no será negociada!"*. El mismo *Che* Guevara (gurú de todos ellos) arengaba en la Triconti-nental: *"Donde quiera que la muerte nos sorprenda, bienvenida sea"*.

Guerrilla urbana y rural

Montoneros poseía un complejo aparato de terror, altamente adiestrado y organizado; a punto tal que, tomando como base y parámetro el funcionamiento de un estado mayor castrense, incluyeron dentro de un estado mayor tradicional: Personal, Inteligencia, Operaciones y Logística. Al respecto, el periodista Carlos Manuel Acuña, en sus investigaciones, le presta especial atención al aparato de Inteligencia, al que considera vital y fundamental para el éxito y desempeño de una organización militar (en el caso de marras, de carácter ilegal e irregular) y nos explica sobre Montoneros: *"En el orden militar, una vez determinado el enemigo, decidida una operación o establecido un blanco particular, le cabe al departamento de Inteligencia realizar minuciosamente los estudios y análisis tendientes a conocer en detalle todas las capacidades y limitaciones o debilidades de ese enemigo. [...] La función de inteligencia también comprendía otras tareas específicas. Por ejemplo, detectar aquellas personas pasibles de ser secuestradas y con capacidad de pago; el desarrollo de una política de intimidaciones sobre personas, grupos, sectores o empresas; sobornos y chantajes; estudios y análisis previos al cometido de asesinatos para establecer réditos políticos; similares tareas para realizar atentados de todo tipo"*. Como responsable de esta área vital, concluye Acuña: *"Este era el mundo en que se movía Horacio Verbitsky"*.[57]

Los terroristas, en el ámbito urbano, obraban como partisanos y, por lo tanto, no usaban uniforme distintivo; lo que les permitía mimetizarse perfectamente con la población civil. Este último tipo de combate fue probablemente el más complicado de resolver para las FF.AA.

En cuanto al ERP, basaba su lucha en torno al libro *Guerra de guerrillas*, escrito por el *Che* Guevara, en el que se sostenía, entre otras cosas, que era factible derrotar a los ejércitos regulares mediante la simple aplicación de la voluntad para lograrlo (una afirmación que ya mostraba la patología del autor). La agrupación adhirió a la teoría "foquista", que propiciaba la táctica guerrillera en zonas selváticas. En efecto, el voluntarismo irreflexivo de Guevara lo llevaba a incurrir en *"la creencia en su propia capacidad para lograr cualquier objetivo con tal de proponérselo y la indiferencia por las condiciones lo habían llevado a aceptar la presidencia del Banco Nacional cubano, sin tener ninguna experiencia ni haber estudiado jamás economía".*[58] Los resultados al frente de tamaña cartera fueron desastrosos y el *Che* tuvo que dimitir en el cargo y volver a sus correrías "robin-hoodescas" en donde se sentía más en su papel. Toda aventura faraónica e hiperambiciosa destinada a no realizarse era para Guevara el objetivo perfecto. Pues la utopía, que por definición etimológica significa "no hay tal lugar" (vale decir, imposible de alcanzar), no se diferencia del delirio, porque se alimenta de una ilusión en permanente colisión con la realidad. Lo cierto es que una vez muerto el *Che*, los propios revolucionarios se dieron cuenta de la imperiosa necesidad que tenían de cambiar la absurda teoría voluntarista de raigambre foquista por otra más viable y conectada con la realidad. Sin embargo, a pesar del ya demostrado fracaso del "foquismo" (advertido por sus propios protagonistas y creadores en los años 60), el ERP abrazaba tardíamente esta teoría.

El ERP, con el "foquismo", efectuó denodados esfuerzos en la provincia de Tucumán para dominar su territorio e intentar que fuera declarada "zona liberada" por la ONU. El ERP fue fundado por Roberto Santucho en 1970 (en 1965 había fundado el PRT), quien a pesar de haber estudiado en la Facultad de Ciencias Económicas y haberse recibido de contador, en la materia no había aprendido demasiado puesto que, para solucionar los problemas económicos de la sociedad, el homicida proponía entre otras tonterías llevar a cabo *"la racionalización del capital extranjero [...] la reforma agraria y la reforma urbana (expropiación de viviendas de todas las empresas inmobiliarias y entrega en propiedad a los inquilinos)".*[59] Años más tarde, al caer Santucho, abatido en combate, le sucedieron en jerarquía el terrorista Luis Mattini y el renombrado asesino Enrique Gorriarán Merlo, oriundo de San Nicolás y proveniente de una familia radical.

Montoneros, por su parte, advierte que el "foquismo" es vetusto e incorpora como forma de guerrilla la llamada Tesis Marighella. La diferencia entre una práctica y la otra es bien sintetizada por el investigador Guillermo Rojas, quien refiere: *"Después de la derrota del Che era el replanteo del tipo de guerrilla, y se llegó a la conclusión de que debía adaptarse a la realidad de cada país. En Argentina, esa realidad marcaba que el movimiento obrero era mucho más aguerrido que un campesinado casi inexistente en un territorio extensísimo, donde primaba la población urbana".*[60] Esta nueva metodología ponía de manifiesto *"lo difícil que resultaba su neutralización para las fuerzas legales, pues, como se verá, se trataba de una suerte de ejército en las sombras. Una milicia que operaba amparada en la muchedumbre anónima de la sociedad urbana. Su hábitat ya no será el bosque o la jungla sino la sel-*

va de cemento. Su uniforme ya no sería el verde olivo, sino la vestimenta de partisano del hombre corriente. Su escondite no sería ya la foresta sino la máscara de un trabajo común".[61] Gran parte de la preparación militar en materia de guerrilla urbana fue adquirida por Montoneros en el exterior, en profundos y rigurosos cursos y entrenamientos (principalmente en Cuba, el Líbano, Palestina, Nicaragua y Vietnam), capacitación que luego fuera demostrada en los pormenorizados ataques y atentados que llevaron a cabo a lo largo y ancho de toda una dramática década. Al respecto, cuenta el guerrillero Gustavo Molfino (quien más adelante sería asesor del ya mencionado diputado Humberto Roggero): *"Eran cursos duros, muy complejos. Más que nada, nosotros desarrollábamos tácticas, defensa y estrategias de acciones urbanas: manejo de todo tipo de armas, explosivos, desplazamiento en vehículos, nos tirábamos de un vehículo en movimiento, tiro desde un vehículo. Acciones totalmente urbanísticas".*[62]

Complementariamente al ERP y a Montoneros, fuerzas menores que actuaban con similar violencia e igual finalidad fueron las FAP (Fuerzas Armadas Peronistas), las FAL (Fuerzas Armadas de Liberación) y las FAR (Fuerzas Armadas Revolucionarias). En esta última banda, se destacaba la participación de Eduardo Jozami, quien fue adoctrinado en Cuba y participó de la guerrilla boliviana, así como de reuniones partidarias en la URSS. Este personaje, *"a mediados de la década del 70 cae detenido y condenado por tenencia de documentación falsa y armamento de guerra".*[63] Más adelante en el tiempo, militó en el FREPASO y ocupó el cargo de subsecretario de Vivienda del Gobierno de la Ciudad de Buenos Aires (a la sazón, capitaneado por el lamentable figurón Aníbal Ibarra), siendo además uno de los más fervientes defensores y promotores de la promiscuidad sexual, la oferta de sexo, el travestismo, y toda forma de heterodoxia erótica impulsada a través del polémico Código de Convivencia.

Reacción legal e institucional

Durante los primeros meses de 1971, el líder del ERP, Mario Roberto Santucho, comenzaba a establecer contacto con el terrorismo tupamaro (Uruguay) y con el MIR (Chile). Estos lazos se fueron afianzando y ampliando a otras latitudes y constituyeron la antesala de lo que al año siguiente sería la JCR (Junta Coordinadora Revolucionaria). En tanto, en la Argentina, durante el primer trimestre del año, los atracos y atentados no cesaban. Fueron asaltadas armerías, clínicas, un camión blindado del Banco de Córdoba, y doce policías fueron asesinados. Por abril, los "luchadores sociales" mataron al teniente Azua y secuestraron al gerente de Swift y al cónsul honorario de Gran Bretaña, Stanley Farrer Sylvester (exigiendo a cambio de su liberación 25 millones de pesos en especies).

El 20 de febrero de ese año, desde España y a través de una misiva complaciente y elogiosa dirigida a los montoneros, refiriéndose al homicidio de Aramburu, Perón les decía: *"Estoy completamente de acuerdo y encomio todo lo actuado. Nada puede ser más falso que la afirmación que con ello ustedes estropearon mis planes tácticos".* En lo relativo a las actividades guerrilleras, los respaldaba proclamando: *"Totalmente de acuerdo en cuanto afirman sobre la* **guerra revolucionaria**. *Es el concepto cabal de tal actividad beligerante. Organizarse para ello y lanzar las operaciones para 'pegar cuando duele y donde duele' es la regla. Donde la fuerza represiva esté: nada, donde no esté esa fuerza: todo. Pegar y desaparecer es la regla porque lo que se busca no es una decisión sino un desgaste progresivo de la fuerza enemiga".* Y justificando cualquier tipo de asesinatos y atentados les aconsejaba: *"Han de comprender los que realizan la* **"guerra revolucionaria"** *que en esa* **"guerra", todo es lícito si la finalidad es conveniente".** *[...] Ni es nueva la guerra revolucionaria y menos aun la guerra de guerrillas [...] los montoneros, en su importantísima función guerrera, han de tener comandos muy responsables y en lo posible operar lo más coordinadamente posible con las finalidades de conjunto y las otras fuerzas que en el mismo o distinto campo realizan otras formas de acción. Finalmente compañeros, les ruego que hagan llegar a los compañeros mis más afectuosos saludos y acepten mis mejores deseos. Un gran abrazo,* **J. D. Perón".**

El gobierno provisional de entonces (presidido desde el 23 de marzo por el Grl. Alejandro Agustín Lanusse), ante el desconcierto creado por la subversión que Perón alentaba, rápidamente creó por Ley 19.053 del 28 de mayo de 1971 la Cámara Federal en lo Penal, destinada a juzgar las actividades terroristas. Esta lúcida reacción política y jurídica demostró que la actitud del Gobierno cívico-militar fue desde el inicio combatir a la guerrilla bajo el imperio de la ley y la institucionalidad, creando al efecto los mecanismos apropiados. Esta fue probablemente la medida más acertada de Lanusse durante su gestión gubernamental.

La Cámara logró con rapidez, durante los años 1971 y 1972, juzgar y procesar alrededor de dos mil terroristas. Nueve fueron los jueces designados, distribuidos en tres salas. La Sala Primera estaba integrada por los doctores Ernesto Ure, Juan Carlos Díaz Reynolds y Carlos Enrique Malbrán. La Sala Segunda, por los doctores César Black, Eduardo Munilla Lacasa y Jaime Smart y la Sala Tercera, por los doctores Tomás Barrera Aguirre, Jorge Quiroga y Mario Fernández Badesich. La cámara sólo juzgó a terroristas que cometieron delitos después de la creación del tribunal. Precisamente, el Dr. Jaime Smart recuerda que muchos terroristas fueron defendidos por *"la Asociación Gremial de Abogados, muchos de ellos con vinculaciones muy estrechas con las organizaciones guerrilleras. Pese a esto, siempre se los respetó; nunca hubo la más mínima queja de los abogados defensores; actuaron con total libertad".*[64]

La subversión, lejos de amilanarse ante esta legítima reacción institucional, durante los meses de julio, agosto y septiembre incrementó cuantitativamente los asesinatos, secuestros y robos. En ese ínterin, se atacó la Cárcel de Mujeres Buen Pastor y se liberó a terroristas detenidas; se tomó la Cárcel Correccional de Mujeres y se liberó a cuatro terroristas; se atacó la Subcomisaría Gonnet de La Plata; se intentó secuestrar al Grl. Julio Alsogaray y la compañía telefónica de Tucumán fue asaltada (robaron 30 millones de pesos). Ante la zozobra generada por la virulenta agresión de la ascendente guerrilla, las comisarías se fueron convirtiendo en fortalezas con garitas acorazadas y aisladas por vallas en las calles que impedían la aproximación de los vehículos.

El mes de octubre de 1971 fue por lejos el más despiadado del año. Se llevaron a cabo cuarenta atentados de alta envergadura, varios de ellos mediante la colocación de bombas, y se efectuaron, además, decenas de robos multimillonarios. En ese ínterin, el empresario Vázquez Ibáñez fue secuestrado y, a cambio de su liberación, sus secuestradores obtuvieron una magnífica suma de dinero. El asalto a bancos y los secuestros extorsivos eran prácticas tan frecuentes y naturales para los terroristas, que ni siquiera las consideraban delitos o actos de inmoralidad, tal como lo explicara en una entrevista el otrora subversivo (y años después senador por Corrientes) Hugo Rubén Perié: *"Lo de los bancos lo llamábamos de otro modo". "¿Cómo lo llamaban?* (pregunta la periodista)". *"Recuperar fondos para la causa popular de Montoneros"*.[65] En el mismo reportaje, efectuado por Viviana Gorbato, interviene el guerrillero Martín Grass, que agrega: *"Me acuerdo inclusive de la discusión, porque en algún momento se firmó algún comunicado diciendo que se expropiaba, y el concepto de expropiación es otro: vos en una expropiación pagás"*.[66] Por parte del ERP, Gorriarán Merlo justifica los secuestros extorsivos alegando: *"El secuestro lo hacíamos porque no encontrábamos otra forma de resolver el financiamiento, pero éramos conscientes del dolor que producíamos"*.[67] El "dolor" que dice sentir Gorriarán no se hacía presente cuando el secuestrado era un uniformado y agrega: *"En el caso de los militares era diferente, porque se trataba de garantizar a los compañeros que seguían detenidos eventualmente la posibilidad de un canje"*.[68]

Las muertes de empresarios, personalidades públicas, policías o simples ciudadanos comenzaban a ser moneda corriente y la convulsión social generaba un clima sumamente tenso. Para tener un panorama de todo aquello *"alcanza con saber que una sola organización, el ERP, durante 1971 protagonizó cerca de doscientos treinta hechos de violencia"*.[69]

Durante estos años, las organizaciones terroristas editaron publicaciones y revistas con propaganda y proselitismo revolucionario en los que se adoctrinaba, exhortaba y adiestraba gráficamente para la lucha armada. Las publicaciones más destacadas (que difundían los partes de guerra y toda la información pertinente sobre actividades y combates efectuados) fueron *El Des-*

camisado, *Estrella Roja* y *Cristianismo y Revolución*. En esta última publicación era muy destacada la pluma aduladora al terrorismo del periodista José *Pepe* Eliaschev, personaje de tendencia castro-comunista, que desde su escritos alentaba a las guerrillas y afirmaba: *"No hay arte sin guerra, porque no hay vida sin guerra para que haya vida"*.[70] Este último, durante los años 80 y en los albores del disolvente gramscismo alfonsinista, se dedicó a elaborar *"encuestas extravagantes o escatológicas como la referente a la incidencia del tamaño del pene en el gozo sexual femenino"*.[71]

En 1972, la subversión se agiganta tanto en la cantidad de reclutados como en la adquisición de armamento y material de guerra. A principio de año es asesinado dentro de su casa Roberto Mario Uzal, dirigente del partido Nueva Fuerza, a la sazón, liderado por el ingeniero Álvaro Alsogaray, de extracción liberal.

Incrementando la intensidad y frecuencia, se asaltaron decenas de bancos y los secuestros extorsivos se constituyeron en una práctica permanente. Entre las víctimas más renombradas, se recuerda al comandante principal de Gendarmería Pedro Agarotti y al teniente general Carlos Sánchez (el atentado contra el general Sánchez ocasionó también la muerte de su chofer y de una vendedora de revistas en la vía pública).

El 6 de abril se desarrolló en la provincia de Mendoza una intensa actividad terrorista que se prolongó durante cuatro días. Se produjeron desmanes, ataques con francotiradores y se incendiaron decenas de automóviles particulares. Esas jornadas se conocieron luego como *El Mendozazo*. Todos los días, los diarios daban noticias de crímenes y homicidios; entre ellos, el 21 de marzo se produjo el secuestro del director general de la FIAT, Oberdan Sallustro, asesinado, cautiverio mediante, el 10 de abril. Durante el cautiverio de Sallustro, a cambio de devolver su libertad los terroristas exigían: *"La liberación de 50 guerrilleros detenidos. [...] Además, pedían para liberar al empresario que la FIAT pagara la suma de 1000 millones de pesos. [...] El emisario de los terroristas para la transacción extorsiva fue el actual secretario de Derechos Humanos, en aquella época abogado de los terroristas, Eduardo Luis Duhalde"*.[72]

El asesinato del empresario desencadenó una avalancha de repudios por parte de personalidades de todos los sectores políticos. Al respecto, la CGT emitió un documento firmado por los dirigentes peronistas José Ignacio Rucci y Hugo Barrionuevo en el que se afirmaba: *"El pueblo y las Fuerzas Armadas, unidos por lazos de indiscutible solidaridad, deben constituir la síntesis de unidad patriótica, desterrando nuestro suelo de todas las fuerzas antinacionales"*.[73]

Los terroristas que participaron de este resonante homicidio fueron juzgados por la Cámara Federal en lo Penal. El ex juez, Jaime Smart, recuerda años más tarde: *"El defensor de una de las implicadas era el Dr. Felipe Ro-*

dríguez Araya [...] cuando presenta su escrito de defensa, lo hace con el patrocinio del doctor Alfonsín".[74]

Nótese quiénes fueron a partir de 1983 los "abanderados de los derechos humanos": precisamente los defensores de los terroristas de ayer.

El accionar terrorista se caracterizó por la no discriminación de sus eventuales víctimas. Aquí, lo esencial consistía en que ningún ciudadano se sintiera seguro, para ello los atentados se cometieron en los más insospechados territorios, y, así, los "luchadores populares", el día 26 de julio produjeron *"un atentado de terribles connotaciones pues se sembró de bombas una plaza de San Isidro donde habitualmente jugaban numerosos niños. La Policía Bonaerense advirtió el atentado y logró neutralizarlo, aunque perdieron la vida el agente Bernardo Gazzola, el bombero Carlos Ayala y el cabo Silvio Portillo".*[75]

El 15 de agosto se produce la rimbombante fuga de guerrilleros detenidos en el penal de Rawson (Chubut). Entre los terroristas que huyeron, se encontraban delincuentes relevantes como Mario Roberto Santucho y su esposa (ERP), Roberto Quieto (FAR), Marcos Osatinsky (FAR), Fernando Vaca Narvaja (Montoneros), Domingo Menna (ERP), Enrique Gorriarán Merlo (ERP). Otros 19 fugitivos no tuvieron igual suerte, pues fueron apresados la misma noche de la fuga. Con calculada planificación los guerrilleros escaparon en automóvil hacia el aeropuerto de Trelew donde, apoderándose de un avión comercial, huyeron hacia Cuba, haciendo escala previa en Chile, país en el que recibieron una calurosa bienvenida (se hospedaron en dependencias gubernamentales) por parte del régimen marxista de Salvador Allende. Fue allí donde Allende le regaló a Santucho una metralleta. El apoyo y devoción de Allende a los criminales era tan elocuente, que este mismo *"había dispuesto el suministro regular de fondos para las guerrillas argentinas y uruguayas".*[76]

Tras pasar cómoda estadía en el comunismo trasandino los delincuentes viajan a Cuba, donde fueron recibidos con efusivo abrazo por parte de uno de los principales aliados de los terroristas fugados, el ya citado Eduardo Luis Duhalde (cabe destacar que Duhalde tuvo estrechísimos vínculos con el criminal Gorriarán Merlo y fue un entusiasta partícipe de las reuniones que desde Managua organizaron años después el ataque terrorista llevado a cabo en 1989 contra el Regimiento de Infantería de La Tablada).

Seguidamente, el 22 de agosto, murieron en intento de fuga dieciséis terroristas detenidos en Trelew. A raíz de este sonoro episodio, diversos sectores simpatizantes del terrorismo efectuaron marchas estudiantiles en apoyo y conmemoración a los llamados "héroes de Trelew". Varios abatidos fueron velados en sedes del PJ y en los actos de la juventud radical, fue destacada la animosa participación del futuro candidato a presidente de la Nación Leopoldo Moreau.

Muchos fueron los personajes que con el tiempo hicieron de este episodio una reivindicación del terrorismo. Por ejemplo, el escritor Tomás Eloy

Martínez, *"panegirista de los grupos insurgentes de quienes se ocuparía cálidamente en su posterior y famoso libro* La pasión según Trelew *y que aún
hoy pretende blanquear a los grupos terroristas"*.[77] Las apologías de Martínez no eran casuales, puesto que este *"provenía del PCA. Formó parte de la
inteligencia de los montoneros y distintas fuentes aseguran que era el verdadero propietario de la revista* Militancia, *donde ejercía un papel que estaba
por encima de Ortega Peña y de Eduardo L. Duhalde"*.[78]

Aunque por un lapso fugaz, en operativo mucho más discreto del que se
viviría en junio de 1973 (su regreso definitivo al país), Perón regresó, por unos
días, el 17 de noviembre, y se hospedó en una residencia en Gaspar Campos,
donde se entrevistó con políticos y personalidades de diverso pelaje.

Ese mismo mes se produjo una sublevación en la ESMA (Escuela de
Mecánica de la Armada) promovida por el guardiamarina Julio Urien, quien
estaba infiltrado en la Armada, pero era oficial montonero, y junto con dos
tenientes (también infiltrados) llevaron a cabo la reyerta (donde se asesina a
dos marinos). Urien y el resto de los delincuentes fueron rápidamente reducidos y posteriormente sometidos a juicio por un tribunal militar por su calidad de traidores. En el año 2005, durante la gestión de Kirchner, Urien no sólo ocupó un relevante y bien rentado cargo en el PAMI, sino que se le devol-
vió el grado militar que había alcanzado al ser destituido (por traidor y asesino) pagándosele retroactivamente todos sus haberes (quinientos mil pesos de
indemnización). En el acto de "restitución", con uniforme de gala, estaba presente y aplaudiendo el deshonroso almirante Godoy (jefe máximo de la Armada), por cuyas recurrentes genuflexiones y desempeños que rayan en la co-
micidad ya ni siquiera es considerado un traidor a su fuerza, puesto que tal
calificación otorga una jerarquía que Godoy no tiene y por ende es tildado en
el ambiente de la Marina como "el almirante títere".

El 26 de noviembre, Perón predicaba: *"La guerrilla es el escape natural de los pueblos oprimidos, porque generalmente, las violencias populares
son provocadas por las violencias gubernamentales [...] una de las mayores
fortunas que tiene la República Argentina en estos días es disponer de una
maravillosa juventud, esclarecida, valiente y patriota"*.[79]

A fines de diciembre, dos terroristas de 18 años, transportando armamento en un cochecito de bebé, asesinan al almirante Berisso. Del grupo al
que pertenecían los asesinos de Berisso formaban parte, además del poeta *Paco* Urondo (el jefe de todos ellos), *"su hija Claudia, Lidia Mazzaferro (a), Li-
li concubina de Urondo y madre del terrorista Manuel Belloni [una suerte de
precursora de las Madres de Plaza de Mayo]"*.[80] Como vemos –y lo segui-
remos viendo en este trabajo– los "defensores de los derechos humanos" de
hoy son los protagonistas o aliados del terrorismo de ayer.

Asomando el año 1973, Lanusse anunció el llamado a elecciones presidenciales y la consiguiente vuelta a las formas democráticas. A comienzos de

ese año, las actividades terroristas se multiplicaron y en enero ocho policías fueron asesinados. En febrero se asalta y ocupa el cuartel del Batallón de Comunicaciones y son robados elementos y material de guerra.

Las felonías y atentados se mantuvieron constantes durante febrero y marzo. El 30 de este último mes, el ERP planificó un atentado con explosivos dentro del Edificio Libertad, sede del Estado Mayor General de la Armada, pero la bomba le estalló en las manos al terrorista que la armaba, en uno de los baños de la planta, muriendo en el acto. Se trataba de Julio César Provenzano, soldado conscripto que obraba de traidor.

En abril se produjo el secuestro del contraalmirante Francisco Aleman por parte del ERP, destacándose entre los raptores Magdalena Nosiglia, hermana del dirigente radical Enrique *Coti* Nosiglia, quien supo ocupar en los años 80 el cargo de ministro del Interior, durante el desgobierno de Raúl Alfonsín.

Mientras tanto, el polémico presidente Lanusse, quien ya había efectuado componendas (con éxito) para derrocar primero al presidente Onganía y luego al presidente Marcelo Levingston, tras haberse hecho el guapo y haber afirmado el 25 de agosto de 1972 que a Perón *"no le daba el cuero para regresar"* (frase que quedó en la historia como uno de los tantos actos de torpeza de Lanusse), como ya fuera dicho, había convocado a elecciones previstas para marzo de 1973. Como particularidad (y hecho histórico tras tantos años de proscripción), para esta ocasión se permitió participar al Partido Justicialista, aunque con una limitación: se activaron mecanismos formales para que Perón no pudiera presentarse en las contiendas electorales. Por entonces, en los actos peronistas sus acólitos se mofaban de la proscripción impuesta por el Presidente gritando: *"Lanusse, marmota, Perón va a regresar cuando le canten las pelotas"*.

La maniobra proscriptiva de Lanusse no era tan sólo una argucia esgrimida a título personal, sino que contaba con el consenso de diversos partidos políticos, tal el caso de la UCR en donde según cuenta Bonasso: *"El pillo de Balbín no quiso jugarse para que Perón rompa la proscripción y sea candidato. La Unión Cívica Radical condenó la "cláusula proscriptiva", pero no se va a abstener si los militares la mantienen. Sí o sí van a elecciones".*[82]

De todos modos, los obstáculos legales de Lanusse tenían una mera fuerza dilatoria y transitoria. La elección de Cámpora para encabezar la lista del PJ fue decidida por Perón y así lo recuerda Jorge Antonio: *"Perón viene a mi oficina en Madrid y me dice: '¡Mire Jorge, vamos a elegir al presidente de la República. Tenemos tres candidatos. Lo quiero conversar con usted porque yo quiero un presidente que esté dos meses y después ser yo el presidente. Los candidatos son Cámpora, Benítez y Taiana. El mejor de todos es Taiana, pero el consuegro de él es un general (que era Julio Alsogaray comandante en jefe del Ejército). Entonces Taiana va a ser dominado por su consuegro; el otro es Benítez, un correntino taimado que después se va a querer quedar. Entonces, queda Cámpora'"*.[83]

De este modo, bajo el lema "Cámpora al gobierno, Perón al poder", el 11 de marzo se llevaron a cabo las elecciones en las que se instituía como novedad la figura del *ballotage* (segunda vuelta) si el candidato ganador no obtenía el 50% de los votos. Miguel Bonasso, quien fuera jefe de prensa de Cámpora, cuenta que el día de los comicios *"al caer la noche, el propio gobierno admite que tenemos más del 49 por ciento y le llevamos una distancia sideral a la UCR, que apenas supera el 21 por ciento"*.[84]

Legalmente, Balbín podía acudir a una segunda vuelta, pero renunció a esta debido a que si bien Cámpora no alcanzó el 50%, prácticamente, lo "arañaba" e ir a una segunda vuelta era un emprendimiento en vano, ya que la distancia y los guarismos hacían que la situación se tornara de suyo irreversible.

La lista de Cámpora se presentó con la sigla FREJULI (Frente Justicialista de Liberación Nacional), conformada por una coalición que, además del Partido Justicialista, incluía por ejemplo al MID, dirigido por el ex presidente Arturo Frondizi (a quien hoy muchos tratan de hacer pasar por "estadista"). Muy lejos quedaron las fuerzas restantes. La UCR, con Ricardo Balbín a la cabeza, apenas superó el 21% (su caudal histórico), la derecha moderada efectuó un frente que postuló a Francisco *Paco* Manrique, y se ubicó en tercer lugar con el 14% de los sufragios. Más atrás quedó la candidatura del izquierdista Oscar Alende. Otra recordada candidatura de la derecha fue la del entonces joven Ezequiel Martínez, que obtuvo 350.000 votos. La Nueva Fuerza (que una década después se convirtiera en la exitosa UCEDE), presidida por el ingeniero Álvaro Alsogaray (quien propuso como candidato a Julio Chamizo), a pesar de su marketinera campaña electoral (una novedad para la época), todavía no poseía el peso electoral que supo alcanzar años más tarde: apenas superó los 200.000 votos. Las izquierdas radicalizadas, por su parte, fueron aplastadas en la contienda obteniendo guarismos virtualmente nulos.

El triunfo de Cámpora no fue un triunfo de la izquierda, sino un triunfo del Peronismo, coyunturalmente copado por elementos comunizantes que hábilmente supieron trepar a la cúspide en el esquema de candidaturas. En otros tiempos, el propio Perón llegó a afirmar: *"les pongo un caballo y me lo votan"*. Y lo votaron.

Cámpora era un personaje totalmente vinculado y enrolado en las bandas terroristas. Las adulaciones y justificaciones de Cámpora a los homicidios subversivos eran tan abiertos, que durante la campaña expresó que *"la acción de FAR y Montoneros es tan respetable como la de quienes estamos en el camino de la persuasión"*.[85] Del mismo modo, otro emblema alzado durante el proselitismo fue el de brindar libertad a los terroristas, reabrir relaciones con Cuba, Vietnam y Corea del Norte, y muchos candidatos del PJ se pronunciaron a favor de nacionalizar la banca y el comercio exterior.

A pesar del tenebroso panorama que se avecinaba (y que no sorprendía a nadie pues había sido anticipado por los candidatos), como impericia final,

Durante la campaña presidencial de Cámpora, la delincuencia montonera tuvo destacado papel movilizador en los actos proselitistas.

Lanusse manifestaba con alegría: *"El triunfo ya no pertenece a un sector sino a todos los argentinos, que ante el mundo, podemos exhibir con orgullo el ejemplo cívico de los comicios"*.[86] Sumándose al júbilo, el "estadista" Arturo Frondizi esbozó: *"Ha triunfado la alianza de clases y sectores sociales utilizando un instrumento ya histórico como el frente"*.[87]

El 16 de abril, días antes del traspaso del mando, los jefes guerrilleros Mario Firmenich, Roberto Cirilo Perdía y Eduardo Galimberti mantuvieron una reunión con Cámpora en la cual le presentaron un listado con los nombres de aquellos ministros que consideraban aceptables. Hablaron acerca de la liberación de los terroristas presos y le increparon: *"A nosotros nos importa un carajo que salgan por indulto o amnistía. Lo que nos importa es que salgan [...]"*, a lo que Cámpora contestó: *"Ese es un compromiso que asumí y no lo voy a olvidar".*[88] Es decir, Cámpora, contrariando la brújula de lo que debe hacer un gobernante serio de cualquier país civilizado del mundo, en lugar de fijarse como objetivo el combate contra el terrorismo, conversaba afablemente con los impulsores prometiéndoles beneficios, cargos y liberaciones (concesiones que cumplió al pie de la letra). En efecto, el sostén político de Cámpora eran precisamente las bandas homicidas.

No solo políticos irresponsables mostraban simpatías con el terrorismo, sino (como iremos viendo a lo largo del presente trabajo) numerosos hombres de notoriedad pública y personalidades del mundo intelectual harían lo propio. Tal es el caso del notorio escandalizador televisivo Dalmiro Sáenz, quien por entonces declaró sobre la guerrilla: *"Es simplemente la primera línea de fuego de un pueblo levantado en armas. La guerra ya está declarada, y todo argentino que amparado tras sus duda no esté física o anímicamente enredado en la guerrilla es un desertor de sí mismo o un centinela del conformismo [...]"* y agregó: *"Las armas guerrilleras serán la permanente custodia de esa liberación, dado que por el momento es la guerrilla el único grupo eficaz con estatura moral suficiente como para empuñar las armas".*[89]

Tanto hoy como ayer, los gobiernos más funestos suelen asumir con el respaldo de diversos elementos del "arte" y la farándula que, ora por su notoriedad, ora por su prefabricado prestigio "artístico", son tomados y presentados como grandes "pensadores" o personas "sensibles" que, por su mismo sobredimensionamiento, sus opiniones y manifestaciones (sin importar la calidad o profundidad de las mismas) son acatadas, aduladas y tenidas en cuenta como si contasen con genuina autoridad intelectual. Esto ha sido una constante que no ha variado con los años (sino que se ha potenciado). Ya un día antes del traspaso presidencial, el Centro de Cultura José Podestá había organizado un homenaje a Cámpora en el teatro Lasalle. La revista *El Burgués*, de importante influencia en la opinión pública, describió por entonces la reunión del modo que sigue: *"Allí estaban el gemebundo Piero, la seudopueril Marilina Ross, el galán Emilio Alfaro, el infantil Oscar Rovito y la no tan infantil diputada Silvana Roth".*[90]

Finalmente, el 25 de mayo, Héctor Cámpora, custodiado por numerosos terroristas que ingresaron al Salón Blanco de la Casa de Gobierno, asumió la Presidencia de la Nación siendo rubricada el acta de juramento por los presidentes marxistas de Cuba y Chile. La revista *Gente* tiempo después narraría: *"Cuesta recordar aquel día. [...] El 25 de mayo de 1973 fue una pesadilla [...] uniformes militares escupidos, coches volcados y quemados, gritos, amenazas, ofensas, saltos, desbordes, revancha [...] el horror fue general [...] Las tropas militares que estaban en formación para el desfile debieron replegarse para evitar agresiones mayores [...] en cuanto al doctor Cámpora que tuvo colocada la banda presidencial se marcó la diferencia: no lo recibió el Himno Nacional, sino la marcha peronista. [...] Cuando terminó la ceremonia, las autori-*

dades salientes no sabían como abandonar la Casa Rosada, que ya había sido
bautizada y mancillada con el apodo de Casa Montonera [...] en medio de ese
clima Lanusse debía abandonar la Casa de Gobierno. Nadie se animaba a
apostar por su vida. [...] Cómo salió, cómo pudo pasar entre la gente que in-
tentó detenerlo, es algo que todavía no se explica".[91]

El clima era el de un verdadero aquelarre. Prosigue la revista *Gente* deta-
llando que las consignas cantadas *"ya no eran hirientes ni ofensivas. Eran gri-*
tos de guerra [...] era desear la muerte del rival". Absolutamente nada indicaba que la violencia iba a terminar con motivo de *"haber recuperado la demo-*
cracia" (tal los supuestos objetivos que los terroristas decían perseguir para justificar sus crímenes durante el gobierno de Lanusse), sino por el contrario, se
agigantaría superlativamente. Ni siquiera los terroristas y sus simpatizantes que
estaban allí apoyando a Cámpora ocultaban sus planes futuros. Los amenazan-
tes cánticos más festejados por los subversivos en la velada eran: *"Con Cám-*
pora y con Lima, la lucha no termina", *"ya van a ver cuando venguemos a los*
muertos de Trelew", y con populismo voluntarista recitaban: *"Qué lindo, qué*
lindo que va a ser, el hospital de niños en el Sheraton Hotel".

Ese día, el de la asunción, Cámpora pronunció un desconcertante (aunque previsible) discurso ante la Asamblea Legislativa: *"La juventud maravi-*
llosa que supo responder a la violencia con la violencia y oponerse, con la
decisión y el coraje de las más vibrantes epopeyas nacionales. [...]Por eso,
la sangre que fue derramada, los agravios que se hicieron a la carne y al es-
píritu, el escarnio de que fueron objeto los justos, nos serán negociados".
Con total complicidad e inmutable naturalidad, escuchaban el discurso en si-
tiales de privilegio los presidentes de los despotismos comunistas de Cuba y
Chile, y delegados de Vietnam del Norte. Al mismo tiempo *"en la plaza de*
los Dos Congresos se había arriado la bandera argentina del mástil e izado
una roja con un martillo y la hoz".[93]

En Córdoba, el gobernador electo Obregón Cano (también enrolado en
la banda Montoneros) realizó la jura bajo un cartel que decía: *"Córdoba, pri-*
mera provincia socialista". El comienzo del gobierno de Cámpora ya tenía
olor a tragedia: *"Como saldo de la jornada quedaron doce heridos de bala y*
dos muertos".[94]

Terroristas de Estado

El breve desempeño de Cámpora (gobernó tan solo cuarenta y nueve
días) fue nefasto para la vida institucional de la República. En efecto, Cámpora con su lamentable gestión se constituyó en uno de los principales responsables del elevadísimo número de víctimas de diversos sectores que se sucedieron durante toda la década del setenta. El renombrado sindicalista pero-

Terrorismo de Estado. Con la asunción de Cámpora, los terroristas coparon la estructura del Estado. En la foto, en acto proselitista, Héctor Cámpora junto a Juan Manuel Abal Medina (secretario general del Justicialismo) y Miguel Bonasso (secretario de Prensa). (Fuente: Diario de un clandestino, Miguel Bonasso, Editorial Planeta. Investigación fotográfica de Felicitas Luna.)

nista José Ignacio Rucci, no sin fundamentos, afirmó: "*Le ha hecho más daño al Peronismo Cámpora en 49 días, que 17 años de gorilismo*".

Auxiliados por el flamante mandatario, los terroristas comenzaban a ocupar espacios en la estructura política y ya habían conformado un numeroso bloque de diputados y comandaban a través de gobernadores enrolados en la banda Montoneros varias provincias de gran envergadura. Los gobernadores más comprometidos con la guerrilla fueron Obregón Cano (Córdoba), Oscar Bidegain (Buenos Aires), Alberto Martínez Baca (Mendoza), Miguel Ragone (Salta) y Jorge Cepernic (Santa Cruz), quienes se encargaban de suministrar la estructura necesaria para encaminar la acción hacia la tan ansiada "patria socialista". Además de la estructura estatal, cuenta el ex guerrillero Miguel Angel Lico (quien más tarde sería subsecretario de Estado del presidente Carlos Menem): "*La Organización tenía su estructura de cuadros militares. Era una estructura histórica. Después, con el acercamiento a Perón en España, se desarrolla lo que son las formaciones de base: la UES con los secundarios, la JUP (Juventud Universitaria Peronista) en la Universidad, el Movimiento Villero Peronista, la Agrupación Evita, la Juventud Peronista, el Movimiento de Inquilinos Peronistas, etc. Cada conflicto tenía un frente so-*

cial-político armado. Éramos parte de la Tendencia Revolucionaria, que era la estructura política visible de Montoneros".[95] Entre los diputados nacionales que respondían a Montoneros se encontraba Carlos Kunkel, actual subsecretario de la Presidencia del Gobierno de Kirchner.

Se cuenta que la lealtad de Cámpora hacia Perón era de carácter incondicional, al punto que se le atribuye la frase: *"Yo no soy consecuente, soy obsecuente"*.[96] Tanto es así, que el mismo Cámpora, a pesar de estar totalmente enrolado en pro de la delincuencia subversiva, mostraba un notable grado de servilismo y genuflexión para con el jefe del movimiento, a quien le enviaba diariamente extensos y meticulosos Télex a España, colmados de adulaciones y detalladas rendiciones de cuentas. Perón, ante tantos mensajes rastreros, con sutileza llegó a responderle: *"Muchas gracias por todo, querido Cámpora, es usted demasiado amable"*.[97] Agrega Firmenich que estando ya Perón nuevamente en el país *"Cámpora, al principio de su gobierno, le llevaba [a Perón] todos los días la carpeta al despacho, a ver lo que firmaba y lo que no firmaba. Y cuentan que así, en el mismo lugar donde Cámpora las dejaba, a la próxima vez iba las encontraba como las había dejado. Perón ni las había mirado"*.[98]

Con el advenimiento de las formas democráticas y el consiguiente aval sufragista (que era masivo), los argumentos con los que las bandas terroristas fundamentaban la "lucha armada" quedaron desdibujados y deslegitimados y por lo tanto, el ERP, por ejemplo, dio a conocer un comunicado ambiguo en el cual expresaba: *"El gobierno que el Dr. Cámpora presidirá representará la voluntad popular. Respetuosos de esa voluntad, nuestra organización no atacará al nuevo gobierno mientras este no ataque al pueblo ni a la guerrilla. Nuestra organización seguirá combatiendo militarmente a las empresas y a las FF.AA. contrarrevolucionarias, pero no dirigirá sus ataques contra las instituciones gubernamentales ni contra ningún miembro del gobierno"*.[99] Seguidamente y en consonancia con el aludido documento, Gorriarán Merlo (en llamativo gesto de ternura) cuenta: *"Liberamos como muestra de buena voluntad a un comandante de Gendarmería que teníamos detenido en Córdoba, y al almirante Aleman"*.[100] De todos modos, las "buenas intenciones" de la guerrilla no durarían mucho tiempo. Días después del evento electoral *"se producen los homicidios del contralmirante Hermes Quijada a manos de los terroristas Víctor Fernández Palmeiro y Jorge Argemi, que serían célebres como 'los motociclistas de la muerte' por realizar lo atentados sobre ese medio de locomoción"*.[101]

En cuanto a la conformación del nuevo Gobierno, el gabinete de Cámpora mucho se parecía al bolsillo de un payaso en el cual se puede encontrar cualquier cosa (no nos olvidemos que en definitiva se trataba de un gobierno peronista). Entre los ministros aliados al terrorismo se encontraban Esteban Righi (ministro del Interior), Juan Carlos Puig (canciller), Jorge Taiana (ministro de Educación) y José Ber Gelbard (vinculado a la KGB y al Partido Comunista). Asimismo, por el lado del sector leal a Perón, en el Ministerio de Bienestar Social se encontraba el pintoresco José López Rega y en el Ministerio de Trabajo, Jorge Otero.

En el campo militar, Cámpora nombró como comandante en jefe al general Raúl Carcaño, personaje extraño que, si bien había participado de la represión al "Cordobazo", pertenecía a un sector muy minoritario y curioso de las FF.AA. que abrazaba una línea de pensamiento que no miraba con antipatía a Montoneros. El grupo al que pertenecía Carcagno era denominado "peruanistas", dada la adhesión que le tenía al populista Grl. Velazco Alvarado, por entonces presidente del Perú.

Durante los días 26, 27 y 28 de mayo, el Congreso derogó veinte normas destinadas a combatir al terrorismo. Dentro de esta disparatada desarticulación legal, se llegó a eliminar la disposición *"del artículo 80 del código penal, que disponía la pena de prisión perpetua por el asesinato de un juez o de un miembro de las Fuerzas Armadas o de seguridad"*.[102] Seguidamente, se dejó sin efecto una ley que autorizaba partidas para el equipamiento de las fuerzas regulares contra la subversión y se disolvió por ley la Cámara Federal en lo Penal que había sido creada en 1971 para juzgar legalmente las actividades terroristas. Durante los dos años en que funcionó ese tribunal, se procesó y juzgó a miles de terroristas (se abrieron 8.927 causas en total). A *contrario sensu*, durante el paradisíaco "estado de derecho" comprendido entre mayo de 1973 y marzo de 1976, no se dictó ni una sola condena a ningún guerrillero.

La derogación de la Cámara Federal fue el último intento civilizado de combatir con la ley en la mano al terrorismo. La clase política (con Cámpora a la cabeza y sus ominosos alcahuetes) eliminó definitivamente esa posibilidad. Era claro que el Poder Judicial por su propia y natural función era un obstáculo para el terrorismo y la subversión; se necesitaba entonces pulverizarlo. En consecuencia, la Corte Suprema de Justicia (máxima institución judicial de la República) estaba vacante porque sus integrantes renunciaron en el preciso instante en que se enteraron del resultado de las elecciones. Pero para poder desmantelar al resto del Poder Judicial removiendo a sus integrantes, se sancionó una insólita ley que les otorgaba la facultad de jubilarse sin haber alcanzado la edad legal y cobrando el 80% del sueldo que percibían, con el agregado de poder ejercer la profesión libremente. En caso de no aceptar esta formidable posibilidad, los funcionarios eran amedrentados y amenazados con la expulsión lisa y llana o con ser jubilados a *posteriori* bajo un sistema muy desventajoso. Se produjo un éxodo como nunca se conoció en la justicia, quedando esta desarticulada y vaciada. Todas estas maniobras proguerrilleras venían siempre acompañadas de una profusa campaña mediática. En este sentido, el infausto activista Eduardo Luis Duhalde desde su revista

Militancia Peronista para la Liberación (posiblemente financiada con los botines obtenidos de los secuestros perpetrados por los terroristas) decía: "*Remarcamos de movida la perentoriedad de revolucionar y suplantar por demolición las viejas estructuras judiciarias, sus cauces normativos, sus cuadros humanos y los demás componentes activos*".[103]

El descuartizamiento del Poder Judicial fue tan agudo que, mientras las bombas y asesinatos en masa sacudían al país a toda hora y en cualquier sitio, la Justicia, en lugar de multiplicar esfuerzos y celeridad, se hallaba absolutamente paralizada e inmóvil. Tanto es así que durante todo 1974 la Justicia Federal y Nacional de Buenos Aires, agobiada por el desorden, las huelgas y la carencia total de medios materiales para desempeñarse trabajó formalmente tan solo 54 de los 365 días del año.

La represión ilegal favorece políticamente al terrorismo subversivo, ya que esta situación de irregularidad les permite despojarse de su condición y presentarse ante la sociedad como víctimas. Este fue precisamente uno de los motivos por los cuales el terrorismo (auxiliado por el Gobierno) hizo lo imposible por desarticular y maniatar las estructuras legales e institucionales para combatir la subversión, buscando así arrastrar al Estado a una drástica encrucijada: o bien se mantenía en pasividad e inacción total ante los crímenes terroristas, o se veía forzado entonces a efectuar una represión no contemplada en la ley (ya que no había ninguna). Aquí encontramos entonces una de las muy posibles causas por la cual la Cámara Federal Penal eliminada por el gobierno de Cámpora fue durísimamente fustigada, desprestigiada y denostada durante el lapso en que funcionó. Se la llamaba peyorativamente "el camarón" o la "cámara del terror", lo cual es absurdo porque lo que hacía la cámara era, justamente, combatir con la ley al terrorismo. Además, teóricamente, para los propios terroristas era conveniente que existiera un tribunal de esta categoría porque en última instancia les era plenamente garantizado un juicio justo con las garantías correspondientes de defensa.

La democracia deslegitima por completo al terrorismo y, a *contrario sensu*, un gobierno de facto le resulta política y jurídicamente conveniente a la subversión, puesto que la imagen de un Estado enemigo les permite autoadjudicarse cierta (aparente) legitimidad y desde allí, efectuar la habilidosa conversión de "terroristas" a "mártires".

En un principio podría aceptarse (aunque pecando de notable ingenuidad), la argucia que utilizaban los subversivos para justificar sus atrocidades diciendo que pretendían "*liberarse de la horrible dictadura*" o que luchaban en procura del "*regreso de Perón*". Si damos por válidos este tipo de artilugios semánticos, cabría suponer que con el advenimiento de la democracia se acabaría *ipso facto* todo el accionar guerrillero, y que las propias organizaciones se autodiluirían voluntariamente. Es por ello que nunca le convino al terrorismo nacional que existieran gobiernos legítimos; pues entonces se esfumarían sus argumentos y su propia razón de ser. Tanto es así, que hasta hay quienes sostienen que el llamado "golpe de estado" de marzo de 1976 era anhelado inclusive por las propias milicias subversivas. El mismo jerarca montonero Mario Firmenich (refiriéndose al golpe) reconoció tiempo después que: *"No hicimos nada para impedirlo porque en definitiva, también el golpe formaba parte de la lucha interna en el movimiento peronista"*.[104]

El razonamiento consistía en lo siguiente: si un gobierno es ilegítimo, suena justificado intentar sabotearlo para instaurar las formas legítimas y republicanas. Pero ocurre que no era esto lo que los terroristas pretendían, sino combatir al Gobierno (legítimo o no) y remplazarlo por un régimen totalitario de carácter perpetuo, circunstancia fehacientemente probada cuando una vez vuelta la democracia el accionar subversivo, lejos de desaparecer, se multiplicó con creces.

Terrorismo universitario

Siguiendo las directivas del tirano Fidel Castro, que rezaba: *"Hay que hacer de cada joven un estudiante, de cada estudiante un comunista y de cada comunista un soldado de la revolución"*, Héctor Cámpora dirigió especiales esfuerzos al intento de penetrar y dominar la educación, ámbito considerado indispensable para apoyar el proceso revolucionario puesto en marcha. Para tal fin, concedió sin cortapisas la Universidad de Buenos Aires al terrorismo de izquierda, nombrando rector a Rodolfo Puiggrós, relevante ex miembro del Partido Comunista (hasta que fue expulsado de este) y luego jerarca montonero. Este último, a pesar de ser un acaudalado terrateniente, proponía con obsesión entre otros dislates la "reforma agraria". Es notable que para desprenderse de sus campos en Córdoba, Puiggrós propicie algo tan difícil y rebuscado de llevar adelante, cuando sólo bastaba para ello que en voluntario gesto de altruismo regalara sus tierras a terceros, sin más trámite. En efecto, comunista es todo aquel que quiere repartir lo que no es de su propiedad. Pero lo cierto es que Puiggrós fue designado como "interventor" y a efectos de promover el paso a las "reformas", fue secundado por flamantes decanos que participaban y simpatizaban plenamente con las posturas terroristas. La designación de Puiggrós era promovida y apoyada por diversas revistas y publicaciones pertenecientes o adherentes a las bandas terroristas, entre las que podemos contar a la inefable "*Militancia que dirigían los abogados Rodolfo Ortega Peña y Eduardo Luis Duhalde"*.[105] Asimismo, otros órganos de prensa tales como la revista *Cuestionario*, dirigida por el indescifrable dirigente radical Rodolfo Terragno, defendían y alentaban la figura de Puiggrós.

Los catedráticos que intelectualmente no compartían las ideas de la guerrilla eran despedidos y con estas purgas se garantizaba plenamente el bombardeo psicológico e ideológico dirigido a los alumnos, cuyo objetivo no solo se limitaba a prepararlos doctrinaria y emocionalmente en el marxismo sino, como ambición mayor, reclutarlos en las milicias terroristas.

En la Facultad de Derecho tuvo lugar el acto de asunción del flamante decano designado por Puiggrós, enmarcado en cánticos impunes de acólitos que gritaban: *"Atención, atención, se viene un montonero que se llama Kestelboim"*, o *"a la lata, al latero, tenemos un decano, un decano montonero"*. En efecto, Mario Kestelboim (abogado de guerrilleros y colaborador de las FAP) comandó el cargo en cuestión. Al poner en sus funciones al flamante decano, el terrateniente Puiggrós arengó: *"El pueblo se hace cargo de la Facultad, hasta entonces cuna y cueva de oligarcas al servicio del imperialismo"*.[106] Seguidamente, fueron nombrados como "asesores" Envar El Kadre (fundador de las FAP), Ignacio Vélez (montonero) y Florencio Tancoff (FAR).

La Universidad de la época se convirtió en un verdadero "aguantadero" y centro de apoyo a la guerrilla, a tal punto que *"en dependencias de distintas facultades existían depósitos de armas, verdaderas imprentas que editaban desde panfletos hasta folletos y revistas pertenecientes a las distintas bandas e inclusive refugios transitorios que albergaban por algunas horas o por varios días, a prófugos requeridos por la Cámara Federal Penal"*.[107] Del mismo modo, en la Facultad de Filosofía y Letras (en donde el subversivo Ortega Peña aprobaba exámenes colectivos) *"funcionaba un polígono de tiro que todos conocían pero que las autoridades nada hacían al respecto. En un establecimiento agropecuario de más de mil hectáreas [...] los alumnos de la Facultad de Agronomía y Veterinaria [...] realizaban reuniones secretas entre los jefes de las organizaciones subversivas y hasta octubre de 1974 se montaron campamentos para adoctrinar a nuevos adherentes y realizar su entrenamiento militar"*.[108]

La impunidad con la que operaban los terroristas en la estructura universitaria (sin la menor investigación judicial o policial) se fundaba en la pretendida "autonomía" y extraterritorialidad de esta, que limitaba la acción de las fuerzas legales. Mayormente los profesores se preocupaban mucho más por operar como verdaderos propagandistas y reclutadores del marxismo y del terrorismo que por llevar adelante su labor eminentemente docente y pedagógica (para lo que teóricamente se les pagaba). Además, por el propio hecho de portar ideologías comunizantes, los docentes enseguida eran sobredimensionados y tenidos por eruditos en las diversas ramas académicas. Tal el caso del inflado activista subversivo Juan Carlos Portantiero (nombre de guerra *El Negro*, y ex integrante de las FAL), quien *"se destacaba por el interés en que encaraba estas cátedras "chantas". [...] En una de sus clases llegó a juntar tres mil alumnos a quienes se les impedía grabar las disertaciones. Esto tenía una razón de ser de carácter netamente capitalista y comercial. Los apuntes luego eran vendidos y los alumnos, para poder rendir con éxito sus exámenes, debían comprarlos a Ediciones Martín Fierro cuyo dueño era el citado dirigente y profesor"*.[109] La proliferación de nombramientos de terroristas en la estructura educativa estatal rayaba en lo extravagante. En este contexto, la criminal Norma Arrostito fue designada como profesora en los colegios Nacional Buenos Aires y Carlos Pellegrini (solamente en el Nacional Buenos Aires percibía una remuneración equiparable a la de un ministro de la Nación); asimismo, se le inventó *ad hoc* la cátedra "indispensable" (según sostienen algunos) de Teatro y expresión corporal, en remplazo de la "fría y deshumanizada" materia Práctica contable. Del mismo modo, el montonero Envar El Kadre, quien en 1962 fuera *"encarcelado y condenado por actividades subversivas y tenencia de armas y explosivos"*, *"en 1968 es nuevamente detenido en el campamento guerrillero de Taco ralo (Tucumán)"* y posteriormente resultara *"amnistiado en 1973, cuando pendían sobre él varias causas por homicidio"*,[110] por entonces parece que tuvo un lapsus de enternecedora conversión, al mutar de terrorista a "jefe de la guardería infantil de la Facultad de Derecho". Por su parte, el subversivo Rodolfo Ortega Peña también tenía su cátedra, al igual que el camarada Eduardo Luis Duhalde, de quien desconocemos cómo demonios hacía para administrar sus horarios como docente, puesto que cobraba por dar clases en trece materias distintas. Efectivamente, Duhalde era un "apóstol" de la docencia.

También se consagraron como docentes la integrante del ERP y experta en tiro María Antonia Berger y el montonero Ernesto Villanueva, quien desde el 1º de octubre de 1973 hasta el 1º de mayo de 1974 fue nada menos que rector de la Universidad de Buenos Aires (en los años noventa, obró como asesor de Eduardo Menem en el área educativa). Para poder comprender la catadura moral de Villanueva y la ominosa cofradía de "educadores" que asaltaron las universidades en los años 70, basta con transcribir un tenebroso diálogo que el mismo Villanueva relata: *"A los nueve años (mi hijo) me preguntó: ¿Papi vos mataste gente?"*. Pero en lugar de la respuesta que todos esperamos de una autoridad universitaria y educador cabal, o sea una negativa categórica, Villanueva le responde balbuceando: *"Esas preguntas no las respondo [...] hay veces que en la vida de las personas se toman decisiones que son colectivas, producto de una época y un lugar, un contexto determinado. Y que eso no se puede juzgar con la mentalidad de hoy"*.[111]

En efecto, los futuros profesionales, en lugar de ser formados por catedráticos eximios y notables pensadores, eran influidos en el mejor de los casos por activistas y patoteros de la peor ralea, y en el peor de ellos, por lisos y llanos criminales de guerra. De todos modos, sea cual fuere la situación, el elemento constante y omnipresente fue la intoxicación ideológica fundada en la guerrilla y el marxismo. Las formas solemnes y caballerescas que caracterizaron desde siempre a las altas casas de estudio fueron remplazadas por la chabacanería, la informalidad y la incitación al odio y al resentimiento. A modo de ejemplo (entre miles) de las irregularidades demagógicas impulsadas, vale comentar que se suprimió la "sala de profesores", para evitar así los "estamentos" y toda noción de jerarquía y autoridad.

En torno a esta terrible problemática educativa que se vivía, el diario *La Nación* analizó el gobierno de Cámpora del siguiente modo: "*En la Universidad politizada, el estudiantado colmó los claustros con consignas, carteles y propaganda. Peor aún que la politización, el facilismo invadió la educación y en pocos meses muchos estudiantes concluyeron milagrosamente sus carreras. La izquierda había repetido, por un camino inverso, el ataque a la excelencia universitaria que tanto le había reprochado a Onganía tras la noche de los bastones largos*".[112]

Respecto del facilismo educativo y del alevoso modo que tenían los terroristas para "aprobar" los exámenes, hasta una reconocida enemiga de las FF.AA. como la dirigente de izquierda Elisa Carrió recalcó: "*Todos recordamos quiénes entraban a la universidad y se hacían aprobar los exámenes a punta de pistola*".[113] La revista *Gente*, en un número especial, describía el lúgubre panorama educativo del siguiente modo: "*Cada aula era una barricada. Cada pedazo de pared una expresión ideológica. El que quería estudiar debía conformarse con peregrinar por mesas de trabajo políticas y no por claustros de enseñanza. Comenzaba una trágica encrucijada y nadie ponía orden. La anarquía era el símbolo, la única palabra con la cual se podía definir la situación*". Ese año, el joven Federico Storani (por el hecho de ser hijo de Conrado Storani) se consagraba presidente de la FUA (Federación Universitaria Argentina) de la mano del grupo estudiantil de la UCR llamado Franja Morada.

Pero este desmantelamiento educacional no resultó novedad, pues ya el mismo Cámpora había anticipado que en esta materia la nueva etapa estaba destinada a "*producir transformaciones de fondo y cambios estructurales que signifiquen imponer las líneas de una seria, orgánica y sustantiva revolución educativa y cultural*". A tamaño compendio de idioteces verbales, el diario *La Nueva Provincia* respondió: "*¿Puede considerarse como "seria, orgánica y sustantiva" la designación de un ayudante de cátedra como decano de la Facultad de Derecho de la UBA? ¿Acaso puede atribuirse los mismos méritos al nombramiento de un recién recibido como decano de Agronomía? ¿Qué tiene de "sustantivo" que un implicado en actividades guerrilleras ocupe hoy la dirección del departamento de Letras? ¿Puede considerarse "orgánico" que un tristemente célebre creador de las Cátedras Nacionales –conocidas como las "Cátedras Chantas"– ejerza el decanato de Filosofía y Letras?*".

Asimismo, las hordas terroristas devenidas en "profesores", con la complicidad de "estudiantes" enrolados en las milicias subversivas, ejercían amedrentamientos, amenazas y todo tipo de actos tendientes a ejercer coacción, física o psicológica, contra los catedráticos y autoridades académicas que no compartían las ideas guerrilleras, para que de este modo dimitieran en sus cargos. Tal como le sucedió, entre otros, al Dr. Roberto Alemann, el 6 de junio, cuando al iniciar su clase de Economía Política en la UBA resultó agredido por un grupo de activistas que contra su voluntad lo llevaron a un despacho próximo al del delegado interventor Kestelboim donde virtualmente se le arrancó la renuncia. El destacado profesor Carlos Sacheri, ya por entonces, advertía sobre el abominable engendro que se estaba gestando en las universidades montoneras y con valentía arremetía: *"[...] Saben que son pocos, son pocos y además no son terriblemente eficaces, ni terriblemente preparados como creemos nosotros por no saber nada del marxismo y por no conocer realmente la realidad palpable. Fíjense el papel que hace el marxismo en este momento en la escena cultural argentina. Cómo es rector un Rodolfo Puiggrós que ha pasado [...] de una clínica bajo tratamiento alcohólico y que llega beodo al rectorado de la calle Viamonte al mediodía. [...] ¡Qué ejemplo dan! ¡Qué ejemplo da el novísimo interventor Kestelboim de la Facultad de Derecho, cuando dice a los alumnos que se liquidará el ciclo básico, porque [...] es clasista, imperialista y antiliberador, y que tienen que pedir las renuncias a sus profesores y que las paredes de las clases quedan muy bonitas pintadas al aerosol! Eso lo acaba de decir, hace 48 horas con gran escándalo del alumnado, les anticipo, porque el alumnado será confuso mentalmente pero no es idiota y reacciona bien ante la gravedad de esos disparates"*.

Del mismo modo, el destacado pensador y profesor Jordán Bruno Genta afirmaba: *"La reforma universitaria es la negación y la destrucción de la Universidad argentina, por cuanto hace de la Universidad un remedo, una caricatura de la ciudad democrática. La reforma universitaria de 1918 es una adulación de la juventud. La Universidad debe ser, en cambio, una exigencia y un rigor para la juventud"*. Muy caro les valió a los pensadores Sacheri y Genta esgrimir sus reflexiones a través de estos y otros sinceros conceptos: al año siguiente y con dos meses de diferencia, ambos serían asesinados por los "sentimentales adolescentes" a los que hoy les financiamos museos e indemnizaciones con el erario público.

Nos vemos obligados a mencionar aquel conocido adagio popular que reza "hierba mala nunca muere", puesto que Kestelboim, en la actualidad, sigue haciendo de las suyas en la Universidad de Quilmes, la misma en la que dictaba clases hasta hace muy poco el tristemente célebre Carlos *Chacho* Alvarez (compartiendo la cátedra con Abal Medina, hermano del autor material del asesinato de Aramburu). *Chacho*, si bien en la década del 70 no tuvo un papel del todo protagónico (sus tropelías y daños al país los cometería varios años después), por entonces ya se vinculaba con personajes del hampa marxista y se enroló en la militancia de una extraña célula de raigambre universitaria, comandada por el criminal de guerra Rodolfo Galimberti, llamada JAEN (Juventud Argentina de Emancipación Nacional). Al dar sus primeros pasos en esta organización *"tenía veinte años y un lenguaje adornado de mo-*

dismos porteños. Parecía un personaje escapado de la tira "De Pompeya al Centro" del historietista Calé: usaba el pelo engominado a los costados y rulos en la parte de arriba. [...] Allí le sugirieron que debía rebautizarse. –¿Para qué? –preguntó. –Imaginate si la policía te busca por algo [...] bueno ¿cómo te gustaría llamarte? –No sé, tendría que pensarlo –respondió Álvarez. –Bueno, con nosotros te vas a llamar Chacho *como Peñaloza",* [114] y de allí su nombre de guerra que quedó marcado a fuego para siempre.

Más tarde en el tiempo, *Chacho*, fiel a su permanente y monocorde estilo "renunciador", desertó del JAEN por diferencias internas con Galimberti. Su retirada se formalizó en una reunión llevada a cabo en un departamento del terrorista Ernesto Jauretche, sito en Avellaneda. Los activistas de este tipo de células no eran ajenos a las armas y para la ocasión, *"*Chacho *Álvarez también fue armado. En ese tiempo, los militantes más comprometidos nunca abandonaban su pistola".*[115]

Cabe destacar que la educación, aunque con vaivenes, desde entonces ha experimentado un permanente retroceso disolvente, llegando a nuestros días en un estado calamitoso, aunque afortunadamente con mucha menor violencia física que en los años 70. Actualmente la política universitaria es maniobrada por dos sectores igualmente nefandos, que pugnan por alcanzar el predominio en el aparato educativo. Por un lado (en gran porcentaje), la estructura universitaria está controlada por activistas de ultraizquierda que adhieren y reivindican a los terroristas de ayer, pero sin aplicar los métodos homicidas de sus ídolos. Por otro lado, el porcentaje restante del aparato universitario es manejado por esa masa acaramelada de reformismo timorato que lleva por nombre Franja Morada, brazo juvenil de la UCR que hoy obra de verdadera "reserva ecológica radical", habidas cuentas de la justificada y agónica situación que está padeciendo el infructuoso partido. Ambos sectores (ultraizquierdistas y franjistas) se disputan el predominio político, compitiendo por el manejo de los centros de estudiantes y la colocación de profesores, burócratas y "ñoquis" de diversos pelajes en el aparato estatal que financiamos entre todos.

Esto en gran parte explica por qué la Universidad pública se ha constituido en abrumadora mayoría, en una cuna de profesionales de tendencias progresistas y comunizantes. En el ámbito de la Facultad de Derecho, los abogados suelen abrazar doctrinas "garantistas"; en Ciencias Económicas, "keynesianas" o estatizantes y en las carreras de la Facultad de Humanidades la tendencia es abiertamente marxista. Hasta el día de hoy, los absurdos e igualitarios conceptos de la "autonomía" (para hacer impunemente lo que venga en gana y administrar los fondos sin rendir cuentas), el "cogobierno" (para que los estudiantes incurran en el absurdo de elegir a los profesores que les tomarán examen posteriormente) y la "gratuidad" (pagada con los impuestos de los sectores empobrecidos que no tienen acceso a la Universidad) mantienen una inapelable vigencia, y dicha trilogía (instalada a fuego desde la reforma de 1918) hoy adquiere fuerza de dogma de fe. Nadie osa preguntarse entonces por qué la educación universitaria está cada vez peor.

Impunidad para los terroristas

Lo relatado hasta aquí no es todo el desastre que Cámpora le hizo al país (sino apenas una anécdota), puesto que lo más abominable de su gestión fue una masiva Ley de Amnistía que, *urbi et orbe*, benefició a absolutamente todos los terroristas que fueran procesados y condenados por la misma Cámara Federal en lo Penal, que fuera también eliminada por Cámpora en connivencia con la compasiva ralea parlamentaria. En efecto, el 26 de mayo de 1973, en el primer día de gobierno, el Parlamento sesionó a pleno para dar libertad a los terroristas enjuiciados por la citada cámara durante 1971, 1972 y parte de 1973. El juez Jaime Smart, que había integrado la Cámara Federal Penal disuelta, relata: *"Cuando llegó el 25 de mayo, ellos* (los terroristas) *tenían cuadros importantes detenidos [...] quedaban como 1500, algunos ya con importantes condenas. [...] La amnistía de mayo del 73 creo que es la causante de muchos de nuestros males, porque se la dictó no con la convicción o la seguridad o las garantías de que los terroristas no iban a volver a las andadas. A los legisladores en ese momento no les importó en absoluto las consecuencias [...] a tal punto, que a los terroristas no se les exigió la entrega de una sola arma [...] conservaron todo el armamento [...] lo que pasó el 25 de mayo le dio la razón a aquellos que en su momento pretendieron la justicia militar sobre los hechos terroristas"*.[116]

En verdad, la sanción de esta ley fue una verdadera pantomima que (fiel al estilo argentino) tuvo como objetivo darle una apariencia de legalidad e institucionalidad a un hecho que vergonzosamente ya se había consumado el día anterior: los terroristas habían sido liberados antes de la sanción misma de la mentada ley. En efecto, la misma noche de la asunción de Cámpora, centenares de terroristas rodearon los establecimientos penitenciarios para "meter presión" y apurar la liberación de sus camaradas detenidos. También apoyaron y asistieron al anárquico sainete, diputados comprometidos con las bandas subversivas que coparon las oficinas carcelarias. El principal operador político de este escándalo liberatorio fue el aliado de los terroristas Esteban Righi, a la sazón ministro del Interior (actualmente ocupa el cargo de procurador general de la Nación del gobierno de Néstor Kirchner). El gobernador de Córdoba, Obregón Cano, por su parte *"había concurrido al penal para recibir a veinte terroristas que lo aguardaban para salir en libertad, ocasión en que se produjo un amotinamiento que fue aprovechado por cincuenta delincuentes de alta peligrosidad para darse a la fuga"*.[117] Entre las multitudes que concurrieron a los establecimientos penitenciarios, en Villa

Devoto se hizo presente precisamente el flamante secretario de Estado, Juan Manuel Abal Medina (hermano del asesino de Aramburu), lo que motivó a las turbas a cantar con algarabía: *"Abal Medina, la sangre de tu hermano es fusil en Argentina"*. Los delincuentes salían de las cárceles como héroes bajo el lema: *"El pueblo los libera, la lucha los espera"*. Otro conocido dirigente que más tarde integrará con protagónico papel el gobierno de Carlos Menem, Julio Mera Figueroa, también fue un entusiasta operador político a favor de la impunidad al terrorismo, tal como él mismo lo confiesa: *"Yo fui a Trelew a traer a los presos de Devoto. Yo no estuve en los mensajes de asunción de Cámpora porque tuve que ir a Devoto debido a que habían tomado la cárcel"*.[118] El gobernador de Mendoza, Martínez Baca (integrante de Montoneros), recibió a los terroristas liberados en el aeropuerto y dijo: *"Son héroes de la liberación nacional"*.[119]

Un dato que da cuenta del deplorable momento que se estaba viviendo es que los terroristas fueron amnistiados por voto virtualmente unánime. Algunos de los legisladores les dieron su voto quizás por ingenuidad, otros por demagogia, otros tal vez por miedo a sufrir represalias contra su persona o su familia, y otros tantos por tener plenas coincidencias ideológicas y metodológicas con el terrorismo marxista.

Vale destacar que no sólo los terroristas fueron beneficiados con estas liberaciones masivas sino que también fueron condecorados peligrosos delincuentes comunes como el francés Francois Chiappe, vinculado al tráfico internacional de drogas. Las amnistías promovidas por Cámpora no fueron una acción política que causara sorpresa, puesto que había sido uno de los lemas de campaña y ya en los mismos actos proselitistas las hordas montoneras coreaban: *"El Tío presidente, libertad a los combatientes"*.[120] (*Tío* era el apodo de Cámpora).

Precisamente, cuenta Bonasso que el eslogan proselitista más festejado era *"ni un día de gobierno popular con presos políticos"*.[121] Durante las aceleradísimas sesiones amnistiadoras (llevadas a cabo el 26 de mayo), en el Parlamento se efectuaron encendidos discursos de apoyo y adulación a los criminales. Algunas declaraciones de los legisladores nos ponen de manifiesto el panorama que se vivía:

Senador Martiarena: *"[recordé] las persecuciones desatadas contra nuestros combatientes"*.

Senador Cerro: *"[...] La violencia es el signo de nuestros tiempos, es un instrumento, es ambivalente, se legitima por sus fines"*.

Senador Jáuregui: *"[...] la violencia tiene modelos que pueden ser justificados"*.

Diputado Vidaña: *"[...] en los momentos decisivos una "juventud maravillosa" supo responder a la violencia con la violencia"*.

Diputado Jesús Mira: *"[...] las luchas heroicas [...] dejaron en las cárceles a muchos patriotas argentinos"*.

Diputado Horacio Sueldo: *"[...] cuando a nosotros nos preguntan: ¿Y Uds. quieren la transformación pacífica o violenta? Nuestra respuesta sencilla es: ¡queremos la transformación! Vale decir: queremos el fin, la meta, lo demás son métodos variables, opción de cada momento, de cada coyuntura de la historia"*.

Diputado Héctor Sandler: *"[...] Estamos tratando este proyecto de ley de amnistía con los presos liberados por la acción popular [...] es para seguir la lucha por otros aconteceres [...] que no quede ningún rastro de ilicitud contra aquellos que interpretaron la rebeldía popular"*.

Vale aclarar que en el caso de Sandler el cinismo no tiene límites, puesto que este personaje se formó políticamente al lado del ex presidente Aramburu, cuando este último fundó el partido político UDELPA, y entre las personas liberadas con esta amnistía (gracias a su voto y el de sus pares) se encontraban los asesinos de su progenitor político. En efecto, Sandler era un político de raza.

El joven senador Fernando De la Rúa hacía lo propio y discurseaba: *"[...] Es auspicioso que el primer acto que realizamos sea para restablecer el pleno ámbito de la libertad en la Argentina y contribuir a la pacificación nacional. La UCR, coincidiendo con ese espíritu, ha presentado un proyecto de amnistía amplio y generoso que contempla todos los delitos políticos y los comunes y militares conexos, incluso las faltas cometidas por iguales motivos"*. Luego agregó: *"Lo cierto es que en el largo desencuentro vivido, las fuerzas de la violencia se mezclan en una nebulosa donde **ya no se sabe diferenciar qué es lo justo de lo injusto**"*.

También se ejercían presiones para dar curso a esta ley liberatoria de homicidas desde otros sectores, tales como los rubros del "arte", en donde entre los elementos que daban apoyo irrestricto a la guerrilla se encontraban *"personajes como Piero, Marilina Ross, Luis Brandoni, Norman Brisky, Rodolfo Ortega Peña, Pedro Orgambide, Fernando Solanas, Juan Carlos Gené y otros no desperdiciaban oportunidad de ponderar el heroísmo y anunciar la libertad próxima de los "gloriosos combatientes", los mismos guerreros que, diez años después, transmutarían en víctimas indefensas"*.[122]

Los terroristas "premiados" por la alegre amnistía concedida por los apóstoles del civismo, una vez recuperada su libertad, retomaron de inmediato su tarea delictiva persiguiendo y atentando, por ejemplo, contra los mismos integrantes de la Cámara Federal en lo Penal que los habían juzgado conforme a derecho. Así, el Dr. Malbrán fue herido a balazos en ambas piernas en la puerta de su domicilio, el Dr. Quiroga fue alevosamente asesinado a balazos en la nuca (por los mismos terroristas beneficiados con la amnistía de Cámpora y su benevolente Parlamento), el Dr. Munilla Lacasa (con notable destreza física) escapó de un intento de asesinato pedaleando en una bicicleta facilitada por un pintor que estaba trabajando en las cercanías de su casa, el Dr. Bianco, secretario general de la Cámara, fue secuestrado y mantenido prisionero en las "cárceles del pueblo" durante mes y medio en el que padeció torturas y flagelaciones múltiples. El Dr. Jaime Smart, quien también integró la cámara, cuenta: *"Cuando fracasa el atentado al doctor Munilla Lacasa, la mayoría nos vamos del país. Yo me fui a Venezuela con el Dr. Munilla Lacasa, el doctor Malbrán se fue a Perú, Ure y Díaz Reynolds a Uruguay, Fassi a México. La desprotección fue muy grande, incluso hubo comportamientos del gobierno de Cámpora y de la nueva corte de franco carácter persecutorio. Al personal con menos de tres años de antigüedad se lo cesanteó sin ninguna indemnización, al resto, por el hecho de haber aceptado en su momento integrar la cámara, se lo degradó hasta dos cargos en el plantel, distribuyéndolos, también como sanción, en los lugares más inhóspitos del Poder Judicial"*.[123]

La amnistía permitió que los terroristas deambularan como superhéroes por las calles, se ufanaran de los crímenes y atentados cometidos, dieran conferencias en las que narraban sus proezas y formularan instrucciones para reorganizar la guerrilla y el combate. El ya citado juez de la Cámara Federal Penal, Jaime Smart, reflexionó al respecto: *"A los legisladores de ese momento, no les importó en absoluto las consecuencias que podían derivar. A tal punto que a los terroristas no se les exigió la entrega de una sola arma"*.[124] El Dr. José A. Deheza, que en ese momento era el jefe de Gabinete de asesores del Ministerio del Interior y luego, ministro de Justicia y Defensa durante el gobierno de Isabel afirmó: *"[...] una ley que libera a simples asesinos que sembraron el terror matando a mansalva en nombre de ideales revolucionarios, importa una grave responsabilidad [...] en la mayor parte de los casos se trataba de [...] componentes de bandas clandestinas. [...] El ministro del Interior Esteban Righi justificaba irresponsablemente el desborde sedicioso diciendo que "era normal la ocupación de los edificios públicos, ya que no era sino la expresión de un pueblo oprimido" [...] también ese ministro, para satisfacer al "pueblo oprimido", ordenó la destrucción de los prontuarios de todos los delincuentes subversivos, que no se cumplió por el sentido del deber del general Heraclio Ferrazano, entonces jefe de la Policía Federal"*.[125]

En aquella ocasión, el aludido sinvergüenza Esteban Righi recibió un llamado telefónico de Juan Manuel Abal Medina, que *"le exigió un decreto de Cámpora para liberar a los terroristas presos en Villa Devoto y en Caseros"*. Righi contestó: *"Quedate tranquilo. Voy a hablar con Cámpora. Esta noche los van a largar a todos"*.[126] Cabe destacar que, tres décadas después, Righi fue uno de los principales promotores y operadores políticos, en su carácter de procurador general de la Nación del gobierno de Kirchner, para que la nueva corte oficialista declare ilegalmente la inconstitucionalidad de las leyes de Obediencia debida y Punto final, sancionadas en la década del ochenta durante el gobierno de Alfonsín (a las que nos referiremos más adelante). Por entonces, en pleno fervor revolucionario, las runflas castrocomunistas entonaban en sus actuaciones públicas escalofriantes cánticos, como el conocido *"Cinco por uno, no va a quedar ninguno"*. Las paredes de las ciudades eran inundadas con *graffitis* tales como *"Sánchez, Berisso, el pueblo así lo quiso"* o *"Alonso, Vandor, el mismo paredón"*. Esta, y no otra, era la conformación ideológica, metodológica y moral de los criminales de ayer (funcionarios y ventajeros de hoy), a los que los embustes y películas oficiales nos quieren hacer pasar por "jóvenes idealistas" que luchaban por "la rebaja del boleto estudiantil". Con notable capacidad premonitoria, una semana después de las amnistías, el periodista del *Buenos Aires Herald*, Clive Petersen, vaticinó (y no se equivocó prácticamente en nada): *"La liberación de los terroristas llevará además a una reacción violenta por parte de la derecha. ¿Qué otra cosa pueden hacer las víctimas señaladas por el ERP, si el gobierno no las protege? ¿Pueden los policías y militares que persiguen a los asesinos de sus camaradas perdonar y olvidar? ¿Podemos dudar de que pronto surgirán en la Argentina escuadrones de la muerte decididos a aplicar justicia propia y en su propio estilo? Y a partir de ahora, ni aun los policías y militares respetuosos de la ley mandarían a la cárcel, para que allí esperen la próxima amnistía, a los terroristas que lograran capturar. Algunos quizá lo hagan, pero la mayoría estará dispuesta a ejecutarlos en el momento. No es extraño, entonces, que Perón esté brincando como un loco"*.[127]

Revolucionarios "cajetillas"

Dentro de las trampas lingüísticas utilizadas por el terrorismo y el tropel de adulones que lo secundaba, encontramos la que nos habla de la "lucha popular", "militancia popular", "causa popular". En efecto, toda alusión a aquello que se denomina "popular" tiene un sesgo identificatorio con los "sectores postergados" o la "clase trabajadora" en oposición a la "oligarquía" o las "elites aristocratizantes". Si bien la palabra "pueblo" es definida como un *"conjunto de los que habitan un lugar, una región o un país. // Conjunto de personas, generalmente de la misma raza, lengua e historia, que forman una comunidad, tanto si están establecidas en un país, como si son errantes: el pueblo francés, un pueblo nómade"*,[128] y, por ende, no hay ninguna connotación que aluda a una cuestión de clases sociales (es tan miembro del "pueblo" un acaudalado aristócrata como una empleada doméstica), pero entre los demagogos coyunturales el término se aplica para sindicar a los sectores obreros. A partir de este ardid, el juego dialéctico impuso la ficción de que los montoneros o el ERP habrían sido "gente del pueblo" que, oprimida por el *establishment*, intentó "resistir" a la explotación del sistema. Sin embargo, este es otro de los tantos embustes con el que se engaña y confunde a las nuevas generaciones, puesto que la mayoría absoluta de los terroristas pertenecían a las clases medias y altas. Incluso, muchos de ellos portaban apellidos tradicionales y de prosapias distinguidas, entre ellos: *"Muñiz Barreto, Vélez Berazategui, Quintana, Lamarca, Guerrico, Capdevila, Sáenz Valiente, Salguero, Losada, Urdapilleta, Espeleta, Abal Medina, Álzaga, Padilla, Paz, Iribarne. Algunos de los primeros montoneros caídos antes de que se empleara la técnica de la desaparición fueron sepultados en el aristocrático cementerio de la Recoleta. Otros sectores los conformaban los hijos de conocidos funcionarios políticos, civiles y militares: Fernando Vaca Narvaja, descendiente del ministro y gobernador de Córdoba; Carlos Alsogaray, hijo del general Julio Adolfo Alsogaray y sobrino de Álvaro, el varias veces ministro de Economía; Ricardo Yofre, sobrino del ex embajador Felipe Yofre; Julio Juan Storni, familiar de un miembro de la Junta Consultiva de 1955; Domingo Sosa Barbe, hijo de un ministro provincial durante el gobierno de Illia; Jorge Raúl Mendé, hijo del ministro del gobierno peronista; Ricardo Sapag, hijo del gobernador de Neuquén. También se agregaron a sus filas sectores de la clase media, con preferencia profesionales, y en especial pertenecientes a profesiones de moda como psicólogos, periodistas, sociólogos o publicistas"*.[129] Por su notoriedad pública, cabe agregar en la nómina a la heterogénea Patricia Bullrich Luro Pueyrredón (quien militaba en el órgano de superficie de Montoneros). Del mismo modo, el máximo jerarca del ERP, Roberto Santucho (proveniente de una familia tradicional de Santiago del Estero), era ahijado nada menos que del ex ministro radical y luego presidente de la República, Agustín P. Justo. El ex guerrillero Diego Guelar (que en los noventa, durante la gestión del presidente Menem, fuera embajador argentino en EE.UU.) cuenta: *"Lo que más asombraba a los contemporáneos que habían vivido el gobierno peronista del 45 al 55 era descubrir que a los padres gorilas les habían salido hijos peronistas. En Montoneros no sólo estuvieron los hijos de Alsogaray [refiriéndose a Julio, hermano de Alvaro] sino también un sobrino, por ejemplo, de Videla, el Tojo Ojea Quintana, que actualmente es asesor del diputado justicialista López Arias"*.[130] Otro terrorista, Emilio Jáuregui Pinedo (quien participó en atentados masivos a supermercados y fue abatido por la policía en 1970), era sobrino nieto del dirigente conservador Federico Pinedo. De igual modo, el montonero Eduardo Astiz Mones Ruiz confiesa ser primo segundo del teniente de navío Alfredo Astiz, perteneciente a una familia distinguida de Mar del Plata. Sumamos a la frondosa lista al colocador de bombas Rafael Bielsa, perteneciente a una familia "paqueta" de Rosario, en donde él mismo confiesa *"haberse hecho peronista de tanto hablar de niño con las mucamas que trabajaban de empleadas en su casa"*. Pero si de guerrilleros se trata, obviamente no podemos dejar de mencionar al *leading case* e ídolo de todos ellos, el inefable Ernesto *Che* Guevara de sangre azul, descendiente nada menos que del virrey del Perú.

Como vemos, contrariamente a los eslóganes difundidos por los historietistas del setentismo, la composición socioeconómica y cultural de los integrantes de la guerrilla era la siguiente: *"**Jefes de las organizaciones**: el 74% poseía estudios universitarios y el resto, secundario como mínimo. Nivel: clase media y superior. Nivel predominante: clase media. **Combatientes**: el 78% tenía estudios universitarios con distintos grados de avance, el 15% educación secundaria y el 7% educación primaria. Nivel predominante: clase media. [...] **Periféricos**: 50% universitarios, 20% secundario y 30% primario. Nivel: policlasista, clase predominantemente baja"*.[131] Barcia sostiene en sus estudios: *"El componente obrero no alcanzaba el 10% [ante lo cual a los guerrilleros] les resultaba difícil entender como era posible que una lucha armada que se libraba en nombre de la clase obrera, no solamente no incorporaba elementos de ese origen, sino que, además, las organizaciones sindicales se hubieran convertido en las principales y más dinámicas enemigas de la subversión"*.[132] En cuanto a la edad de los combatientes *"un 61% oscila entre los veinte y los treinta años como máximo, sin descartar la actividad de importantes cantidades de menores de edad, que habían superado el proceso de formación donde revistaban como aspirantes"*.[133]

Aunque las bandas terroristas invocaban insistentemente a las "clases populares" como destinatarias excluyentes de su proyecto y hablaban en nombre de las "mayorías obreras", no lograban sus simpatías y tampoco penetrar exitosamente en las estructuras de representación sindical. Respecto a la composición social de los terroristas, Carlos Manuel Acuña explica que mayormente venían de familias tradicionales que *"percibían molestos, que ya no existían las circunstancias económicas y políticas, de un pasado del que, en buena medida, se consideraban herederos naturales. [...] Por lo general pertenecían a familias de un pasado claramente antiperonista y esa reacción, favorecida por un adecuado tratamiento psicológico durante el proceso de captación, los incorporaba a una militancia que apuntaba a rechazar no sólo a su propio origen, sino también a quienes participaban en el manejo del poder social. Del resentimiento pasaron a un odio activo que en buena medida explica la saña con que actuaron. La conocida tesis freudiana del odio al padre era el factor concomitante que se explotaba y daba basamento para una inteligente acción psicológica aplicada a adolescentes en plena formación. Ese odio al padre se transfería hacia todo lo que significaba autoridad [...] había un corto paso para acusar a sus mayores de ser los responsables de la pérdida de un puesto de mando político y económico"*.[134] Además, vale aclarar que, en sus orígenes, Montoneros tenía una impronta de raigambre católica, la cual, una vez distorsionada en su naturaleza e inficionada hacia la subversión, les dejaba como influencia cierta justificación a sus crímenes que creían encontrar en enseñanzas bíblicas sacadas de contexto. Al respecto, el montonero Ignacio Vélez cuenta: *"Yo por entonces mezclaba lecturas de formación política con el Evangelio según San Mateo y me conmovían frases donde se exigía la entrega total ("he venido a enfrentar al hijo con el padre").*[135] El periodista Pablo Giussani (jefe de redacción del entonces diario montonero *Noticias*), desde su óptica marxista analiza: *"Ha ocurrido siempre y en todas partes: jóvenes nacidos en familias de clase media más o menos acomodadas, que por su origen social tienen acceso a estudios superiores, librerías de moda, bibliotecas, conversaciones sofisticadas en las que se habla de alienación, de Marx, de Marcuse o de la lucha de clases, y que un buen día, a la luz de las nociones bien o mal absorbidas de este contorno, tienen una súbita percepción de la falsedad, la hipocresía fundamental en que descansa la vida de sus padres. [...] Pero en siete casos de cada diez, esta naciente conciencia surge con adherencias del medio social que le sirve de marco. Es un rechazo que retiene porciones del mundo que rechaza hábitos, gustos, inclinaciones y prerrogativas de clase que impiden dar a ese primer momento de repulsión proyecciones revolucionarias. Y el rechazo a la postre, se queda en mera rebeldía. ¿Cuál es la diferencia entre un revolucionario y un rebelde? Un revolucionario es, por de pronto, un individuo política, ideológica y culturalmente independiente. Un rebelde, en cambio vive de rebote. La dirección de sus movimientos no está marcada por metas que lo atraen sino por realidades dadas que lo repelen. [...] El joven rebelde, carente de una tabla de valores propia, necesita conocer la tabla de valores de sus padres para construir por inversión la suya. [...]Mientras el revolucionario rechaza una realidad dada con el ánimo de superarla, el rebelde la rechaza con el ánimo de que su rechazo conste. Y un rechazo proyectado al servicio de su propia constancia tiene que ser forzosamente directo, agresivo, clamoroso. [...] Un político revolucionario es un hombre que quiere hacer la revolución. Un militante de extrema izquierda es un hombre que quiere ser revolucionario".*[136]

Al mismo tiempo, cabe destacar que no siempre los jóvenes de la época se enrolaban en las bandas terroristas por un compromiso ideológico o doctrinario, sino que muchas veces lo hacían por esnobismo o frivolidad, tal como lo confiesa la periodista Sylvina Walger: *"En mi época querías ser premio Nobel o guerrillera".*[137]

La democracia no era el objetivo

Si bien los apotegmas oficiales insisten falsariamente en que los "luchadores populares" resistían a la "dictadura", durante el primer mes de vigencia democrática (junio de 1973), la guerrilla sacudió al país con estruendosas bombas, secuestros y asesinatos que se producían a una velocidad inmanejable. Entre las muertes más notorias encontramos las del gremialista Pascual Almada y la del ex diputado nacional Alberto Armesto. Los actos de pandillaje, toma de edificios, empresas y establecimientos públicos eran tan abrumadores que, el 14 de junio, al ministro Esteban Righi no le quedó más remedio que reconocer públicamente que la ola de ocupaciones de edificios había alcanzado la cifra de *"180 en el día"*,[138] (promediando así una usurpación cada ocho minutos durante toda la jornada). En lugar de actuar en defensa de la paz y las instituciones, mientras las hordas marxistas seguían asaltando predios, en total clima de distensión, Cámpora recibía cálidamente en su despacho de la Casa Rosada *"a militantes y combatientes de las bandas Fuerzas Armadas Peronistas (FAP), Fuerzas Armadas Revolucionarias (FAR) y Montoneros"*.[139]

El regreso de Perón

El 20 de junio, tras diecisiete años de exilio, Perón regresaba definitivamente a la Argentina, lo cual constituía un destacadísimo hecho político e histórico. Fue en esa espera y en ese clima de guerra (todavía sin alcanzar el clímax), cuando se produjo en Ezeiza una irracional matanza que constituyó uno de los acontecimientos más tristemente recordados de la década del 70, y que fuera inmortalizado bajo el nombre de "La matanza de Ezeiza". Para llevar a cabo la movilización y la organización del acto del regreso de Perón, se delegaron tareas a José Rucci, Lorenzo Miguel, Jorge Osinde y Norma Kennedy, todos ellos afines a tendencias ortodoxas. Entre los sectores marxistas del Peronismo, el referente nombrado en la comitiva organizadora fue Juan Manuel Abal Medina y las columnas del terrorismo de izquierda estaban a cargo del equipo de inteligencia comandado por el renombrado Rodolfo Walsh.

Este terrible episodio dio lugar a las más diversas polémicas e interpretaciones. Una de las tantas esgrime que Montoneros tenía el plan de asesinar a Perón: tanto es así que *"el 12 de febrero de 1974, cuando el presidente del Uruguay, Juan María Bordaberry, llegó a Buenos Aires para entrevistarse con Perón, se detectó una probable operación en ese sentido, que fue desbaratada por la Policía. Cayó preso el montonero Carlos Caride –compañero de militancia desde las FAP de Horacio Verbitsky– junto con guerrilleros uruguayos tupamaros, que se encontraban en las inmediaciones de la comitiva oficial"*.[140] Mucho más adelante en el tiempo, en 1985, durante el juicio a la junta militar (al que nos referiremos *in extenso* luego), el mismo tribunal destacó y mencionó en el fallo que en el enfrentamiento en Ezeiza *"había infiltrados elementos terroristas que pretendían el asesinato del Grl. Perón a su regreso del exilio"*.[141] A *contrario sensu*, Montoneros sostiene que lo allí ocurrido fue una emboscada tendida por los sectores "lopezreguistas" contra ellos, a efectos de provocar el tiroteo y ocasionar un gran escándalo para desacreditar a Cámpora, precipitando así su renuncia. Independientemente de las versiones, si la posición de Montoneros hubiese sido la correcta, queda claro que el accionar del "lopezreguismo" no actuó *motu proprio*, sino con todo el aval de Perón, quien fue el beneficiado directo de esa batalla, puesto que tras la renuncia de Cámpora (episodio que Perón vivió sin la menor congoja) se llamó a elecciones y el mismo Perón asumió finalmente como Presidente.

De todas maneras, la versión más difundida sostiene una postura intermedia según la cual, como producto de una puja entre ambos bandos por demostrar mayor convocatoria, movilización, protagonismo y alcanzar así un lugar preferencial en el acto, explota un exponencial enfrentamiento entre Montoneros y grupos sindicales cercanos a López Rega (que se hallaban ya subidos al palco). Según una crónica del episodio publicada por la revista *Gente* (del 05/10/1979), a las 12:30 horas "*desde el bosque alguien dispara contra el palco. Desde el palco contestan. Segundos después aparecen hombres armados por todas partes. Tiran sin piedad. Tiran a matar. El proceso que llevó al Peronismo al poder muestra su verdadera cara. [...] Los autos son trincheras. La ruta es trinchera. El bosque es trinchera. Los médicos dejan de atender a los insolados y empiezan a atender a hombres y mujeres heridos de bala*".

Nótese la paradoja de la situación: la propaganda oficial insiste en hacer creer que la "derecha" está conformada por las "oligarquías aristocratizantes" y que los revolucionarios responden a los "sectores postergados", sin embargo "*en el tumulto no fue difícil observar que los mejor vestidos eran atacantes, en tanto los defensores del palco no disimulaban su condición de obreros*". [142]

Durante la batalla, "*atacantes y atacados se subdividieron en tres o cuatro grupos más pequeños que, cuerpo a tierra, se tiroteaban con sus enemigos con una intensidad que sólo podía describirse como una verdadera batalla. [...] A través de los parlantes y de las radios se solicitaba plasma y donaciones de sangre, lo que ampliaba la visión tremendista del enfrentamiento, visión que no estaba lejos de la realidad sobre todo cuando se descubrieron cuerpos colgados de los árboles*". [143] Cuando empieza el tiroteo, el cantante y cineasta Leonardo Favio (quien había sido designado como uno de los maestros de ceremonias del evento) "*pide por los parlantes que cesen los disparos o de lo contrario procederá a suicidarse*". [144] Obviamente, nadie hizo alto el fuego y a pesar de que esto vaya en menoscabo del buen gusto y de nuestros oídos, desde el punto de vista humano nos alegramos de que Favio no haya cumplido con su desopilante amenaza.

En medio de la barbarie desatada, la gente corría despavorida intentando escapar de las balas y si bien oficialmente no hay criterios uniformes respecto a la cantidad de víctimas y heridos, según el periodista Richard Gillespie: "*en esta 'carnicería' las víctimas sumaron 400 heridos graves y 25 muertos*". Sin embargo, muchas otras fuentes elevan notablemente el número de homicidios:

en el diario *La Prensa*, dos años más tarde, el senador radical Carlos Perette afirmaba que el número total de muertos ascendía a cuatrocientos. Eugenio Méndez, por su parte, sostiene que la cifra verdadera no baja de cien homicidios. En lo que respecta a Mario Firmenich, *"durante una conferencia de prensa clandestina que ofreció en 1975, fijó la cifra en 182"*.[145] Horacio Verbitsky agrega: *"Reconstruir la cifra exacta es imposible, pero sobran elementos para formular una estimación mínima confiable. El Servicio de Inteligencia de la Policía de la provincia de Buenos Aires recopiló una serie de 102 heridos el 22 de junio. El 21, el Comando de operaciones de la Dirección General de seguridad, con la firma del comisario inspector Julio Méndez, había presentado un informe con la misma cantidad, aunque añadía que en el policlínico de Ezeiza había otros 205 sin identificar"*.[146]

Respecto a la cantidad de combatientes que llevó Montoneros a Ezeiza, Firmenich confiesa que fueron tomados por sorpresa y que por eso muy pocos de ellos fueron armados: *"Habrá habido **5000 personas armadas**. Nadie fue preparado para esa guerra, los únicos que tenían un arsenal eran los que estaban en el palco"*.[147] Seguidamente, preguntamos si cinco mil montoneros armados eran un número muy reducido, ¿a cuánto hubiese ascendido el número si hubieran acudido *"preparados para esa guerra"*? Agrega Firmenich que en Ezeiza, *"nosotros sí fuimos con un plan político bien deliberado, que cumplimos, que era copar políticamente el acto. [...] Nuestra decisión política era mostrarle a Perón un poderío de masas, de opinión pública, para decirle: "Vea general, el proceso va por acá. No va por la vieja burocracia sindical"*.[148]

A pesar de la dramática escalada de asesinatos de la jornada peronista, militantes y dirigentes de ese partido suelen minimizar esta y otras salvajes disputas internas aduciendo sonrientemente el satírico argumento de que *"los peronistas somos como los gatos, parece que nos peleamos pero en verdad, nos estamos reproduciendo"*. Axioma poco serio, pero acorde con el partido que integran.

Lo cierto es que en medio de las balas, muertos y mutilados, el avión en que Perón regresaba se vio obligado a torcer su rumbo y aterrizar en la base de Morón. Este desborde de salvajismo ratificaba una vez más la clara existencia de una guerra civil, sin la menor reacción del Estado para conjurarla. Por el contrario, el Ministerio del Interior, manejado por Esteban Righi, efectuaba cualquier prestidigitación verbal con tal de no manifestar la menor voluntad de repeler a la agresión de las guerrillas (a las que adhería plenamente). En consecuencia, Righi anunciaba una *"nueva función para la policía que no debía enfrentarse con las masas populares"* y seguidamente manifestó: *"Es habitual llamar a los policías guardianes del orden. Así seguirá siendo. Pero lo que ha cambiado, profundamente, es el orden que guardan"*. Respecto del modo en que se combatiría al terrorismo, Righi afirmaba que el gobierno quería *"reconstruir y no reprimir"* y entre otras cosas con ternura propuso: *"Comportarse con humanidad, incluso frente al culpable"*.[149] Durante la terrible masacre de Ezeiza, la policía brilló por su ausencia y cuando Perón le preguntó a Righi acerca de los motivos por los cuales no habían intervenido las fuerzas de seguridad y policiales, *"como si dudara, el joven ministro del Interior respondió que se deseaba erradicar la imagen de represión y, palabras más, palabras menos, agregó: "Queremos que nadie se sienta perseguido". [...] Todos se quedaron callados. Perón –dicen que con asombro– observó al ministro durante unos segundos, luego giró la cabeza, miró hacia abajo y como si hablara consigo mismo, se preguntó: "Entonces, ¿para qué c [...] está la policía?" y agregó: "Lo que pasa, es que usted es un chiquilín [...] un chiquilín que no sabe hacer las cosas"*.[150]

El fin de Cámpora

El ministro de Economía, José Ber Gelbard (relevante agente secreto del Partido Comunista Soviético), consecuente con su ideología, el 9 de junio, impulsó bravamente su políticas estatizantes instalando rígidos controles de precios. A efectos de amedrentar la espiral inflacionaria, intervino además los mercados mayoristas, privados y públicos. Seguidamente, y como producto de su tendencia dirigista, comenzaron a vislumbrarse los desabastecimientos y la escasez de bienes en el mercado (fenómeno que se repetiría acentuadamente más adelante durante el gobierno socialista de Raúl Alfonsín). Paralelamente, las vinculaciones de Gelbard con la guerrilla eran indisimuladas. Tanto es así que el ministro preparó el primer tramo de un crédito especial de 200 millones de dólares rotativos anuales (totalizarían 1.200 millones) a favor del tiránico gobierno de Cuba, que se concretó el 4 de agosto a través del Banco Comercial de La Plata; cuyo propietario era el poco confiable David Gravier, tesorero y financista de Montoneros, además de socio del también poco confiable Jacobo Timermann en diversos emprendimientos y negociados.

La ola de atentados se agigantaba cuantitativa y cualitativamente, por una cuestión de economía bibliográfica en la obra presente solo haremos mención a aquellos episodios que por diversos motivos (envergadura o resonancia) estimamos de especial interés, tal como el sucedido el 4 de julio, en donde un avión de Aerolíneas Argentinas fue secuestrado y desviado a Cuba. En la aeronave se encontraba José Saúl Wermus, dirigente trotskista más conocido como "Jorge Altamira", tal su nombre artístico como líder del batifondero Partido Obrero (PO).

El 27 de junio, el diario *La Nación* informaba que seis menores de edad (entre los que se encontraba un bebé de veinte días) habían sido secuestrados por los "adolescentes románticos". Sumando a esto otros trece casos de secuestros terroristas pendientes de solución, se contabilizaba el total de diecinueve ciudadanos cautivos.

Mientras, Latinoamérica toda se debatía en un penoso panorama insurreccional promovido por el marxismo internacional, en Chile el desastroso gobierno marxista de Salvador Allende se desvanecía y, ese día de junio, ante el irrefrenable desborde de terrorismo de la banda Tupamaros, el presidente de Uruguay (país de una ejemplar tradición cívica), Dr. José María Bordaberry, se vio obligado a suspender el Congreso a fin de agilizar la respuesta institucional a la izquierda delictiva.

El 13 de julio, ante el descontrol que la "matanza de Ezeiza" había potenciado, Cámpora y su adláter Solano Lima, advirtiendo que la situación se les tornaba indomable (tras haber favorecido totalmente al terrorismo), renunciaron a la conducción de la República sucediéndoles el presidente de la Cámara de Diputados, Raúl Lastiri (yerno de López Rega), más conocido por su pretendida elegancia y su nutrida colección de corbatas que por sus virtudes académicas e intelectuales. En efecto, y como ya es costumbre en Argentina, el lugar naturalmente destinado a los mejores, era ocupado por los comediantes más inconcebibles. No obstante, una de las primeras medidas de gobierno de Lastiri fue echar a patadas del gabinete a Esteban Righi y a Juan Puig y remplazarlos por Benito Llambí y Juan Vignes. Al día siguiente de la asunción de Lastiri y con el consiguiente giro de timón hacia la contrarrevolución, un exultante Perón afirmó a la prensa: *"Hay crisis positivas y negativas. Para mí esta es positiva"*.[151]

Finalmente, en 1976, Cámpora se exilia en la Embajada de México y tiempo después logra escapar e instalarse definitivamente en tierras aztecas. Muere en México en 1980 víctima de cáncer.

La banda Montoneros ya había formado organizaciones paralelas y una gigantesca estructura nacional compuesta por siete regionales. Cada regional contaba con un delegado y ellos formaban, a su vez, el consejo superior. Entre los cabecillas del consejo superior se encontraba Jorge Obeid, quien más adelante sería gobernador de Santa Fe durante las presidencias de Carlos Menem y de Néstor Kirchner (adhiriendo alternadamente a ambos mandatarios con idéntico fervor). Fue el "demócrata" Obeid quien, por entonces, *"con Galimberti planificó la penetración en el gobierno de Cámpora, cuando los montoneros decidieron crear los llamados Equipos Políticos Técnicos (EPT) para desarrollar propuestas para instalar la Patria Socialista"*.[152]

Mientras tanto, durante el breve interregno que va de la presidencia provisional de Lastiri hasta las elecciones en las que definitivamente participaría Perón, a efectos de dar un claro gesto a la pacificación nacional en el medio de la guerra civil, muchos sectores comenzaron a alentar la fórmula presidencial "Perón-Balbín". Esta alianza entre los máximos exponentes del PJ y de la UCR finalmente no se concretó, entre otras cosas por la oposición de algunos personajes, como el infatigable "rosquero" y perturbador profesional Raúl Alfonsín (opositor interno de Balbín en la UCR). También Montoneros, al advertir el revés político que estaba padeciendo tras la renuncia de su aliado Cámpora (y para no seguir perdiendo terreno), ejerció diversas intentonas fallidas para que el compañero de fórmula de Perón sea el mismo Cámpora, y en los actos públicos y reuniones solía ejercer presión psicológica instalando la idea bajo el cántico: "*el pueblo ya lo dice, Cámpora es el vice*".

El 20 de julio, al cumplirse un mes de la batalla de Ezeiza, la Juventud Peronista que respondía a la línea oficial y real del partido dio a conocer un comunicado que, en oposición a los desvíos ideológicos de Montoneros, reflejaba la verdadera posición del Peronismo: "*A un mes de la trágica conjura sinárquica-marxista [...] nunca olvidaremos la masacre de nuestros hermanos realizada desde las sombras por los infiltrados en nuestras filas: ERP, FAR, Montoneros, con sus drogadictos, homosexuales, mercenarios vernáculos y extranjeros, todos protegidos desde arriba por la debilidad consciente y por la traición siniestra*".[153] Ese día se anunció formalmente que el 23 de septiembre se llevarían a cabo nuevas elecciones presidenciales. Seguidamente, los montoneros, bajo la excusa de "apoyar la candidatura de Perón", organizaron una formidable movilización con el verdadero propósito de llevar adelante una cabal demostración de fuerzas e intimidación ante la nueva contienda electoral. En efecto, al día siguiente, desfilaron en una caravana por la puerta de la casa de Perón en Gaspar Campos que, según informó el diario *La Prensa*, tenía una extensión de once cuadras y se tardó una hora y diez minutos en pasar por la residencia (dato sumamente importante para apreciar el nutrido número de integrantes que se enrolaron en la banda delictiva). Ese mismo mes, numerosos atentados se procedieron en distintos puntos del país, entre ellos, el ERP secuestró al oficial de la policía Jorge Alberto Colombo y lo detuvo en una "cárcel del pueblo".

Por septiembre, las fuerzas terroristas se expandían con atentados diarios –como el ataque del ERP al Comando de Sanidad del Ejército, hecho político con notable ingrediente psicológico, pues buscaba provocar en la opinión pública la noción de que la guerrilla estaba en condiciones de actuar contra las Fuerzas Armadas y en su propio terreno– el comando fue saqueado y, en combate, asesinado el Tcnl. Raúl Duarte Hardoy. Durante el atentado, por parte de los terroristas "*había quedado a cargo del camión con instrucciones de partir inmediatamente después de que la carga quedara completada*",[154] nada menos que Eduardo Anguita (coautor junto al subversivo Martín Caparrós del conocido libro *La Voluntad*). A la postre, los guerrilleros resultaron abatidos o apresados. Entre los detenidos, cuatro de ellos habían quedado en libertad gracias al indulto dictado por Cámpora y a la posterior Ley de Amnistía dictada por el Congreso de la Nación. Uno de los terroristas detenidos, Alejandro Enrique Ferreyra Beltrán, durante la posterior presidencia de Alfonsín "*fue secretario del secretario general de la Presidencia Carlos Becerra*".[155]

Los enemigos eran otros

Ante el desmadre, Perón ya comenzaba a pronunciar (a veces expresamente, a veces con sutileza) inequívocas manifestaciones a favor de la "ortodoxia peronista" y en contra de los montoneros homicidas, a quienes el mismo Perón calificaba de "infiltrados" (aunque antes los había adulado y apodado como "juventud maravillosa"). Luego del ataque, en una de sus tantas declaraciones, dijo: *"Cada argentino, piense como piense y sienta como sienta, tiene el inalienable derecho de vivir en seguridad y pacíficamente. Quien altere ese principio de la convivencia [...] será el enemigo común que deberemos combatir sin Tregua. [...] Los que no comparten nuestras premisas si se subordinan al veredicto de las urnas tienen un camino honesto para seguir en la lucha por el bien del país[...] los que ingenuamente piensan que pueden copar nuestro movimiento [...] se equivocan".*[156] En tono amenazante y premonitorio de lo que prontamente se vendría, agregó: *"A los enemigos embozados, encubiertos o disimulados, les aconsejo que cesen en sus intentos, porque cuando los pueblos agotan su paciencia, suelen hacer sonar el escarmiento".*[157] Además, en declaraciones publicadas en el diario *La Prensa* del 3 de agosto, Perón exhortó a las organizaciones a obrar dentro de la ley, al tiempo que advertía: *"Cuidado con sacar los pies del plato, porque entonces tendremos el derecho de darles con todo. No admitimos la guerrilla".*

Como vemos, los enemigos de Perón ya no eran ni los "gorilas" (expresión de los años 40-50 que se utilizaba como sinónimo de "antiperonista"), ni los radicales, ni los conservadores, ni las FF.AA. Por el contrario, el mismo Perón buscó por todos los medios apaciguar las viejas antinomias. Hizo las paces con la UCR (se abrazó públicamente con Balbín, a quien él había encarcelado durante su prolongada tiranía de los años 50) y, a efectos de armonizar y conciliar el trato con las FF.AA. (sobre todo con el sector más antiperonista que era la Marina, por entonces comandada por el contraalmirante Álvarez), viajó en noviembre de 1973 a la Base Naval de Puerto Belgrano, donde *"embarcó en el portaaviones y terminó encerrándose con Massera en la cámara del comandante de la Flota. [...] En el lenguaje campechano que le era característico, Perón le dijo a su interlocutor que deseaba conversar con él porque 'quería hablar con el dueño del circo', expresión que exime de todo comentario acerca de la idea del Presidente en cuanto a la permanencia de Álvarez en su puesto".*[158] Dos semanas después de este episodio, Álvarez es pasado a retiro y su lugar es ocupado por Massera. Seguidamente, el ministro de Defensa, Robledo *"fue el encargado de comunicarle a Massera su nombramiento como nuevo comandante. [...] Ahí Massera tuvo oportunidad de decirle a Robledo que ahora era él quien quería 'hablar con el dueño del circo', lo mismo que Perón le había dicho en el portaaviones sólo quince días antes. Fueron a la Casa de Gobierno y allí le aclaró al Presidente que él no era peronista y que tampoco lo había sido: 'Tengo una buena relación con los peronistas, pero hasta estuve preso en la penitenciaría de Las Heras a causa de la revolución de junio de 1955'. Le aclaró también, para evitar equívocos, que tampoco era 'anti'. Perón, con su característico estilo "comprador", le respondió: '¡Pero Negro, no se preocupe! ¡Si ni siquiera, yo soy peronista!'"*.[159] La afinidad de Perón con Massera era un hecho de público conocimiento (incluso es conocido el comentario de Perón respecto de él: *"Buen muchacho el* Negro")[160] y la relación entre ambos se hizo tan fluida que hasta bromeaban entre ellos, y el propio Perón en mayo de 1974 le decía: *"Masserita, si usted no se hubiera equivocado cuando muchacho, tal vez mañana podría ser presidente de la Nación. Pero usted, mi hijo, se tomó el tren que sale de Constitución y va a la Escuela Naval, en lugar de tomar el que sale de Retiro y va al Colegio Militar"*.[161]

El 22 de agosto, en el primer aniversario de lo que sectores afines a la subversión llamaban la "masacre de Trelew", grupos guerrilleros efectuaron actos conmemorativos y *"en Congreso, unas ocho mil personas fueron convocadas por el ERP, el PRT, Vanguardia Comunista y otras agrupaciones de izquierda. Hablaron el senador Hipólito Solari Yrigoyen y el diputado nacional Mario Abel Amaya [...] asistieron el coordinador bonaerense Federico Storani y su actual rival interno, Leopoldo Moreau"*. Montoneros hizo lo suyo en el estadio de Atlanta y, bajo abrumadores cánticos reivindicatorios del asesinato de Aramburu, compartían el escenario entre otros *"Mario Firmenich, Roberto Quieto, Francisco Urondo, Carlos Mujica y Alberto Carbone"*. Allí *"el periodista Enrique Pugliese del diario* La Razón *le preguntó a Marcelo Stubrin con quién había asistido. Es Enrique Nosiglia de la capital, le decimos Coti"*.[162]

En el interregno, entre pujas e incertidumbres y a pesar de los intereses de diversos sectores en colocar un vicepresidente aliado, finalmente, se elige a *Isabelita* para acompañar en la fórmula a Perón (otro acto de notable irresponsabilidad que se pagaría muy caro más tarde). Ante la inminencia de las elecciones presidenciales y en acción proselitista, *"en la ciudad de La Plata, la UCR con Ricardo Balbín cerraba la campaña electoral y proclamaba a los candidatos de su fórmula presidencial: Balbín-De la Rúa. El acto fue cerrado por el veterano dirigente radical quien, entre cosas dijo [...] se ha fomentado una juventud para matar, para destruir. La toleraron, la utilizaron [...] y nosotros decíamos siempre: ¡Cuidado! No fomentarla. Porque algún día vendrá a presentar la cuenta [...] Se han multiplicado los crímenes de la subversión y del terror, lo que impone trabajar en la búsqueda, no de un presidente, sino de un destino, de un país, en una confrontación en la que nadie puede equivocarse"*.[163]

Respecto de los actos peronistas de entonces, cuenta Sebreli que se había producido una mutación en cuanto al público asistente, puesto que *"el apoyo obrero permaneció inalterable con el retorno del Peronismo en 1973, pero despojado de la pasión del primer Peronismo, en cambio sectores más amplios de la clase media se habían peronizado. En los actos multitudinarios de 1973 ya no se destacaban, como en otras épocas, los obreros organizados por fábrica en columnas con carteles detrás de sus delegados. Los trabajadores en gran medida, optaron por quedarse en sus casas y ver los actos por televisión. Salvo algunos obreros del interior y agrupaciones de barrios de emergencia, predominaba la clase media, pequeños comerciantes organizados en delegaciones barriales, grupos familiares, profesionales, cuenta propistas y sobre todo jóvenes estudiantes. El caleidoscopio había girado y la composición social era distinta".*[164]

Perón, otra vez

Con esta suerte de alianza de clases e ideologías, finalmente, el 23 de septiembre de 1973 se llevaron a cabo las nuevas elecciones anunciadas por Lastiri, resultando triunfante (tal como era previsible) la fórmula Perón-Perón (consagrada con el 61% de los votos).

Como ya hemos adelantado, el Perón de los años setenta no era el de antaño. Afortunadamente, no sólo no tenía los vicios totalitarios de otrora, sino que también él mismo se autodefinió como "un león herbívoro". Ante una situación de guerra civil virtual, Perón ya no podía operar como el hábil prestidigitador capaz de colocar "huevos en todas las canastas" y acomodarse a todo y con todos. Aquí llegaba la hora de hacer definiciones precisas y Perón tuvo que mostrar entonces su verdadera naturaleza ideológica, ya sin eufemismos ni cortapisas. Asimismo, es digno de destaque que llegó a la Argentina con todo el propósito de alcanzar la unidad entre los argentinos y durante su tercer y último gobierno (a diferencia de lo que hizo en sus dos gestiones anteriores) mantuvo excelente trato con los partidos opositores y sus dirigentes. Perón mostraba intenciones y composturas (más allá de que se adhiera o no a su persona) que no eran objetables sino todo lo contrario. Sin embargo, sus buenos propósitos se estrellaban contra una realidad a la que no escapa ningún ser humano: se encontraba muy deteriorado por el paso del tiempo, y por ende no poseía la suficiente energía como para sostener las riendas de un panorama de tan extrema tensión. A comienzos de 1974, en entrevista pública, el Dr. Pedro Cossio, médico personal de Perón, respondía así a la pregunta del periodista sobre cuánto tiempo de vida le quedaba a Perón: *"Si hace una vida tranquila, cinco o seis años, tal vez. Es difícil predecirlo. Pero si sigue haciendo la vida que ha llevado hasta hoy, Perón se muere en seis meses".*[165]

No sabemos si por ingenuidad, ignorancia, irresponsabilidad o malicia (o una combinación de todas estas), no pocos personajes de la época suponían que, con la añorada vuelta de Perón ya consagrado presidente, se acabaría la guerrilla. La democracia era abominada por Montoneros y el ERP (tal como se puso de manifiesto en todo momento) y hasta los mismos integrantes de las bandas terroristas reconocían el desprecio a las formas republicanas, tal como lo cuenta el entonces subversivo y futuro gobernador de Entre Ríos, Jorge Busti: *"Cuando Perón regresa dice 'yo vuelvo para poner en vigencia las veinte verdades del Peronismo, la democracia'. Todo el mundo se agarraba la cabeza y se la quería golpear contra la pared. Idealizamos un Perón que queríamos que dijera 'vengo a hacer la revolución'".*[166]

Por su parte, Luis Mattini (del ERP) reconoce que *"nosotros no queríamos un régimen democrático liberal en la Argentina. Nos proponíamos un Estado socialista, y estábamos convencidos de que un Estado socialista sólo podía ser conquistado por la fuerza de las armas. Esto es importante: no fue sólo una resistencia a la dictadura".*[167]

En el ámbito internacional, se había producido un episodio que repercutía desfavorablemente en la guerrilla local: el 11 de septiembre en Chile, el pueblo auxiliado por las FF.AA. se revelaba contra la tiranía marxista de Salvador Allende. En medio de la reyerta se produjo la muerte del presidente y en torno a este hecho circulan varias versiones. Según los comunicados oficiales Allende se habría suicidado en el palacio presidencial; no obstante, otra versión sostiene que Allende murió en combate en la Casa de la Moneda resistiendo a tiros la rebelión. Pero lo cierto es que este episodio, desde el punto de vista estratégico, significó para el terrorismo local la eliminación de una frontera blanda con un régimen que colaboraba con la guerrilla. La ayuda de Allende al terrorismo argentino no se limitó al refugio territorial, sino que más adelante se confirmó que *"Allende había financiado a Montoneros y Tupamaros con recursos del Banco Central de su país".*[168]

A pesar del repudio mediático que muchos propagandistas de la subversión hacen hoy día de la rebelión chilena encabezada por el Grl. Augusto Pinochet, Perón salió a la palestra a defenderlo con tesón y, al ser entrevistado por el *Giornale d´ Italia*, declaró: *"Nosotros somos decididamente antimarxistas. Lo sucedido a Allende demuestra que Allende cayó víctima de su sectarismo, de su política tendiente al exceso. Estoy seguro de que domaremos a la guerrilla. Chile nos ha enseñado muchas cosas. O los guerrilleros dejan de perturbar la vida del país u obligaremos a hacerlos con los medios de que disponemos, los cuales, créanme, no son pocos. Las vicisitudes chilenas cerraron la única válvula de seguridad de que disponían los guerrilleros argentinos. [...] A Cuba le advierto que no haga el juego que hizo en Chile porque en [la] Argentina podría desencadenarse una acción bastante violenta. [...] Si la guerrilla insiste, sucederá lo que en Santiago, donde la responsabilidad no fue de los militares sino de los guerrilleros".*[169] A *contrario sensu*, el gobernador de Mendoza, Martínez Baca, vinculado al terrorismo montonero, brindó auxilio y refugio a muchos activistas de la guerrilla chilena que ahora caía en desgracia.

El mismo 11 de septiembre, un comando del ERP 22 de Agosto secuestra al apoderado del diario *Clarín*, Bernardo Sofovich, exigiendo a cambio de su vida tres solicitadas. En el operativo, los "militantes sociales" después de provocar incendios múltiples *"se retiraron atropelladamente mientras disparaban sus armas. Arrollaron a tres menores, uno de los cuales –de sólo 11 años de edad– quedó herido de un balazo en el hombro"*.[170]

En repudio al terrorismo, el 14 de septiembre, las 62 Organizaciones Gremiales (que controlaban la UOM) publicaron una solicitada en *Clarín* titulada *"A los asesinos, secuestradores y delincuentes comunes disfrazados de revolucionarios"*, en la que expresaban: *"[...] los argentinos que no sabemos arrugarnos a la hora de la verdad aceptamos el desafío. A Pesar de su disfraz de mascaritas, iremos a buscarlos uno a uno, porque los conocemos. Ni las capuchas, ni los patrones que tienen, podrán salvarlos. Han rebasado la copa y ahora tendrán que atenerse a las consecuencias"*.[171] El día 12 del mismo mes, dos intendentes fueron víctimas de atentados: *"Asesinaron a tiros a Manuel Orostegui, intendente de la localidad bonaerense de Campana"* y a Herminio Iglesias, intendente de Avellaneda que fue *"atacado a balazos y quedando herido en un pie"*.[172]

El 24 de septiembre, por decreto 1545 del PEN, se declaró ilegal la actividad del ERP. ¿Por qué no se obró de igual modo con Montoneros? Muchos argumentan que esta diferencia, en cuanto al trato de una banda terrorista respecto de la otra, se dio porque en el fondo había cierto atisbo de tolerancia hacia Montoneros, puesto que estos influyeron notablemente en el regreso de Perón a la Argentina. El decreto de marras que estaba firmado por Lastiri y los ocho ministros expresaba: *"Declárase ilegal la actividad del autodenominado Ejército Revolucionario del Pueblo, prohibiéndose en consecuencia que bajo ese nombre o cualquier otro que lo sustituya, se realice por cualquier medio, proselitismo, adoctrinamiento, propagación y difusión o requerimiento de ayuda para sostenimiento o expansión de su actividad disolvente"*.

Tan solo dos días después de las elecciones, el 25 de septiembre, se produce un hecho de real trascendencia política e histórica: el asesinato a manos de Montoneros del secretario general de la CGT, José Rucci, hombre de la más íntima confianza de Perón. Este crimen se constituyó en el detonante del proceso que tuviera como efecto el distanciamiento definitivo entre Perón y Montoneros. Se cuenta que durante el entierro de Rucci, fue una de las pocas veces (sino la única) que se vio a Perón llorar públicamente. La autoría intelectual del asesinato es adjudicada a Rodolfo Walsh que contó con el auxilio de *"Urondo, como jefe de la columna capital de Montoneros, previa interferencia de las comunicaciones policiales"*.[173] Complementando esto, *"el ex diputado nacional y ex secretario de la SIDE, Miguel Angel Toma, declaró a la revista* Noticias *del 15 de diciembre de 1991, página 59 que 'cuando mataron a Rucci, Verbitsky manejaba las comunicaciones de Montoneros'".*[174]

El asesinato de Rucci impactó de tal modo a la clase política que al propio Parlamento no le quedó mayor alternativa que obrar con cordura (al menos en lo verbal) y pronunciarse en una forma hasta entonces inusual, no sólo reconociendo la guerra (hoy sistemáticamente negada por la propaganda oficial), sino también reclamando desesperadamente una reacción a la agresión:

Diputado Tróccoli (UCR): *"Queremos señalar, señor Presidente, que todo esto forma parte de una **guerra sorda, de una guerra subterránea** que está ocurriendo en el escenario de la República".*

Diputado Julio Bárbaro (FREJULI): *"[...] El compañero Rucci ha muerto a manos de aquellos que pretenden convertir el escándalo en algo cotidiano y que tiene un solo objetivo: **la guerra civil".***

Diputado Horacio Sueldo (Partido Revolucionario Cristiano): *"La violencia nos está rozando [...] nos preocupa cada homicidio y cada nuevo crimen político como el que hoy evocamos, el clima de odio total que está flotando en la República".*

Diputado Stecco (FREJULI): *"[...] esta Cámara de Diputados que dicta leyes del país, debe dar amplios poderes a nuestras FF.AA., sin que con ello se quiebre la libertad, para **perseguir hasta sus guaridas y matarlos como ratas**, porque no merecen vivir en este suelo".* (¿Acaso se refería este señor a los mismos que había amnistiado cuatro meses atrás?)

Dada la significancia de Rucci para el movimiento sindical, el ministro de Trabajo, Ricardo Otero, tuvo que efectuar declaraciones públicas y manifestó: *"Ante los restos del compañero José Rucci, formularemos el juramento de no arriar jamás la bandera argentina por ningún trapo colorado".*[175]

Se cuenta que este asesinato intentó ser un llamado de atención a Perón por parte de Montoneros, una suerte de demostración de poder ante un Perón que desde su regreso se mostró refractario a las concesiones que los terroristas (que Perón había fomentado desde España) peticionaban. Al respecto, el propio Firmenich por septiembre de 1974, en una cena privada, dijo sobre el citado crimen: *"Nosotros creíamos que tirándole al viejo un fiambre sobre la mesa íbamos a poder negociar en mejores condiciones y la historia nos demostró que no era así. Fue una decisión política equivocada".*[176] En el año 2004, ante la revista *Noticias*, ratificó sus dichos: *"Sí, desde nuestro lado [matar a Rucci] fue un error político, como toda la guerra civil que ha vivido la Argentina".*

Del mismo modo, el montonero y luego diputado kirchnerista Miguel Bonasso, haciéndose el compungido en una conferencia de prensa en 1997, lamentó que se haya matado a algunas personalidades cuando en verdad él consideraba más apropiado haber asesinado a otras: *"En lugar de matar a Rucci tendríamos que haber matado a López Rega".*[177]

Con escalofriante humor negro, Montoneros había bautizado el asesinato de Rucci como "Operativo Traviata", en alusión a la conocida galletita de igual nombre y de moda en aquella época, que se caracterizaba por poseer numerosos agujeros. Cuenta Giussani que en torno a este asesinato, un montonero le confesó: *"Era algo que necesitábamos. [...] Nuestra gente se estaba aburguesando en las oficinas. De tanto en tanto había que salvarla de ese peligro con un retorno a la acción militar".*[178]

Rucci ya estaba amenazado de muerte e incluso las hordas montoneras en los actos públicos gritaban el sórdido cántico vaticinador: *"Rucci traidor, a vos te va a pasar lo mismo que a Vandor".* En reportaje publicado por la revista *Gente*, le preguntan a Rucci: *"¿Le preocupa que lo hayan amenazado de muerte?* Él responde: *"Sería una tontería decir que no me preocupa. [...] Algún motivo deben tener los que quieren matarme. ¿Cuáles son esos motivos? Uno de ellos es que el secretario de la CGT es peronista y consecuente con Perón".* Ya Rucci había advertido que si lo llegaran a matar, los responsables serían los "inmundos bolches o los trotskistas". La verborrágica dirigente Elisa Carrió, promediando el año 2005, en un reportaje concedido para el programa *Hora Clave* conducido por el Dr. Mariano Grondona, reconoció con arrepentimiento que en su momento, cuando se enteró de la noticia de la muerte de Rucci, se alegró y dijo: *"¡Pero mirá que bien!".* Si bien recibimos con alegría el acto de constricción de la dirigente progresista, cuesta mucho entender por qué la aludida experta en denuncias mediáticas se alegró tanto ante un homicidio terrorista, siendo que luego ella personalmente contribuiría a combatir la delincuencia guerrillera trabajando nada más y nada menos que para el gobierno del presidente Videla, durante el Proceso de Reorganización Nacional como *"abogada asesora de la Fiscalía de Estado de Chaco, siendo nombrada el 7 de febrero de 1978"*, posteriormente *"fue promovida al cargo de secretaria de primera instancia en la Procuración General del Superior Tribunal de Justicia".* No solo Carrió fue funcionaria del proceso, sino que parece que el empeño puesto a efectos de colaborar con el gobierno militar se constituyó en un fuerte compromiso familiar, ya que su madre *"Elisa Rodríguez de Carrió fue designada el 7 de diciembre de 1978, como subsecretaria de Educación del gobierno de Chaco".*[179]

Ante la desenfrenada ola de crímenes y violencia, Perón empezaba a darse cuenta de que una solución por la vía institucional y democrática a esta guerra civil iba a ser imposible y de que la solución solo podía provenir de la instauración de un gobierno dictatorial, pues *"según confesó Arturo Fron-*

dizi, entrevistado por Joseph Page, el día del asesinato de Rucci recibió una llamada telefónica de Perón. La voz del general delataba una profunda preocupación: —¿Qué puedo hacer respecto de la violencia? —reflexionó—. Podría acabar con ella si me convirtiera en un dictador, pero estoy demasiado viejo para ser un dictador".[180]

López Rega e Isabel

Como reacción ante el inmanejable desmán, Perón ordena la emisión de un documento que solapadamente creaba la banda que popularmente se conoció como la "AAA". Seguidamente, envió al Congreso de la Nación un proyecto de ley a efectos de modificar y endurecer las penas del Código Penal (una suerte de contramarcha ante la anomia legal generada durante la nefasta gestión de Cámpora). Respecto del documento virtualmente creador de la AAA, en rigor de verdad, este era una suerte de orden reservada que entre otras cosas decía: *"En ese estado de guerra que se nos impone, no pueden ser eludidos y nos obliga no solamente a asumir nuestra defensa, sino también a atacar al enemigo en todos los frentes y con la mayor decisión. Por lo que las directivas consistirán en: la movilización de todos los elementos humanos; información para hacer saber a todos los peronistas la posición que se toma en relación a los grupos marxistas y la necesidad de participar en la lucha activa contra nuestros enemigos y en la Inteligencia, ya que se creará un sistema de inteligencia en todos los distritos que estará vinculado con el Organismo Central que se creará. [...] El Movimiento Nacional Justicialista entra en estado de movilización de todos sus elementos humanos y materiales, para afrontar esta guerra. Quien rehuya su colaboración para la lucha, queda separado del movimiento".*[181] Cuenta Carlos Manuel Acuña: *"El documento adquirió la forma de una "orden reservada". [...] El nuevo organismo centralizado de inteligencia cumpliría el papel más destacado en el nuevo escenario que se dejaba abierto: había nacido la Triple A".*[182]

Precisamente a partir del 9 de octubre, la AAA entra en operaciones a través de una bomba que estalló en el estudio jurídico de los subversivos Rodolfo Ortega Peña y su socio Eduardo Luis Duhalde. Al mes siguiente otro artefacto conectado al embrague estalló en el piso del automóvil del senador nacional radical Hipólito Solari Yrigoyen (vinculado al ERP y a la fuga de terroristas del penal de Rawson).[183] El giro de Perón hacia la contrarrevolución comenzó a marcarse tanto en lo verbal como en lo material y ya antes de que Perón asumiera la Presidencia, con espíritu anticipatorio, el terrorista y agente de inteligencia soviético Rodolfo Puiggrós renunció al rectorado de la UBA.

Desde su prolongado exilio, Perón se vio voluntariamente muy influenciado por José López Rega, personaje conocido como El Brujo, que según se sabe pertenecía a una secta esotérica con sede en Brasil. El vínculo de López Rega con Perón surge por medio de Raúl Lastiri, que era el yerno de López Rega, y a quien Perón conoció en Panamá, en un club nocturno que frecuentaba llamado *Happy Land Bar*, donde Lastiri obraba de entretenedor tocando el piano. En ese lugar, Perón entabló trato con el personaje de la farándula Roberto Galán (hombre de la noche y la procacidad), recordado por conducir un desopilante programa de televisión llamado *Si lo sabe cante*, en donde audaces ciudadanos *amateurs* se presentaban en concurso a "cantar", y aquel que fuera beneficiado por el "aplausómetro" (conformado por una tribuna que ovacionaba al más destacado) se hacía dueño de un galardón, a saber: un pintoresco canario enjaulado. Otro recordado programa de interés general conducido también por Galán, se tituló *¿Yo me quiero casar y Ud.?*, en donde participantes con ansias de frecuentar trato con personas del sexo opuesto, eventualmente contraían "pareja" con motivo de la aproximación gestionada por el mismísimo conductor que obraba de "celestino" televisivo. Fue precisamente este habilidoso relacionador público, quien le presentó a Perón a una de las bailarinas del club nocturno de Panamá, cuyo nombre "artístico" era "Isabel". Perón, que desde siempre había reparado especial atención en mujeres de este perfil, contrajo pareja y posterior matrimonio en Madrid con la danzarina. Las vueltas de la vida son impredecibles: de esa impudorosa borrachería nocturna panameña saldrían tres presidentes de la República Argentina: Perón (cliente del bar), Lastiri (pianista) e Isabel (quien brindaba servicios de entretenimiento a los clientes) y, como frutilla del postre, López Rega resultaría, entre otras cosas, ministro de Bienestar Social, jefe de la Policía Federal y hombre de absoluta influencia y gravitación en el Gobierno. Es cierto que en el sistema democrático no siempre suelen llegar al poder los mejores, pero tampoco es cuestión de que lleguen los peores. En la Argentina, esto último parece ser una constante desde hace varias décadas. Como vemos, el *Happy Land Bar* trasladó parte de su *staff* y de sus habitués a la Casa Rosada de la Argentina, transformándola en una suerte de franquicia involuntaria que bien podría llamarse *The Pink House Bar*.

Cuenta Ramón Landajo (colaborador de Perón quien vivió el exilio junto a él), con motivo del origen laboral de *Isabelita*, que conservaba modismos profesionales a punto tal que, según reconoce Landajo: "*Empezó a levantarme. [...] Era de casco fácil*", y agrega: "*Ya estando en España, Isabel se escapa con el jefe de la custodia a Marsella [...] amantes oficiales tuvo varios. [...] Otro amante famoso fue el doctor Demetrio Vázquez*".[184] Dada la no muy recatada imagen de *Isabelita*, comenzaron a rumorearse y adjudicársele romances múltiples, ante lo cual Roberto Galán se defiende arguyendo respecto de "*la vieja historia de que yo habría sido novio de Isabel. Como yo siempre digo, soy un tipo de buen gusto, hubiera elegido algo mejor, ¿no?*".[185]

Si bien los peronistas suelen presentar a López Rega como una suerte de personaje que "de la nada" baja en un platillo volador y se instala unilateralmente en la vida política e institucional del país, cabe destacar que ninguna fuerza extraterrestre le brindó ese protagonismo, sino el mismísimo general Perón. Los historietistas del setentismo suelen calificar la pugna interna del Peronismo como "jóvenes reformistas contra el lopezreguismo". Pero en rigor de verdad, no luchaban contra el "lopezreguismo", sino contra Perón mismo, cuyo instrumento y herramienta de choque era precisamente el grupo que él cobijaba y que tenía como subalterno inmediato a López Rega.

Sin embargo, peronistas de izquierda y derecha, a efectos de no involucrar y descuartizar la imagen de Perón, siempre tratan de atemperar un poco su relación directa con la AAA, con argumentos difusos, tal el que esgrime Firmenich al balbucear: *"En todo caso, la Triple A era una organización que respondía a un poder con el que Perón había negociado".*[186] Jorge Antonio (amigo de su máxima confianza) por su parte y ante la pregunta concreta de si Perón conocía la existencia de la Triple A, haciéndose el distraído, dibuja en el aire la siguiente respuesta: *"Sí y no. Sí, porque se tenía que enterar y no porque no lo querría".*[187]

Lo cierto es que López Rega primigeniamente se había desempeñado como chofer de Perón, quien en insólito acto de desprecio hacia la institución policial (y de aprecio a López Rega) lo ascendió, contra todas las reglas, de una discreta categoría de suboficial a la máxima jerarquía en la institución, salteando en dicho ascenso quince cargos. Vale remarcar (aunque peque de redundantes) que López Rega llegó a tamaña investidura no por designio de "Los pitufos", sino por libre, consciente y voluntaria elección de Juan Domingo Perón.

López Rega, amparado por el Poder Ejecutivo Nacional y como respuesta al asesinato de Rucci, creó y organizó el ya mencionado grupo clandestino llamado "Triple A" (Alianza Anticomunista Argentina, pero que también se la hacía llamar Alianza Antiimperialista Argentina). La "alianza" era una banda peronista conformada por matones y militantes peronistas entre los que, según se sabe, se encontraban personajes como Aníbal Gordon.

La Triple A representaba al Peronismo en su esencia más pura y estaba destinada a combatir ilegalmente a los elementos más radicalizados de la izquierda subversiva. Dado su carácter secreto, no es mucho lo que se sabe de la AAA y sus miembros. Por de pronto, Mario Firmenich involucra al futuro vicepresidente y gobernador de Buenos Aires, Carlos Ruckauf, como personaje comprometido con la banda. En su libro *La fuga del Brujo. Historia criminal de José López Rega*, Juan Gasparini también le adjudica a la UOM (donde ejercía gravitación el dirigente Lorenzo Miguel) vínculos indisolubles con la AAA. En otras áreas, peronistas de derecha amenazados de muerte por Montoneros debieron organizarse militarmente para su defensa personal.

Uno de los sectores que en el ámbito estudiantil se defendía de la subversión, era la Conducción Nacional Universitaria (CNU).

Por sus extraños ritos esotéricos, López Rega era apodado *El Brujo* y, dentro de su prontuario literario, escribió un libro titulado *Astrología esotérica*, el cual abordaba temáticas astrológicas, signos del zodíaco, perfumes milagrosos y otros gualichos de similar extravagancia. También frecuentaba ceremonias "macumbas", ritos "afro-brasileños" y otras supercherías asombrosas.

En busca de "purificar su alma", eran frecuentes los viajes de López Rega a la ciudad brasileña Porto Alegre, donde se encontraba el templo *Do sol urabatan e oxum*, dirigido por el *babalorixá* (gurú) Wilson Ávila, el cual después informó a la prensa: "*López Rega vino aquí varias veces para retirar los fluidos y experiencias negativas de su cuerpo. Era un medium capaz de recibir los varios espíritus que componen la religión umbanda*".[188]

La tercera presidencia de Perón

El 12 de octubre, Perón e *Isabelita* asumieron respectivamente la presidencia y la vicepresidencia de la Nación. La ceremonia llevada a cabo en la Casa de Gobierno transcurrió sin mayores sobresaltos, salvo *"más de trescientos intoxicados con café y jugo de naranja que estaban contaminados. Nadie dejó de sospechar que una mano montonera estuvo detrás del episodio"*.[189] Desde el mismo momento de la asunción, Perón ya se proponía dar un giro copernicano en materia política e ideológica y, a fin de ese mes, el Consejo Superior Provisorio del Movimiento Nacional Justicialista informó a la opinión pública que había resuelto que *"las publicaciones denominadas* Militancia, Ya *y* El Descamisado, *no son voceros oficiales del Movimiento Nacional Justicialista, ni de ninguna de las ramas que lo constituyen"*.[190]

Además de la creación de la AAA, para desmantelar al terrorismo y su estructura, Perón tenía *in mente* otros mecanismos como intervenir las áreas educativas y las provincias cuyos gobernadores estuviesen vinculados a Montoneros. Además se ambicionaba recrudecer la legislación laxa y permisiva que había instalado Cámpora. En cuanto a la AAA, *"cuando Perón ya era presidente de la República, los enfrentamientos y la nómina de los muertos crecería día a día e incluso la AAA daría a conocer comunicados con sellos, haciéndose responsable de los innumerables hechos en los que intervendría. [...] Pese a ello, los montoneros no se daban por aludidos; en sus pronunciamientos públicos mantenían su apoyo a la persona de Perón y reiteraban que estaban dispuestos a pelear desde adentro. Perón creía que la Triple A sería suficiente para librar la batalla"*.[191] Como gesto inequívoco del rumbo escogido, el 8 de noviembre, Perón, ante la dirigencia en pleno de la

López Rega, Isabelita y Juan Domingo Perón. Tras la renuncia de Cámpora, el peronismo en su verdadera y genuina esencia retoma el poder. La foto parece sintetizarlo todo: la delincuencia, el burdel y la demagogia).
(Fuente: *La fotografía en la historia argentina*, Tomo III, Clarín, 60 años.)

CGT, denunció que *"se quería destruir al Movimiento Justicialista mediante la infiltración que viene de afuera"*, remarcó que *"la estabilidad política de las organizaciones depende de la doctrina"* y agregó: *"La ideología puede ser cambiante [...] ya que ellas evolucionan. [...] Pero cuando ha de cambiarse una ideología o una doctrina será por la decisión de conjunto, jamás por la influencia de cuatro o cinco trasnochados que quieren imponer sus propias orientaciones a una organización que ya tiene la suya"*.[192]

En materia económica, no hubo grandes cambios y Perón le confió el manejo de la cartera al polémico agente soviético Gelbard quien mantenía estrechos vínculos con los gobiernos tiránicos de Cuba, obviamente de la URSS (a donde llegó a compartir un viaje de camaradería con Miguel Bonasso) y los sectores terroristas locales. Entretanto, el 7 de noviembre, los "luchadores sociales" secuestraron al coronel Emilio Crespo y, torturas mediante, lo mantuvieron cautivo durante ciento noventa días.

La guerra en el papel

Con el objetivo de influir en la opinión pública a través de la prensa gráfica, los terroristas lanzaron, el 20 de noviembre, un diario perteneciente a la organización Montoneros, que se llamó *Noticias*, el cual era financiado con el dinero obtenido por el pago de rescates de secuestros extorsivos de gerentes de empresas extranjeras. El director del diario era el "derechohumanista" Miguel Bonasso, quien haciéndose el distraído confiesa tácitamente: "*Se dice que la financiación provendría del rescate del 'holandés', un alto ejecutivo de la Phillips por el que se pide un millón de dólares*".[193] A efectos de simular ante la opinión pública el repugnante método de financiación, agrega el "joven sensible" Bonasso, por entonces: "*Necesitamos que el camporismo nos aporte dos o tres nombres conocidos para integrarlos al directorio y blanquear de este modo el origen* non sancto *de nuestro fondos*".[194] La tirada de la publicación supo tener la formidable cifra de 100.000 ejemplares por día y desde sus páginas defendía y difundía las actividades terroristas. Además de Bonasso, trabajaban en el diario financiado por secuestros otros personajes conocidos y defensores de las "buenas causas", tales como los terroristas Horacio Verbitsky, Francisco Urondo (este último luego se suicidaría con una pastilla de cianuro al ser cercado en un tiroteo por las fuerzas legales), Juan Gelman y Rodolfo Walsh. Entre sus redactores se encontraban Silvina Walger, el radical Leopoldo Moreau, Carlos Ulanovsky y el excéntrico amostachado Martín Caparrós. Pablo Giussani era secretario de redacción y Goyo Levenson, administrador de los fondos provenientes de los mencionados delitos.

Salvo excepciones, el diario estaba compuesto por elementos de la criminalidad montonera. Sin embargo, a pesar de no estar enrolados abiertamente en ella, algunos personajes del radicalismo como el ya citado Moreau participaron de este diario de delictiva financiación, ingresando al *staff* gracias a los contactos que el "camarillero" hormonal Raúl Alfonsín tenía con los terroristas. Tanto es así que, en 1974, "*Raúl Alfonsín invitó a almorzar a la plana mayor de* Noticias *para agradecerle la incorporación de Leopoldo Moreau. [...] en su carácter de presidente de la Juventud Radical. Moreau se haría cargo de la estratégica sección "universitarias"*.[195]

Para poder dimensionar el desvío notable que se hace de nuestra historia con la reivindicación de los peores personajes del pasado, es dable recordar que en 1997, a veinte años de su muerte, Rodolfo Walsh fue homenajeado en una sesión del Senado. Precisamente uno de los oradores más destacados y adulones del mentado criminal fue el eterno cachafaz Antonio Cafiero, quien alabó al personaje definiéndolo como "modelo de militante popular".[196] Posteriormente y con la misma excusa de homenajear al escritor terrorista (contando siempre con los favores de los órganos del Estado) "*por iniciativa de su compañero de militancia subversiva, Eduardo Jozami, el entonces legislador logró, en 1994, que la Municipalidad de la ciudad de Buenos Aires homenajeara con su nombre a una plazoleta ubicada en Chile y Perú [...]. La Biblioteca Nacional inauguró una vitrina con sus textos en la sa-*

la Borges, en marzo de 1995, adhiriendo Ernesto Sábato, Mercedes Sosa, Jaime de Nevares, Adolfo Pérez Esquivel y José Octavio Bordón".[197]

El diario *Noticias* era una suerte de órgano de prensa de Montoneros y quienes escribían en él protagonizaban encendidos y confrontativos debates con la revista *El Caudillo* (de "doctrina" peronista), órgano de prensa financiado por el Ministerio de Bienestar Social y que tenía como eslogan el "democrático" aforismo: *"El mejor enemigo es el enemigo muerto"*. Esta revista arremetía con desopilantes notas tales como:

"[...] ¡Oíme Piba! A vos, que llevas dieciocho años de lucha por la patria socialista y que hace unos meses recién cumpliste 17 años de vida. [...] ¡Oíme piba! ¡Sí, a vos te hablo! A vos, que llevás la parte de arriba enfundada en ideas rusas y la parte de abajo en 'bluyins' yanquis. A vos que te venden las bebidas que tomaban tus bisabuelos diciéndote que 'eso es el cambio'. A vos, que te sobra tiempo para no perderte una manifestación y te falta para ayudarle a tu vieja para lavar los platos. A vos, que desprecias a tu viejo burgués y conformista, pero al que recurrís cuando necesitas unos mangos para pagarte tu militancia revolucionaria. ¿Sabés piba? El otro día te oí pasar gritando 'Perón, Evita, la patria socialista' y me dio una pena tremenda. Me dio lástima por vos. Porque sos una buena piba y me duele que te hagan hacer el papel de pavota por la calle, como lo haces día por medio".[198]

Nadie estaba resguardado

Mientras tanto, los terroristas no tenían el más mínimo prurito en practicar ataques o atentados contra niños y estudiantes, si ello contribuía a llevar adelante la toma del poder y destruir la democracia. En efecto, el día 15 de noviembre, *"el ERP copó una escuela primaria en la ciudad de Tucumán"*,[199] *"el 24, en la localidad de Merlo, provincia de Buenos Aires, los montoneros atentaron con explosivos contra el colegio nacional General Belgrano y dos días más tarde, en pleno centro de la ciudad de Corrientes fue asesinado Raúl Sebastiani, padre del diputado provincial Mario Sebastiani"*[200] y el 29 en Córdoba, el ERP *"ocupó la Escuela Primaria Alas Argentinas"*.[201]

El mes de diciembre tuvo particular importancia porque se modificó el rumbo que se le deseaba imprimir al Ejército desde que se organizó en tiempos de Cámpora el llamado "Operativo Dorrego", consistente en acercar posiciones entre el Ejército y la guerrilla con el supuesto fin de hacer "tareas comunitarias" aunque el objetivo verdadero era intentar la penetración y el contacto de elementos subversivos con miembros de las FF.AA. a efectos de, eventualmente, "convertirlos". Esta componenda promovida por el polémico general Carcagno quedó trunca, pues es en este mes cuando se lo pasa a retiro. Dentro de estas "purgas", para sacárselo de encima y apartarlo de la escena, Perón nombró a Héctor Cámpora como embajador en México.

Dos días después, *"Perón recibió a la plana mayor de la empresa Ford inquieta por la ola de secuestros que obligó a veinticinco funcionarios a abandonar el país"*[202] y, seguidamente, cuatro diputados identificados con la Tendencia Revolucionaria (Vittar, Vidaña, Croatto y Kunkel) denunciaron haber sido amenazados por las AAA.

Culminaba el año 1973 en el medio de la guerra civil y en materia económica las recetas dirigistas ratificaban una vez más su total ineficacia. La economía se iba desplomando y *"el circulante, que en mayo de ese año era de un billón 700 mil millones de pesos moneda nacional, se elevó a 3 billones 239 mil millones. En junio del año siguiente, Perón dispone el pago de un aguinaldo extra y la emisión lleva al circulante a 4 billones 600 mil millones. Nunca nadie había falsificado tanto dinero".*[203] Los descalabros populistas, la pérdida del valor adquisitivo y la fluctuación monetaria eran involuntariamente funcionales a los planes desestabilizadores de los terroristas.

El mes de enero de 1974 comienza con un dramático ataque a la Guarnición del Ejército de Azul, en donde son asesinados tres soldados. La guarnición fue asaltada por la Compañía "Héroes de Trelew" del ERP. El Cnl. Arturo Gay, jefe del Regimiento 10 de Caballería, era acompañado por su familia. Gay es muerto mientras el Cnl. Ibarzábal cesa su resistencia ante la amenaza de los terroristas de asesinar a la familia Gay. El Cnl. Ibarzábal es introducido en un vehículo y posteriormente asesinado (prolongado cautiverio mediante en una "cárcel del pueblo"). En el mismo momento, la esposa del Cnl. Gay es asesinada delante de sus hijos: *"las consecuencias psicológicas que ello causó en Patricia Gay, una criatura en ese entonces, fueron terribles. Nunca pudo superarlas. [...] Luego de años, terminó suicidándose, arrojándose desde un edificio".*[204] El "militante social" Gorriarán Merlo justificó el ataque alegando: *"Hacían falta armas para Tucumán, nosotros queríamos formar una fuerza militar capaz de derrocar al poder real".*[205]

Durante los días 24 y 25 de enero, encendidos debates se producían en el Parlamento a raíz de este ataque y el diputado Moyano decía: *"Tal vez las mismas manos asesinas que segaron vidas inocentes en Azul, son las que han matado desde el asesinato del Grl. Aramburu hasta la actualidad [...] Suman centenares de víctimas argentina"*; el diputado Sueldo, por su parte, decía: *"Asesinar soldaditos conscriptos que cumplen con su período militar [...] así como oficiales y suboficiales es algo que no empieza en los últimos meses. Se practicó abundantemente durante la dictadura militar. Entonces era bueno y ahora es malo".*

El propio **Perón** se expresó con toda virulencia: *"[...] todo tiene un límite [...] se trata de poner coto a la acción disolvente y criminal que atenta contra la existencia misma de la patria y sus instituciones."* Seguidamente, Perón dirigió una carta a la guarnición de Azul que decía: *"[...] esta lucha en que estamos empeñados es larga y requiere en consecuencia una estrategia sin tiempo. El objetivo perseguido por estos grupos minoritarios, es el pueblo argentino, y para ello llevan a cabo una agresión integral [...] el repudio unánime de la ciudadanía, harán que el reducido número de psicópatas que va quedando, sea exterminado uno a uno para bien de la república"*. Al mismo tiempo arreciaba la firme sospecha de que dicho atentado había contado con el apoyo (expreso o tácito) del gobernador de Buenos Aires Bidegain, inocultablemente enrolado en la banda Montoneros. Perón se mostró irascible y vestido con su uniforme de teniente general (todo un gesto de respaldo a las FF.AA. y de ratificación de su condición de militar), acompañado de todos los ministros y de los comandantes generales de las Fuerzas Armadas entre muchos otros dirigentes y funcionarios, manifestó que hechos de esta naturaleza *"evidencian elocuentemente el grado de peligrosidad y audacia de los grupos terroristas que vienen operando en la provincia de Buenos Aires ante la evidente desaprensión de sus autoridades"*.[206] El discurso de Perón no se detuvo allí, fue tan enérgico como extenso y, entre sus afirmaciones más contundentes, dijo: *"Estamos en presencia de verdaderos enemigos de la Patria, organizados para luchar en fuerza contra el Estado, a la que a la vez infiltran con aviesos fines insurreccionales. [...] Nuestro Ejército, como el resto de las Fuerzas Armadas [...] no merecen sino el agradecimiento del pueblo argentino"*. En flagrante alusión a la delictiva complicidad del gobernador Bidegain para con los criminales arremetió: *"No es casualidad que estas acciones se produzcan en determinadas jurisdicciones. Es indudable que ello obedece a una impunidad en la que la desaprensión e incapacidad lo hacen posible, o lo que sería aún peor, si mediara, como se sospecha, una tolerancia culposa"*.[207] *"El aniquilar cuanto antes este terrorismo criminal es una tarea que compete a todos los que anhelamos una patria justa, libre y soberana"*.[208]

Vale destacar que el "aniquilamiento" ordenado verbalmente y anhelado públicamente por Perón, quedó inconcluso luego de su deceso; empero, dicha obra fue completada por las FF.AA. entre 1975 y 1979. El presidente de la UCR, Ricardo Balbín se sumó a esta enérgica condena al terrorismo marxista y declaró: *"Yo participo del acento de crítica y condena así como de la energía con que se pronunció el presidente de la Nación"*. Al mismo tiempo, dándose cuenta Balbín de que el problema sobre la guerra antiterrorista no tenía una solución legal sino fáctica, con referencia al proyecto de modificar el Código Penal, agregó que *"no se superarán estos episodios llenando páginas de un código. A estos elementos hay que buscarlos y aplicarles las penas que se merecen*".²⁰⁹ Ante estas declaraciones del líder radical nos preguntamos: ¿Cuál es la pena que se merecen sino es la de los códigos penales? Efectivamente, queda claro que el pueblo, en su mayoría, pedía un aniquilamiento sistemático de la subversión y el cese de la guerra civil sin mayores burocracias legales y procesales. Si había leyes, mejor. Si no, aniquilarlos igual, tal era la consigna de Perón, Balbín y el pueblo entero.

Las sospechas sobre Bidegain, sumadas a las riñas que tenía con su vicegobernador Vitorio Calabró (leal a Perón) y el tremebundo discurso de Perón sindicando inequívocamente al primero como cómplice o copartícipe del atentado, generaron un estado de presión tal que el 22 por la tarde Bidegain presentó su renuncia. Con esta dimisión impulsada por el propio Perón, los terroristas perdieron otro punto de apoyo de gran importancia, habida cuenta del enorme poder político y geográfico que significaba maniobrar nada menos que la provincia de Buenos Aires.

Perón ya había enviado al Congreso un proyecto de ley consistente en modificar el Código Penal a efectos de endurecerlo. Los ocho diputados afines a Montoneros se resistían a votar las reformas y solicitaron una reunión con Perón, que se concretó el 22 de ese mes. Para desconcierto y amedrentamiento de los diputados montoneros, Perón los recibió en la residencia de Olivos con la presencia, entre otros, de Lastiri y López Rega (nada menos). Como si estos testigos fueran insuficientes, por orden del mismo Perón dos cámaras de televisión del canal ATC filmaron en vivo el encuentro. Allí, con gesto adusto y toda la parafernalia montada, Perón los prepoteó: *"Muy bien, señores, ustedes pidieron hablar conmigo, los escucho. ¿De qué se trata?"*.

Los diputados defensores de los terroristas no podían salir de su asombro ante tamaño recibimiento y luego de que balbucearan algunas objeciones al proyecto "represivo", Perón irrumpe y les lanza un categórico sermón en el que entre otras cosas les dice: *"No es el objeto mío conversar sobre estas cosas, porque no me corresponde. Toda esta discusión debe hacerse en el bloque. Y cuando el mismo decide por votación lo que fuere, esta debe ser palabra santa para todos los que forman parte de él; de lo contrario, se van del bloque. Esa es la solución. [...] Quien esté en otra tendencia diferente de la peronista, lo que debe hacer es irse. [...] El que no está de acuerdo o al que no le conviene, se va. [...] Por perder un voto, no nos vamos a poner tristes"*.²¹⁰ Y en tono amenazante y reivindicatorio de la represión ilegal, Perón agregó: *"La decisión es muy simple: hemos pedido esta ley al Congreso para que este nos dé el derecho de sancionar fuerte a esta clase de delincuentes. Si no tenemos la ley, el camino será otro; y les aseguro que, puestos a enfrentar la violencia con la violencia, nosotros tenemos más medios posibles para aplastarla, y lo haremos a cualquier precio porque no estamos aquí de monigotes"*. Ratificando su adhesión a la represión ilegal para defender las instituciones de la República completó: *"Nosotros vamos a proceder de acuerdo con la necesidad, cuales-*

quiera sean los medios. Si no hay ley, fuera de la ley, también lo vamos a hacer y los vamos a hacer violentamente. Porque a la violencia no se le puede oponer otra cosa que la propia violencia".[211]

Luego de esta formidable retada televisiva, apología de la represión ilegal e invitación virtual a la renuncia a los ocho diputados favorables a los terroristas, a estos últimos no les quedó más remedio que resignar sus bancas y excluirse así del debate previsto para el jueves 24. Desconcertados, los montoneros, ante este nuevo "cachetazo" promovido por Perón, en su revista de propaganda, *El Descamisado*, publicaban un editorial (escrito por Firmenich) en el que con abierta indignación arremetían: *"Antes éramos 'los muchachos' y éramos saludados por el jefe del movimiento con emoción por nuestra lucha [...] ahora nos señalan que hay otros partidos 'socialistas' adonde podemos ir si queremos. [...] ¿Por qué no nos dijeron antes, cuando peleábamos, que nos pasáramos a otros partidos?".* El comentario último obedece a que Perón les había dicho burlonamente poco antes que existían *"cinco partidos de izquierda"* y había agregado: *"vayan a uno de ellos".*

Días después y ya con la situación en extrema tirantez, con motivo del atentado en Azul, Perón brindó una de sus últimas conferencias de prensa, en donde tuvo un encendido intercambio verbal con la periodista de extracción subversiva Ana Guzzetti del diario *El Mundo* (manejado por el ERP): *"–Sr. Presidente [...] yo le pregunté qué medidas iba a tomar el gobierno para parar la escalada de atentados fascistas que sufrían los militantes populares. [...] Evidentemente todo está hecho por grupos parapoliciales de ultraderecha [en alusión a la AAA].* A lo que Perón contesta: *–¿Ud. Se hace responsable de lo que dice? –y dirigiéndose al edecán le dijo–, tómele los datos necesarios para que el ministerio de justicia inicie la causa contra esta señorita".* La periodista insiste con la pregunta y Perón arremete: *"Esos son asuntos policiales provocados por la ultraizquierda y la ultraderecha. La ultraizquierda que son ustedes (señalando a la periodista con el dedo), y la ultraderecha son los otros. [...] El PEN lo único que puede hacer es detenerlos a ustedes y entregarlos a la justicia, a Uds. y a los otros. Lo que nosotros queremos es paz y lo que Uds. no quieren es paz".*[212]

Prosiguiendo en esta toma de posiciones y exhortando a tomar partido contra Montoneros y el ERP, el 4 de febrero, Perón dirigió un mensaje al país desde la residencia de Olivos y respecto del drama terrorista manifestó: *"Ha demostrado sus verdaderas intenciones [...] en la lucha entre la delincuencia y el país, nadie puede ser neutral [...]. Nuestra Fuerzas Armadas son y serán un puntal de la institucionalización del país".*[213]

El ERP advierte a Montoneros la evidente postura contrarrevolucionaria que venía adoptando Perón, desde la revista *El Combatiente* en donde Santucho sacudía: *"Los compañeros de la izquierda peronista, principalmente de las organizaciones hermanas FAR y Montoneros, sostienen la tesis de que el general Perón es en realidad un líder revolucionario"*, pero que en estos momentos "*López Rega, Osinde y Rucci"* lo tenían "*rodeado y engañado, desinformado al general, que prácticamente lo han encarcelado y lo obligan a avalar una política reaccionaria que él no comparte"* y tras detallado análisis resume Santucho "*de los hechos expuestos surge con claridad meridiana que el verdadero jefe de la contrarrevolución, el verdadero jefe del actual autogolpe contrarrevolucionario [en alusión a la caída de Cámpora], y el verdadero jefe de la policía represiva, que es la línea inmediata más probable del nuevo gobierno, es precisamente el general Perón. Y no porque él sea un traidor sino porque es un consecuente defensor de su clase"*, y con realismo acerca de la situación de Montoneros e invitándolo a unirse en un solo frente arremete: "*Amplios sectores del Peronismo progresista y revolucionario, que creían sinceramente a Perón un revolucionario, se encuentran en estos momentos desorientados. Nuestro Partido y nuestro Ejército guerrillero han llamado constantemente a la unidad a estos compañeros y sus organizaciones. Hoy tenemos que reiterar ese llamado. [...] Las organizaciones armadas FAR y Montoneros y parte de la Tendencia Peronista Revolucionaria han cometido un grave error [...] confiar ciegamente en Perón y basar toda su política en esa confianza. Hoy que se ve claramente ese error puede ser subsanado por el Peronismo progresista y revolucionario y retomar una línea independiente [...] que los aproxime y una a sus verdaderos compañeros, a sus verdaderos aliados, las organizaciones armadas no peronistas y el resto del campo popular. Como decía Lenin, no es grave cometer un error. Todo el mundo lo comete. Lo grave es persistir en él, agrandarlo y justificarlo"*.[214]

Nunca se explicó bien si la insistencia de Montoneros en seguir a Perón obedecía a un grave error de concepción de la realidad o a especulación política, puesto que Montoneros sabía que, por su avanzada edad y su deteriorada salud, Perón no viviría mucho tiempo más y confiaban en que una vez descabezado el movimiento, Montoneros con su capacidad de movilización y su estructura militar podría con facilidad ocupar esa vacante y adueñarse del Peronismo. Esta última tesis parece mucho más razonable que suponer que mentes tan destacadas como la de los líderes terroristas iban a creer que Perón "estaba mal asesorado".

Es sabido que Montoneros ora por ingenuidad, ora por infantilismo, ora por oportunismo o por autoconvencimiento, ante cada paso que daba Perón hacia la contrarrevolución, daba explicaciones absurdas para negar tal dirección. Al respecto, cuenta Pablo Giussani (quien trabajaba en el diario montonero *Noticias*) que dichas explicaciones "*respondían a un mismo esquema básico, consistente en degradar cada paso estratégico de Perón al rango de paso táctico, como un modo de preservar en la trabajosa visualización montonera del viejo líder el mito de una estrategia exquisita y secreta, encaminada por sabios meandros y hábiles rodeos a la liberación nacional. [...] En esos años circulaba un chiste en el que Mario Firmenich, instantes antes de morir fusilado por Perón junto con los demás integrantes de la conducción montonera, decía con entusiasmo a sus compañeros de infortunio: ¿Qué me dicen de esta táctica genial que se le ocurrió al viejo?*[215] El montonero Martín Caparrós admite: *"En los últimos meses anteriores al 1 de mayo, la mayor parte del discurso montonero había caído en la penosa obligación de explicar que Perón no quería decir lo que estaba diciendo cada vez que salía a hablar. Cuando Perón salía a decir que 'los diputados montoneros renuncien', los montoneros tenían que explicar que en realidad no era contra ellos, sino que era una maniobra táctica. Daba un poco de vergüenza"*.[216]

Sostiene Sebreli: *"Es difícil saber hasta qué punto, los montoneros, demasiado jóvenes para conocer el pasado peronista y demasiado inexpertos políticamente, se dejaron engañar por el discurso ultrarrevolucionario de Perón en Madrid y su aliento a la guerrilla, o eran cínicos, tan maquiavelistas como su líder y 'usaban al viejo' disfrazándose de peronistas para realizar sus propios proyectos; ambos móviles se mezclaban de manera indiscernible en ese juego de ladrones robados"*.[217] Probablemente, la mejor definición de esta relación la haya esbozado Jorge Rulli, antiguo militante de la resistencia peronista: *"La relación Perón-Montoneros fue eso, precisamente, un juego de tramposos. Esa era la parte fea de Perón. Después de tanto conducir hombres, a los únicos que quería en serio era a sus caniches.*[218] Al mismo tiempo, hay quienes cuentan que desde un principio Perón, con sutileza, les estaba tomando el pelo: *"El mismo término que usaba Perón era ya una definición de futuro anticipado. En la jerga militar "formaciones especiales" son los grupos que se constituyen para hacer determinado tipo de operaciones y que, posteriormente, cumplidos los objetivos, se disuelven. Los montoneros no entendieron nunca la ironía que usaba Perón al nombrarlos. Creían, sinceramente, que los estaba halagando. [...] El único que tenía conciencia del tema era Galimberti, quien ya decía, después de su caída, que Perón no quería guerrilla, que quería lo que Clausewitz llamaba 'formaciones especiales que atraviesan la línea enemiga y que luego vuelven a ponerse a disposición del jefe'. Todo lo contrario de lo que sentían los Montoneros."*[219] En efecto, en el léxico militar, las "formaciones especiales" se crean para fines determinados y se destruyen cuando el objetivo es alcanzado. Del mismo modo, Mario Firmenich ratifica esta hipótesis de un Perón socarrón y cuenta que en 1973, en Madrid, con sutileza *"Perón nos contó un cuento [...] no sé si ustedes saben que las familias judías, cuando los hijos varones cumplen 13 años, les dan una fiesta especial, un regalo especial, porque se considera que el niño se convierte en hombre. Entonces había una familia judía y en esas circunstancias el padre le dice: –Samuel. –Sí, papá. –Andá a buscar la escalera, subite arriba del ropero, en el techo del ropero está tu regalo de 13 años. Y el chico va encantado, con una enorme sonrisa a buscar la escalera,*

*se trepa al ropero, cuando está ahí arriba mira y dice: –¡Papá!, no hay na-
da acá. Entonces el padre, que estaba abajo, mirándolo le quita la escalera
y Samuel da un brutal golpazo. Cuando el chico está dolorido y, más que dolorido, desconcertado en el piso, el padre lo mira y le dice: –Samuel, hijo
mío, el regalo es que aprendas a no confiar ni en tu padre. [...] Premonitorio"*.[220] El terrorista Miguel Bonasso reconoce que *"obviamente, Montoneros
tenía un objetivo, la construcción del socialismo, y este objetivo no tenía nada que ver con el objetivo que tenía Juan Perón"*.[221] A la distancia, agrega
Firmenich: *"Tenemos que autocriticarnos porque hemos hecho nuestro propio Perón más allá de lo que es realmente. Hoy Perón está acá. Nos damos
cuenta de que Perón es Perón, y no lo que nosotros queremos. Por ejemplo,
lo que Perón definió como socialismo nacional no es el socialismo sino el
justicialismo"*.[222]

La guerra no daba tregua

Entre febrero, marzo y abril, el terrorismo efectúa permanentes atentados de alta envergadura y el ERP comienza a formar parte de una alianza internacional con otras organizaciones terroristas con las que desarrolla tareas
revolucionarias en conjunto. De esta manera, se forma la Junta Coordinadora Revolucionaria (JCR) integrada por el ERP (Argentina), Tupamaros (Uruguay), MIR (Chile) y el Ejército de Liberación Nacional (Bolivia). La junta
contaba *"con sede en la Rue de Vaugirard, París. [...] El coordinador general de esa entidad unificadora había sido el cubano Fernando Luis Chávez
Álvarez, cuñado del* Che *Guevara, y miembro de la DGI (Dirección General
de Inteligencia) castrista"*.[223]

Se establecieron además importantes bases de operaciones en Francia,
Portugal, Italia, Paraguay y Venezuela a fin de desprestigiar internacional-
mente a la Argentina, recibiendo para ello la colaboración de numerosos artistas extranjeros, periodistas y personalidades de izquierda. Entre ellas, el libro *Galimberti* (de los periodistas Larraqui y Caballero) menciona al simpático "cantautor" catalán Joan Manuel Serrat, como circunstancial financista
de Montoneros.

En marzo, Montoneros efectúa un acto en el estadio de Atlanta para conmemorar el primer aniversario del acceso de Cámpora al poder. Allí el enjambre subversivo coreó al unísono el cántico *"Qué pasa, qué pasa, qué pasa General, que está lleno de gorilas el gobierno popular"* y el principal referente
montonero, Mario Firmenich, puso de manifiesto cuáles eran los verdaderos
objetivos montoneros cuando durante el gobierno de Lanusse decían *"luchar
para instalar la democracia"*, al expresar con sinceridad: *"las elecciones sólo
fueron una táctica dentro de una estrategia de guerra integral"*.[224]

Dando un nuevo golpe contra el terrorismo, el 14 de ese mes, el gobierno clausuró el diario *El Mundo* (perteneciente al ERP). Al mismo tiempo, la compañía ESSO pagaba catorce millones de dólares por el rescate de su directivo Victor Samuelson. El dinero fue cobrado por el terrorista Enrique Gorriarán Merlo, amigo de Hebe de Bonafini. Dentro del ámbito de Montoneros, Galimberti se pone en campaña para reestructurar el aparato militar de la banda, pero por sobre todo para reforzar el aparato de inteligencia que había montado junto con ex marinos que habían sido dados de baja por ser parte integrante de Montoneros, entre ellos el delincuente Julio Urien.

Prosiguiendo con la política dirigida a desbancar a los gobernadores comprometidos con el terrorismo (ya habían logrado derrocar a Bidegain), uno de los objetivos más urgentes era el gobernador de Córdoba, Obregón Cano, a quien Perón le dijo: *"Doctor, tenga cuidado con los infiltrados"*, a lo que Obregón Cano respondió: *"No se preocupe General, los izquierdistas están bien vigilados y se portan bien"*. Entonces Perón le contestó socarronamente: *"Me refiero a que no se le vaya a infiltrar algún peronista en el gobierno"*.[225] Desbordado por las presiones, y poco antes de que la provincia sea efectivamente intervenida por el Gobierno nacional, el 7 de marzo, Obregón Cano renunció a la gobernación. Se consumaba así, otro revés político para el terrorismo.

En el mes de abril en la provincia del Chaco, en Colonia Aborigen (a 140 kilómetros de Resistencia), se atacó a tiros una dependencia policial dejando como saldo varios heridos. La investigación del caso determinó que *"estaban comprometidos el cura párroco de una cercana reserva de aborígenes, el sacerdote francés Gianfranco Testa y el párroco de Quitilipi, Joaquín Nuñez. También estuvieron involucrados elementos de la JP y el ex diputado nacional Carlos Kunkel"*,[226] (futuro subsecretario de Presidencia de Kirchner).

El 1° de mayo, con motivo de la celebración del día del trabajador, se llevó a cabo uno de los habituales actos multitudinarios celebrado en Plaza de Mayo. Es allí en donde Perón es agredido verbalmente, con cánticos que los montoneros públicamente le endilgaban. Entre los exabruptos vociferados se destacaban aquellos destinados a agredir a *Isabelita*: *"Vea vea vea, que manga de boludos, votamos una muerta, una puta y un cornudo"*, *"¡Evita, Evita!, Perón te necesita."* o *"Evita hay una sola, no rompan más las bolas"*. En alusión a López Rega, Montoneros cantaba: *"¿Qué pasa, qué pasa General?, que está lleno de gorilas el gobierno popular"* y festejando los asesinatos de Vandor y de Rucci, los "militantes sociales" gritaban con júbilo: *"Rucci traidor, saludos a Vandor"*. Los sectores leales a Perón respondían en el acto de forma amenazante: *"Rucci, leal, te vamos a vengar"*.

Aturdido por los improperios, Perón sale a la palestra y arremete con un discurso que quedó para la historia:

"Compañeros: Hace más de veinte años en este mismo balcón, frente a esta misma plaza y en un día luminoso como el de hoy, hablé por última vez

a los trabajadores argentinos. Fue entonces cuando les recomendé que ajustasen sus organizaciones porque venían días difíciles. No me equivoqué ni en la apreciación de los días que venían, ni en la calidad de la organización sindical que se mantuvo a través de veinte años pese a estos estúpidos que gritan [...] hoy resulta que algunos imberbes pretenden tener más méritos que los que lucharon durante veinte años. [...] Por eso, compañeros, quiero que esta primera reunión del Día del Trabajo sea para rendir homenaje a estas organizaciones y a esos dirigentes sabios y prudentes que han mantenido su fuerza orgánica y han visto caer a sus dirigentes asesinados sin que todavía haya sonado el escarmiento."[227]

Ante tamaña pirotecnia verbal, a Montoneros no le quedó más remedio que retirarse del acto dejando las dos terceras partes de la plaza vacía (circunstancia que ratificaba una vez más los miles de integrantes que poseían y la gran capacidad de movilización de la banda terrorista). El periodista Jorge Lanata asegura: *"Aquel día entre sesenta y ochenta mil personas le dieron la espalda al General y se alejaron de la Plaza de Mayo".*[228]

Inmediatamente sucedidos estos hechos se aceleró la espiral terrorista y solamente el 2 de mayo se colocaron quince bombas en distintos puntos del país, hubo dos secuestros extorsivos y diversos enfrentamientos armados entre fracciones del Peronismo. Al día siguiente, diez bombas estallaron provocando diversos destrozos. Se produjeron numerosos asesinatos al comenzar el mes de mayo y Juan Martín Guevara (hermano del *Che*) fue detenido por la falsificación de su documento de identidad al regresar a Cuba.

¿Murieron por Cristo?

Entre las muertes más notorias acaecidas en esas jornadas, el día 11 fue asesinado el polémico padre Mugica. Sobre este último homicidio se han tejido las más variopintas conjeturas. Diversas fuentes oscilan entre adjudicar el crimen a Montoneros y a la AAA. En efecto, Mugica no era un sacerdote más; respecto a sus supuestas enseñanzas cristianas impartidas a los feligreses, Mario Firmenich cuenta que: *"Carlos Mugica fue el primero en proclamar que la única solución estaba en la metralleta",*[229] y del mismo modo, el terrorista Miguel Bonasso cuenta que a Mugica a veces se le olvidaba su santidad y *"a la vista de tanta prepotencia, de tanta injusticia"*, decía *"que no hay más remedio que agarrar la metra".*[230] Pero más allá de los poco ortodoxos consejos "espirituales" de Mugica, no hay uniformidad de criterio al momento de determinar quiénes fueron concretamente sus asesinos, puesto que, si bien era conocida su profusa adhesión al marxismo, sus abiertos contactos con los terroristas y su influencia sobre ellos, el sacerdote se apartó luego del asesinato de Rucci. Posteriormente, su alejamiento se transformó directamente en franca oposición a la guerrilla. Además, Mugica empezó a relacionarse directamente con Juan Domingo Perón y aceptó el cargo de asesor en el Ministerio de Bienestar Social con López Rega, *lo que le valió la enemistad de los Montoneros. Por otro lado, sus relaciones con el creador de la Triple A, López Rega, fueron tan tensas que debió renunciar a los tres meses*.[231] Mugica comienza a manifestarse deslegitimando a la guerrilla, alegando que no tiene razón de ser en pleno gobierno democrático: *"Una cosa es la violencia cuando se han agotado todas las instancias posibles de acción [...] y otra es la violencia cuando hay un gobierno elegido por el pueblo. Yo estoy hablando de ejercer operaciones como secuestros, asesinatos, que es lo que está pasando en este momento: por un operativo para liquidar a la Ford, veinticinco tipos de la empresa se están por ir del país. Y en este momento, ¿beneficia al país que las compañías extranjeras tengan graves dificultades para depositar capitales? Esto revela infantilismo político"*.[232] Los vínculos primigenios del padre Mugica con el terrorismo y su posterior enfriamiento provocó que a la postre el sacerdote sea denostado de izquierdas a derechas. En la revista de ultra izquierda *Militancia* se decía que Mugica andaba *"como si fuera un corcho, siempre flotando aunque cambie la corriente. Montonereando en el pasado reciente. Lopezregueando sin empacho después del 20 de junio, Carlitos Mugica se ha convertido en un depurador ideológico"*.[233] Por derecha, la revista *El Caudillo* lo fustigaba esgrimiendo que él *"no andaba por la vereda buena, sino por la de enfrente"*. Le preguntaban si *"desde que usted salió a convertir a los bolches, ¿los bolches se convierten en más cristianos o usted en más bolche?"*. El mismo Mugica reconoció poco antes de ser ultimado: *"Si en este momento recibo una bala, no sé si viene de algún grupo de derecha o de izquierda"*.[234] En definitiva, lo cierto es que nunca se supo mucho sobre la identidad de sus asesinos, excepto que pertenecían al Peronismo (tanto hayan sido Montoneros o la AAA).

Respecto a determinados casos de sacerdotes abatidos en los años 70, vale efectuar la siguiente digresión. Como sabemos, no existe la vocación o profesión de "terrorista", entonces, el guerrillero al dedicarse a una actividad irregular y delictual siempre suele ser presentado ante la opinión pública no por su condición delictiva, sino por su profesión de origen. Así, a terroristas como Juan Gelman (sobreviviente) o a Francisco Urondo (suicidado con una pastilla de cianuro al ser emboscado por las fuerzas legales) se los rememora como "poetas humanistas". En efecto, el subversivo al ser sindicados no por su función ilegal, sino por "abogado", "profesor", "estudiante", "trabajador" o, más vagarosamente, como "militante social", el ciudadano receptor de ese mensaje es tangencialmente conducido a creer que estos fueron ultimados no por terroristas abatidos en su ley, sino por "ciudadanos disidentes". Y para sensibilizar con mayor intensidad a la opinión pública, se recurre entonces a la insistente victimización de determinados sacerdotes que, por su natural vocación resultan insospechados de malicia. Sin embargo, los casos difundidos no murieron por Cristo, sino por formar parte del terrorismo montonero. Tal el conocido caso de los cinco sacerdotes palotinos, quienes cayeron en la guerra por integrar la mencionada banda homicida, dentro de la cual estaban dirigidos precisamente por el capellán de Montoneros, el sacerdote terrorista Jorge Ardur (tal como lo confiesa el mismo hermano de este último).[235] De manera similar y con orgullo, el terrorista Ernesto Jauretche (oficial primero montonero) desenmascara la inocencia de este delictivo quinteto al confesar que estos *"sumaron sus nombres a la vasta nómina de mártires montoneros"*.[236] De manera similar (aunque aquí mucho más exagerada) es tratado el caso del cura Angelelli, quien no murió "asesinado por la dictadura", sino en un accidente automovilístico en la ruta nacional 38 (km 1.058) en cercanías de Punta de los Llanos, La Rioja, en donde su acompañante (el vicario Arturo Pinto) resultara lesionado como consecuencia del vuelco de la camioneta. Pero si hubiese sido un ataque de las fuerzas legales (cosa que no ocurrió), este hubiese sido consecuencia del actuar ilegal de Angelelli en calidad de integrante y capellán de la banda terrorista Montoneros. Sin embargo, el mito del "asesinato" fue impuesto el 4 de agosto en Neuquén en un homenaje llevado a cabo precisamente al finado Angelelli, organizado por el obispo local de extracción marxista Jaime de Nevares, en donde uno de los oradores, el fraile asesino Antonio Puigjané (quien atacó el Regimiento de la Tablada en 1989) lanzó por primera vez, oficiosamente, la mentira del asesinato de Angelelli.[237]

La guerra se afinca en Tucumán

El día 30 de mayo, parte del ERP aterriza en la provincia de Tucumán montando una formidable estructura destinada a impulsar y afianzar el ansiado intento de establecer una "zona liberada", que poseía todas las características geográficas propicias a los efectos de llevar adelante la aplicación de la teoría "foquista" inspirada en las ideas guevaristas. Sin más trámites, ese mismo día los terroristas producen el copamiento de las localidades de Acheral y de Siambón.

Se asentaron en las zonas más selváticas de Tucumán y se mimetizaban con la población en los sectores urbanos, desde donde llevaban adelante acción psicológica y reclutamiento, puesto que las necesidades económicas que se vivían en Tucumán ofrecían un escenario potencialmente favorable al terrorismo, a los efectos de especular con las necesidades materiales y sociales existentes y así "comprar" voluntarios para enrolarlos en las milicias guerrilleras.

Lo cierto, es que *"durante los años 1974, 1975 y 1976, el paso por tierra de Santiago del Estero a Salta estaba cerrado por la guerrilla que domi-*

Formación de una compañía del ERP en Tucumán.
(Fuente: http:\\wwww.seprin.com.ar)

naba la región".[238] Cuenta Gorriarán Merlo que esta estrategia rural obedecía a que *"nosotros creíamos que la lucha rural permitía construir unidades militares más poderosas, de manera tal de dar un enfrentamiento más nivelado"*.[239] El terrorista Luis Mattini agrega que *"desde que se inició, el PRT-ERP tenía la idea de hacer una guerrilla rural. Teníamos claro que la Argentina era un país urbano (por eso el desarrollo del partido y del movimiento sindical), pero creíamos que no era posible derrotar a un ejército de línea como el Ejército Argentino en las ciudades. El poder es dueño de las ciudades. Por lo tanto, tenía que ser una combinación con un gran hostigamiento de todo lo que fuera el poder en las ciudades y llevar a las Fuerzas Armadas, a las fuerzas de combate, a un terreno donde la geografía fuera favorable"*.[240] Según el analista político Rosendo Fraga, al comenzar 1975, la Compañía del Monte del ERP *"dominaba aproximadamente un tercio de la zona rural de Tucumán"*.[241]

La acción urbana del ERP operaba en forma simultánea en el resto del país: Buenos Aires, Santa Fe, Rosario, Córdoba, Mendoza, Tucumán, Catamarca y Chaco. En el ámbito rural de Tucumán, se asienta la Compañía de Monte Ramón Rosa Jiménez que constaba de un jefe de compañía, un estado mayor y logística (áreas personal-inteligencia-operaciones y logística, cada una con un comisario político), tres pelotones de combate (cada uno con 3 escuadrones compuestos por un sargento y ocho combatientes cada uno) y un pelotón de apoyo logístico. Se estimó que entre los elementos que operaban en el monte, pueblos aledaños y la capital provincial, el ERP contaba con cuatrocientos cincuenta combatientes numéricamente fijos, pero que cuyos miembros iban rotando aproximadamente cada treinta días para brindarles asistencia, recuperarlos de malezas o enfermedades propias de la selva y prepararlos así para el regreso. El nombre de esta compañía *"había sido elegido en homenaje al obrero de la industria del azúcar, caído durante un enfrentamiento. Las conducciones guerrilleras aprovechaban al máximo la presencia de algún obrero en sus filas, formadas casi exclusivamente por jóvenes de clase medias y medias altas"*.[242]

Al promediar 1974, solamente el ERP contaba con varios miles de efectivos en toda la República y (como ya fuera dicho) con un generoso apoyo externo proveniente de otros grupos guerrilleros como el MIR (Chile), Tupamaros (Uruguay), FNL (Bolivia) y, obviamente, del totalitarismo de Cuba. Estas organizaciones conformaban la ya mencionada Junta Coordinadora Revolucionaria (JCR) cuya capacidad operativa llegaba al extremo de poseer una fábrica de armas cortas y largas de alta calidad, emplazada en la localidad de Caseros.

El objetivo del ERP era lograr que Tucumán fuera declarada *"zona liberada"*; es decir, la segregación de la porción de territorio provincial y su posterior conversión en un Estado independiente que fuese reconocido por las Naciones Unidas como estado beligerante, amparándose en el Tratado de la Convención de Ginebra. Durante todo ese año se incorporaron nuevos integrantes a la Compañía Ramón Rosa Jiménez, se efectuó el copamiento del pueblo Los Sosa y se instalaron otros campamentos distribuidos en toda la provincia.

Los últimos días de Perón

Antes de que concluyera el mes de mayo de 1974, se conoció a través del periodismo una serie de documentos que constituían un manual de operaciones (presumiblemente perteneciente a Montoneros) que llevaba como título *Medidas organizativas de reestructuración y disciplina*. Entre otras cosas *"allí se mencionaban los requisitos para que todo aquel que deseara desempeñarse como jefe de Unidades Básicas Combatientes"*, como contar con *"dos años de antigüedad, haber participado en cinco operaciones y haber dirigido alguna de ellas. La operación mínima que se exigía era el robo de un automóvil"* y también se consideraba importante la tarea de *"hacerse un cana"*, *es decir, asesinar a un policía para quitarle el arma, la placa identificatoria, la gorra y de ser posible, la mayor parte del uniforme"*. [243]

Mientras tanto, Perón proseguía con su acción política destinada a derrocar a los gobernadores ligados a Montoneros, profundizando los conflictos en Salta y Santa Cruz, donde era inminente su intervención. Mientras tanto, el mandatario de Mendoza, Martínez Baca, (vinculado también al MIR chileno) quedó suspendido en sus funciones y se le inició el juicio político.

Un mes antes del deceso de Perón se produce un relevo en la Comandancia General del Ejército, ocupada entonces por el general Alberto Numa Laplane. Isabel pide que le eleven una terna de generales para evaluar un sucesor y el gobierno peronista elige al general Jorge Rafael Videla, quien contaba con simpatías y apoyos no sólo de sectores castrenses, sino civiles, como por ejemplo el gobernador peronista de la provincia de Buenos Aires, Victorio Calabró, quien según cuenta Rosendo Fraga: *"Vuelca sus simpatías hacia el sector que lideran Videla y Viola. En el radicalismo, la posición mayoritaria se vuelca a favor del mismo sector [...]. En la noche del martes 26 de agosto (de 1975) conversé con el senador nacional de la UCR por la Capital Federal, Raúl Zarriello, quién me expresó que el partido veía con simpatía el movimiento militar que se había iniciado. En la mañana del 27 de agosto conversé con el senador Fernando De la Rúa, quien sustentaba la misma posición".*244 Cuenta Cafiero que, al ser consultado por *Isabelita*, descarta a algunos que venían antes en la lista por cuestiones disciplinarías y propone a Videla, *"de quien recibo la información de que era apolítico, un hombre absolutamente profesional y que de ninguna manera podía encabezar un golpe de estado".*245 A los pocos días de la muerte de Perón, Videla asumiría la conducción del Ejército.

El 1º de julio de 1974, Perón muere y se lleva a cabo un histórico y masivo sepelio. Cuenta Giussiani que *"no era difícil identificar a los montoneros en las inacabables colas de la gente que esperaba su turno para desfilar junto a los restos del líder, en el edificio del Congreso. Eran colas de gente común, en su mayor parte vivos retratos de lo que Eva Perón describía como 'los humildes'. [...] Algunas columnas montoneras insertadas en las colas contrastaban con el comportamiento general de la multitud, saliendo marcialmente de cada pausa bajo las órdenes de un virtual sargento que les gritaba: '¡Compañíaaaaa de frente, aaaarrrr! En medio de la doliente muchedumbre civil que avanzaba en desorden y arrastrando los pies, los jóvenes guerreros marchaban hacia el cadáver ilustre en formación de combate'".*246

El país definitivamente estaba manejado y gobernado por una banda de facinerosos y, si para muestra falta un botón, el hechicero López Rega efectuaba (con poco éxito) "pases mágicos" sacudiendo el cadáver de Perón a efectos de "resucitarlo" y, para ello, recitaba la letanía *"regrese, regrese, Faraón".*247

Montoneros también quería su brazo político-partidario

Uno de los objetivos que Montoneros se había propuesto para ese año era, precisamente, conformar un brazo político con forma de partido para distribuir su accionar subversivo entre la rama partidista y la rama militar (muchas bandas terroristas del mundo manejan esta operatoria bifronte, tal es el caso de la ETA vasca, representada políticamente por Herri Batasuna). Para tal fin se exigía como requisito legal presentar ante la Justicia Electoral un número determinado de avales o afiliaciones (con las correspondientes firmas, identificación de DNI, etc.) para lo que se llamaría el Partido Auténtico. Como Montoneros no quería dar a conocer públicamente la nómina de integrantes que poseían a efectos de no facilitarle al Estado los datos sobre sus miembros y composición, con indignación, cuenta Giussiani que la consigna impuesta fue *"no reclutar militantes Montoneros [...]. Aquí estaba operando claramente aquel automatismo discriminatorio entre vidas que valen y vidas que no valen, con la asunción de la seguridad en términos de privilegio que deja al margen de sus titulares una cosificada multitud de pobres diablos manipulatoriamente regalables a los programas operativos de los parapoliciales"*. Seguidamente centenares de jóvenes reclutadores conseguían arrebatadoramente *"firmas a desechables boticarios, vendedores de cigarrillos, ordenanzas y amas de casa en procura de espacio jurídico para el Partido Auténtico. Obtenidas ya ochenta mil firmas y entregadas en paquete esta ignara muchedumbre a la Justicia Electoral. [...] No es necesario decir que de los padrones del Partido Auténtico emergió buena parte de los cadáveres arrojados a zanjones y baldíos por **la Triple A**, víctimas de un asesinato en masa que sólo a medias puede imputarse a esa organización parapolicial. La otra mitad del crimen pesa sobre Montoneros y sus aristocratizantes criterios de seguridad"*.[248] El guerrillero Diego Guelar (quien más adelante sería embajador menemista en EE.UU.) cuenta al respecto: *"Tenía en mi poder 10.000 fichas de afiliación del partido. Pensá que yo era joven e inexperto. Alguien de la justicia electoral me aconsejó: "Doctor, no presente ninguna ficha hasta último momento. Usted sabe a dónde va esto en estas condiciones". Obvio, que se refería a la SIDE"*.[249]

A pesar de lo canallesco del actuar de la cúpula montonera que bien describe el periodista marxista Giussiani, Bonasso cuenta orgulloso: *"El resultado de la primera etapa de afiliación, que se llevó a cabo en tiempo récord, ha sido sorprendente [...] 80.000 peronistas disidentes han llenado la ficha, jugándose al poner el nombre y su domicilio. El PPA es la tercera fuerza política de la Argentina, detrás del PJ y de la UCR."*.[250] Más adelante, el PPA (Partido Peronista Auténtico) blanquea su verdadera condición y naturaleza de brazo político del terrorismo.

En el derecho penal se conoce la figura del "dolo eventual", que es aquella en la cual ante una actividad riesgosa que puede ocasionar daño grave (en el caso que estamos viendo y denuncia Giussiani, asesinatos masivos) el delincuente eventual percibe como posible que su conducta y accionar pueda ocasionar el hecho fatal, y ante esto, se dice a sí mismo: *"Si *no sucede, mejor, y si sucede, mala suerte, pero mi conducta no la modifico*". Esta aclaración viene a cuento porque Bonasso relata con total frialdad numérica: "*Por voto unánime, los congresales del PPA reconocen la conducción estratégica de la Organización Montoneros, que ha sido ilegalizada por el gobierno de Isabel. Me pregunto si no estamos condenando al PPA a correr la misma suerte que la Orga. Si no estamos colocando en la mira de los 'Libertadores' a los 80.000 afiliados que supimos conseguir. Ojalá me equivoque*".[251]

Isabelita, presidenta de todos los argentinos

Tras el deceso de Perón, conforme lo marca la Constitución Nacional, le sucede María Estela Martínez de Perón, conocida popularmente como *Isabelita* (nombre que como vimos derivaba de sus servicios "artísticos" en Panamá). A pesar de su deficiente formación académica y su nula experiencia política, *Isabelita*, por obra y gracia de una incalificable irresponsabilidad de Perón y sus votantes, se constituyó en la cabeza de la República en medio de una indomable guerra civil.

Por más inelegante o poco académico que suene el término, difícilmente pueda definirse o medirse la calidad del Gobierno peronista de otro modo que no sea aplicando la palabra "mamarracho". En efecto, en el plano económico se llevó a cabo una política desastrosa y los ministros de Economía se sucedían en vertiginosa carrera de relevos. Los monigotes que mayormente conformaban ese desgobierno potenciaban el entusiasmo y la valentía entre las milicias guerrilleras al avizorar la torpeza manifiesta en la que obraban la mayor parte de sus funcionarios.

Presidenta de todos los argentinos. La generosidad del peronismo hizo que Isabelita ascendiera de bataclana a Presidenta de la Nación en medio de la guerra civil. En la foto, Isabelita es la señalada por la flecha.
(Fuente: *Grandeza y miserias de Perón*, Rodolfo Martínez, impreso y hecho en México.)

Tanto es así que en ese mes (julio de 1974), se produjeron múltiples ataques, se copó la localidad de Grl. Mansilla, Buenos Aires, y entre los crímenes más notorios, se encuentra el resonante asesinato de Arturo Mor Roig, ex ministro e importante dirigente de la UCR, muerto de 32 balazos por los "jóvenes filántropos", que procuraban con este crimen amedrentar al líder radical Ricardo Balbín, del mismo modo en que el asesinato de Rucci intentó hacerlo con Perón. Es notable el júbilo que generaba entre los activistas subversivos cada uno de los asesinatos cometidos (especialmente si se trataba de personalidades conocidas), ya que estos los exhibían como trofeos en cánticos de festejo. En el caso de marras, Montoneros cantaba públicamente: *"Oy, oy, oy qué contento que estoy. Aquí están los montoneros que mataron a Mor Roig"*. El terrorista Miguel Bonasso, siempre analizando los asesinatos de la banda (a la que pertenecía en calidad de jerarca) desde una perspectiva utilitarista (tal como cuando ocurrió el asesinato de Rucci en donde Bonasso aconsejaba asesinar a otros y no al sindicalista en cuestión), con similar criterio respecto al crimen de Mor Roig, evaluaba: *"Si la ejecución de Rucci había enfrentado a Montoneros con un vasto sector del Peronismo, la de Mor Roig le significó la condena unánime del radicalismo"*. Nilda Garré (que en la actualidad reivindica al terrorismo setentista) calificó el hecho como *"incomprensible, agregando que fue provocado por sectores empeñados en crear el caos y el desorden en el país"*.[252]

Semanas después, el gobierno ordenó cerrar el diario *Noticias* y el resto de las publicaciones montoneras correrían luego igual suerte. Idéntica medida se había tomado ya con el diario *El Mundo*, inseparablemente unido al ERP. Este último, a continuación, mata a David Kraiselburd, director del diario *El Día* de La Plata, y además secuestra (reteniéndolo un año en condiciones inhumanas) al mayor Larrabure, el cual luego es asesinado. Por entonces, el bloque de senadores de la UCR, por medio del senador León, expresa: *"El Senado de la Nación resuelve condenar el cruel y bárbaro asesinato del coronel Julio Argentino del Valle Larrabure, víctima de una nueva injusticia contra los derechos humanos y un nuevo ataque contra las FF.AA., que están consustanciadas en la acción común de defender los derechos del pueblo y la institucionalización republicana del país"*. Vale aclarar que la organización criminal autora de este nefando homicidio (el ERP) es la banda favorita de Hebe de Bonafini, presidenta del grupo activista Madres de Plaza de Mayo, actualmente aliada en carácter de incondicional al gobierno de Néstor Kirchner.

En tanto, en Tucumán la guerra no daba respiros y el 27 de agosto un avión *Hércules* del Ejército era interceptado por una bomba en la pista del aeropuerto de dicha provincia, lo que generó la muerte de cinco gendarmes y veintiséis heridos graves.

Seguidamente, el terrorismo peronista de la AAA prosigue el combate asesinando al diputado nacional Rodolfo Ortega Peña y en incalificable canallada, a un bebé de cuatro meses, hijo del rector de la UBA, Raúl Laguzzi. Las FAR asesinan a Ricardo Colla, gerente de Renault, y como episodio altamente repugnante, los "adolescentes sensibles" del ERP asesinan al capitán Viola y a su hijita de 4 años. Este episodio provocó una masiva indignación ciudadana, aunque sectores izquierdistas de la UCR compuestos por *"Emilio Vanoli, Raúl Alfonsín, Mario Abel Amaya, Sergio Karakachoff y el intransigente Oscar Alende, aun dialogaban con ellos [...]. Alfonsín sostenía que los miembros del ERP eran "radicales desbandados"*.253

Siguiendo con la política antiterrorista, el Gobierno designa como ministro de Educación al Dr. Oscar Ivanisevich, quien ordena la intervención de la UBA nombrando interventor a Mario Ottalagano, de tendencia nacionalista. Este golpe de timón educativo fue un balde de agua fría para las hordas subversivas, pues la Universidad era una de sus principales estructuras de intoxicación ideológica, reclutamiento de milicianos, financiación de militantes a través de sueldos cobrados por empleados "ñoquis" y "aguantadero" de activistas varios. Esto último despertó aún más la ira de los terroristas y, por ende, potenció la violencia y la saña en el actuar.

Ante tamaño desconcierto, los partidos y dirigentes políticos de la oposición comienzan frecuentemente a tratar con sectores militares, a efectos de consolidar relaciones públicas ante la eventual posibilidad de que fueran estos quienes finalmente asumieran la responsabilidad de hacerse cargo del país y corregir el caos que la partidocracia había instalado. En efecto, *"los políticos opositores a Isabel, por su parte, venían sosteniendo reuniones en secreto con los militares, para buscar una salida "institucional"; eufemismo utilizado en vez de decir lisa y llanamente, echarla de la presidencia".* Por *"septiembre de 1974, Raúl Alfonsín se reúne con tres generales en actividad en un domicilio particular: Albano Harguindeguy, Carlos Dalla Tea y Jorge Olivera Rovere. [...] El coronel Luis M. Prémoli se reúne por separado con Lorenzo Miguel y Victorio Calabró. [...] Hasta el comunismo, a través de la Unión de Mujeres Argentinas (UMA), hace otro tanto visitando unidades militares".*254 En octubre, *"el general Viola y el coronel Pita se reúnen nuevamente con Ricardo Balbín. En noviembre, el alfonsinismo reitera sus contactos con militares. Raúl Alfonsín vuelve a encontrarse con Dalla Tea, Harguindeguy y Olivera Rovere. A su vez, las juventudes políticas, con excepción de la JP regional, deciden visitar los comandos y unidades del ejército [...]. Por su parte, la Federación Juvenil Comunista (FJC) emite un documento en el cual exhorta a abandonar el antimilitarismo".*255

En septiembre, Montoneros llevó a cabo el secuestro de los hermanos Juan y Jorge Born (quienes permanecieron un año en cautiverio bajo condiciones infrahumanas), por el cual obtuvieron un rescate formidable de **60 millones de dólares**. Con el ingenio que caracterizaba a los Montoneros para "bautizar" sus operaciones delictivas, en esta ocasión el nombre elegido fue

"Operación Mellizas", en alusión a la situación de los hermanos. El secuestro se llevó a cabo en la localidad de La Lucila, en donde *"unos cuarenta montoneros disfrazados de operarios y comandados por Roberto Quieto cortaron el tránsito y desviaron el automóvil en el que viajaban los hermanos Born. Este auto y el de la custodia fueron embestidos por vehículos de los subversivos quienes de inmediato dispararon con escopetas contra el primero: Bosh y Pérez resultaron muertos, los custodios reducidos y los Born, embolsados, fueron trasladados a una camioneta [...]. La inteligencia fue responsabilidad de Rodolfo Walsh"*.[256]

Respecto a este formidable botín ilegalmente capturado por Montoneros, el jefe de finanzas de la banda, Raúl Magario, con llamativo descaro y sin el menor acto de constricción, cuenta alegremente: *"Existe una época, como yo les decía, pre y pos Born. Con el triunfo de Cámpora, Montoneros tiene una organización nacional. Todavía no nos habíamos sacado el Loto, todavía no existían los Born [risas] con lo cual siguen los padecimientos. Llegó un momento en Santa Fe en que tenía doscientos cheques devueltos por los bancos"*.[257] Agrega con júbilo el montonero Magario que este secuestro fue un alivio a efectos de solventar las actividades criminales: *"A cada militante le dábamos el sueldo de un obrero industrial. Eso reproducilo hasta los niveles de oficial y a veces de aspirante también. Si tenés en cuenta que una columna debía tener no menos de 200 cuadros y aproximadamente éramos seis o siete columnas, reproducilo por un salario industrial. Era lo mínimo con lo cual se movía la organización, sin contar la logística, que era muy cara porque era una logística clandestina. Tenías que comprar alquileres, garantías, casas, cuando la seguridad lo exigía y no podías alquilar. Y hay todo un sistema de comunicación muy precario para una época como aquella. Tenías que tener vehículos, camiones. La clandestinidad es cara"*,[258] y remata: *"Hasta los Born acumulábamos deudas. Es como cuando tenés un problema bancario que nunca llegás a solucionar porque te cierra el banco a las cuatro, sacás guita de acá, tapas allá. Era correr todos los días para ver cómo alcanzábamos a cubrir todo. Hasta los Born era una calamidad. El pos Born nos cambia la vida"*.[259] Concluye Magario explicando: *"La operación final de cobro se hace en Suiza a raíz de que cuando nosotros estamos haciendo el último cobro en el que participa Dante Gullo, éste cae preso"*.[260] Nada se improvisaba y todo estaba detalladamente calculado. El traslado y manejo del dinero es atribuido a Horacio Verbitsky quien transportaba *"desde Lima, Perú, el remito hacia Cuba en tandas de cinco millones de dólares cada una, parte de los sesenta millones de dólares que los terroristas obtuvieron en la 'Operación Mellizas'"*.[261]

Más adelante, en 1992, el fiscal federal Romero Victorica llevó adelante una investigación dirigida a dilucidar el destino final de semejante botín. Allí, uno de los testigos, el terrorista Juan Manuel Zverko, manifestó: *"Ver-*

bitsky participó en un episodio militar que en su momento conmocionó al país, el atentado con explosivos al edificio Libertador cuyos resultados fueron catastróficos ya que no hubo víctimas militares, sino civiles inocentes".

Respecto al botín de los Born y el papel de Verbitsky en el secuestro, remata Zverko: *"La Base Lima de la organización (Montoneros) estaba a cargo de Horacio Verbitsky, cuyo nombre de guerra era* el perro *y que el dinero proveniente del secuestro de los hermanos Born fue hacia La Habana (Cuba) en sacos de cuatro y cinco millones de dólares. Y al no existir vuelos directos desde la Argentina a Cuba, se tuvo que hacer escala en Perú, con el apoyo de la mencionada Base Lima, a cargo del 'justiciero'"*. Ante las imputaciones, Verbitsky se excusa y, haciéndose el distraído, le "tira el fardo" a Rodolfo Walsh. Indignado por este cobarde "lavado de manos" Rodolfo Galimberti, en su declaración, además de sindicar a Verbitsky en numerosos atentados graves, dice en el expediente irónicamente: *"Quisiera preguntarle [a Verbitsky] si entre 1973 y 1977 fue aguatero de los montoneros: Verbitsky miente cuando dice que no tenía grado en la organización. Es falso cuando dice que no participó en ningún hecho armado. Estaba obligado a hacerlo porque de lo contrario habría sido sancionado"*.[262]

Cuenta Guillermo Rojas que por esta causa, más tarde, serían procesados Firmenich, Perdía, Galimberti, Gasparini, Melchor y Graciela Daleo. Agrega Rojas: *"Gasparini y Daleo fueron capturados por la Marina, colaborando con el grupo El Dorado que tenía su cuartel general en la ESMA. En 1985 la mencionada Daleo testificaría en el juicio a las juntas como inocente militante popular reprimida"*.[263]

Un nuevo crimen por demás resonante fue cometido el 27 de octubre; la víctima esta vez fue el ya mencionado pensador y profesor Jordán Bruno Genta, reconocido y recordado por su extensa labor intelectual en los ambientes católicos y nacionalistas. Del mismo modo, otro mártir del nacionalismo fue el doctor Carlos Alberto Sacheri, asesinado en San Isidro mientras manejaba su automóvil, el domingo 22 de diciembre, delante de su familia (conformada por su esposa y siete hijos) al volver de la misa dominical. Este último homicidio se lo autoadjudicó el ERP 22 de Agosto, grupo terrorista de menor envergadura que se había desprendido del ERP por problemas internos.

Seguidamente, la "juventud solidaria", el 2 de noviembre, en un atentado planificado por *"Rodolfo Walsh junto a Carlos Goldenberg"* (otro miembro del aparato de inteligencia) llevó adelante *"la voladura de la lancha que acabó con la vida del jefe de Policía Federal y de su esposa, comisario general Alberto Villar"*.[264] La operación se realizó con el accionar de un experto en buceo, *"Alfredo Nicoletti [...] primer marido de Liliana Chiernajowsky (también guerrillera de las FAR)"*.[265] Esta última posteriormente formó pareja con el futuro vicepresidente de mandato inconcluso Carlos *Chacho* Álvarez, hasta que *Chacho* cayó políticamente en desgracia, momento en que se deshace el vínculo.

El 16 de octubre, Montoneros roba el cadáver del ex presidente Aramburu (anteriormente asesinado por ellos mismos tal como ya fuera relatado). *"En este operativo, y bajo nombre de guerra* Licha, *tomó parte Alicia Pierini"*,[266] quien durante el posterior gobierno de Menem fuera nada más y nada menos que secretaria de Derechos Humanos, sector de la administración pública que desde 1983 ocupan obligadamente y con jugosos honorarios diversos personajes que integraron las bandas delictivas.

Mientras el país se despedazaba, con bombas y homicidios que se producían a toda hora y en toda latitud, el ERP consolidaba su proyecto de constituir una zona liberada. Los guerrilleros utilizaban en Tucumán un uniforme verde oliva que los identificaba como integrantes de las fuerzas subversivas. En los ámbitos urbanos, en cambio, al no portar uniforme se mimetizaban con la ciudadanía, lo que tornaba muy dificultosa la tarea militar para identificarlos. Fue en este ámbito en donde por las dificultades del caso, el margen de error en las operaciones antiterroristas obtuvo un porcentaje mayor.

La guerra civil se hallaba a la orden del día y culminaba el año 1974 con un *racconto* de veintiún intentos de copamiento de unidades de las fuerzas legales, 466 atentados con explosivos, 16 robos de motines millonarios, 117 personas secuestradas y cerca de 200 asesinadas (según lo informaría más adelante el ministro del Interior Alberto Rocamora). Ante esto, en el propio Congreso de la Nación los políticos se pronunciaron por la búsqueda de mecanismos legales (que ellos habían derogado) para poner freno a los terroristas (a quienes ellos habían amnistiado) admitiendo expresamente la existencia de una guerra (por ellos hoy negada).

Una descripción de la realidad la efectúa el senador Cerro: *"Ya cotidianamente abrimos las páginas de los diarios y nos parece un hecho natural el de los secuestros y asesinatos [...]"*; reconociendo el estado de guerra civil el senador Leopoldo Bravo agrega (durante el debate por la ley de represión de actividades subversivas): *"[...] lo que estamos haciendo hoy, no puede llevar a la convicción de los argentinos de que se trata de un programa para detener esto que constituye ya realmente una **guerra civil**"*. El futuro Presidente de la Nación, senador De la Rúa dijo: (mismo debate) *"[...] debe ponerse término a la violencia. Y para esto el Estado, que como Estado de derecho es el único que tiene el monopolio de la fuerza"*. Pidiendo que se combatiera a la subversión a cualquier precio el senador Díaz Bialet parafraseó: *"Prefiero la injusticia al desorden, dijo Goethe, desesperado"*. No quedándose atrás el senador Cornejo Linares esgrimió: *"[...] esta es la hora de actuar, de defender lo más caro que tenemos [...] la misma nacionalidad, que se ve comprometida por esta conspiración de raíz internacional [...] el país vive una escalada de violencia que pone en peligro los supremos valores del Estado y de la*

Nación misma". El senador Caro: *"Después de esto, tal vez nos tocará empuñar el fusil en vez de los códigos y las leyes [...]. Hay una imagen de la Justicia que anda rondando por allí, una Temis que en vez de la venda sobre los ojos lleva un antifaz, que en lugar de la balanza tiene una metralleta y en reemplazo de la espada tiene una escopeta Itaca".*

Al comenzar el año 1975, José *Mandraque* López Rega es nombrado secretario privado de la Presidenta de la Nación. Luego de tantos años y de tantos episodios hiperviolentos, el Gobierno osa lanzar en febrero sus primeros síntomas para poner freno al terrorismo en Tucumán, a efectos de obstaculizar los avanzados planes del ERP consistentes en constituir una zona liberada (virtualmente controlaban la provincia). Se ordena entonces el "Operativo Independencia", en base al **Decreto Secreto N° 261** del Poder Ejecutivo que establecía:

"[...] El Comando General del Ejército procederá a ejecutar las operaciones militares que sean necesarias a efectos de neutralizar y/o aniquilar el accionar de los elementos subversivos que actúan en la provincia de Tucumán."

El decreto fue firmado por Isabel Perón y los ministros Benítez, Rocamora, Savino, Ivanissevich, López Rega, Gómez Morales, Vignes y Otero. Hasta el momento de la promulgación de este, los terroristas habían llevado a cabo, desde mayo de 1969 hasta la fecha, 1386 atentados de alta significación de los cuales, el 70% se produce entre mayo de 1973 y el transcurso de 1974 (durante el Gobierno constitucional). Asimismo, según lo confesaban los mismos partes de guerra de las organizaciones guerrilleras, hasta ese momento, se habían cometido 541 asesinatos e innumerables operaciones de diverso tenor. Ni el decreto de febrero (Operativo Independencia) ni el emitido luego en el mes de octubre (ampliación territorial del Operativo Independencia), que ordenaban "aniquilar el accionar de los elementos subversivos", tuvieron ninguna objeción por parte del oficialismo (PJ) o de la oposición (cuyo principal exponente era la UCR). Respecto de la situación en Tucumán, cuenta Carlos Túrolo: *"En la zona 'caliente' de la provincia, la guerrilla llegó hasta cobrar peaje".*[267]

El Gobierno nacional, sin otra alternativa, tuvo que declarar "zona de emergencia" a la Capital Federal y las provincias de Buenos Aires, Santa Fe, Córdoba, Mendoza y Tucumán. El diario *Buenos Aires Herald*, el 12 de febrero, publicó: *"Este nuevo giro contra la guerrilla tiene apariencia inicial de una guerra abierta, algo que si dura llega como un alivio".*

El 5 de enero, escasos días previos a la puesta en marcha del decreto, un avión del Tercer Cuerpo del Ejército que se encontraba inspeccionando los montes tucumanos es derribado por la guerrilla y al estrellarse mueren trece oficiales. La versión oficial de entonces fue que se trató de un "accidente" (a efectos de no reconocerle mayor envergadura a la peligrosidad terrorista). Una vez oficializada la guerra en Tucumán, se produjeron múltiples y diarios combates que no cesaron sino recién a finales de 1977.

No sólo la irregularidad para combatir al terrorismo se dio con el grupo peronista AAA maniobrado desde el Estado, sino que con el mismo "Operativo Independencia" también la clase política consintió la operatoria de aniquilar a la subversión sin demasiados rigorismos leguleyos. Tanto es así que sin el menor disimulo y sin voces que lo objeten, el general Vilas, encargado de conducir la comandancia del Operativo, al momento de asumir la responsabilidad, manifiesta de forma muy elocuente: *"Juro que los exterminaremos con métodos no convencionales"*.[268]

La necesidad y las ansias de orden que tenía la ciudadanía no discriminaban colores ideológicos y tanto es así que ya en febrero de 1975, hasta los sectores de izquierda no vinculados con las bandas terroristas pedían un "golpe de estado". Por ejemplo, el Partido Comunista desde el periódico *Nuestra Palabra* propiciaba la *"formación de un gabinete de coalición democrática integrado por civiles y militares patriotas"*. Además, los comunistas, *"el 3 de septiembre del mismo año decían que el general Videla encarnaba por el imperio de las circunstancias y por una decisión personal la voluntad de una corriente de las Fuerzas Armadas coincidente con el anhelo popular de poner fin a los crímenes de la siniestra Triple A"*.[269]

El 14 de febrero, Montoneros asesinó al diputado nacional por Santa Fe, Hipólito Acuña, y ese mismo día, en Tucumán, se llevó a cabo el primer combate del Operativo Independencia, denominado por el ERP "El Combate de Pueblo Viejo". La AAA, por su parte, arremete con asesinatos a diversas personalidades, como los dirigentes sindicales Héctor Noriega, Carlos Leiva y el periodista Luciano Jaime. El 24, también la AAA asesina a Alberto Banarasky y Montoneros ataca el mismo mes con granadas de mano las instalaciones del Batallón de Infantería Nº 3, sito en la localidad de Ensenada, provincia de Buenos Aires. El 26 de febrero, el movimiento obrero representado por dirigentes de la CGT y de las 62 Organizaciones Gremiales de Tucumán se entrevistaron con el responsable del Operativo Independencia, Grl. Adel Vilas, para expresarle *"la más profunda fe en la acción del Ejército"*.[270]

Al comenzar marzo, el ERP incendia la fábrica Rigolleau y efectúa el copamiento de la subcomisaría de la localidad de Alvear, próxima a Rosario. El 22 de marzo, la AAA mata a ocho personas y, al día siguiente, una crónica periodística señalaba: *"Sólo en las últimas sesenta horas se cobró 25 vidas en todo el país, a un ritmo de una muerte cada dos horas y 24 minutos"*.

El 21 de marzo, el ERP asesina al comisario inspector Telémaco Ojeda de la Policía de Santa Fe. Por el mes de abril, el mismo ERP asalta el Batallón de Arsenales 121 en Santa Fe. La AAA no daba tregua y sólo entre los meses de marzo y abril asesina cincuenta y tres personas. En mayo se produce en Córdoba una fuga de veintiséis terroristas y se efectúa en Tucumán el rimbombante Combate de Manchala en el que participan 143 efectivos del ERP. Ese mes, desde *Cuestionario*, Rodolfo Terragno escribía: *"[el país] presenta una situación económica cada vez más afligente, y el recrudecimiento de la violencia, que en un solo fin de semana (del 21 al 24 de marzo) cobró 34 víctimas y elevó a 113 el número de muertos por causas políticas, en menos de 90 días"*.[271]

En mayo, el ERP sale en búsqueda de armamento: efectúa un ataque y asalto al Batallón de Arsenales 121 (robando doscientas armas cortas y largas) de la ciudad de San Lorenzo y en el atraco asesina al Cnl. Arturo Carpani Costa y hiere a otros cuatro efectivos. Esta urgencia armamentística por parte del ERP obedecía a que en abril, las fuerzas legales descubrieron la fábrica de armamento en la que los terroristas fabricaban una metralleta diseñada por la misma Junta Coordinadora Revolucionaria. Precisamente el modelo de metralleta se llamaba "JCR.1".

El 4 de junio, el ingeniero Raúl Amelong, gerente de Acindar y padre de once hijos, era masacrado por los "militantes sociales" de Montoneros.

Mientras tanto, el horroroso gobierno peronista no dejaba área sin destrozar y, para darle un golpe de gracia (en este caso) a la economía, se dedicaron a pulverizar la moneda con el famoso estallido inflacionario popularmente conocido como el "Rodrigazo", cuya consecuencia fue que los precios de bienes y servicios aumentaron a una aceleración angustiante. Tras la renuncia de Gómez Morales a la cartera de Economía le sucede Celestino Rodrigo quien jura el 2 de junio. Rodrigo devaluó el peso en un 100%, aumentó las tarifas de combustible en un 175% y las de otros servicios públicos en un 75%. Los gremios, por su parte, le arrancaron al ministro aumentos de sueldo por más del 200%. Ante la evidencia de que no se podría solventar semejante despilfarro, el 28 de junio, por decreto, el Gobierno, con lucidez tardía, redujo el aumento a un 50%; esta retractación se constituyó en un elemento disparador que generó huelgas acompañadas de violentas movilizaciones.

Las contradicciones y desatinos económicos eran tan agobiantes, que a fines de 1975 el país se hallaba en una situación de involución con respecto a los años anteriores: el PBI descendió un 1,4% y se preveía para el año siguiente un descenso del 6%. El PBI *per cápita* bajó un 3%; el salario real estaba una cuarta parte por debajo del nivel de mayo de 1973. Desde mayo de 1973, la totalidad de la emisión de billetes se multiplicó catorce veces; el valor del dólar pasó de $ 1.000 a $ 35.000 en dicho lapso. Solo durante 1975, la inflación creció 334% y la proyección para 1976 era del 4.500%, si se mantenía el mismo ritmo.

Para "solucionar" el caos económico y devolvernos la "justicia social" (tan pregonada por el Peronismo), el desgobierno no tuvo mejor idea que nombrar, posteriormente, ministro de Economía al taimado cachafaz Antonio Cafiero, quien obviamente no solucionó nada de nada y admite que al hacerse cargo del Ministerio en agosto de 1975: *"Encontré una situación caótica. No teníamos reservas, la inflación era inabordable, el presupuesto arrojaba un fuertísimo déficit, no teníamos con qué pagar los vencimientos extranjeros".*272 Semanas después renunciaría Cafiero ante la manifiesta incapacidad de solución y le sucedería Emilio Mondelli. Estos datos valen la pena tenerlos en cuenta, ya que los crápulas actuales que cuentan la "versión oficial" sobre los años 70 le quieren hacer creer a los jóvenes que *"la decadencia económica nacional nace con el ministro Martínez de Hoz en 1976"*, lo cual es falso de medio a medio.

El tan mentado y exaltado por los grandes retóricos del civismo "Estado de Derecho", no era más que una agujereada ficción construida a base de plastilina, puesto que no había control político, ni jurídico, ni económico. Las balas y explosivos terroristas acribillaban vidas humanas diariamente, y solamente en Tucumán se había forjado una reacción seria (aunque tardía) contra el terrorismo marxista. El poderío del terrorismo era gigantesco, el 25 de julio, *"en el territorio de la provincia de Buenos Aires, de manera sincronizada, siete comisarías, tres intendencias y el Grupo de Artillería fueron atacados por Montoneros".*273 El mismo mes, la agencia de noticias Associated Press *"computó 389 muertes por la violencia política en lo que iba de 1975".*274

Mientras tanto, el Peronismo (conservando una esencia que pervive hasta nuestros días de modo intacto) se esforzaba en hacer un papel estrambótico. Cuenta Juan Bautista Yofre que a pesar del dramatismo *"José López Rega, el hombre fuerte del gobierno, se daba tiempo para todo. Incluso para gestos cargados de audacia y ridiculez: por esos días, Robert Hill, el embajador de los Estados Unidos, recibió una invitación para participar en una ceremonia donde se firmaría un acuerdo con su país para combatir el narcotráfico. Como la ceremonia se realizaría en el salón Blanco, el diplomático supuso que contaría con la presencia de Isabel Perón. No fue así; en su lugar lo presidió el ministro de Bienestar Social. En un momento, el ministro, mirando a Hill, le relata que él había residido varios años en Nueva York.*

—Yo hablo bastante bien el inglés porque actué durante dos años en un restorán de Nueva Cork —dijo López Rega.

—No lo había sabido, señor ministro. Se advierte que es usted un hombre multifacético —respondió Hill.

—Es que yo soy un buen cantante. Por eso me contrataron en el restorán "El Chico", donde yo cantaba temas de moda, tanto en inglés como en español. Mis interpretaciones tenían un gran éxito. Recuerdo, por ejemplo, que uno de mis grandes sucesos se producía invariablemente cuando cantaba "Rosemary, I love you". Yofre agrega que *"los asistentes escuchaban perple-*

jos, pero cuál habría de ser la sorpresa cuando el secretario privado de la Presidenta comenzó a entonarla con entusiasmo".[275]

El gobierno, agobiado por la hiperinflación y las bombas, se mostraba totalmente incapaz de dar respuestas a las diversas problemáticas por él creadas o acentuadas. El insólito ministro López Rega, sospechado de dirigir la organización AAA, se escapó del país simulando realizar un "viaje político" (nótese el desastre que era esa gestión) con pasaporte diplomático y el nombramiento de embajador. Ni bien se produce la fuga del chamán, disminuyen notablemente las actividades de la AAA, hasta llegar a su absoluta desaparición, lo que pone en evidencia la intrínseca responsabilidad de López Rega como maniobrero de los hilos de la mentada organización peronista. Después de haber estado prófugo en el exterior por varios años, López Rega se entregó durante el gobierno de Alfonsín y tiempo después murió en prisión víctima de una diabetes avanzada.

El 20 de junio de 1975, el ministro del Interior, Alberto Rocamora, en conferencia de prensa difundió a los periodistas las siguientes estadísticas referidas al accionar subversivo desde el advenimiento de la democracia el 25 de mayo de 1973: hasta ese momento se habían producido 5097 hechos terroristas (689 en 1973, 3178 en 1974 y en lo que iba de 1975 se habían contabilizado 1212). Con respecto a los asesinatos, Rocamora difundió que en 1974 hubo 189 muertes y en lo que iba de 1975 las muertes sumaban 196 en menos de seis meses (una proyección que duplicaba las muertes del año anterior), lo que arrojaba hasta entonces el espeluznante promedio de un total de 204 atentados por mes y siete atentados diarios.

El viernes 4 de julio *"una bomba estalló en el céntrico bar porteño El Ibérico. La finalidad del atentado fue asesinar a un oficial naval. Murieron dos parroquianos. Un mozo y una mujer en la puerta del baño; varios resultaron heridos. Pocos días más tarde fueron detenidos Jorge Enrique Taiana* (actual canciller del gobierno de Kirchner), *cofundador de Descamisados y su esposa, Graciela Iturraspe, alias* Inés. *Ella fue conducida a la cárcel de Devoto (por tener dos hijos menores) y él, a La Plata. Más tarde, Jorge Taiana fue trasladado al penal de Rawson en el que eligió prestar tareas en la panadería, hasta salir en 'libertad vigilada'".* Al advertir cómo los delincuentes de ayer (funcionarios políticos de hoy) se llenan la boca cantando loas a los derechos humanos, el diario *La Nueva Provincia* (en nota actual, 23 de marzo 2006) dice en su editorial: *"Taiana, que hace treinta años se dedicaba a poner bombas y matar gente, ayer como canciller de la Argentina se llenó la boca con la defensa de los derechos humanos. Hay hipocresías siniestras".*[276]

Ese mes de julio, las FAL se incorporan y unifican el ERP, se producen diversos asesinatos y, promediando el año, entre varias personalidades caen asesinados Raúl Gameloni (presidente de Acindar Santa Fe) y el sindicalista Pelayes. Por agosto, los ataques subversivos se intensifican y se ataca al Tiro Federal de la Capital Federal y a la jefatura de Policía de Córdoba, donde se hirió a diez policías y se asesinó a otros seis. Los montoneros efectuaron numerosos atentados, siendo el más trascendente el ataque contra la fragata misilística *Santísima Trinidad*. Se encuentra, además, el cadáver del ya citado Tcnl. Larrabure que, tras un año de cautiverio en una "cárcel de pueblo", se hallaba con cuarenta kilos menos de su peso habitual y con dramáticos signos de haber sido torturado y flagelado por doquier durante su martirio. Los terroristas hicieron lo imposible para sacarle información a Larrabure y eventualmente incorporarlo a sus filas, dados los sólidos conocimientos que este poseía en explosivos y otras artes. Pero Larrabure no transigió en ningún momento ante sus verdugos y dos horas antes de su asesinato y en actitud que pone de manifiesto su profuso patriotismo, escribió un poema que, entre otras cosas decía: "*Quiero morir de pie, como el quebracho, que al caer hace ruido que es un alarido, que estremece la tranquilidad del monte. Quiero morir de pie, invocando a Dios en mi familia, a la patria, en mi ejército a mi pueblo no contaminado con ideas empapadas en el odio y en la sangre*".[277] Un empresario que estuvo secuestrado en una celda colindante a la de Larrabure contaba que mientras era torturado, escuchaba a Larrabure cantar a menudo el Himno Nacional para sublimar y resistir el tormento. Larrabure pone de manifiesto una diferencia insalvable con los integrantes de las runflas terroristas que, al ser detenidos por las fuerzas legales, ante el primer amague de bofetón llorisqueaban y delataban a diestra y siniestra vomitando toda la información que les venía *in mente*. No hay museo ni recuerdos oficiales para Larrabure, tampoco indemnización para sus consanguíneos. Cabe preguntarse, si por entonces el ERP hubiese secuestrado en vez de a Larrabure a Martín Balza o a Roberto Bendini ¿qué creen que hubiesen hecho sendos personajes?, ¿transigir hasta la patriótica inmolación o "arreglar" con el enemigo? Saque conclusiones el lector.

El 25 de julio, la revista *Gente* (la de mayor tirada de la época) publicó un extenso editorial titulado "Para ganar esta guerra", algunas de cuyas líneas decían: "*Ahora la **guerra** está entre nosotros, en la sirena de los patrulleros, en el vértigo de las autobombas, en el coraje sereno de la brigada explosivos, en nuestro Ejército en Tucumán. [...] Estamos en **guerra** y nadie nos salvará sino nosotros mismos [...] ésta es una **guerra** ideológica porque a todos nos quieren imponer otro destino*".

En sintonía con el avasallamiento de anormalidades institucionales, "*el 14 de agosto La Prensa publicó en tapa una historia conmocionante: la señora Presidenta había girado un cheque de 3.100 millones de pesos, con su firma, sobre la Cruzada Solidaria, un organismo que cumplía fines sociales, especialmente con fondos librados del Ministerio de Bienestar Social, para pagar cuestiones personales: un depósito en el trámite sucesorio de Juan Domingo Perón*".[278] Mientras tanto, Montoneros atentó criminalmente contra lugares, como *"[el bar] La Biela, Confitería Colony, el diario* La Nación, *sucursales bancarias y varias escuelas de La Plata"*.[279]

El 28 de agosto, en el Senado, se decía: Senador Paz: *"[...] somos conscientes de que fuerzas poderosas, de contenido esencialmente antinacional, se han conjurado para impedir que el proceso institucional llegue a término [...]. A esta verdadera conspiración contra la Nación, que no reconoce precedentes en nuestra historia, habrá que responderle con la máxima energía. [...] Larrabure y su doloroso cautiverio son ya un ejemplo de esta tremenda lucha que nos toca vivir".* Con espíritu vaticinante, el senador De la Rúa advierte: *"Si esto continúa acabaremos viendo enfrentamientos demasiado vastos y dolorosos y entonces no habrá orden ni ley ni Estado y así no podrá vivir la sociedad".*

Culmina el mes de agosto y los "amorosos lozanos" arremeten con un dramático atentado perpetrado por medio de una operación *"tipo Vietnam, en donde Montoneros preparó desde marzo a agosto un canal que pasaba bajo la pista del aeropuerto de Tucumán. Lograron colocar 5 kg de TNT, 60 kg de Dietamón y 95 kg de Amonita con detonador a distancia. La hicieron explotar cuando despegaba un* C-130 *de la Fuerza Aérea con 114 gendarmes a bordo. Por un error de paralaje produjeron la explosión un instante antes, lo que permitió que el piloto, en base a una inusual pericia, pudiera evitar el grueso de la onda explosiva. No obstante el avión quedó completamente destruido, muriendo 5 gendarmes y resultando heridos de consideración 26 más".*[280] El ejecutor de ese atentado terrorista *"fue Carlos Alsogaray"*,[281] hijo del general Julio y sobrino del ingeniero Alvaro Alsogaray. El 10 de ese mes, el directorio del colegio de abogados a pleno emitió un extenso comunicado expresando: *"Nunca el derecho a la vida ha sido más ilusorio, no es libertad sino licencia, caos, anarquía. Argentina ha extraviado el rumbo, ha perdido la brújula, porque se ha sustituido el fondo por la forma, la realidad por la ficción, la verdad por el mito".*[282]

Se había cumplido ya un año de la muerte de Perón y la situación institucional no había hecho más que deteriorarse dramáticamente. Para tener noción de la alarmante parsimonia e inmovilidad en la que se hallaba el gobierno democrático, téngase en cuenta que es recién en este mes de agosto de 1975 cuando la organización terrorista Montoneros es puesta fuera de la ley. Y el 6 de septiembre de 1975, el Gobierno constitucional dicta el Decreto 2452 en cuyos considerandos se afirmó y reconoció de forma abierta la naturaleza terrorista de Montoneros al expresar: *"Que el país padece el flagelo de una actividad terrorista y subversiva"* y *"que en tal situación se encuentra el grupo subversivo autodenominado 'Montoneros', sea que actúe bajo esa denominación o cualquier otra".* El decreto fue firmado por *Isabelita* y los ministros Damasco, Garrido, Emery, Corvalán Nanclares, Ruckauf y Arrighi.

En el Congreso de la Nación, el diputado Ciali reconocía el estado de guerra civil y exhortaba a la población a comprometerse en la guerra antiterrorista: *"Estamos en una guerra contra el enemigo común. Cada uno en su lugar de combate. Vistiendo el uniforme que a cada uno el destino nos dotó. Y nuestro Ejército, un ejército de paz y de trabajo también ha sido golpeado crudamente por la guerrilla".*

En octubre, *"Montoneros aprobaba su 'Código de Justicia Militar', constante de seis capítulos y 52 artículos, con los que se reglaba el 'Ejército Montonero'"*.283 El día 5, Montoneros asalta el cuartel del Regimiento 29 de Infantería en la provincia de Formosa en un formidable operativo que contó con no menos de setenta terroristas equipados con diecinueve vehículos y cinco bases de operaciones (situadas en Capital Federal, Rosario, Santa Fe, Resistencia y Formosa). De manera coordinada secuestró en vuelo a un avión *Boeing 737*, robó un avión *Cessna* de 4 plazas y copó un campo en la localidad de Susana. Al mismo tiempo, embistieron contra el citado cuartel de Formosa, librando un sangriento combate en el que los "militantes sociales" asesinaron a doce personas entre oficiales, suboficiales y soldados e hirieron gravemente a otras diecinueve.

El 9, Montoneros fusila a un miembro de su organización (identificado como *"B"* en un comunicado de la banda), condenado por un "tribunal revolucionario" por "delación y deserción".

Aniquilar la subversión

Desprotegida y aterrada, la ciudadanía necesitaba más que nunca que la mano firme y protectora del Poder Ejecutivo pusiera coto a la anarquía, pero *Isabelita* se asustó y se tomó una "licencia". Ante la acefalía, acude en su remplazo interinamente el entonces presidente del Senado, Dr. Italo Luder, *"un profesor de derecho relativamente serio, en la medida en que la militancia peronista permite serlo"*.284

En octubre de ese mismo año (1975) la guerra se extiende a todo el país y, como producto de esta, el presidente provisional Italo Luder convoca de inmediato a una reunión de gabinete nacional, con presencia, además, de los tres comandantes de las Fuerzas Armadas. En la reunión, Luder dijo: *"He convocado a los jefes militares para ver qué podemos hacer para frenar al terrorismo que es incontrolable"*, y el Grl. Videla respondió: *"Sr. presidente: los militares tenemos armas para matar y para morir, no tenemos experiencia en este tipo de guerra revolucionaria, solamente contamos con la formación teórica de los estudios iniciados en los años sesenta por el entonces Cnl. Rosas en la Escuela Superior de Guerra, las visitas de las misiones francesa con su experiencia en la guerra en Argelia y de la misión norteamericana con la de Vietnam; lo que sí puedo anticipar es que cualquiera sea la solución que elija va a ser cruenta".*[285] En esas reuniones, mientras Massera estaba siempre preocupado por congraciarse con todo el mundo y escalar posiciones, Videla, por el contrario, lejos de las politiquerías y la demagogia, mantenía una posición de preocupación y seriedad. Cuenta Ruckauf sobre las reuniones del gabinete nacional: *"Videla iba siempre con un lapicito chiquito. Escribía siempre. Nunca hablaba. Massera hablaba más. Se hacía el simpático. [...] A Videla no le sacabas ni una palabra".*[286]

En la citada reunión (que duró más de tres horas), cuatro fueron las alternativas presentadas por el Grl. Videla al Presidente y al gabinete del Gobierno constitucional. En un extremo de las propuestas, se encontraba la posibilidad de instalar un sistema operacional rigurosamente supervisado, que tenía como contrapartida el largo e impredecible tiempo que depararía dominar al terrorismo. En el otro, la descentralización de los grupos de combate con una gran capacidad y autonomía operativa en los niveles inferiores; esta alternativa tenía como eventual efecto negativo el debilitamiento del control de las operaciones, aunque como componente positivo se tenía la esperanza de que en el lapso de dos años el terrorismo quedaría abatido o por lo menos controlado. Ni lerdo ni perezoso, a pesar de los márgenes de error que podía traer aparejada esta última tesis (y que fueron advertidos y señalados por Videla) el presidente justicialista Italo Luder optó por ella. Al día siguiente convocó a todos los gobernadores, creó el Consejo de Seguridad y se comenzó a trabajar en todo el país. Seguidamente, el 6 de octubre de 1975, el Gobierno emitió tres decretos (2.770, 2.771 y 2.772) que disponían la creación del Consejo de Seguridad y la ampliación a todo el país del Operativo Independencia. El moroso Decreto 2.772, entre otras cosas, establecía: *"Las FF.AA., bajo el Comando Superior del Presidente, que será ejercido a través del Consejo de Defensa, procederán a ejecutar las operaciones militares y de seguridad que sean necesarias a los efectos de **aniquilar el accionar de los elementos subversivos en todo el país"**.* El decreto fue firmado por Italo Luder como presidente y los itinerantes ministros que en ese momento eran Manuel Araux Castex, Tomás Vottero, Carlos Emery, Carlos F. Ruckauf, Antonio Cafiero y Angel Robledo.

La consigna era abatir al enemigo evitando dilaciones. El concepto de velocidad e inmediatez no es nuevo en la guerra. El mismo era aconsejado sin disparidad de criterios por los más relevantes estrategas de la historia mundial, tal el caso de Clausewitz que afirma: *"Si abandonamos por la realidad las impresiones flojas de los conceptos abstractos, encontraremos que un adversario activo, valiente y resuelto, no nos dejará tiempo para esquemas intrincados de largo alcance".*[287] Otro genial pensador, Sun Tzu asevera: *"No hemos visto todavía una operación inteligente que fuera prolongada"* y agrega: *"Lo esencial en la guerra es la victoria no las operaciones prolongadas".*[288]

Para dar cuenta de la hipocresía y el discurso distorsivo que se viene promoviendo desde 1983 a la fecha es dable acotar que, precisamente a partir de la decisión tomada por el gobierno peronista en esta reunión clave, *ipso facto* aparece en escena masivamente el fenómeno popularmente conocido de los "desaparecidos", que *"comienzan a incrementarse a partir de noviembre del 75* (mes siguiente al decreto antedicho) *donde fueron 35; en diciembre, 90; en enero siguiente, 155; en febrero, 84 y en marzo, 310. ¿Qué es lo que está indicando todo esto? Que había una doctrina militar, que señalaba que éste era el procedimiento [...]. Y esto lo sabían las autoridades constitucionales, nadie levantó la voz [...] cuando se puso en marcha el operativo en Tucumán, diez meses antes, el gobernador Juri, después acusador del Grl. Bussi y que le impide asumir como diputado a la cámara de diputados, condecora y homenajea al Grl. Vilas"*.[289]

En efecto, la operatoria y directiva impulsada por el gobierno peronista a las FF.AA. era combatir con el "factor sorpresa", consistente en detener al terrorista en el lugar más insospechado y luego ejecutarlo sin brindar información acerca del paradero de su cuerpo y, así, desconcertar aun más a sus camaradas de armas. Según Sun Tzu: *"El enemigo no debe conocer dónde se intenta presentar batalla [...]. Cuando se prepara en todas partes, será débil en todas partes. Será incapaz de desentrañar hacia donde van realmente mis propios carros o hacia dónde continuará realmente la infantería y por consiguiente, se dispersará en todas las direcciones. Por lo tanto, su fuerza estará dispersa y débil y sus unidades divididas y desperdigadas"*, y exhorta: *"Atacar donde no esté preparado: llegar impetuosamente cuando no lo espera"* y *"entrar en los vacíos, lanzarse en los huecos, sobrepasar lo que está defendido, golpearlo donde no lo espera"*.[290]

La expresión varias veces mencionada en los decretos de *"aniquilar el accionar de los elementos subversivos"*, a pesar de su inequívoca interpretación, ha sido maliciosamente explicada de los modos más sofísticos por los embusteros televisivos y hasta por los mismos firmantes, quienes sintiéndose posteriormente algo "culpables" por haber rubricado el decreto "represor", se valieron de extravagantes acrobacias verbales para tergiversar o desdibujar el sentido que le quisieron dar a la expresión "aniquilar", utilizando pintorescos eufemismos de lo más ocurrentes a fin de explicar que "aniquilar" no quiere decir "aniquilar". Según ellos explican, pareciera ser que "aniquilar" en realidad consistía en llevar adelante "una fraternal invitación a los terroristas a que en la sana reflexión, y en aras del afecto ecuménico, el amor universal y valores filantrópicos, recapaciten y voluntariamente adviertan que meter bombas no era la conducta más aconsejable". Incluso uno de los firmantes, el reconocido lenguaraz Antonio Cafiero, años después, llegó al extremo de brindar el siguiente malabarismo explicativo: *"Luder emite una orden, ordenándole a las FF.AA. aniquilar a la subversión [...] pero no era nuestra intención aniquilar a los subversivos, sino a la subversión*".[291] Es notable la habilidad que poseen ciertos charlatanes de la partidocracia local, para discursear en abstracto sin decir absolutamente nada o, lo que es peor, incurriendo en contradicciones insalvables en el exiguo marco de dos renglones.

El pretendido galimatías no debería resultar tan complicado. El diccionario define el vocablo "aniquilar" como *"reducir a la nada, destruir por entero algo"* y también nos brinda como sinónimos *"destruir, abatir, demoler, devastar, matar, desbaratar, inmolar"*; pero, además de esto, debemos tener en cuenta que la susodicha orden no fue dirigida a un convento de monjas contemplativas de clausura, sino a las FF.AA. en el marco de una guerra civil, y por añadidura, la palabra debe interpretarse en el estricto sentido militar, definido perfectísimamente en el *Reglamento de Terminología Castrense*, de uso en el Ejército (RV117/1), como *"el efecto de destrucción física y/o moral que se busca sobre el enemigo, generalmente por acciones de combate"*.[292] En efecto, el Gobierno constitucional había resuelto que los terroristas fueran aniquilados en operaciones militares y de seguridad, no que fueran aprehendidos para ser juzgados. Como si hiciese falta, dándole un marco interpretativo al decreto, el ministro de Defensa y presidente del Consejo de Defensa, Tomás Vottero, el 16 de diciembre de 1975 en la Escuela de Defensa Nacional, explicó: *"Es determinación del gobierno no dejar de hacer absolutamente nada de lo que esté dentro de nuestras facultades y de nuestro poder de decisión, hasta alcanzar su más completo exterminio"*.

Independientemente de que se considere o no que la guerra contra el terrorismo se libró en un marco de ilegalidad, hay algo que no podemos soslayar. Cuando las FF.AA. se hicieron cargo de la conducción de la República en marzo de 1976, no variaron el *modus operandi*, no inauguraron ninguna represión que no estuviese en vigencia y ya puesta en marcha.

La guerra se agiganta

Ninguna orden estridente amilanaba a los terroristas y, así el 8 y 9 de octubre, se produjeron dramáticos combates en la localidad de El Quincho, Tucumán, en donde el Ejército sufre cinco bajas y seis heridos graves. El 24, se produce el combate Arroyo Fronteritas y allí caen asesinados tres soldados. Tres días después es asesinado el coronel Martín Rico en Buenos Aires. Cubriendo este último homicidio, el diario *La Prensa* informó: *"En los últimos días fueron asesinados casi medio centenar de personas en distintos puntos del país"*.

Seguidamente, el 29 de octubre, el Congreso de la Nación emite un comunicado en el que *"reitera su más terminante repudio a la violencia criminal que está asolando al país con diversas formas de terrorismo y guerrilla en per-*

juicio de la población: intimidación pública, destrucción de barcos, aviones y otros elementos valiosos del patrimonio nacional, atentados domiciliarios y callejeros, a menudo causantes de víctimas inocentes, asesinatos de miembros de las FF.AA. de Seguridad y de Policía, ejecuciones masivas, sistemáticas y sádicas de civiles [...] con una espantosa secuela de víctimas".

Particularmente en ese mes se llevaron a cabo en Tucumán tremebundos enfrentamientos, como consecuencia de los cuales las fuerzas legales sufren importantes bajas, como la del subteniente Diego Barceló y el subteniente

La guerra en Tucumán. Atentado contra un avión Hércules.
(Fuente: Fotos, hechos, testimonios de 1035 dramáticos días. 25 de mayo de 1973-24 de marzo de 1976. Revista *Gente*, edición del 5 de octubre de 1979.)

Berdina. En uno de los combates, llevado cabo a orillas del arroyo San Gabriel, el Ejército –utilizando helicópteros de guerra– produce dieciséis bajas entre los terroristas. La conducción del PRT-ERP, a efectos de unificar y coordinar esfuerzos, establece contacto con Montoneros y con un grupo urbano denominado OCPO (Organización Comunista Poder Obrero) *"que se dedicaba solamente al secuestro y al crimen político, uno de cuyos jefes era el ignoto Roberto Bonafini (que después será uno de los desparecidos más emblemáticos)"*.[293]

En diciembre, los "jóvenes idealistas" matan al Grl. Jorge Cáceres Monié y a su esposa; asesinan también al intendente de San Martín y al secretario de Hacienda de dicho municipio, Carlos Ferrin. Cuenta Juan Bautista Yofre que ese mes *"los argentinos de entonces no tenían límites para el disparate: 'El Partido Comunista (desea) tomar contacto directo con el ex presidente (Alejandro) Lanusse. Es que la declaración del nombrado, con motivo del lanzamiento de su candidatura, donde caracteriza al fascismo como enemigo principal, tuvo muy buena acogida en las filas comunistas que lo mencionan como un militar democrático'"*. [294]

En la madrugada del 18, el brigadier Jesús Orlando Capellini de la Fuerza Aérea se subleva y aviones de guerra sobrevuelan la Capital Federal emitiendo diversos comunicados y arrojando panfletos desestabilizadores, en los que se exhortaba al comandante general del Ejército, Jorge Rafael Videla, a que asuma la conducción del Gobierno nacional. Este último, encontrándose en Venezuela y resistiendo las diversas presiones, respondió tajantemente: *"La esperanza del Ejército es que el pueblo argentino, mediante consultas electorales, resuelva sus problemas"*.[295] Rodolfo Terragno, desde la revista *Cuestionario* (que él dirigía), tituló en el ejemplar de diciembre: *"La guerra en el país"* y escribió: *"El putsh de la Aeronáutica vino a poner de relieve algo que se sabía desde hace mucho tiempo atrás: la cúpula militar no está dispuesta a deponer al gobierno"*.[296]

El 23, alrededor de trescientos terroristas llevan a cabo un espectacular atentado contra el Batallón de Arsenal 601 en Monte Chingolo. Allí, las fuerzas militares sufrieron seis bajas y varias decenas de sus integrantes resultaron heridos. En este combate nocturno que duró más de una hora, cincuenta y ocho guerrilleros fueron abatidos. El jefe de la operación guerrillera era Benito Arteaga, ex miembro de la juventud radical y relevante jerarca del ERP. El Grl. Bignone relata: *"La Nochebuena de 1975 fue una de las más tristes para el Ejército, ya que esa tarde habíamos acompañado a nuestros muertos al cementerio de la Chacarita"*.[297] Gorriarán Merlo, por su parte, cuenta: *"En la operación, en general, intervinieron más de trescientos compañeros. Eso incluía distintas acciones simultáneas. Se contaba con un mortero, granadas, armamento adecuado para este tipo de operación"*. En respuesta a la conocida teoría de que luego de este revés el ERP queda diezmado, contesta Gorriarán: *"Fue un mito que Monte Chingolo fue el inicio del final. Son golpes muy grandes que suceden pero no son la causa"*.[298]

En la opinión pública se agigantaba el reclamo a las FF.AA. para que tomaran el control del Estado, suplantando a la comparsa gobernante. Entre los dirigentes políticos, el ingeniero Álvaro Alsogaray, casi en soledad, se manifestaba en contra del posible "golpe militar" que la sociedad anhelaba y la partidocracia promovía, tanto es así que el 12 de diciembre de ese año Alsogaray expresó: *"Las Fuerzas Armadas deben saber esperar hasta el último momento, hasta el instante mismo en el que se juegue la supervivencia de la República, antes de intervenir nuevamente en los problemas políticos. Si ese instante llega (y ojalá que nunca llegue) deben hacerlo con la máxima energía"*.[299]

El año 1975 cierra entonces con una escalada de violencia sin precedentes. Solamente en Tucumán se efectuaron treinta y siete combates y las propias organizaciones subversivas (ERP y Montoneros), haciendo un balance anual, reconocían haber cometido en ese lapso 893 atentados de diversa naturaleza, promediando entonces un ataque de alta magnitud cada ocho horas durante todo 1975 (sin contabilizar aquí las agresiones de bandas terroristas de menor envergadura).

Ante el alarmante clima de desestabilización política y social, lejos del aplomo y la cordura institucional, los ministros del Gobierno duraban en sus cargos apenas unos días, ya sea porque renunciaban o eran removidos o porque se "escapaban" al exterior. Solamente en 1975, para cubrir ocho Ministerios hubo treinta ministros distintos (nótese el desgobierno que se padecía), lo que equivale un cambio de ministro cada doce días durante todo ese año. En la cartera de Economía, desde la llegada del Peronismo al poder (mayo de 1973) habían pasado seis ministros: Gelbard, Alfredo Gómez Morales, Celestino Rodrigo (autor del fulminante golpe hiperinflacionario llamado Rodrigazo), Pedro José Bonanni, Antonio Cafiero y Emilio Mondelli. La tasa anual de inflación de los últimos ocho meses pasaba el 538% y el déficit fiscal, por su exorbitante dimensión, no podía calcularse con métodos convencionales sino que debía medirse en relación al producto bruto (14%), a la vez que la tasa de inversión decrecía al 11%.

En medio de la descomposición social, los legisladores del Congreso de la Nación en las sesiones de diciembre manifestaban expresiones elocuentes:

Senadora Minicheli: *"Esta de hoy no puede ser mi patria"*.

Senador Frúgoli: *"Realmente, frente a tanta violencia, tanta sangre, confieso que me estoy quedando sin palabras"*.

Senador Perette: *"Quiero expresar nuestra adhesión al duelo que provocan tantas muertes y rendir tributo a las Fuerzas Armadas y de seguridad con motivo del hecho grave que representó la agresión cometida por la subversión contra las guarniciones militares, que ha cobrado muchas vidas y la sangre de muchos hijos del país".*[300] (12 de diciembre de 1975.)

Senador Brizuela: *"[...] urge sancionar normas y adoptar medidas que pongan fin a esta larga secuela de crímenes perpetrados en la más absoluta impunidad [...]. La República vive momentos de extrema gravedad dentro de una verdadera encrucijada, por la ola de violencia que ha costado muchas víctimas de compatriotas [...] una violencia, inhumana, bestial, que asesina brutalmente, que secuestra, que tortura sin piedad, rapta, bajo pretexto de servir a ideales políticos".*

Si bien la crapulosa y "paniaguada" corporación que escribe y difunde la historieta oficial quiere hacer suponer que los excesos del Estado ante la respuesta contra el terrorismo comienzan a partir del 24 de marzo de 1976, es durante *"enero, febrero y marzo de 1976 cuando comienzan a tener lugar las primeras denuncias por violaciones a los derechos humanos y supuestos centros de detención clandestina. [...] Diarios de Francia, Suecia y España difundieron dichas denuncias antes del 24 de marzo de 1976. Dentro del país tuvieron escaso eco, pese a que en el Parlamento había legisladores de centroizquierda e incluso del Partido Comunista (PC)".*[301] *"En el mes de noviembre el senador nacional de la UCR Fernando De La Rúa presenta una iniciativa para que los legisladores nacionales visiten la zona de operaciones de Tucumán a fin de contrarrestar la campaña que se había iniciado en el exterior, tendiente a denunciar violaciones a los derechos humanos en la represión militar a la guerrilla".*[302]

La revista *Time*, sobre la situación argentina en noviembre de 1975, informaba: *"La incesante ola de terrorismo ha creado un mercado en expansión para los ejércitos privados [...]. Los vehículos privados llevan a veces lanzallamas, algunas agencias utilizan todos los métodos de la guerrilla [...] los edificios mejor custodiados de Buenos Aires son la embajada norteamericana y la residencia de su titular: 250 hombres".*[303]

Gracias al accionar de las FF.AA. en cumplimiento de los decretos precedentemente citados se lograba debilitar sensiblemente a la guerrilla en Tucumán (no aún en el resto del país). En respuesta, el terrorismo redobla la apuesta y (siempre en Tucumán) abre dos nuevos frentes en Sierra de Medina y dique el Cadillal y *"el 17 de enero, una sección de la compañía de monte copó la localidad de Potrero de las Tablas, donde incendian la comisaría, roban elementos de una finca y asesinan a un poblador por haber colaborado como guía con la Policía y el Ejército".*[304] En uno de los combates más trágicos de Tucumán, muere el emblemático terrorista Juan Carlos Alsogaray (apodado *el hippie*), hijo del Grl. Julio Alsogaray y sobrino de Álvaro. Cuenta su hermano Julio: *"En el 75, mi hermano es oficial montonero en el mon-*

te tucumano. Lo matan en febrero del 76 en las cercanías del dique El Cadi-llal".305 El ingeniero Álvaro Alsogaray (figura emblemática y máximo referente del liberalismo argentino del siglo XX), acerca de su sobrino terrorista, expresa con dolor: *"Este chico era de carácter dulce y suave, y había recibido una educación familiar de carácter tradicional. Su padre era un alto jefe del Ejército y mientras estuvo preso en la cárcel de Rawson a raíz del intento [de alzamiento] del general Menéndez en 1951, vivió mucho en mi casa en contacto con mis hijos. Sin embargo, a pesar de haberse criado en ese ambiente, terminó en la guerrilla. Sus inclinaciones comenzaron a manifestarse como alumno en la facultad de Sociología de la Universidad Católica. A raíz de ello, sus padres lo enviaron a París donde tenían personas amigas para separarlo de influencias locales negativas. El remedio fue peor que la enfermedad. Se vinculó allí con subversivos internacionales y presenció los disturbios de la Sorbona y de París. De vuelta en Buenos Aires comenzó a trabajar con el padre Mugica, que ejercía sobre él un pernicioso influjo escondido bajo propósitos altruistas. Algún tiempo después 'pasó a la clandestinidad', cortando todos los vínculos familiares, y murió en ella."*306

Un Gobierno que se caía solo

Al comienzo de 1976, tanto en la prensa gráfica como en los demás medios de comunicación, periodistas, políticos y personalidades de diversos ambientes con indisimulada impaciencia se abalanzaron a pedir el golpe cuanto antes. Así, en el mes de enero, Osiris Troiani escribía: *"¿Hasta cuándo podrán las Fuerzas Armadas sostener la ficción de que el país real no les interesa y mantenerse en su función legal, cuando todas las funciones se hunden cada día en una creciente ilegalidad? La experiencia de cinco fracasos anteriores es atendible; también lo es la penosa evidencia de que el país está sin gobierno"*. El 20 de febrero, Ricardo Balbín (presidente de la UCR) expresaba: *"No sé si el gobierno está buscando el golpe, pero está haciendo todo lo posible para que se los den"*. El mismo Balbín, impaciente, a cuarenta y cinco días del 24 de marzo pidió reunirse con el general Videla y *"palabras más, palabras menos le dijo: General, yo estoy más allá del bien y del mal. Me siento muy mal, estoy afligido. Esta situación no da más. ¿Van a hacer el golpe? ¿Sí o no? ¿Cuándo? –Videla: Doctor, si usted quiere que le dé una fecha, un plan de gobierno, siento decepcionarlo porque no sé. No está definido. Ahora, si esto se derrumba, pondremos la mano para que la pera no se estrelle contra el piso. –Balbín: háganlo cuanto antes. Terminen con esta agonía"*.307

El ex candidato presidencial radical Eduardo Angeloz, el 29 de febrero, vaticinó: *"Sin duda alguna cuando gobernantes radicales ocupen, como es cierto que así será, los más altos cargos electivos de la provincia, no ha-*

brá ni réprobos ni elegidos, no habrá estado de sitio, ni presos políticos, ni terroristas ni guerrilleros, ni perseguidos por sus ideas. Lo cierto es que Angeloz durante el gobierno militar, fue el delegado de la OEA en Córdoba".[308] A pesar de las insistentes gestiones civiles para que las FF.AA. se hagan cargo del país, el 2 de marzo, el diario *La Nación* expresaba: *"El pronunciado silencio de las Fuerzas Armadas en los últimos días sostienen la necesidad de que se agoten las instancias institucionales en procura de soluciones en un marco de responsabilidad general y compartida".*[309]

En el ámbito institucional, varios diputados intentaban sin éxito derrocar a *Isabelita* a través de la figura del juicio político y en sesiones parlamentarias llevadas a cabo el 25 de febrero de 1976 los legisladores expresaban:

Diputado Tróccoli (UCR): *"No hay duda alguna de que a partir del 1 de julio de 1974 la República ha entrado en un plano inclinado [...]. Todo está peor que el 25 de mayo de 1973. Grave emergencia nacional, así lo ha calificado nuestro partido".*

Diputado Ferreira (Línea Popular - E. Ríos): *"El país no puede transcurrir un minuto más en este desgobierno, en el descrédito interno y externo. [...] Cumpla la Cámara con su deber".*

Diputado Monsalve: *"[un país] que hoy está sumido en la miseria económica, en el más dramático enfrentamiento social, en el más absoluto desorden y que no encuentra en la conducción de este gobierno, en la persona del presidente de la República, a quien sepa empuñar el timón para llevar adelante la nave del Estado".*

Irresponsablemente, el Peronismo se abroqueló obstaculizando el juicio político y prolongando la agonía del Gobierno con la complicidad de Luder que no quería asumir el compromiso de remplazarla a la Presidenta. Relata el Dr. Humberto Bonanata (ex edil de la UCR, presidente de bloque porteño y director de la agencia de noticias NOTIAR): *"Recuerdo como radical las palabras de don Ricardo Balbín al dirigirse por cadena nacional con tono adusto e informarnos que no existían posibilidades institucionales de enjuiciar políticamente a María Estela Martínez de Perón y colocar –por sólo siete meses que faltaban para las elecciones– al cobarde de Italo Argentino Luder. Sólo faltaron siete votos de diputados provinciales para lograr la mayoría especial para destituir a la viuda de Perón".*[310] Eran tan evidentes el clima y los anhelos (tácitos o expresos) pro golpistas de la dirigencia política y del grueso de la ciudadanía, que el legislador del FREJULI, Solano Lima, expresó: *"A los que anhelan el gobierno militar como la suprema solución de nuestros problemas, les recordaré que los Estados pagan muy caros sus revoluciones y experimentos".*

Ante los reclamos insistentes a las FF.AA. para que tomaran el poder, el diputado Cárdenas (Vanguardia Federal, Tucumán) reconoció: *"Las FF.AA., cuya prescindencia y cuyo sacrificio son ejemplares, nada tienen que ver con este proceso [...] han roto el esquema del cuartelazo, y están dando con su sangre, el testimonio de su entrega total a la causa de la patria".*

El radicalismo, por su parte, proseguía con sus denodados esfuerzos para derrocar a Isabel y, el 27 de febrero, el comité nacional de la UCR publicó la siguiente declaración: *"El país vive una grave emergencia nacional. Advertimos hoy, ante la evidente ineptitud del Poder Ejecutivo para gobernar. Toda la Nación percibe y presiente que se aproxima la definición de un proceso que por su hondura, vastedad e incomprensible dilación, alcanza su límite".*[311] Nótese en el comunicado la nada sutil queja por la "incomprensible dilación" de la continuidad en el gobierno de *Isabelita*. El ministro de Isabel, José Alberto Deheza, se refiere a este documento de inequívoca connotación desestabilizadora, del siguiente modo: *"De la simple lectura de este documento, surge bien claro que el radicalismo compartía la tesis militar, o sea, que el alejamiento de la señora de Perón era indispensable para lograr una solución a la crisis.*[312] Expone Sebreli: *"Antes del golpe, el Grl. Viola mantenía conversaciones con Balbín y Antonio Tróccoli. Juan Carlos Pugliese, futuro ministro de Alfonsín, defendía en 1975 la actuación del general Menéndez en Córdoba. Ya en el poder, Videla seguía entrevistándose con Balbín".*[313]

Renombrados dirigentes de la oposición y también del mismo oficialismo confabulaban con militares de alto grado a efectos de llevar adelante el golpe cívico-militar y *"hasta sindicalistas como Casildo Herreras, que después 'se borró', iban a verlo a Videla para decirle que, aunque en público no podían declararlo, también ellos consideraban que el gobierno era un desastre, que eran sus amigos y que deberían tenerlos en cuenta después del golpe si finalmente lo llevaban a cabo. Lorenzo Miguel, por su parte, visitaba al almirante Massera. Hasta el veterano dirigente radical Ricardo Balbín celebró una reunión secreta con Videla en una casa neutral. Allí, cuando el jefe del Ejército todavía no había terminado de apoyar su espalda en el respaldo del sillón, le espetó sin rodeos: 'General, ¿van a dar el golpe? Si van a hacer lo que yo pienso, háganlo lo antes posible'".*[314]

Finalizando el mes de febrero, la democracia peronista clausuró el diario *La Opinión* y censuró el programa televisivo *Tiempo Nuevo*, conducido por los prestigiosos periodistas Bernardo Neustadt y Mariano Grondona. El mundo de la cultura se solidarizó con los proscriptos: *"Bernardo Neustadt. Nuestra total adhesión. Matilde y Ernesto Sábato".*[315] Perseguido por el Peronismo, Neustadt se exilió en Holanda.

El ridículo en el que incurría el Gobierno era tan tragicómico que, el 8 de marzo, para contener la espiral inflacionaria, en lugar de tomar medidas sensatas, tales como reducir la emisión de moneda sin respaldo, se ordenó a la policía que efectúe el control de la depreciación de la moneda: *"La Policía Federal tendrá que afrontar desde mañana una alta responsabilidad, tan compleja como ajena a sus actividades específicas: el control de precios y abastecimientos de los artículos de primera necesidad".*316 La avalancha de pedidos de juicio político a la Presidenta era tal que *Isabelita* le preguntó a Luder (presidente del Senado): *"'Lo que yo quiero saber es si Ud. va a hacer lugar al pedido o no'. El Dr. Luder, visiblemente emocionado, se paró, se acercó a Isabel Perón y tomándoles las manos le dijo: 'Isabel yo he subido con Perón y voy a caer con Usted'".*317

Los radicales avanzaban en sus conspiraciones y el 11 de marzo publicaron una declaración en el diario *La Opinión*, que entre otras cosas, sostenía: *"La sensación de que nadie manda y las contradicciones y las carencias de competencia para el ejercicio de tan complejas y graves responsabilidades ha sumido al cuerpo entero de nuestro magnífico país en una parálisis".* Ese mismo día, Angeloz solicitando "mano dura" se quejaba desde el Senado: *"Resulta inexplicable el que las fuerzas que actúan bajo las órdenes de las Fuerzas Armadas, sean ineficaces".*318

Si bien enrolarse en las filas de las FF.AA. constituía un grave riesgo a la vida, habida cuenta de la guerra civil que se estaba viviendo, la adhesión del pueblo a las fuerzas era tan grande que el 8 de marzo el general Bignone, durante el discurso inaugural de cursos en el Colegio Militar, con júbilo informaba: *"En 1976 habíamos tenido la mayor cantidad de aspirantes a ingreso de los últimos años. Este era un indicio claro de la posición del pueblo, del cual se nutre el Ejército, con respecto a la acción terrorista".*319

El terrorismo sacaba provecho del terremoto institucional efectuando salvajes asesinatos, al tiempo que la clase política, dos semanas antes del 24 de marzo, expresamente se declaraba incompetente e imposibilitada en forma total para dar respuesta al desastre asentado. Durante las sesiones legislativas del 10 de marzo, se emitían las siguientes declaraciones:

Senador Angeloz: *"Debo confesar que en el día de hoy he golpeado todas las puertas: la del señor ministro del Interior, la de la Policía Federal, la de algunos hombres del Ejército. Y el silencio es toda la respuesta que he encontrado [...] desde esta banca aparezco impotente para proteger la vida de los habitantes. **Los senadores de la Nación tenemos las manos atadas y no encontramos solución para asegurarles la vida**".*

Senador De la Rúa: *"El señor senador ha aludido a la perspectiva de **guerra civil**. Diría señor Presidente que **estamos al borde de un abismo** (...) mueren policías a diario. Caen soldados. La violencia y la inseguridad están en la calle".*

Senador Allende: "*En mi ciudad* (Córdoba) *hay miedo. Las calles al atardecer comienzan a estar desiertas*".

Senador Bravo: "*en nuestro país hay un vacío de poder y no hay con-ducción de gobierno [...] este gobierno está en una pendiente inclinada y viene cayendo. Si no lo recogemos entre todos y ponemos orden, al-guien va a tomar la conducción del país. Ningún país queda un día sin gobierno*".

En efecto, la necesidad de orden y el anhelo popular de un "golpe" eran tan intensos, que hasta el Partido Comunista el 12 de marzo "*reiteró su pro-puesta de formación de un gabinete cívico-militar*".[320]

Los días previos al 24 de marzo, los terroristas asesinan a diversas per-sonalidades como el empresario Héctor Minetti; el jefe del Grupo de Artille-ría de Defensa Aérea, coronel Héctor Reyes; el sindicalista Adalberto Jimé-nez; el secretario general de FOTIA, un operario de Acindar y muchos más. El 15 de marzo se produce un espectacular atentado con explosivos en la pla-ya de estacionamiento del Edificio Libertador, sede del Ejército. En el acto terrorista muere Blas García y resultan heridos diecisiete militares y seis ci-viles. "*Verbitsky fue acusado de ser el conductor de ese atentado, durante el proceso promovido por el fiscal Juan Martín Romero Victorica en 1992. Así lo sostuvieron los montoneros Rodolfo Galimberti y Juan Daniel Sverko. Cuando el 13 de agosto de 1992 tuvo lugar el careo, las informaciones fue-ron negadas enfáticamente por Verbitsky. Este recordó que sus únicos res-ponsables entre los años 1973 y 1977 fueron Rodolfo Walsh y Francisco Pa-co Urondo.*"[321] Como vemos, los integrantes de la runfla montonera lejos de aplicar el espíritu de camaradería, traidoramente y de manera desesperada, se echaban las culpas unos a otros con intención de salir impunes de los dictá-menes de la justicia.

El 15 de marzo, el teniente general Videla sufrió un intento de asesina-to. La organización Montoneros empleó 20 kilos de trotyl en el atentado del cual Videla resultó azarosamente ileso, pero en el que no corrieron igual suer-te dieciséis oficiales, que quedaron gravemente heridos y un camionero que pasaba casualmente que resultó muerto. De inmediato, el virtual vocero de las FF.AA., Ricardo Balbín, salió a la palestra a repudiar el atentado y cantar apasionadas loas a los sectores castrenses con sugestivas palabras tales como "*traigo nada más que una invitación. Conozco todos los rumores. Sé todas las inquietudes. Se conjugan los movimientos de las Fuerzas Armadas Argen-tinas, las que soportaron todo. Las que enterraban a sus muertos y hablaban de las instituciones del país*".[322]

Entre los crímenes masivos y la acefalía virtual, los días 17 y 18 de marzo (una semana antes del 24), los legisladores reconocían y ratificaban nuevamente la total incapacidad de resolución de ellos mismos. Para no aburrir y abrumar con datos redundantes, transcribiremos solamente unos párrafos que daban cuenta del indubitado desbarajuste. El presidente de la Cámara de Diputados, Sánchez Toranzo, afirmó: *"Doloroso es el precio que pagan los hombres de armas, en el cumplimiento de los deberes que la hora les impuso. Que este sacrificio no sea en vano por la renuencia de la civilidad"*.[323] (10 de marzo de 1976.)

> Senador Brizuela: *"Se matan militares, policías, gendarmes y civiles. Se matan padres e hijos. Se mata a familias enteras, mientras las FF.AA. atacadas arteramente llevan adelante una campaña de lucha total"*.[324] (17 de marzo de 1976)

> Diputado Moyano: *"**No es posible que el aparato estatal de Seguridad no haya descubierto los centenares, miles, innumerables casos de violencia subversiva** [...] es así imputarle al Poder Ejecutivo en los dos años y medio últimos, **ineficiencia, ineptitud e incapacidad** para esclarecer la verdad de los hechos de la violencia subversiva"*.

> Diputada Nilda Garré: *"**Las cotidianas desapariciones** y tantos otros hechos similares vienen formando un siniestro rosario de crímenes miserables que se suceden **sin que un solo culpable sea identificado**"*. La misma diputada proseguía reconociendo la total incapacidad para solucionar el drama de *"esta guerra boba en la que todos parecemos atrapados, impotentes y atados de pies y manos"*.

> El senador radical Eduardo Angeloz, con esa imprecisión propia de la idiosincrasia de su partido expresó: *"Alguien tiene que dar la orden [...] alguien tiene que decir basta de sangre en la República Argentina"*.[325]

> Solicitando mano dura con desesperación, el diputado Stecco manifestó: *"Pero que no ocurra, cuando llegue la hora de apretar para asegurar la vida de los ciudadanos, que les tiemble la mano"*.

> En el debate de marras, la expresión más clara y sintética de lo que sucedía y de lo que la clase política podía dar, la manifestó el diputado Molinari: *"¿Qué podemos hacer? Yo no tengo ninguna clase de respuesta"*.

> El diputado peronista Luis Sobrino Aranda, el 17 de marzo, se escapó renunciando a su banca y declaró: *"El proceso político argentino está agotado"*.[326]

Por esas horas no había nadie en el Gobierno que se hiciera cargo de nada, el poder les quemaba entre las manos y era mucho más fuerte el ánimo de fugarse que de solucionar el inmanejable drama. Tal es así que por esas horas el iconográfico jerarca de la CGT, Casildo Herrera, se escapa al Uruguay y desde Montevideo hace pública su rememorada frase: *"Yo me borro"*. Un ministro de Isabel, mucho tiempo después, le confesó al Dr. Juan Alemann (secretario de Hacienda del futuro gobierno) que cuando vino el "golpe", ellos estaban aliviados porque "es preferible un final con horror que un horror sin final".

Estaba visto que el oficialismo, en lugar de dar respuestas, tenía ganas de "borrarse". En una República normal, la expectativa de una solución debería depositarse en la oposición. Pero en Argentina, el líder máximo opositor, el Dr. Ricardo Balbín, presidente de la UCR, 48 horas antes del 24 de marzo afirmó públicamente: ***"Hay soluciones pero yo no las tengo"***. Poco comprometidas declaraciones estas que, claramente, quedaron para la historia como una inequívoca instigación a la reacción a las FF.AA. a que solucionen de oficio lo que el Gobierno y la oposición (por reconocimiento expreso de su máximo exponente) no podían, ni sabían, ni querían resolver. Eso sí, fue una declaración bien al estilo radical: dejando siempre un margen (aunque en este caso muy pequeño) para la duda y la doble interpretación. De todos modos, la declaración de la UCR efectuada por Balbín no hizo más que verbalizar lo que se venía haciendo tras bambalinas, puesto que *"en esos días, el viejo líder de los radicales se entrevistó con Villareal, un mensajero de Videla, en secreto. Balbín le dijo que Videla podía contar con su apoyo"*, fiel al ya mencionado estilo del partido que presidía, agregó: *"No voy a aplaudirlo, pero no pondré piedras en el camino, en caso de tener que llegar a una salida extrema"*.327

Sin embargo, a pesar de las componendas promovidas por la UCR dirigidas a promover la inclusión de las FF.AA. en la vida política, la propaganda radical borró de la memoria y el discurso todos estos antecedentes y sólo se suelen rememorar aquellas frases de Balbín cargadas de voluntarismo cívico, tales como *"los problemas de la democracia se solucionan siempre con más democracia"*. Expresiones demagógicas y abstractas acompañaron eternamente a los dirigentes radicales que, como es sabido, desde siempre se caracterizaron mucho más por su notable capacidad de oratoria que de gestión.

El 21 de marzo, con notable visión premonitoria, nuevamente Álvaro Alsogaray, en contra de la voluntad popular y de toda la dirigencia política se expresaba refractario al eventual "golpe" de Estado y decía: *"¿Por qué habría un golpe de Estado de liberar a los dirigentes políticos de su culpabilidad? ¿Por qué cargar con el desastre facilitándoles al mismo tiempo que escapen indemnes y gratuitamente de la trampa en que se han metido? ¿Por qué transformarlos en mártires incomprendidos de la democracia precisa-*

mente en el momento en que se verán obligados a proclamar su gran fracaso?". Seguidamente expresa que hay que dejarlos gobernar porque *"dentro de tres meses el país entero estará clamando para que se vayan, pero no como perseguidos, sino como culpables"*.

La ciudadanía comenzaba a impacientarse y ya desde *"fines de 1975, se respiraba en el ambiente olor a 'golpe'. En algunas oficinas de la* city *hasta se hicieron fuertes apuestas sobre la fecha en que se lo perpetraría. Los sectores civiles [dirigentes y población común y corriente] que creían en la intervención militar como solución a nuestros males, hablaban de falta de coraje o decisión en los principales jefes militares que los llevaba a no 'salir'"*.[328]

Cabe destacar que tres meses antes del golpe, *"en la residencia de Olivos se reunieron la presidenta María Estela Martínez de Perón y los tres comandantes. Estuvo Lastiri y también habría concurrido el ministro de Defensa. Allí los militares presentaron un 'paper' con una serie de recomendaciones que, a su juicio, podían encarrilar las cosas y calmar los ánimos. Tal vez porque prevaleció la soberbia o simplemente a causa del desorden que caracterizaba al gobierno de* Isabelita, *lo cierto es que nunca les contestaron ni una palabra. Para las Fuerzas Armadas esta actitud constituyó la prueba final (si acaso las mentes militares necesitaban a esa altura alguna más) de que el gobierno no haría nada por corregir el rumbo. Mientras tanto, los militares seguían soportando la presión de los sectores civiles que se acercaban a ellos para pedirles que derrocaran al gobierno y pusieran orden"*.[329]

Pero no fue solo el hecho de no poder combatir al terrorismo lo que motivó al Gobierno (o desgobierno) peronista a abandonar sus puestos (este fue un agravante más), sino fundamentalmente el pandemónium político y económico en el que habían enterrado al país. Con respecto a la guerra antisubversiva, podría también pensarse que la solución podía venir no ya por un "golpe", sino a través de una "salida política", así fuese a partir de un juicio político, o de nuevas elecciones a fin de remplazar al Gobierno por otro que fuera de corte institucional en lugar de ser de *"facto"*. La eventual eficacia de la primera salida era en verdad muy improbable, en primer lugar porque las posibilidades de "juicio político" estaban totalmente obstaculizadas (el Partido Justicialista, que tenía mayoría parlamentaria, no quería "derrocar" abiertamente a la viuda de Perón) y en segundo lugar porque el hecho de pensar en que otro gobierno de *jure* iba a solucionar el caos terrorista e institucional no dejaba de ser una noble pero ingenua expresión de deseo desmentida por la propia experiencia concreta. Ya habían pasado ininterrumpidamente por la Presidencia de la Nación cinco presidentes de *jure* distintos (Cámpora, Lastiri, Perón, *Isabelita* y tras su "licencia", Luder), sin que ninguno pudiera efectuar siquiera una condena a ningún guerrillero. Por el contrario, fueron amnistiados en mayo de 1973.

En este punto es dable tener en cuenta que a pesar de que la propaganda oficial suele hacer alusión a la cercanía de la intervención cívico-militar con las elecciones (ante el caos se había adelantado la fecha fijándose el mes de octubre de ese año), es lícito formular una serie de preguntas: ¿quiénes eran los candidatos de los principales partidos?, ¿qué candidato tenía el PJ?, ¿qué candidato la UCR?, ¿quiénes estaban en campaña?, ¿en qué fechas se efectuaban las internas partidarias?, ¿dónde se inscribían los fiscales?, ¿qué días se reunía la Junta Electoral para organizar los comicios?, ¿a quién beneficiaban las encuestas?, ¿estaba ya confeccionado el padrón electoral?, ¿cuáles eran los afiches?, ¿dónde se efectuaban los actos proselitistas?, ¿qué propuestas se esbozaban en las plataformas electorales? En efecto, no había candidatos, ni campaña, ni junta electoral ni nada de nada y esta es otra prueba acabada de la ausencia total de interés y voluntad por parte de la clase política en proseguir por la vía institucional.

Como sabemos, los políticos (y máxime en una elección presidencial) comienzan con no menos de un año y medio de anticipación a impulsar sus candidaturas o precandidaturas y, en el caso que nos ocupa, ni siquiera hubo un mísero *spot* televisivo impulsando la postulación de absolutamente nadie. En forma unánime, expresa o tácitamente, oficialismo, oposición, ricos, pobres, izquierdas, centro y derechas querían una urgente intervención militar. Al respecto, es interesante mencionar lo que se pregunta Oscar Camilión (ministro de Menem) en su libro *Memorias Políticas*: "*¿Por qué no se trabajó en la sucesión de Isabel? Yo creo que en un momento dado era imposible. Faltaba para terminar el mandato de Isabel un año y la situación económica se había hecho inmanejable. La experiencia de la hiperinflación en las condiciones internacionales sumadas al problema de la violencia terrorista hacían muy difícil la hipótesis de que pudiera mantenerse un año más [...] lo único que dio estabilidad al último ciclo de Isabel, quiero decir, que demoró el golpe, era la renuencia militar. Es decir, los militares no querían hacerse cargo del gobierno [...]. Esto era una evaluación muy realista [la situación de violencia subversiva] y que explicaba al mismo tiempo la renuencia de los militares para asumir esa responsabilidad*".

Al ya descrito desgobierno y la infernal guerra civil, se sumaba el hecho de que los números de la economía se desplomaban desesperadamente, tanto es así que que el déficit fiscal previsto en el presupuesto nacional para 1976 era el doble de toda la circulación monetaria existente al 31 de diciembre de 1975. Según estadísticas oficiales, "*la emisión monetaria desde mayo de 1973 hasta marzo de 1976, aumentó 14 veces*".[330]

Durante el primer trimestre de 1976, la financiación del déficit se hacía mediante emisión monetaria en muy altos niveles, ya que esta alcanzaba el 63% de dicho financiamiento. Sobre esto, nos dice un informe de FIEL que en marzo de 1976 la tasa mensual del índice de precios mayoristas era de

54%, que aún manteniéndose estable (la tendencia era creciente) implicaba una proyección anual del 17.000%. Asimismo, el documento señala que la situación del sector asalariado, considerando el período marzo de 1975 a marzo de 1976, indicaba que mientras los salarios nominales habían crecido un 370%, el índice de precios al consumidor aumentó un 566%, es decir que los salarios retrocedían significativamente frente al aumento del costo de vida. En puridad, esta pérdida era mayor por la existencia de un congelamiento oficial de precios que por la propia naturaleza artificial que implica la medida; en la práctica los precios son retenidos en el corto plazo, pero se elevaban dramáticamente en el mediano. La "Justicia Social" del Peronismo provocó que el salario real estuviera *"una cuarta parte más abajo del nivel en que lo había dejado Alejandro Agustín Lanusse, en mayo de 1973"*.[331]

Los días previos al 24 de marzo, las declaraciones de personalidades y las notas de los diarios reflejaban el clima de matanzas y terror que se vivía, así como también el desgarrador pedido de cambio de gobierno. El emblemático diario de los Timermman *La Opinión*, informaba: *"Un muerto cada cinco horas, una bomba cada tres"*, (tapa del 19 de marzo de 1976), *"De jueves a jueves (entre el 11 y el 18 de marzo) 38 personas fueron asesinadas en todo el país sin que se produjera ninguna detención ni se diese cuenta de ninguna pista. En el mismo período, 51 bombas estallaron en diferentes sitios"*, (nota de tapa). Respecto del grado de adhesión popular que tenía la posibilidad de un gobierno "cívico-militar", el 20 de marzo el diario *La Opinión* informaba: *"Prácticamente un noventa por ciento de los argentinos habla hoy de la proximidad de un golpe de estado"*. En la contratapa de ese ejemplar, se informaba el apoyo tácito de sectores obreros ante la eventualidad de un gobierno de facto: *"Cuarenta y una organizaciones sindicales no acatarían un paro general de actividades en caso de ruptura del orden constitucional, reveló ayer en el Congreso el diputado nacional Ricardo de Luca (justicialista del Grupo de Trabajo y secretario general del sindicato de Obreros Navales)"*.[332] Ese mismo día, el dirigente justicialista Jorge Antonio manifestó: *"Si las Fuerzas Armadas vienen para poner orden y estabilidad, bienvenidas sean"*. Desde la revista *Cuestionario*, Rodolfo Terragno describía el panorama diciendo: *"Se oscurece la visión de una crisis cuya razón última reside en esta suerte de navegación a la deriva a la cual se ha entregado la Argentina, un país que, en 1976, aparece carente de objetivos"*.[333] Francisco *Paco* Manrique, presidente del Partido Federal (por entonces la tercera fuerza electoral), afirmó: *"Estamos asistiendo al sepelio de un gobierno muerto, al desalojo de una pandilla"*.[334] Los diputados voluntariamente abandonaban sus puestos y, el 21 de marzo, *Clarín* informaba: *"Los legisladores que asistieron al Parlamento se dedicaron a retirar sus pertenencias"* y como los vicios políticos de ayer no eran tan distintos a los de hoy, agregaba *Clarín*: *"Y algunos solicitaron un adelanto de sus dietas"*. Describiendo el escenario, en otro pasaje de ese ejemplar remataba: *"El deterioro económico-social y la nueva y luctuosa escalada de violencia llevaron a la situación política a un punto límite"*. El mismo día, el diario *La Razón* completaba: *"Hay tranquila resignación en el Congreso frente a los inevitables acontecimientos que se avecinan"*. Cuenta Juan Bautista Yofre: *"El Congreso estaba casi deshabitado. 'No quedan ni los pungas' en la zona del Congreso, informó un matutino. La gran mayoría de los legisladores vaciaron sus escritorios, carpetas y retiraron sus heladeras portátiles"*.335

También el 21 de marzo, el diario *La Prensa* detallaba en sus titulares: *"Hubo 1358 muertos desde 1973 por acciones terroristas. Repelieron ataques a dependencias policiales. Nuevos hechos de violencia en Mendoza. Secuestraron a un gremialista. Sepelio de un policía muerto por terroristas. Hízose detonar una bomba frente a una peluquería. Habríase planeado cometer un ataque contra un aeropuerto"*. El diario *La Nación*, por su parte, informaba en uno de sus titulares: *"Doce personas asesinadas en el interior"*.

Al día siguiente, el 22 de marzo, el radical Fernando De la Rúa virulentamente arremetió: *"Es increíble que la Presidenta, que proclama su afición a los látigos, ni siquiera desmienta que su ex ministro y principal consejero, López Rega, siga alojado en su quinta madrileña, convertida en aguantadero de un prófugo de la justicia"*.336 El mismo día, procediendo de igual modo que los diputados que se escapaban de sus funciones, el intendente de la Ciudad de Buenos Aires, José Embrioni, presentó su renuncia. El general Villarreal *"había sido el encargado de informarle al jefe radical, por orden de Videla y de Viola, cuál sería la fecha exacta del golpe. Lo hizo cuarenta y ocho horas antes de que ocurriera [...]. Balbín le dijo a Villarreal: 'Bueno, General que tenga suerte'"*. 337

El 23, *La Opinión* titulaba: *"Una Argentina inerme ante la matanza"* (tapa del 23 de marzo de 1976) y en otras páginas del mismo ejemplar informaba: *"El terrorismo ha causado 1358 muertes desde el 25 de mayo de 1973, así desglosadas: 66 militares, 136 miembros de las policías provinciales, 34 de la Policía Federal, 677 civiles y 445 subversivos"*, *"Otros 10 muertos se sumaron a la lista de crímenes políticos, incluyendo el del secretario de la FOTIA"*, *"Todo el país víctima de la violencia"*, *"Desde el comienzo de marzo hasta ayer, las bandas extremistas asesinaron a 56 personas"*,338 *"Un comando asesinó a Atilio Santillán"*, *"Intentaron el copamiento de dos cuarteles"*, *"Ataque extremista en La Plata"*. El día anterior al cambio de mando, el diario *La Razón* titulaba: *"Es inminente el final, todo está dicho"*, (tapa del 23 de marzo de 1976) y en páginas interiores del mismo ejemplar: *"A última hora se acentuaba la impresión del desenlace"*. Al mismo tiempo, el diario *La Nación* informaba: *"Aguárdanse decisiones en un clima de tensión"* y en otro pasaje agregaba: *"Éxodo sindical ante he-*

chos imprevisibles". Por su parte, el diario *La Prensa* titulaba: *"Diez extremistas muertos en La Plata"*, (tapa del 23 de marzo); en otras páginas del mismo ejemplar se decía: *"El gabinete se reunió en medio de tensa expectativa"*, *"En el Congreso se estima que el proceso ha llegado a su culminación"*, *"Produjéronse tiroteos en La Plata"*, *"En Buenos Aires fue asesinado por terroristas un sindicalista tucumano"*, *"Paro de personal jerárquico de ferrocarriles. Paralización de embarques de carnes"*, *"Presentó su renuncia el Intendente de Buenos Aires"*. El mismo 23 de marzo los sectores populares, a través de las 62 Organizaciones declararon: *"El movimiento obrero siente un profundo respeto por sus Fuerzas Armadas porque no ignora que sus filas se nutren de nuestros hijos. Sabe de sus valores y de la conciencia de patria que las anima"*.[339]

En tanto, dentro de la Casa Rosada colaboradores y funcionarios se reunieron *"para festejar el cumpleaños de una secretaria. Con la asistencia de Isabel Perón, se celebró en forma ruidosa, se brindó y cantó el 'Feliz Cumpleaños'"*.[340]

Entre bombas y crímenes masivos llegamos al 24 de marzo, fecha utilizada por las izquierdas y los demagogos coyunturales de nuestra actualidad para efectuar pomposos discursos contra los "militares usurpadores" (unánimemente apoyados por la civilidad y la partidocracia de entonces), que nos "robaron la democracia y el estado de derecho". Pues parece ser que el régimen de *Isabelita* y López Rega, más la fuga de ministros, intendentes, diputados y demás funcionarios, más el desmantelamiento judicial, más la hiperinflación, más los quinientos muertos por la AAA (conducida desde un Ministerio), más los 1358 asesinatos por responsabilidad de la subversión, más los 908 terroristas desaparecidos, más los 2000 terroristas amnistiados, más los 6500 atentados subversivos sin condena alguna, constituían una "democracia y un estado de derecho" para los promotores de la propaganda actual y el numeroso panel de idiotas útiles que les brindan consenso al cúmulo de falacias y mentiras recurrentemente propagadas.

24 de marzo: ¿"Golpe de estado" o cambio de Gobierno?

A pesar que ordinariamente se suele llamar "golpe" al cambio de mando acaecido el 24 de marzo de 1976, consideramos que dicho término es injusto por erróneo. La palabra "golpe" suena a fuerza, a choque, a ruido, a potencia, a desplazamiento de un objeto por otro. Conforme la Real Academia Española, la apalabra "golpe" tiene por sinónimos "choque, impacto, empujón, encontronazo", asimismo es definida como "acción de tener un encuentro repentino y violento dos cuerpos". Trasladando esta definición al caso de marras, sería el supuesto de dos fracciones políticas en pugna (Gobierno y "golpistas"), desplazando por la fuerza los "golpistas" al Gobierno que con gallardía resistiría el "derrocamiento". Pero hete aquí que ante la situación de que se abandone voluntariamente un lugar (sin la menor intención de conservarlo sino por el contrario) para que espontáneamente y, con todo el consenso, sea ocupado por otro sector (conformado por civiles y militares) y sin la menor oposición ni resistencia por parte del gobierno remplazado (tal lo sucedido el 24 de marzo de 1976), creemos que hablar de "golpe" es inapropiado y no se corresponde con la realidad del hecho histórico.

Más ajustado resulta referimos al episodio acaecido como un liso y llano "cambio de mando". De todos modos, la expresión "golpe" ya está instalada y quizás, hasta por una cuestión de economía de términos, podamos mencionar ese episodio político de ese modo aunque como ya lo dijimos, el abandono deliberado del Gobierno peronista y el consiguiente recibimiento con alfombras rojas y aplausos a las nuevas autoridades no nos parece que pueda ser mencionado como un "golpe" en el sentido estricto del término. A modo emblemático de lo que queremos expresar, basta con recordar que Ricardo Balbín *"había efectuado urticantes manifestaciones públicas al alegar que nunca fue tan fácil como en este momento para las Fuerzas Armadas tomar la Casa de Gobierno: 'Porque no hay nadie en ella'"*.[341]

Lo cierto es que más allá de cuestiones terminológicas, la junta de comandantes encabezada por el Tte. Grl. Jorge Rafael Videla, acompañada y respaldada por toda la ciudadanía y los partidos políticos (incluyendo al Partido Comunista) debió hacerse cargo de la conducción del país en el medio de la guerra civil, sustituyendo así a la bailarina *Isabelita* (que fue detenida) y a todo el enjambre rufianesco que parodiaba la conducción de la República. Para el Peronismo, el "golpe" fue un verdadero alivio. El gobernador del Chaco y vicepresidente primero del Justicialismo, Felipe Bittel (compañero de fórmula de Luder en 1983), al enterarse del nuevo Gobierno *"le gritó a Osvaldo Papaleo (secretario de prensa de la Presidencia): 'Chau papá, hasta mañana. Esto hay que festejarlo con champaña. Todo se ha disipado'"*.[342]

La consigna no era destruir las instituciones, sino conservarlas; no se pretendía quebrar el "Estado de derecho", sino intentar recomponer el "Estado de desecho". Tampoco había vocación de "perpetuidad", tal el vicio en el que recurren los "politicuchos" de la partidocracia actual (como por ejemplo Kirchner, que cuando era gobernador de Santa Cruz instituyó en la Constitución Provincial la figura de la "reelección indefinida"). En efecto, la propia autodefinición de ese período como el "Proceso de Reorganización Nacional" lo dice todo y nos muestra la naturaleza necesariamente transitoria de aquello. Un "proceso" es por definición algo que nace, se desarrolla y culmina. La culminación implicaba retornar a las formas democráticas, pero sin los vicios nefandos ni dramáticos sobresaltos del Gobierno que acababa de ser pacíficamente remplazado. No existía vocación alguna de eternidad, sino de mera transición.

No podemos analizar lo que ocurrió en aquel período histórico si no nos atenemos al contexto imperante. Que el Gobierno de Videla haya tenido una impronta autoritaria (que la tuvo), también obedeció a una natural relación causa-efecto. La historia ha demostrado que de la anarquía y el desorden no se llega a la *"democracia fraterna y heterogénea"*, sin antes pasar por una política de orden estricto. Del caos no se pasa a la normalidad, sin previamente transitar un interregno de gobierno rígido. ¿Cabía imaginarse un gobierno plural, ecuménico y asambleario en medio de una guerra civil? Obviamente, eso era inviable, asumiera Videla, Montoneros o siguieran gobernando *Isabelita* y los suyos.

Un "golpe" nacional y popular

Lo cierto es que las nuevas autoridades asumieron en el medio del júbilo popular y el respaldo inequívoco de la mayoría absoluta de los sectores políticos. Una de las voces más representativas de Peronismo, Jorge Paladino (ex secretario general del PJ y delegado personal de Juan Domingo Perón), describió la realidad manifestando: *"Las Fuerzas Armadas no hicieron más que aceptar un pedido general, tácito y/o expreso de la ciudadanía para encarar, con su intervención, una crisis de supervivencia de la Nación que las instituciones formales y las organizaciones civiles demostraron ser incapaces e impotentes de resolver".* [343]

En efecto, ninguna institución política u organización no gubernamental, ningún medio de prensa, ningún partido, ninguna entidad religiosa, ninguna organización intermedia opuso la más mínima oposición o resistencia (siquiera verbal o protocolar) al cambio de mando ansiado, esperado y respaldado por todo el pueblo.

El día después del cambio de Gobierno en la Argentina (el 25 de marzo), el mundo y la prensa internacional (que hoy mutablemente cuestiona aquella irrupción) apoyaban y justificaban sin cortapisas los nuevos aires reaccionando de este modo: *"EE.UU.: informó que continuará sus relaciones en forma normal (el 27 reconoció formalmente al gobierno); Uruguay: reconoció el gobierno militar de nuestro país; Chile: reconoció al nuevo gobierno argentino; Brasil: dijo que ni bien la Argentina lo solicitara, el reconocimiento sería automático; España: el reconocimiento sería automático;* The Washington Post *decía: 'Los militares merecen respeto por su patriotismo, al tratar de salvar un barco que se hunde. El fin de un gobierno civil, normalmente un hecho lamentable, era en este caso una bendición';* Le Monde: *'La intervención militar era deseada por grandes sectores de la opinión. Esta vez las FF.AA. han dado la impresión de haber cruzado el Rubicón solo cuando se sintieron forzadas a hacerlo';* New York Times: *'nadie puede discutir con*

154

seriedad la declaración de la Junta Militar de que el régimen depuesto creó un tremendo vacío que amenazó con lanzar a la Argentina al abismo de la desintegración y la anarquía política'; O'Globo: *'no hubo destrucción del poder porque no había poder, ni usurpación porque la presidente ya no gobernaba'*".344 En Holanda, el *Algemmen Dagbla* de La Haya expresaba: *"Lo único asombroso es que la intervención militar se haya hecho esperar tanto [...]"*; en Suiza, el *Tagesanzeiger* comentaba: *"El cambio de poder en la Argentina, apenas puede calificarse de golpe de estado. A los militares les cayó el poder en las manos como un fruto podrido [...]"*; en España, el diario *ABC* en su editorial, decía: *"En la Argentina el Ejército ha decidido colocar el interés nacional por encima de cualquier otro"*.345

La misma tarde en que el presidente Videla emitió su primer discurso, *"el embajador Hill escribió a su gobierno en Washington: 'Este debe ser el golpe mejor planeado y más civilizado en la historia Argentina [...] los mejores intereses de la Argentina y los nuestros radican en el éxito del Gobierno moderado encabezado por el general Videla. Tiene la oportunidad de volver a unir al país, detener el terrorismo y poner la economía en marcha'"*.346 El notable respaldo popular ocasionó aquel fenómeno que se conoce como "shock de confianza", lo que provocó en el orden internacional que en sólo 72 horas el país recuperara el crédito suspendido con motivo del desconcertante y poco confiable gobierno anterior, que además había dejado al país en cesación de pagos. El diario *Clarín* informaba, el 26 de marzo de 1976: *"Favorable repercusión tuvo en el exterior la asunción por parte de la Junta Militar del gobierno de la Nación. Quizás el mejor indicador se reflejó en el mercado de cambios de Montevideo, donde el peso argentino experimentó ayer un alza del 15% con respecto a la jornada anterior"*.

En el orden nacional las personalidades representativas de los más diversos sectores junto con la prensa, en forma unánime, brindaban un incondicional apoyo y en los editoriales y columnas se podía advertir de manera tangible el clima de alivio y algarabía por la situación dada. El mismo día en que se produjo el ovacionado cambio de Gobierno, el diario vespertino *La Tarde* decía: *"Esta madrugada culminó la dramática crisis en que, ante el vacío de poder político, estaba sumida la Nación. Las FF.AA., agotadas todas las instancias del mecanismo constitucional, asumieron la conducción del Estado"*.

A partir del día siguiente, se produjo una avalancha de apoyos provenientes de todos los sectores del periodismo gráfico, radial y televisivo. El diario *La Nación*, el 25 de marzo de 1976, decía: *"Lo que termina y lo que comienza. En la madrugada de ayer concluyó el desmoronamiento de un gobierno cuya única fortaleza consistía, en los últimos seis meses, en el empeño que para sostenerlo pusieron quienes no compartían sus propósitos. Nunca hubo en la Argentina un gobierno más sostenido por sus opositores [...]. La crisis ha culminado. No hay sorpresa en la Nación ante la caída de un go-*

bierno que estaba muerto mucho antes de su eliminación por vía de un cambio como el que se ha operado. En lugar de aquella sorpresa hay una enorme expectativa. Hay un país que tiene valiosas reservas de confianza, pero también hay un terrorismo que acecha".

Ese mismo día, el diario *Clarín* en su esperanzado editorial, titulado "Un final inevitable", afirmaba: *"Se abre ahora una nueva etapa, con renacidas esperanzas. Y si bien el cuadro que ofrece ahora el país es crítico, no hay que olvidarse que todas las naciones tienen sus horas difíciles y que el temple de sus hijos es capaz de levantarla de su ruinosa caída".*

El 25, el diario *La Prensa* publicaba: *"Orden, seguridad, confianza. [...] En dos horas, sin el asomo de una sola falla, al cabo de una operación impecable, precisa, sin estridencias vanas y sin disparar un solo tiro, las Fuerzas Armadas de la Constitución pusieron término al desempeño ilegítimo del gobierno instaurado el 25 de mayo de 1973. Lo hicieron para salvar 'un tremendo vacío de poder' y tras de 'serenas meditaciones' sobre las consecuencias irreparables que podría tener sobre el destino de la Nación una actitud distinta a la adoptada [...]. La revolución del 24 de marzo no sólo ha puesto fin a una época de ignominia y a un régimen corrupto y corruptor, sino que ha abierto el cauce por el cual podrá ir derramándose un nuevo modo del comportamiento colectivo. Basta recorrer la ciudad, terciar en la conversación del grupo callejero, prestar oídos a la tertulia del café, de la sobremesa, anotar los comentarios en el ámbito del trabajo o de la familia, para percibir en todos una sensación de alivio, tan aflojamiento de la tensión psíquica un despertar de la pesadilla en que fue envolviendo todo, aun a los propios usufructuarios del régimen abatido; la prolongación de una situación de insostenible defensa. Simple, repetida, estremecida a veces, la queja era común: '¡Esto no puede seguir!'".*

El 27, el diario de izquierda *La Opinión*, en una nota firmada por Jacobo Timermann (padre del funcionario kirchnerista Héctor Timermann), esgrimía: *"Reflexión. Si los argentinos, como se advierte en todos los sectores –aun dentro del ex oficialismo–, agradecen al Gobierno Militar el haber puesto fin a un vasto caos que anunciaba la disolución del país, no menos cierto es que también le agradecen la sobriedad con que actúan. De una etapa de delirio la Argentina se abrió en pocos minutos a una etapa de serenidad de la cosa pública. Las nuevas autoridades demuestran un pudor, un recato tan beneficioso para ellos como para su relación con los gobernados. No han añadido títulos pomposos y huecos al nombre de su Gobierno, ni lemas rimbombantes a sus objetivos; no hacen rendir culto a su personalidad ni se halagan con la propaganda. Y no se prestarán a ser incluidos en esa especie de álbum familiar del Poder que el semanario* Gente *ha dedicado a los altos funcionarios de todos los regímenes".* Ese mismo día y en el mismo diario, la pluma de Eriberto Kahn remataba: *"No es un secreto para nadie que las FF.AA. contribuyeron casi ilimitadamente a evitar el colapso de las instituciones, pero sus esfuerzos, como los de la oposición, fracasaron porque las instituciones no se ayudaron a sí mismas, hasta el punto de abandonar a un total y absoluto vacío de poder a un país desquiciado, dominado por la corrupción y azotado por una violencia que sumergió en la inseguridad a todos los argentinos".*[347]

La revista femenina *Para Ti,* el 28 de marzo de 1976, no se quedaba atrás y, sumándose a esta enorme ola de apoyos, solicitaba medidas: *"Los paños tibios o los medios términos no corren a esta hora del mundo".* El mismo 28, el ya citado diario izquierdista *La Opinión* publica una nota escrita por José Ignacio López (quien más tarde fuera vocero del gobierno de Raúl Alfonsín) acerca del nuevo ministro de Economía, Martínez de Hoz, donde dice: *"El futuro ministro se ubica entre aquellos que han advertido que el hombre de negocios no puede permanecer recluido en el estrecho círculo de sus negocios, sino que debe participar crecientemente en la solución de los problemas de la sociedad contemporánea".* La prensa gráfica no sólo apoyaba a las nuevas autoridades en los editoriales de sus publicaciones; también expresaba su adhesión en entrevistas, tal como lo hizo Robert Cox, *"en el reportaje concedido a un semanario político, ante la pregunta ¿Uds. estuvieron a favor de ese proceso?, el por entonces director de* The Buenos Aires Herald *respondió: 'Por supuesto, el país no aguantaba más la situación en que estaba sumido'".*[348]

El mismo 28 de marzo, el diario *La Voz del Interior* expresaba: *"Los diarios de América y Europa coinciden en señalar [...]. Nunca, una Fuerza Armada ha hecho tan poco por llegar al gobierno [...] el gobierno se asumió en el minuto preciso, cuando ya parecía no quedar espacio para otras alternativas, y por esa precisión es que la nación en su totalidad, ha aceptado con ánimo generoso y esperanzado, el advenimiento del nuevo gobierno militar"*[349] y, al día siguiente, consideraba que las FF.AA. basaron su acción *"en su vocación de servicio y no en un deseo de poder [...]. Un sentimiento de alivio general es perceptible en una población que presentía y temía los acontecimientos que se avecinaban, pero no hubo los temidos estallidos de violencia, ni la instalación de un régimen rencoroso y revanchista, por el contrario, hubo respeto y el anuncio claro y terminante de que los únicos que tenían que temer eran los delincuentes y los elementos subversivos".*

El día 31, el ya citado diario de los Timermann, *La Opinión,* justificaba este "golpe" y lo diferenciaba de otros ocurridos en el pasado: *"Aparece claro que este movimiento militar no se puso en marcha contra ningún sector; no va contra el Peronismo, como en el 55, ni contra la clase política como en el 66. Los enemigos son solo aquellos que han delinquido, sea desde la subversión o desde el poder".* Respecto a la actitud de Timermann y su diario, Miguel Unamuno, a la sazón ministro de Trabajo del régimen anterior, afirmó: *"Hubo una campaña de prensa contra el oficialismo, seguramente ayudó a la misma la ineptitud e incoherencia del Gobierno que integré. El diario* La Opinión *que dirigía Jacobo Timerman era el medio periodístico que más desembozadamente fogoneaba el golpe de Estado".*[350]

El caso de Jacobo Timermann merece un comentario aparte, puesto que su desembozado apoyo al proceso cívico-militar contrasta con el hecho de que luego fuera detenido durante dicha gestión. Si bien su hijo, Héctor, quien ocupó diversos cargos en la administración pública (actualmente es cónsul de Nueva York de la gestión de Kirchner) más por ser heredero de un apellido influyente que por méritos personales, se encarga recurrentemente de victimizar a su padre y atacar con odio rabioso a las FF.AA. que su padre defendió con tesón hasta su detención (e incluso después de ella) que se produjo cuando se comprobó que Juan Graiver, socio de Timermann, era financista y administrador de Montoneros, lo que motivó que se llevara a cabo una investigación sobre su socio Jacobo. Según relata Viotto Romano: *"Las entidades que involucraban a Timerman con Graiver y sus sociedades eran: diario* La Tarde, *sociedad formada por David Graiver y Jacobo Timerman. Diario* La Opinión *editado por la Editorial Olta en los talleres de Gustavo S.A. Sus dueños, Jacobo Timerman con un 50% y con el otro 50% el supuesto testaferro de David Graiver, Jorge Rotemberg".*[351]

No es la intención cansar al lector con un cúmulo de noticias y opiniones de la época; empero, consideramos indispensable no soslayar determinadas manifestaciones de medios de comunicación emblemáticos, tal el caso del diario *Clarín* (al que hoy le toca jugar de "progresista" cuando ayer jugaba de "procesista". En rigor, la coherencia del mentado diario pareciera circunscribirse en ser "oficialista") que publicó el 1º de abril un extenso editorial del cual extraemos algunos fragmentos:

"Aunque resultara innecesario justificar las motivaciones de la acción militar del 24 de marzo (porque nada fue más evidente que la incapacidad del anterior gobierno para modificar el rumbo que nos conducía a todos al desastre) ha sido oportuno que el país escuchara las explicaciones de su nuevo presidente. Ellas ratificaron el hecho conocido de que las Fuerzas Armadas no han interrumpido el proceso que se venía desarrollando, sino cuando tuvieron el convencimiento de que se hallaban agotados todos los recursos susceptibles de operar la indispensable rectificación [...]. Uno de sus principales campos de acción será la reconstrucción del Estado. [...] en primer lugar, le tocará a él ejercer el monopolio de la fuerza y cumplir las funciones vinculadas con la seguridad interior. De más está decir que esa fuerza será empleada sin vacilaciones en el combate frontal contra la delincuencia subver-

*siva en cualquiera de sus manifestaciones. La palabra presiden-
cial, sin buscar aplausos anticipados, ha fijado un rumbo apto para la solución de los problemas nacionales. Y como el mismo Presidente lo expresa, el acierto de las decisiones del gobierno será
en definitiva el que suscitará la adhesión de la gran mayoría de los
argentinos."*

*El presidente Jorge Rafael
Videla brindando con Er-
nestina Herrera de Noble,
titular del diario oficialista Clarín.*
(Fuent: diario *Ámbito Financiero*.)

En perfecta consonancia con los apoyos masivos que tenía el flamante
Gobierno, la revista *Gente* (la más importante de la época) edita un suplemento especial titulado "25 de mayo de 1973-24 de marzo de 1976: testimonios de 1035 dramáticos días", en cuya primera página puede leerse: *"Por
qué este libro. 25 de mayo de 1973. 24 de marzo de 1976. En el medio de ese
período está encerrado uno de los capítulos más negros de la historia argentina. Desenfrenada carrera inflacionaria, violencia, vacío de poder, descomposición social, corrupción [...]".*

Como puede apreciarse, los más masivos y prestigiosos medios gráficos de la época respaldaban, al igual que la ciudadanía, en forma total y absoluta la reacción cívico-militar que vino a poner fin a esa desvergonzada
costra que desgobernaba el país. Como bien lo señalaba el editorial de *La
Opinión*, y mal que le pese a la demagogia dominante, dicha reacción, lejos de ser un "golpe" de la "derecha oligarca" (tal el mito difundido por los
embusteros televisivos), se constituyó en una verdadera rebelión popular.
No había sector social ni ideológico que no lo avalara. Tanto es así, que
hasta el mismísimo Partido Comunista (de ideología marxista, pero ajeno a
las armas y a la delincuencia) emitió una extensa proclama de expreso apoyo al "golpe" al día siguiente de producido que se titulaba: "Los comunistas y la nueva situación argentina. Declaración del PC". El documento, entre otras cosas decía:

"*Ayer, 24 de marzo, las FF.AA. depusieron a la presidenta María E. Martínez, reemplazándola por una Junta Militar integrada por los comandantes de las tres armas. No fue un suceso inesperado. La situación había llegado a un límite extremo que agravia a la Nación y compromete su futuro [...]. Cargan por esta situación, inmensa responsabilidad el lopezreguismo reaccionario y su protectora María E. Martínez, que habían pisoteado el programa por el cual había votado el pueblo en 1973. Comparten la responsabilidad jerarcas sindicales que sofocaron al movimiento obrero [...]. La movilización de tropas del 24 de marzo había sido precedida de una intensa campaña que reclamaba 'rectificar el rumbo'. Efectivamente, era necesario y urgente cambiar el rumbo [...]. En víspera de los dramáticos sucesos del 24, bandas fascistas impunes asolaron con sus crímenes el país. La muerte rondaba las calles y caminos, fabricas, universidades, hospitales; penetraba en la intimidad de los hogares. Nunca se había visto en nuestro país nada tan cruel. [...] Entre los objetivos expuestos por la Junta Militar está el de combatir la corrupción que pudre donde penetra; y en nuestro país ha penetrado hondo en ciertos medios. [...] También expuso su propósito de poner fin a la subversión. Es conocido el punto de vista del PC sobre las actividades de la supuesta ultraizquierda, que siempre repudió. La guerrilla se combate, sobre todo, suprimiendo las causas sociales que la generan, como se reconoce en documentos militares. [...] El PC considera auspicioso que la Junta Militar haya desechado una solución 'Pinochetista'.*

Buenos Aires, 25 de marzo de 1976".

La relación entre los periodistas y el gobierno cívico-militar, según lo manifiesta el ex presidente Bignone (quien era el encargado de la relación entre el Gobierno y la prensa durante la gestión de Videla), era en líneas generales excelente y el Gobierno "*era criticado a menudo, globalmente a alguna de sus áreas, sin que se coartara la libertad de expresión en ningún momento, salvo, repito, en lo atinente a las necesidades de la lucha contra la subversión. Si bien hubo unas pocas clausuras, estas medidas se tomaron por razones de orden público antes que ideológicas*",[352] y agrega: "*Muchos variaron automáticamente de posición y hasta de rol. Han abundado los 'perseguidos', los 'reprimidos' y hasta los 'mártires de la libertad de prensa'. A muchos de ellos conocí como fervientes partidarios del proceso y ninguno fue perseguido por sus ideas. Mi relación con el periodismo, desde la secretaría, fue inmejorable. Quedan en mi recuerdo innumerables periodistas con los que tuve buena rela-*

ción" y, entre otros, Bignone menciona a Ramón Andino (padre del periodista Guillermo Andino), Roberto Fontana, José Ignacio López (futuro funcionario del régimen de Alfonsín), Pedro Laborda, Enrique Llamas de Madariaga y agrega: "*Durante esos tres años también me entrevisté con Magdalena Ruiz Guiñazú* (futura miembro de la CONADEP y defensora de los "derechos humanos"), *Sergio Villarruel, Roberto Maidana, José Gomez Fuentes y otros*".[353] Complementa el ex Presidente informando que en otras áreas, como la eclesiástica, eran comunes los almuerzos con personalidades como monseñor Justo Laguna (otro pastor que ahora "juega de progresista").

El flamante gobierno, además de contar con los innumerables apoyos expuestos, contó con el beneplácito y la solidaridad de todos los partidos políticos (que hoy desesperadamente se despegan de su "procesismo" de otrora) y sus respectivos dirigentes. De acuerdo a esto, Ricardo Balbín, presidente del reconocido partido de tradición golpista UCR, el 27 de abril, relataba con deleite: "*Recibimos con satisfacción que las Fuerzas Armadas en el poder hayan ratificado su voluntad de arribar a un procedimiento democrático y republicano*".[354] Tras el "golpe", Jorge Antonio intentó justificar el horroroso gobierno remplazado alegando que su íntimo amigo Juan Perón: "*Era un hombre mayor y enfermo. Fue rodeado por una verdadera banda de delincuentes que se ocupó de sus intereses personales y de grupo*".[355]

A modo de muestra del notable apoyo de los partidos políticos a las nuevas autoridades, tengamos en cuenta que al cumplirse tres años de gobierno del presidente Videla, el día 25 de marzo de 1979, el diario *La Nación* publicaba la nómina de los 1697 intendentes en pleno ejercicio de sus funciones. Solamente el 10% de los municipios eran comandados por miembros de las FF.AA., el 90% restante por civiles repartidos del siguiente modo: el 38% de los intendentes estaba conformado por personalidades civiles de reconocida trayectoria en sus respectivas jurisdicciones y comunas y el 52% restante era directamente comandado por los partidos políticos tradicionales. ¿Y quién encabezada la lista?, por supuesto que "*la Unión Cívica Radical con 310 intendentes en el país, secundada por el PJ (partido presuntamente 'derrocado' con 192 intendentes), en tercer lugar se encontraban los Demócrata Progresistas con 109, el MID con 94, Fuerza Federalista Popular con 78, los Demócratas Cristianos con 16 y el izquierdista 'Partido Intransigente' con 4*".[356]

Además, ciudades de gran importancia como Mar del Plata fueron comandadas por el Partido Socialista. La notable habilidad de los civiles y los partidos políticos para hacerse los distraídos con respecto a las responsabilidades y cargos ocupados durante el gobierno de facto ha provocado que las nuevas generaciones crean que el gobierno del proceso cayó de un meteorito y se instaló mágicamente en el poder "contrariando la voz del pueblo".

Sin duda alguna, en este cogobierno cívico-militar fue la UCR la más entusiasta colaboradora, aportando sus mejores hombres para que ejercieran relevantes cargos en la administración pública. Es llamativo el error que cometieron los militares al rodearse tanto de un partido caracterizado por la recurrente ineficacia en ejercicio del poder. Para más datos sobre el activo apoyo que la UCR brindó al presidente Videla y su gestión, el sociólogo Juan José Sebreli nos cuenta: *"Resulta insólito pensar que Raúl Alfonsín en 1977 propusiera una reforma constitucional estableciendo un poder conjunto de militares y civiles con presidente militar (cargo que ocuparía Videla) y primer ministro civil. Esa salida a la portuguesa, según la denominaría el propio Alfonsín, fue pronto olvidada y por supuesto, no figura en la foja del futuro líder de la democracia"*. Asimismo y en otras áreas, el radical *"Ricardo Yofre fue subsecretario general de la Presidencia. [...] el último embajador del 'Proceso' en Washington fue el radical alfonsinista Lucio García del Solar"*.357 Además, *"[...] fueron designados embajadores: en Venezuela, el radical Héctor Hidalgo Solá; Rubén Blanco en el Vaticano; Tomás de Anchorena en Francia; el demócrata progresista Rafael Martínez Raymonda en Italia; el desarrollista Oscar Camilión en Brasil* (ministro de Menem), *el demócrata mendocino Francisco Moyano en Colombia y el socialista Américo Ghioldi en Portugal"*.358 El radical Hidalgo Solá, antes de aceptar su cargo, afirmó: *"Los hombres que creen en la Argentina y que quieren el país grande y unido deben ayudar en la medida de sus posibilidades para que este proceso no se pierda nuevamente"*.359 El romance entre radicales y militares no se dio solamente para remplazar a Isabel, sino durante todo el proceso: *"Ya en el poder, Videla seguía entrevistándose con Balbín. A sus famosos almuerzos con personalidades asistió el radical alfonsinista Roque Carranza"*.360 De igual modo se conservaron excelentes vínculos con los sectores sindicales del Peronismo y también con la Comisión Nacional del Trabajo, liderada por Jorge Triacca quien junto al ministro de Trabajo de Videla asistió a la Asamblea Anual de la OIT.

Este marco cordial de cogobierno cívico-militar no se dio sólo durante la presidencia de Videla, sino que luego se fue afianzando. En 1981, al asumir la presidencia, el Tte. Grl. Viola completó el elenco de gobernadores que lo acompañaron en su gestión entre los que se aparecían los siguientes civiles: *"Arnoldo Aníbal Castillo, de origen radical, en Catamarca, Rafael Zenón Jáuregui, del Movimiento Provincial Pampeano, en la Pampa; Domingo Javier Rodríguez Castro, del Bloquismo de San Juan; Rodolfo Emilio Ehiner, de Desarrollista de Formosa; Avelino Jorge Washington Ferreyra, de la Línea Popular y el actual embajador de España, en Entre Ríos"*.361

Paradójicamente, nuestros queridos amigos de la UCR (partido hoy devenido en agónico sello de goma) desde 1983, y hasta el venturoso advenimiento de Néstor Kirchner a la Presidencia, fueron el sector político que más se ha esforzado en deformar la historia y encabezar el ataque y repudio hacia las FF.AA. (a las que apoyaron históricamente en diversas ocasiones) autoadjudicándose el papel histórico de ser los *"paladines de la democracia"*. Con certera razón, el ex presidente Bignone (último presidente del proceso) explicó: *"Los golpes son algo que viene de la sociedad, que va de ella hacia el Ejército, y éste nunca hizo más que responder a ese pedido"*.362

Cuando a partir del año 2003, el presidente Kirchner se empecinó en potenciar la gran distorsión histórica inaugurada por Alfonsín en 1983, algunos hombres del Justicialismo como el ex presidente Carlos Menem, no prestándose a la comparsa distorsiva, salieron al cruce reconociendo; *"Desde 1974 hasta 1976, y tras sangrientos episodios guerrilleros que la muerte de Perón agravó, el país fue un desorbitado campo de batalla. La Presidenta no podía pacificar el país y los montoneros y el ERP habían triturado la posibilidad de vivir en paz. La TV de la época mostró un penoso acto de la ciudadanía el 24 de marzo de 1976: en la Capital Federal, la gente salió a las calles con matracas para festejar la caída de Isabel Perón. Pero el pueblo tenía sus razones: el país era un caos en manos de delincuentes organizados"*.363

El 13 de mayo, aliviado y conmovido, el escritor Jorge Luis Borges reproducía su reacción al enterarse del "golpe": *"La felicidad con que, en California, escuché a (el historiador, escritor y ensayista Ricardo) Caillet-Bois dar la noticia de que ahora estábamos gobernados por caballeros, como son los militares, y no por el hampa. Cuando me informó sobre el golpe, nos abrazamos y lloramos"*.364

Mientras el elenco estable de mentirosos que salen por televisión intentan otorgarle al proceso un carácter foráneo, va de suyo que este fue la consecuencia de una reacción netamente interna surgida de todos los sectores de la sociedad (incluyendo a muchos "revanchistas" de hoy que alzan la arenga "derechohumanista"). Los tergiversadores de la verdad histórica suelen afirmar dislates tales como que el golpe fue una "conjura del poder financiero mundial" encabezado por EE.UU. para "destruir el país" e instaurar "el modelo neoliberal" y provocar así la "deuda y el entreguismo" y todo tipo de apotegmas tan desacertados como malintencionados. Suelen sindicar a los militares de entonces como "marionetas del capitalismo mundial", cuando fueron estos mismos los que en 1982 le declararon la guerra al principal aliado de EE.UU., poseedor de la mayor flota de la OTAN (episodio alborozadamente apoyado y festejado especialmente por la izquierda argentina). De hecho, en la etapa final de los años setenta, cuando los terroristas locales emigraban al extranjero al ser la victoria militar evidente, se refugiaban en el Parlamento norteamericano para denunciar presuntas violaciones a los derechos humanos. Del mismo modo, durante la mayor parte del Gobierno provisional, fue precisamente EE.UU. uno de sus principales elementos obstaculizantes. Contrariamente a lo que sucedió en otros pasajes históricos de la Argentina, cuando se hablaba de "sumisión" o de "relaciones carnales" con los EE.UU, el proceso mantuvo una posición muchas veces equidistante respecto de los intereses tanto de EE.UU como del resto de las grandes potencias. Así ocurrió cuando en enero de 1980, *"Estados Unidos propuso un embargo cerealero de todos los países occidentales a la entonces Unión Soviética. Además propiciaban la no participación en las olimpíadas que se celebrarían en Moscú: motivo de la invasión soviética de Afganistán"*.[365] Pero el Gobierno del proceso se rehusó de participar en el embargo, aunque condenó la invasión a Afganistán.

Además, durante todo el proceso cívico-militar, los EE.UU se encargaron de cuestionar y perseguir al Gobierno nacional. En efecto, el por entonces gobierno "demócrata" de Jimmy Carter efectuó una encendida persecución al Gobierno argentino, auxiliado por algunas ONG como Amnesty Internacional. Sobre este último grupo, el 4 de noviembre de 1976, el diario *La Razón* expresaba: *"Circula en determinados medios locales una versión acerca de las aspiraciones de una de las entidades que ataca repetidamente a la Argentina, desde que la subversión está siendo enfrentada y puesta en retirada. Pretendería visitar el país una comisión de Amnesty Internacional especializada en la defensa de los derechos humanos en países de occidente"* y para apreciar la parcialidad ideológica de Amnesty, el informe agrega: *"No cuentan con filial alguna en ningún país de régimen comunista y tiene una rara historia"*. En consonancia con esto, la revista *Gente*, el 13 de octubre, denunciaba: *"Amnesty Internacional patrocina a tres mil activistas de izquierda solamente en Occidente. Patrocina también a terroristas turcos, griegos, iraníes e indonesios. En 14 años consiguió la liberación de tres mil terroristas de izquierda"*. El 9 de junio de 1978, la revista *Somos* acusaba a Amnesty de ser *"una de las principales organizaciones propulsoras del boicot contra nuestro país y de innegable simpatía hacia el marxismo"*.[366] El 28 de junio de 1977, *"el ex embajador de los Estados Unidos en Argentina, Robert C. Hill, instó al Gobierno del presidente Jimmy Carter a tener 'paciencia y comprensión en el caso de Argentina'. Exhortó a tener paciencia para ver si la eliminación de cualquier amenaza terrorista seria irá acompañada de la terminación de los excesos que se han cometido en la lucha"*.[367] El 3 de junio de 1978, *"el embajador de los Estados Unidos, que viajó a Tucumán declaró: 'La imagen argentina en el exterior es negativa, pero no se ajusta en absoluto a la realidad'"*.[368]

Ninguna duda cabe de que EE.UU. fue el principal contrafrente contra la barbarie totalitaria soviética, pero este logro y mérito que la humanidad entera debe agradecerle, no los exculpa ni dispensa en materia de derechos humanos por las diferentes y graves tropelías por ellos cometidas en las que ejemplos de antaño y ogaño sobran. Por ende, tampoco tienen acabada autoridad como para haber llevado a cabo en su tiempo una ensañada persecución contra los militares argentinos que en los años 70 pelearon contra la guerrilla.

¿Fue un golpe anticomunista?

Vale poner de manifiesto que la gestión cívico-militar, contrariamente a lo que pregona la propaganda oficial, no puso en marcha un "plan de exterminio contra los que pensaban distinto", sino que se continuó a pie juntillas combatiendo al terrorismo y la subversión de modo similar a como lo había hecho el Peronismo abandonista. No tuvo un sesgo "macartista" ni anticomunista, sino antiterrorista, puesto que a diferencia de otras gestiones cívico-militares de nuestro país, esta no prohibió ni declaró ilegal al Partido Comunista y en el plano de la política internacional se reanudaron relaciones comerciales con la URSS llegando a exportarle el 60% de la producción argentina de granos a ese país. Al asumir Videla, *"los comunistas lo respaldaron pues lo consideraban el freno a un supuesto 'golpe pinochetista'. Los dirigentes Fernando Nadra y Athos Fava, junto a Simón Lázara del Partido Socialista, intervenían en foros internacionales explicando las diferencias entre los militares argentinos 'patrióticos y democráticos' y la dictadura de Pinochet"*.[369]

Hombres de izquierda ajenos al terrorismo integraron cargos en el Gobierno y, al segundo año de producido el "golpe", una declaración firmada por los izquierdistas Ghioldi, Rubén Iscaro y Francisco Nadra decía: *"El mensaje de Videla abre la perspectiva de una nueva etapa del proceso político en curso, la etapa de iniciación del fecundo cambio de opiniones entre militares y civiles sobre el futuro inmediato del país y sus posibilidades a largo plazo"*. Más adelante, en 1978, el secretario general del Partido Comunista escribía: *"Algunos dirigentes del país y en particular el propio presidente Videla se refirieron reiteradamente a la necesidad de alcanzar una convergencia cívico-militar. Los comunistas desde hace tiempo que reiteran de manera consecuente esta propuesta"*. Para más datos, *"los dirigentes comunistas Fernando Nadra y Athos Fava fueron los autores del libro* La convergencia cívico militar justifica el proceso. *La obra fue retirada de circulación al restituirse la democracia en 1983"*.[370]

Del mismo modo, el trotskista PST *"llegó a solidarizarse con la 'lucha antisubversiva institucional', justificándola –al igual que la reacción– en nombre del combate a la guerrilla. Sólo la ignorancia de su trayectoria puede llevar a los jóvenes militantes a considerar al PST-MAS como un partido de lucha contra la dictadura"*.[371]

Como vemos, dentro de esta guerra interna contra el terrorismo y la guerrilla, muchos sectores de la izquierda civilizada rechazaban a estas organizaciones delictivas y advertían acerca de la necesidad de apoyar la gestión cívico-militar. Más aún, destacadas personalidades de pensamiento comunista obtuvieron premios y galardones durante el Gobierno provisional: *"Un prestigioso escritor del PC, Raúl Larra, obtuvo el Premio Municipal de Literatura en esos años y lo recibió de las manos del intendente brigadier Cacciato-*

*re. Cuando el almirante Massera formó una agrupación de civiles para apo-
yar su candidatura a presidente, entre sus integrantes había destacadas personalidades de izquierda, como el historiador Luis V. Sommi o el pintor Antonio Berni, de antigua militancia comunista".*[372] Este último, no sólo frecuentaba trato con el almirante Massera, sino que además solía regalarle cuadros de su autoría, entre ellos, la pintura titulada *La casa de la Curva.*[373]

Así como el Peronismo, cuando gobernaba, encarcelaba opositores y cerraba diarios no adictos al Gobierno y así como la UCR ganaba elecciones
con el Peronismo proscripto, el Gobierno cívico-militar también prosiguió lamentablemente con los vicios censuradores que poseían los partidos políticos
tradicionales. Pero cabe destacar que es totalmente falso sostener insistentemente que era un gobierno "anticomunista", cuando en verdad era antiterrorista. Vale mencionar a modo de ejemplo, los casos de las revistas *Fortín* y
Cabildo (ambas de extracción nacionalista católica) que fueron proscriptas y
cuya proscripción recién fue levantada el 17 de junio de 1976. Respecto de
Cabildo, es dable aclarar que la misma publicación fue también proscripta
durante el Gobierno peronista antecesor del proceso y durante el régimen de
Raúl Alfonsín en los años 80 (o sea, nadie en su tiempo fue ajeno a estos vicios lamentables). Si bien todo aquel personaje que haya pertenecido a la progresía vernácula suele autoerigirse como héroe por haber sufrido algún amedrentamiento proscriptivo durante la guerra civil, otros que corrieron igual
suerte no participan de ese impostado papel "victimista", aunque también hayan padecido sobresaltos, tal como le ocurrió el periodista Bernardo Neustadt
(que ya había sido proscripto y estuvo exiliado durante el Peronismo) cuando el PEN prohibió la distribución, venta y circulación de la revista que dirigía, *Creer*, el 27 de enero de 1978.

Respecto de los diarios, inversamente a lo publicitado por la mentira
oficial, los más críticos del proceso fueron precisamente aquellos que no se
caracterizan por poseer un mensaje "progresista". Tanto *La Prensa* (que llegó a publicar listados de desaparecidos y solicitadas de las Madres de Plaza
de Mayo) como el *Buenos Aires Herald* (cuyo director James Neilson, desde
sus editoriales, criticó bravamente tanto el método utilizado para combatir al
terrorismo como muchos aspectos del rumbo económico) mantuvieron equi-
distancia del Gobierno y, cuando lo consideraban apropiado, desde sus páginas arreciaban las críticas más duras.

Como ya fuera dicho, criticar al proceso por la "censura" es efectuar un
análisis selectivo y descontextualizado de la realidad nacional, pues el proceso
no hizo más que continuar con las prácticas de la partidocracia, consistentes en
amilanar voces opositoras. El periodista Bernardo Neustadt suele resumir la
desgraciada historia de procripciones argentinas del siguiente modo: *"Cuando
gobernaba el Peronismo no cantaba Libertad Lamarque, cuando gobernaban
los radicales no cantaba Hugo del Carril y cuando gobernaban los militares*

no cantaba Mercedes Sosa". Notable frase que ya hemos rescatado en otro trabajo pero que bien vale la pena reiterarla, aunque la misma incurra en un error (que no es relevante pues no desnaturaliza la sabiduría del mensaje) que consiste en el detalle de que Mercedes Sosa emigró al exterior no durante el gobierno de Videla sino a causa de la censura peronista en 1974 y que regresó al país en 1978 durante el gobierno de Videla, ofreciendo sin problemas un recital en el estadio Obras Sanitarias. O sea: se escapó en democracia, víctima de la censura y volvió durante el proceso para explayar su arte.

La guerra continúa

Si bien una de las causas por las cuales se llevó a cabo el cambio de Gobierno fue para combatir al terrorismo, muchos mentirosos mediáticos suelen arengar que "cuando se produjo el golpe, la subversión ya estaba totalmente liquidada". Lo cual es una falsedad que iremos desenmascarando en las páginas siguientes al observar que no sólo la guerrilla contaba con un poder de fuego formidable, sino que los atentados más funestos y con mayor cantidad de muertos ocasionados por el terrorismo, se produjeron justamente después del 24 de marzo de 1976. Pero ocurre que este mito (el de suponer que la guerrilla estaba diezmada) fue fomentado en gran parte por la torpeza política del mismo Gobierno cívico-militar, el cual impuso a los periodistas y la prensa en general no publicar nada e ignorar por completo los atentados subversivos, a efectos de que en la población hubiese un clima de tranquilidad y, además, para no hacerle propaganda al enemigo. Tal como lo confiesa el destacado periodista Joaquín Morales Solá: *"Podíamos hacer muy pocas denuncias. Ellos [los militares] se basaron en la experiencia de la lucha subversiva de los años previos al 76, del 73 al 75, diciendo que la difusión que tenían los hechos subversivos en esa época había incentivado el movimiento subversivo. Por lo tanto, cuando llegan en el 76, prohíben por ley toda difusión de los actos subversivos"*.[374]

Al tiempo que asumieron, las FF.AA. dedicaron inmediatos esfuerzos a continuar y cumplimentar sin demasiadas variaciones el mandato jurídico de "aniquilar el accionar de los elementos subversivos" (impartido por el antecesor Gobierno justicialista a través de los decretos precedentemente transcriptos) y a hacer cumplir al pie de la letra el anhelo consistente en "eliminar uno a uno al reducido número de psicópatas que va quedando... con la ley o sin la ley", tales los objetivos que Perón públicamente anheló y predijo, pero que no pudo cumplimentar debido a su deceso.

Efectivamente, el hecho de que las FF.AA. se hayan hecho cargo de la conducción del país no significó en modo alguno que la guerrilla disminuyera en su accionar. Es más, con la irrupción de las FF.AA. en el poder político, el terrorismo logró alcanzar cierta apariencia de legitimidad para luchar contra "la dictadura usurpadora". Efectivamente, lejos del mito maliciosamente propagado que quiere imponer la ficción, de que al momento de asumir el gobierno de facto "el terrorismo estaba liquidado", cuenta Roberto Baschetti que al producirse el cambio de mando, en Montoneros *la capacidad de combate era grande, era amplia. Ya tenía sus fábricas de armamento, sus granadas, una granada que se pone en la punta del FAL y que dispara, que puede llegar a unos doscientos metros. Tenían un grado muy importante de desarrollo militar".*[375] Asimismo y para refutar esta falsedad con datos objetivos, basta destacar que del total de los crímenes cometidos por el terrorismo, el 52% ocurrió en democracia (mayo del 73 a marzo del 76); por añadidura, el 48% restante de los crímenes se perpetró durante el Gobierno provisional. Incluso los ataques más rimbombantes y dramáticos en cuanto a la cantidad de víctimas se sucedieron precisamente durante el Gobierno provisional, tal como ocurrió en el atentado al comedor de la superintendencia de la Policía Federal (que fuera planificado por el "profundo pensador" Rodolfo Walsh), que tuvo como saldo la mutilación de sesenta policías y la muerte de otros veintidós.

En abril de 1976, contrariando a las mentiras oficiales, la guerrilla asesina a Jorge Kenny (empresario), a Carlos Farinatti (funcionario de ENTEL) y a Raúl Velazco (SanCor); secuestra al vicecomodoro Roberto Etchegoyen y producen numerosos ataques. En mayo, muere por las balas terroristas, Pedro Rota (FIAT Concord), asesinan al gerente de Rigolleau, a José Pardales (empresario), a Manuel Fidalgo (empresario), a Miguel Sadisecstky (Swift) y secuestran al coronel Juan Pita. El diario *Clarín* afirmaba en su editorial del 14 de abril: *"Las actividades y las palabras del Gobierno autorizan a pensar que se propone efectuar un tratamiento integral de nuestros males. Dentro de esa perspectiva, y con esa seguridad, resulta plausible el ejercicio de la serenidad y la paciencia recomendada anteayer por el teniente general Videla".*

En mayo se llevaba a cabo un almuerzo al que asistieron el presidente Jorge R. Videla, el tránsfuga Ernesto Sábato (a quien nos referiremos más adelante) y otras personalidades de destaque, entre ellas el padre Castellani y el escritor más importante que haya dado nuestro país en el siglo XX, Jorge Luis Borges. Al salir del banquete, Borges manifestó a la prensa: *"Le agradecí personalmente el golpe del 24 de marzo que sacó al país de la ignominia y le manifesté mi simpatía por haber enfrentado la responsabilidad de gobernar".*

Ninguna duda cabía de que con Videla en el poder, la guerra antiterrorista iba a tener una eficacia y potencia mucho mayores que con *Isabelita* y sus impresentables personeros de turno. Pero las guerrillas, lejos de amilanarse ante las nuevas conducciones gubernamentales, subestimaron al flamante Gobierno y (para colmo) creyeron que la población las iba a apoyar. En efecto, tanto Montoneros como el ERP suponían que iba a ocurrir un levantamiento popular en respaldo a las bandas guerrilleras, pero sucedió todo lo contrario: nunca jamás un gobierno de facto en la historia argentina iba a tener tamaño consenso popular. Al respecto, Gorriarán Merlo reconoce: *"Nosotros cometimos errores. Un error de apreciación política importante fue pensar que el golpe iba a ayudar a que se generalizara la resistencia"*,[376] cosa que nunca ocurrió. Tan desacertado fue el análisis del ERP por entonces que, el mismo 24 de marzo, *"con la firma de Mario Roberto Santucho emitía una proclama titulada ¡Argentinos a las armas!"*, en donde auguraba: *"El paso dado por los militares da comienzo a un proceso de guerra civil abierta que significa un salto cualitativo en el desarrollo de nuestra lucha revolucionaria"*.[377] Montoneros, por su parte, incurrió en el mismo error de enfoque y emitió un comunicado interno que ordenaba a sus miembros a redoblar esfuerzos y multiplicar la lucha. Cuenta, Raúl Magario (jefe de finanzas de Montoneros): *"[...] hay un documento de Montoneros que sale después del golpe donde dicen que los militares cometieron el mayor desatino de la historia y que con esto comenzaba la lucha revolucionaria que terminaría con el triunfo del movimiento popular"*. Según la periodista Viviana Gorbato, el documento al que se refiere Magario fue publicado en la revista clandestina *Evita montonera* y entre otras cosas informa: *"Nosotros señalamos que han cometido el último desatino de su historia porque acá ha fracasado un sistema, no un gobierno, ni un plan económico. [...] Las Fuerzas Armadas enfrentan esta situación en el peor momento de su vida institucional. Todavía no han terminado de recomponerse de la derrota sufrida en el 73 y deben rehabilitarse luego de 20 años de fracasos frente al pueblo [...]"*. Agrega Gorbato: *"Del documento se deducía que todo terminaría con un final feliz, con los montoneros tomando la Rosada como si fueran Lenin avanzando sobre el Palacio de Invierno en octubre de 1917"*.[378] También el terrorista Ernesto Jauretche recuerda el documento y dice sobre él que *"planteaba la necesidad de afianzar la guerrilla urbana, concentrar los recursos en casas operativas y crear unidades de combate móviles muy rápidas. Se buscaba una capacidad muy concentrada para golpear sobre grandes columnas de tropas que se desplazaban por el territorio"*.[379] Luego de leer el documento, cuenta Jauretche que se encuentra con su responsable caminando por la calle, y se produce el siguiente diálogo:

> *"–¿Qué te pareció el documento? –me pregunta él.*
> *–Parece un buen documento de Videla. Lo escribió Videla, ¿no es cierto? Quieren que nos maten a todos...*
> *–Lo escribió la conducción nacional... es la línea que tenemos que seguir.*

–Están en pedo. Yo esa línea no la desarrollo ni borracho. Yo no me quiero suicidar –es la respuesta de Jauretche.
–¿Lo decís en serio? –le pregunta su responsable.
–Sí.
–Bueno, estás arrestado.
–Arrestame. Tengo una pistola en la cintura. Si me ponés una mano encima te vuelo la cabeza, que te quede claro."[380]

El 30 de mayo, el coronel Pita fue secuestrado. Durante los ciento noventa días que duró su cautiverio en una "cárcel del pueblo" perdió más de diez kilos. Por junio, entre las más recordadas atrocidades de los terroristas, el vicecomodoro Etchegoyen es asesinado de un disparo en la nuca mientras dormía, se producen los secuestros extorsivos del señor Julio Oneto y de Carlos Macri (se cobraron $ 750.000 por el rescate de este último). También son asesinados por el terrorismo, Pedro Etchevare (INTA) y el Grl. Cardozo, a manos de la "militante popular" Ana María González, de 18 años (quien colocó una bomba debajo de su cama). El ERP culmina el mes asesinando a Horacio Serragan (IKA-Renault).

Para satisfacer sus necesidades espirituales, Montoneros nombra capellán *"al sacerdote Jorge Adur, que en su momento integró el Movimiento de Sacerdotes del Tercer Mundo"*.[381]

El 20 de junio, el diario *La Opinión* en su editorial expresaba: *"En la Argentina de hoy se libra una verdadera **guerra** de la cual depende la supervivencia de la Nación, y **el restablecimiento de la paz y de la democracia sólo procederá cuando se extirpe del país a la subversión"**.

Al comenzar julio, el día 2, se produce un espectacular atentado en el comedor del personal del edificio de seguridad de la Policía Federal Argentina. Este episodio (ya aludido) fue el atentado terrorista de más alta envergadura en cuanto al número de muertos y víctimas ocasionado. Se utilizó para tal fin un artefacto de 9 kilos de trotyl y 5 kilos de acero, y la explosión tuvo como dramático saldo 60 heridos y 22 muertos de la Policía Federal. El jefe de Inteligencia del ataque fue el "humanista" Rodolfo Walsh *"quien planificó el atentado en el comedor de la Superintendencia de Seguridad Federal, cuando después de captar al suboficial de la Federal, José María Salgado, le ordenó que colocara la bomba el 2 de julio de 1976"*.[382]

Ese mismo mes, junto a otros tres terroristas, cae abatido en combate el líder Roberto Santucho (cabeza del ERP) luego de resistir el ataque con una ametralladora que le había regalado el "demócrata" Salvador Allende. La caída de Santucho provocó otro duro revés a la guerrilla rural. En el enfrentamiento cayó abatido también el capitán Leonetti. A raíz de la muerte de Santucho asume la conducción del PRT (brazo político del ERP) Luis Mattini quien confiesa: *"El golpe era demoledor [...] resolvimos investigar la muer-te de Santucho y evaluamos que de todos modos estábamos en condiciones de seguir, pero que teníamos un problema, incapacidad militar para enfren-tara la dictadura [...]. Las FF.AA. estaban preparadas para un enfrentamien-to mucho mayor. Entonces, necesitábamos oficiales, pero ya no los podíamos preparar de lo chico a lo grande. Teníamos que hacerlo afuera, en algún país que nos brindara ayuda"*.383

A pesar de los contratiempos, la acción terrorista prosiguió indeleble y el 19 de julio muere asesinado el Grl. Br. Carlos Actis. En agosto, el crimen más resonante de la izquierda tiene como víctima a Carlos Berconetti (IAT).

El Gobierno nacional, a fin de erradicar las propagandas de los totalita-rismos estatistas, al igual que lo había hecho con las publicaciones marxistas, lanza el Decreto 1888 que prohibía la literatura nacional-socialista.

El 31 de julio, se llevó a cabo en Palermo la inauguración de la 28° Ex-posición Internacional de Ganadería, en donde los miles de concurrentes ova-cionaron y aplaudieron afectuosamente al presidente Videla que asistió al en-cuentro. En la velada, el presidente de la Sociedad Rural, Celedonio Pereda, expresó: *"Hace poco más de 4 meses, nuestro país se debatía en un desorden próximo al caos y estaba al borde de la catástrofe. Hoy encaramos el futuro de la Argentina, con renovada esperanza"*.384

El 2 de agosto, el diario *Clarín* en un editorial titulado "La razón y la fuerza" decía: *"El gobierno es la autoridad, y la autoridad se compone de es-tos dos elementos ineludibles: la razón y la fuerza. Esta síntesis formulada hace casi un siglo por Nicolás Avellaneda sigue siendo válida. Esto, que es así aun en tiempos de paz, lo es con mayor necesidad en plena guerra y tan-to más si esta se desenvuelve en parte dentro de las propias fronteras"*. El 24, desde las páginas del izquierdista diario *La Opinión*, Mario Diament escribía: *"Sentimos el 24 de marzo de 1976 que habíamos salvado la vida. Fue una sensación reconfortante, un respiro de alivio, como si al cabo de una larga noche tenebrosa intuyéramos finalmente la madrugada"*.385

En septiembre, la guerrilla intenta copar la comisaría de Ringuelet, Bue-nos Aires, y se produce un dramático ataque guerrillero en Rosario, en el que mueren once policías. El 17, Montoneros asesina al gerente del Banco de la Nación Argentina y a los empresarios Castrogiovani y Juan Litle.

El 29, en un operativo de combate que duró una hora y media, Monto-neros padeció cinco bajas. Entre los muertos se encontraba la terrorista Ma-ría Victoria Walsh, quien entró a la guerrilla por instigación de su padre Ro-dolfo Walsh. Aquella, en concordancia con la reglamentación interna de Montoneros, al verse cercada en el combate se suicidó al grito de *"'ustedes no nos matan, nosotros elegimos morir' y se disparó en la sien"*.386

Por octubre, la subversión lanza ataques en diversas áreas: cae acribilla-do el gerente de Renault, Domingo Lozano, quedando descabezada una familia compuesta por esposa y seis niños; una espectacular bomba explota en el microcine del Círculo Militar (hiriendo a cincuenta personas) y otra estalla en el despacho del subjefe de la Policía, resultando también varios heridos. El 25, Montoneros asesina al gremialista Ignacio Dedosi y al empresario Roberto Moyano.

Al mes siguiente (noviembre), el empresario Carlos Souto muere también a manos de Montoneros y el comodoro Adolfo Valis es asesinado por el ERP. El primer día de diciembre, muere asesinado el coronel Leonardo Damico y dos semanas después, un explosivo de alta envergadura estalla en la sala de conferencias de la Subsecretaría de Planeamiento del Ministerio de Defensa, asesinando a catorce personas y dejando gravemente heridas a otras veinte.

Termina el año 1976 con un saldo más que agitado y sangriento: hubo veinticuatro combates y se logró destruir sesenta y ocho campamentos y puntos de sostén logísticos de la guerrilla rural. En ese año, numerosos policías, militares y civiles murieron por la acción terrorista. La guerrilla, por su parte, sufrió importantes debilitamientos que la obligaron a retirarse de Tucumán. En esta trajinada provincia, el general Bussi, comandando cerca de cinco mil soldados, a través de múltiples e incesantes combates logra prácticamente dejar sin efecto el accionar de terroristas que durante dos dramáticos años habían copado la provincia de Tucumán tornándola "invivible". Con este hecho, las FF.AA. hacían tambalear el proyecto del ERP de lograr que la provincia se constituyera en una "zona liberada", objetivo en pos del cual la izquierda se dedicaba a concentran esfuerzos en el ámbito urbano, donde confundiéndose con la ciudadanía, les resultaba más fácil eludir la reacción de las fuerzas legales.

El 31 de diciembre, el diario *La Opinión* publicaba en la tapa: *"La subversión tuvo 4000 bajas"*. El informe distribuía las bajas en el siguiente orden: *"1800 bajas habría sufrido el ERP; 1600 bajas, Montoneros y 700 bajas, el resto de las fuerzas guerrilleras"*. Con este cuadro, el ERP se encontraría devastado y el resto de las bandas debilitadas. Sólo Montoneros conservaba suficiente capacidad militar para seguir batallando palmo a palmo en la guerra. Cuenta, Gorriarán Merlo que la derrota del ERP en Tucumán obedecía en gran parte a que *"después vino Bussi y aplicó aquella doctrina de las aldeas estratégicas que había aprendido en Vietnam. Entonces, él, en vez de concentrar su fuerza, colocó unidades militares en cada una de las poblaciones, con el propósito de evitar el contacto nuestro con esa población. Haciendo acción social y acción represiva, les regalaba colchones, ropa y les proveían atención médica"*.[387] Bussi sería más adelante un popular líder político en Tucumán, llegando incluso a ser gobernador de la provincia, y provocaría la reacción de los "demócratas", que ante sus constantes triunfos electorales, lo proscribieron para que no pueda seguir compitiendo y ganando las elecciones. Para tal maniobra utilizaron la excusa de que había sido un "represor" durante la guerra civil. El pueblo tucumano (que es quien verdaderamente lo conoce) le agradece esa condición.

En 1977, unificando fuerzas en plataformas urbanas, la subversión sigue causando dramáticos homicidios entre civiles: entre las víctimas más conocidas se hallaban Pedro Lombardero (Tamet), Hipólito Mamana (Daneri S.A), el ingeniero José Martínez (Massalin y Celasco), Francisco John Schwer (gerente de YPF), Ricardo Salas (Lozadur), el funcionario Rodolfo Matti y el asesor de la Secretaría General de la Presidencia, Raúl Castro Olivera.

Al cumplirse un año del "golpe", el 24 de marzo de 1977, desde las páginas del diario *El Cronista Comercial*, la Asociación de Bancos Argentinos (ADEBA) publicó una solicitada que hacía un balance del Gobierno titulada "Un año después", la cual entre otras cosas expresaba: *"Frente a la magnitud del daño que se había inferido a las instituciones, a la economía y, mas grave aún, a las conciencias, pues se había llegado a confundir y corromper ideológicamente a parte de nuestra juventud, la ruta emprendida ha de ser necesariamente larga y difícil. Sobre la marcha, surgen obstáculos impredecibles o atrasos inesperados.*

En el área económica, en la cual se desarrolla nuestra actividad profesional, nos encontramos:

1) Al borde del estado de cesación de pagos internacionales.

2) La inflación había alcanzado el nivel previo a la inminente destrucción de nuestro sistema monetario y financiero.

3) La vida económica se desenvolvía bajo el signo del desabastecimiento y el mercado negro.

Aquella situación aparece hoy totalmente superada en cada uno de esos sectores críticos".

A lo largo de 1977 diversas multinacionales y dependencias públicas fueron bombardeadas, y fueron ultimados en la vía pública numerosos policías. Desde el exterior, terroristas exiliados y adherentes comenzaban a llevar adelante reuniones con el objeto de *"formar un Movimiento Peronista Montonero que era un poco la fusión del Partido Auténtico y la organización Montoneros. A esa reunión no iban únicamente cuadros montoneros, según Jauretche, sino aliados como Norman Brisky, Rolando García, el actor Héctor Alterio. Estas personas actuaban de público. Participarían de los debates, todos estaban reunidos juntos. Pero en otra mesa estaba la conducción: Firmenich, Vaca Narvaja, Perdía y también Miguel Bonasso y Oscar Bidegain".*[388]

En diciembre, Montoneros lanza un parte de guerra que efectuaba un balance anual en el cual se adjudica seiscientas operaciones que se habían efectuado durante 1977 (equivalente a casi dos operaciones diarias). El ERP es prácticamente desbaratado y puesto fuera de combate. La guerrilla se mos-

173

Acompañados por la alegría popular (que se puede apreciar a los costados de la imagen), se efectúa un desfile militar en Tucumán celebrando el triunfo del Operativo Independencia sobre el ERP.
(Fuente: Cuna de la Independencia 1816-1977. Sepulcro de la subversión 1975-1977. Tucumán, Argentina.)

traba cada vez más erosionada y en evidente retirada. A partir de 1976, la reacción de las fuerzas legales fue de tan implacable intensidad, que finalizando 1977 los guerrilleros montoneros consideraban que el número de sus efectivos equivaldría al 40% del que poseían en 1975. A esto se le agregan las deserciones y la fuga en masa al exterior de guerrilleros que advertían la inminente derrota.

En el mes de junio de 1977 se cumplían catorce meses del inicio del Proceso de Reorganización Nacional. Los más destacados dirigentes políticos de la UCR, algunos lamentablemente vigentes, efectuaban una declaración pública que fuera luego reproducida por *La Prensa:*

*"El 24 de marzo de 1976 cayó un gobierno votado por siete millones de argentinos. **La ineptitud presidencial y la falta de respuestas estabilizadoras y legítimas por parte del entorno oficial en medio de una realidad económica de improvisación inocultable y de una indisciplina social anarquizante, más la presencia de organizaciones para la subversión y la violencia que angustiaron al pueblo, abrieron el camino para que las Fuerzas Armadas ocuparan el poder.** Esfuerzos y gestiones de todo orden y en todos los niveles y en todos los sectores, se fueron agotando los interlocutores en un lamentable determinismo de fracaso [...]. La incoherencia y la falta de jerarquía de los gobernantes marcaron el rumbo de la declinación. **Como saldo quedó el pueblo solidarizado en sus bases y las Fuerzas Armadas con la suma de las responsabilidades [...]".***

La declaración fue firmada por conspicuos dirigentes radicales de los más altos estratos, entre los que se encontraban: **Raúl Alfonsín, Ricardo Balbín, Antonio Tróccoli, Víctor Martínez, Arturo Humberto Illia, Fernando De la Rúa, Juan Carlos Pugliese, Eduardo Angeloz, César García Puente, Ricardo Barrios Arrechea** y otros. Como vemos, entre los firmantes encontramos nada más y nada menos que a tres presidentes de la República (Illia, Alfonsín y De la Rúa).

El 5 de agosto, Balbín, siempre consustanciado en apoyar la guerra contra la subversión, expresaba lo siguiente: *"Las fuerzas del Estado se impondrán, porque actúan no exclusivamente por propia decisión, sino porque responden al imperativo de un pueblo que tiene resuelto vivir en paz. Un soldado es un joven con arma de la Nación. No es un mercenario. Un subversivo, también es un joven, con el arma lista para la agresión, cuya verdadera razón ignora, víctima o victimario de una prédica falsa, vacía, peligrosamente totalitaria, capaz de fanatizar hasta el odio"*.[389]

A un año de cogobierno cívico-militar y a pesar de las bajas que iba padeciendo el terrorismo, Mario Firmenich (en una entrevista realizada por Gabriel García Márquez) con optimismo expresaba:

"–Hicimos en cambio nuestros círculos de guerra, y nos preparamos a soportar en el primer año, un número de pérdidas humanas no inferior a 1500 bajas. Nuestra previsión era esta: si logramos no superar este nivel de pérdidas, podíamos tener la seguridad de que tarde o temprano venceríamos.

–¿Qué sucedió?

–Sucedió que nuestras pérdidas han sido inferiores a lo previsto. Mientras el ejército está obligado a quedarse encerrado en sus cuarteles, los montoneros están en todas partes y nadan dentro de las masas como pez en el agua. Es un ejército, el de los montoneros, que tiene todas sus fuerzas en territorio enemigo; un ejército que se desarma todas las noches cuando sus militantes vuelven a casa para dormir pero que sigue estando intacto y alerta, aún cuando sus soldados duermen [...]".[390]

La polémica sobre la tortura

El optimismo voluntarista de Firmenich se estrellaba contra la realidad, pues las sorpresivas detenciones efectuadas por las FF.AA. y la consiguiente delación de los detenidos a sus camaradas de armas y células fueron determinantes para el descuartizamiento del aparato montonero. Cuenta el investigador Richard Gillespie: *"Hacia finales de 1977, los guerrilleros declararon que, durante los 5 meses posteriores al golpe, el 90% de los secuestrados se había negado a hablar, por lo que habían sido asesinados y que aún cuando el 10% había hablado, sólo el 1% optó por la traición [...]. Un solo traidor podía denunciar a 20-30 miembros, de los cuales 3-4 podían hablar sin colaborar, denunciando a otros 8-10.* **Sin Montoneros las FF.AA. no hubieran podido destruir a los montoneros".**[391] En efecto *"muchos de ellos se avenían a colaborar con tal de salvar sus vidas. Se cree que cerca de un millar de guerrilleros fueron legalizados, es decir, sometidos a los tribunales y puestos en la cárcel o se les permitió salir al extranjero y quedar impunes de sus crímenes a causa de haber colaborado activamente en la destrucción de su propia organización y la captura y muerte de sus propios camaradas".*[392]

El desmantelamiento de Montoneros se tornaba dramático. Cuenta, Miguel Bonasso que en medio del desguace, en marzo de 1977, se preguntaba: *"¿Cuántos cuadros hemos perdido? ¿Cuántos nos quedan? El pobre Colorado Zavala (con quien sigo discutiendo en sueños) recordaba que el FLN argelino había llegado al final de la guerra contra Francia con el 10 por ciento de los cuadros. Me temo que no es lo mismo, que esta no es una guerra colonial. El Oveja [nombre de guerra de un camarada de armas] dice que hemos perdido el 60 por ciento de los cuadros. Pienso que me brinda un porcentaje oficial, morigerado y optimista".*[393]

Los porcentajes ya transcriptos alegados por Gillespie en torno a los delatores, nos parecen exiguos, puesto que si bien los terroristas no tenían reparos a la hora de matar niños, secuestrar empresarios o colocar un artefacto explosivo en un lugar público, una vez que eran detenidos por las fuerzas legales, el grado de claudicación, delación y traición entre sí era muy significativo, siendo entonces el porcentaje de "colaboración" (a cambio de algún beneficio personal) mucho mayor. La vida en la clandestinidad no se podía sustentar mucho tiempo, ya no estaba Cámpora para auxiliarlos, tampoco la inoperancia de *Isabelita;* es por ello que *"la inteligencia cubana había calculado que, en Argentina, un cuadro de las organizaciones terroristas en la clandestinidad podía tener un máximo de utilidad de seis meses sin sufrir la prisión o la muerte a manos del enemigo".*[394] En efecto, el *modus operandi* creado en democracia con el cual se combatió al terrorismo hasta el final, consistía en lo siguiente: como las bandas terroristas se organizaban celularmente y *"cada uno conocía apenas alguno de los hombres de su nivel, quizás algún jefe o subalterno y nada más. Los citaban para las operaciones y en el lugar de reunión se conformaba el grupo. Todos tenían un nombre o apelativo de guerra por el que se conocían y trataban. De aquí que cuando los capturaban, era necesario obtener la máxima información en el menor tiempo posible. La relación era inversa, a mayor información menos muertes y menor tiempo de duración del conflicto".*[395] *"El marco básico que se adoptó para el accionar fue el siguiente:*

1) Como el enemigo era poco visible había que localizarlo.

2) Para que la localización fuera efectiva la obtención de la información debía ser rápida, donde de ser necesario se utilizaría la tortura...

3) *Una vez localizados había que tratar de infiltrar gente en la organización.*

4) *Había que negar toda información al enemigo, por consiguiente todo lo que se actuara debía ser secreto. De ninguna manera se facilitaría la actualización de sus cartas de situación, brindando información sobre muertos, heridos o detenidos.*"396

Cuenta el jurista y experto en asuntos militares, Florencio Varela: "*Los antecedentes obtenidos de cada prisionero eran elevados al Estado Mayor respectivo, donde, luego de analizados, existieron tres opciones: la libertad, si no había pruebas, la puesta a disposición del Poder Ejecutivo si los elementos reunidos eran insuficientes no obstante la sospecha existente, o el sometimiento a un procedimiento sumario por el cual, si se acreditaba su condición de terrorista, se lo condenaba a ser ejecutado. No hubo desaparecidos, sino terroristas ejecutados por ser tenidos como tales*".397

El mismísimo fiscal Moreno Ocampo, enemigo acérrimo de las FF.AA., reconoció: "*Es obvio que, con el sistema de interrogatorio bajo tortura, se puede obtener información que de otro modo sería imposible, en especial cuando se investigan organizaciones criminales como la mafia o la guerrilla, con pactos de silencio y organización celular*".398 Complementando estos conceptos, Mario Firmenich advierte: "*En primer lugar, matar es grave, es un hecho notorio, pero el emprender la lucha armada implicaba la eventualidad cierta de matar, y nos dábamos cuenta de que el mayor riesgo que corríamos no era que nos mataran, el mayor riesgo que asumíamos conscientemente ante Dios, ante la historia, ante el pueblo, era el riego de delatar a través de la tortura*".399 Galimberti, por su parte, reconoce que la aplicación de la tortura resultó ser una medida sin la cual las FF.AA. difícilmente hubiesen ganado la guerra: "*No hablé tanto en contra de la tortura. No, la tortura no es lo importante. La tortura es una anécdota. Cualquiera es capaz de torturar en una situación extrema. Es una objeción pelotuda. Si ellos [los militares] peleaban con el código bajo el brazo, como decía el general Corbetta, perdían la guerra*".

Reconoce Firmenich: "*La delación es el verdadero óxido que destruye una organización clandestina. Si no existiera la posibilidad de la delación, no sería posible destruir una organización clandestina*".400 Al respecto, Victor Basterra (miembro de las FAP) confiesa: "*A mí me arrancaron información como a casi todos los compañeros. Eso del héroe impoluto está dentro de la cabeza de aquellos a los que nunca les pisaron el dedo del pie. Hubo compañeros que murieron en la máquina sin decir una palabra, pero fueron los menos. Te arrancan información quieras o no quieras. Los tipos, la inteligencia, no era pava, no era tonta. Cruzaban la información, hacían una serie de cosas por las que llegaban a conclusiones y por lo general las conclu-*

siones fueron la gran derrota nuestra que implicó miles y miles de desapare-
cidos".[401]

La práctica de la flagelación que provocaba la consiguiente delación de camaradas resultaba tan adversa para los terroristas, que Montoneros comienza a implementar el uso de la "pastilla de cianuro" con la cual se suicidarían si ocurriese la eventualidad de ser detenidos, para evitar delatar a algún camarada de armas. Esta medida surge a raíz de la delación de Roberto Quieto (número tres en jerarquía de Montoneros) al ser detenido por las fuerzas legales. Mario Firmennich recuerda: *"Tuvimos evidencias de delaciones de él durante la tortura. Nuestra fuerza proponía una sociedad que construya un hombre nuevo y ese hombre nuevo era el futuro de la sociedad. De modo que la evidencia de un quiebre en la tortura de un cuadro en la jerarquía de Quieto ponía en crisis estos conceptos. ¿Cómo era posible que aquél que tenía que ser el hombre nuevo pudiera cantar en la tortura? Entonces a raíz de ese proceso nosotros decidimos establecer que los medios de conducción no tenían que ofrecer el margen de la delación en la tortura. Y allí fue que se estableció para los miembros de la conducción la obligatoriedad de la pastilla de cianuro, para no entregarse vivo. La conducción recibió una crítica generalizada de la organización. Y la crítica consistía en decir que se establecía un privilegio para los miembros de la conducción. Los miembros de la conducción teniendo pastillas de cianuro tenían el privilegio de no ir a la tortura y el resto de los militantes no tenían esos privilegios. Y entonces se decidió generalizar la pastilla de cianuro para evitar la delación en la tortura".*[402] La tortura no busca la destrucción física sino moral. Esto no constituye un elemento secundario en la guerra, a punto tal que según el genial teórico Clausewitz sostiene: *"Cuando hablamos de destruir a las fuerzas enemigas debemos señalar que nada nos obliga a limitar esta idea a las fuerzas físicas: el elemento moral debe ser considerado también".* [403]

En efecto, a las FF.AA. se les presentaba una encrucijada terrible: flagelar al terrorista posibilitaba conseguir información inmediata e identificación de sus camaradas de armas para impedir atentados inmediatos o posteriores. No flagelarlo, importaba respetar al detenido y, por omisión, permitir la supervivencia de las organizaciones terroristas y los consiguientes atentados y asesinatos a inocentes, actuales y futuros. Se decidió entonces ejecutar acciones consideradas un mal menor a efectos de evitar un mal mayor, consistentes en maltratar al terrorista y neutralizar así futuros atentados y contribuir al desmantelamiento de las organizaciones celulares guerrilleras.

Asimismo, es dable agregar que las coacciones psicofísicas a las que eran sometidos los terroristas detenidos a efectos de "arrancarles" información, no era tampoco una práctica realizada de modo improvisado, sino que los mismos reglamentos militares (creados en los años 60 y convalidados por el Gobierno constitucional 1973-76) preveían la operatoria destinada a quebrar el mutismo de los detenidos (Ver *Reglamento RC-5-1. Operaciones sicológicas*). Florencio Varela explica: *"El proceder en la guerra contra el terrorismo fue regulado por el Código de Justicia Militar y los reglamentos específicos, observándose estrictamente el principio de obediencia que impone la responsabilidad exclusivamente en quien imparte la orden"*. Quienes, eventualmente en el marco de la contienda, incurrieran en excesos o desbordes serían sancionados por las propias instituciones militares o policiales, y así cuenta el Grl. Díaz Bessone: *"Durante el tiempo de la guerra, hubo 400 condenados entre las Fuerzas Armadas y las fuerzas policiales, precisamente por haber cometido excesos"*.[404] Florencio Varela complementa la información revelando que dichas sanciones constan *"en los respectivos legajos personales. La ausencia de sanciones constituye la prueba documental oficial de que el proceder fue conforme a la ley"*.[405]

Desde el punto de vista filosófico, explica Mariano Grondona: *"Weber sugiere que no hay una sino dos éticas. La ética de la convicción nos dice que debemos obrar según valores. La ética de la responsabilidad nos dice que debemos medir las consecuencias prácticas de nuestras acciones. [...] La 'moral de la convicción' es sostenida habitualmente por teólogos, filósofos y periodistas; por todos aquellos que juzgan la situación desde afuera, sin tener en sus manos el poder de administrarla o cambiarla. La 'moral de la responsabilidad' es propia de los políticos, los empresarios y los militares, de todos aquellos de cuyas decisiones depende la evolución concreta de los acontecimientos. Los primeros creen en la teoría. Los segundos, en la práctica. El riesgo de los primeros es el utopismo. El de los segundos, el cinismo"*.[406]

Aunque estas prácticas sean cuestionadas por los predicadores del amor universal (que nunca condenan los crímenes terroristas o pertenecientes a bandas afines a su ideología embozada), por algo fueron y son aplicadas en diversos países y en distintas coyunturas tales como la guerra de Francia contra Argelia, EE.UU. contra Vietnam, Rusia contra Chechenia, Israel contra Palestina o EE.UU. contra Irak. Esto no pretende negar que estas resultan repugnantes a la conciencia humana y no merecen aplauso alguno, pero la guerra de suyo lo es.

La solución sería evitar las guerras, pero para que haya paz entre dos bandos, es necesaria la voluntad de ambas partes. A *contrario sensu*, para que haya guerra, es necesaria la voluntad de una de las partes que, con su sola agresión, obliga a la otra a defenderse y entrar en guerra aun contra su voluntad. Por lo tanto, en el caso de marras, el responsable y culpable de la guerra es el bando agresor (es decir los terroristas). Una guerra no es un pleito judicial, con plazos, documentos, fundamentos y normas procesales cumplidas con precisión de centavo. Por más tratados internacionales que reglen los conflictos armados, la realidad es que nunca son cumplidos ni siquiera por las potencias consideradas "civilizadas", pues dichos acuerdos tienen en realidad una función más enunciativa que práctica. La guerra es la lucha por la super-vivencia fundada precisamente en la eliminación del enemigo. Es la última etapa en la contienda humana y no puede analizarse en otro contexto que no sea precisamente ese. Se suele al respecto arengar con eslóganes vagarosos y efectistas tales como que "el fin no justifica los medios". Pero antes tenemos que especificar cuál es el medio empleado y cuál es el fin perseguido.

Pues si no matar es un principio categórico del cual no hay posibilidad de excepción, el padre que llega a su casa (y no tiene siquiera teléfono o medio de comunicación cercano) y advierte la presencia de un violador que en ese instante está abusando de su hijita, en lugar de tomar el revolver que tiene a mano y ultimar al depravado, debería resignarse a contemplar pacientemente el horroroso delito. Expresando el punto de vista cristiano, el entonces nuncio apostólico monseñor Pío Laghi declaraba en junio de 1976: "*El país tiene una ideología tradicional, y cuando alguien pretende imponer otro ideario diferente y extraño, la Nación reacciona como un organismo con anticuerpos frente a los gérmenes, generándose así la violencia. Pero nunca la violencia es justa y tampoco la justicia tiene que ser violenta; sin embargo, en ciertas situaciones la autodefensa exige tomar determinadas actitudes, en este caso habrá que respetar el derecho hasta donde se puede*".

En efecto, los eslóganes "humanitarios" suenan muy agradables y despiertan aplausos encendidos, pero muchas veces no tienen correspondencia ni con la realidad ni con lo concreto. Explica Clausewitz: "*Las personas de buen corazón podrían pensar, por supuesto, que hay una forma ingeniosa para desarmar o derrotar a un enemigo sin mucho derramamiento de sangre y podrían imaginar que esta es la meta del arte de la guerra. Esto suena atractivo pero es una falacia que debe ser puesta de manifiesto [...]. No estamos interesados en generales que obtienen victorias sin derramamiento de sangre. El hecho de que la carnicería es un espectáculo horroroso debe hacer que tomemos a la guerra de una manera más seria, pero no proporcionar una excusa para que gradualmente desafilemos nuestras espadas en nombre de la humanidad. Tarde o temprano vendrá alguno con una espada afilada y mellará nuestras armas*".[407]

La guerrilla dirigida desde el exterior

En 1978, el terrorismo efectuó un rimbombante atentado en el que fue asesinando el Dr. Miguel Padilla y, en un operativo que quedó tristemente grabado a fuego en la historia, atentó con explosivos contra el vicealmirante Lambruschini en el que murieron una vecina, un custodio y su hija, Paula, de 15 años de edad.

A pesar de estos homicidios, los "militantes populares" ya se hallaban en franca retirada y comenzaron masivamente a fugarse al extranjero ante la derrota militar ilevantable. Montoneros, revisando estrategias y reorganizando su propia estructura, dio a conocer la nómina de los integrantes del "Consejo Superior del Movimiento Peronista". Entre ellos se encontraban conocidos personajes como Mario Firmenich (comandante), Ricardo Obregón Cano (secretario general), Eduardo Yacussi (presbítero de Rosario), Arnaldo Lizaso (rama política), Rodolfo Galimberti, H. O. Fernández Long, Jorge Gullo (rama juvenil), Armando Croatto (rama gremial), Norman Brisky (rama profesionales, intelectuales y artistas), Miguel Bonasso y Juan Gelman (secretaría de prensa y difusión) y Fernando Vaca Narvaja (segundo comandante/secretario de reuniones internacionales).

Como vemos, dentro de la banda, además de los criminales más conocidos y renombrados, se hallaban también personajes de la farándula o del "arte", tal el caso del cómico Norman Bisky o del pretendido poeta Juan Gelman. Si bien los activismos de Brisky no han sido demasiado difundidos, relata el comediante: *"[en los comienzos de su militancia guerrillera] Voy a cuba, conozco el proceso cubano, me hago peronista allá. Conozco más a Rodolfo Walsh en Cuba. Me doy cuenta de que tengo que participar en un proceso de masas"*. Cuenta, Guillermo Rojas que *"como resulta común hoy en día en la mayoría de los militantes de la guerrilla que se entrevista o reportea, Brisky niega haber actuado en hechos de violencia y da una extraña y confusa versión de su adhesión a la lucha armada: 'Nunca tiré tiros, nunca especulé con la lucha armada, a no ser anunciarla y apoyarla. Pero fue más bien una esgrima de artista que una esgrima de la realidad'"*. Respecto de su exilio, el montonero Brisky alega: *"Yo me fui porque pensaba seriamente que si me quedaba me iban a matar. [...] era 1974"*.[408] (Es decir, gobernaba la "democracia" peronista).

Por su parte, Juan Gelman, conocido por su condición de adulado poeta y militante de la "victimización", en materia delictiva tenía ya importante experiencia, puesto que *"participó de la guerrilla de las FAR y posteriormente en Montoneros. Pero anteriormente lo había hecho también como correo en la guerrilla de Salta de 1963"*.[409]

Lo cierto es que en 1978 el terrorismo se repliega en el exterior y desde allí concentran esfuerzos para la planificación de nuevas medidas bélicas contra la Argentina, que se llevarían a cabo en 1979 en una mega-operación conocida como "la contraofensiva".

Giussani cuenta la notable obsesión de Montoneros por seguir queriendo jugar a los soldaditos a pesar de los reveces acaecidos durante casi ocho años de guerra: *"Ya en medio de la diáspora, con un cuartel general que deambulaba entre Roma, Madrid, ciudad de México y La Habana, la conducción montonera reglamentó internamente el uso de uniforme, estilizó el saludo, codificó el lenguaje que debía utilizar cada 'oficial' para dirigirse a sus superiores. El ritual militar alcanzaba su máxima expresión en las reuniones del exiliado Consejo Superior montonero, que ahora debía sesionar con sus miembros ceremoniosamente uniformados, un requisito cuyo cumplimiento debía sortear algunos problemas desconocidos en los ejércitos convencionales, entre ellos el patetismo de acudir al lugar de cita en autobuses romanos o taxis madrileños con el paquetito del uniforme sobre las rodillas".*[410]

Al respecto, el terrorista poeta Juan Gelman explica: *"En un momento Firmenich y compañía decidieron que había que usar uniformes. Imagínese que cualquiera caminando por la calle con ese uniforme sería conocido. El uniforme consistía en una camisa celeste con estrellitas en los hombros para los grados y vivos en el cuello, como las del Ejército Argentino, con la diferencia de que las estrellitas no eran de cinco puntas sino de ocho (la estrella federal), y en el cuello llevaba cruzadas una tacuara y una ametralladora. Por otra parte, al comienzo, los grados en la organización eran del grupo guerrillero. Pero en el exilio empezó a haber una asimilación con los grados del Ejército Argentino. Y hubo cosas notables. Uno tenía que reunirse en Madrid con ese atuendo, pero como no iba a caminar por la calle de esa manera, se llevaba los implementos a la reunión, y antes de empezar y al terminar, había cinco minutos de vestuario".*[411] En efecto, la resolución interna Nº 001/78, *"tenía como objeto la implementación del uniforme e insignias del Ejército Montonero y de las milicias montoneras. La resolución data del 15 de marzo de 1978",*[412] y esta establece:

> *"Sobre el uniforme. Prendas del uniforme. Camisa: color celeste, con charreteras y dos bolsillos con solapa en la parte superior; pantalón: color azul marino, de tela gabardina; pollera: las compañeras están autorizadas a usar pantalón o pollera. En este último caso también debe ser azul marino, de tela gabardina, de corte recto y de largo hasta borde superior de la rodilla (no debe ser ni maxifalda, ni minifalda); boina: color negro ladeada hacia la izquierda; insignias de grado: en todos los casos en que las insignias son estrellas, estas son estrellas federales, es decir, de ocho puntas [...]. Comandante: 1 estrella roja; segundo comandante: 2 estrellas doradas; mayor: 1 estrella dorada; capitán: tres estrellas plateadas [...]".*[413]

El Mundial 78 y el consenso popular en auge

Ya con sus pitucos ropajes de tinte castrense, los esfuerzos del terrorismo desde el exterior se condensaron para dirigir una campaña difamatoria contra la Argentina, aprovechando que nuestro país se constituiría en la "vedette" al ser el Estado anfitrión y organizador de tamaño acontecimiento deportivo, como lo era el Mundial de Fútbol de 1978.

Es asombroso cómo la malicia distorsiva sobre la década del 70 no deja tema por desfigurar ni mentira por inculcar. Numerosos opinólogos televisivos suelen hacer alusión al Mundial como "una operación de la junta militar para distraer a la población y tapar el genocidio". Sin embargo, no hace falta ser un erudito en asuntos históricos sino un simple aficionado del fútbol para saber perfectamente que la sede de los mundiales no se da en el lapso comprendido que va de un martes a un jueves, sino tras rigurosos formalismos y con no menos de ocho años de antelación. En efecto, la Argentina había sido elegida sede del Mundial 78 en 1970. Por ende, mentirle a la juventud haciéndole creer que el mundial fue un "entretenimiento inventado por los militares" ni siquiera constituye un argumento falaz (le queda holgado dicho apodo), sino que es una "chicana" de comité, aunque insólitamente sea aplicada por "pensadores" y "periodistas" y sea recurrentemente repetida en cuanto documental se emita en la materia.

Mientras en el año 2005, el Peronismo bonaerense sin necesidad de ninguna naturaleza ni petición de ninguna entidad deportiva construyó el "estadio único de la ciudad de La Plata" gastando 100 millones de dólares (sin que todavía se haya colocado el techo del predio), el gobierno de Videla creó el "EAM 78" (Ente autárquico Mundial 78) y destinó la suma de 520 millones de dólares a construir tres estadios, remodelar otros, fundar ATC (primer canal de televisión a color de la historia nacional), reparar rutas y remodelar aeropuertos.

Entre los tradicionales miembros de la conducción de Montoneros, uno de los principales organizadores de la campaña de descrédito al país fue Miguel Bonasso, quien cuenta: *"No es fácil explicar nuestra posición en la materia. Por un lado, apostamos a que el Mundial se realice y Argentina [la Selección] gane, lo que a la izquierda [Argentina y Europa] le parece absurdo, porque de este modo –dicen– le hacemos el caldo gordo a la Junta Militar".* Prosigue Bonasso explicando que la idea consistía en efectuar atentados durante el mundial *"pero no contra los estadios y mucho menos contra las concentraciones de los equipos".* Si bien celebramos que el terrorista de marras haya decidido no masacrar gente en los estadios, lamentamos que dicha iniciativa no obedezca a principios humanitarios sino que (tal el conocido estilo de Bonasso de preseleccionar los crímenes según la conveniencia del *marketing*) confiese que la comisión de atentados masivos *"podría dañar de manera irreversible nuestra relaciones con la socialdemocracia (Olof Palme, Willy Brandt, Felipe González, etc.)".*[414] También relata Bonasso que la campaña de desprestigio consistía además en la distribución masiva de folletines relativos al Mundial pero con toda la simbología montonera: *"A la compañera Norita le quedó bárbaro el gauchito montonero. Nuestro gauchito, con su lanza tacuara, presidirá todos nuestros impresos. Especialmente las decenas de miles de obleas que meteremos de contrabando en el país [...]".*[415] Complementariamente, otra tarea de acción psicológica se forjaría a partir de la grabación de mensajes en un estudio local de "*Radio Liberación. Un genial invento de la electrónica montonera que interfiere en ciertas zonas predeterminadas las emisiones de televisión. O sea: cuando los vecinos de Mataderos [por ejemplo] pongan la tele para ver el partido inaugural, seguirá la imagen pero en lugar del sonido original entrará de sopetón la voz de nuestro locutor oficial [el Guille] anunciando: '...Atención, atención, transmite Radio Liberación, voz de Montoneros'*".416

Para llevar adelante tamaña embestida difamatoria, Montoneros contaba con el apoyo de periodistas del eurocomunismo, la socialdemocracia (siempre aliada del terrorismo local) y diversas personalidades de alto nivel internacional. El contacto con los periodistas extranjeros estaba a cargo de "*Juan Gelman, que maneja la difusión en Europa. Juan, además, va a entrar clandestinamente al país, para servir de guía a ciertos periodistas importantes que pretendemos conectar con cuadros y militantes en el territorio*".417 Se efectuó además una conferencia de prensa en México, que "*fue un éxito total. Fuimos primera página de todos los periódicos, especialmente los deportivos. Buena cobertura en radio y TV*"418, afirma Bonasso. Aparejadamente, en Europa se llevó adelante otra conferencia de prensa "*en la sede central del Partido Socialista Francés y viene el propio Francois Miterrand, que habla de los montoneros como 'les combattants de la liberté'*".419

Este y otros embates promovidos por los asesinos en cuestión, si bien tuvo cierta cuota de éxito, en verdad se vio eclipsada y desdibujada por la excelente organización del evento deportivo, la numerosa concurrencia de gente a los estadios y la indiferencia total de la ciudadanía ante las proclamas guerrilleras. La sociedad demostró un profundo sentido de unidad durante todo el ciclo y en las calles, autos, balcones y obviamente en los estadios, se enarbolaron espontánea y masivamente banderas y banderines con los colores patrios. El clima social era de profusa algarabía y distensión como producto de la reducción notable de las acciones subversivas, la recuperación económica y, por supuesto, en lo que duró el acontecimiento del Mundial, en las mesas de café y en todos los ambientes sociales no se dialogaba de la "reforma agraria" ni existía la menor queja por el hoy publicitado "genocidio". No se hablaba de otra cosa que no fuera el campeonato.

No obstante, una hábil manipulación de la realidad dejó cierto aroma sombrío respecto del Mundial ante latiguillos o comentarios tirados al aire y "*no faltó algún periodista intencionado que escribió que mientras se jugaba un partido en el estadio de River Plate era posible escuchar los estampidos de presuntos fusilamientos que ocurrían en las adyacencias. Lo cierto es que los disparos correspondían a los entrenamientos deportivos que se realizaban en el vecino Tiro Federal Argentino*".420

En nuestra sociedad, por desgracia, existe una lamentable inclinación popular a tomar cada intervención de la Selección Nacional de fútbol como si fuese la patria misma disputando un cotejo, cuando en verdad se trata de un evento deportivo sin connotaciones de orden público. Pero siempre, los políticos y comunicadores de un modo u otro entremezclan el deporte con la política y, por entonces, fueron muchos quienes incurrieron en esta mixtura. Tal el caso de los periodistas Marcelo Araujo y Mauro Viale, quienes luego del triunfo escribieron: *"Fue el milagro argentino. Después de cuatro o cinco años de sufrir una guerra sucia, la guerra desatada por la subversión, surgió la ocasión de expresar entusiasmo. En los festejos del Mundial mostramos por primera vez en mucho tiempo que estamos orgullosos de ser argentinos"*.421

Si bien la algarabía popular era prácticamente unánime, algunas voces solitarias se manifestaron en contra de este tipo de megaeventos. Tal el caso de Jorge Luis Borges, quien había hecho declaraciones críticas respecto de la copa de fútbol, ante lo cual, el entonces "videlista" Ernesto Sábato salió a la palestra a contestarle: *"Prefiero no polemizar con Borges. Yo no me considero un imbécil y me apasiona el fútbol. Me he preguntado reiteradas veces si era lícito gastar o invertir 700 millones de dólares o más en un campeonato, cuando se cierran hospitales. No soy patriotero, pero debo confesar que este hecho [el mundial] me emocionó"*.422 El mismo día del triunfo argentino en el Mundial (25 de junio), mezclando fútbol con política, el sofista Ernesto Sábato salió nuevamente a defender al Gobierno respondiendo a los activistas que operaban en pro del desprestigio y declaró en *Clarín*: *"Boicotear el mundial no sólo hubiera sido boicotear al Gobierno, sino también al pueblo de la Argentina"*. Es notable cómo la arenga oficial suele seleccionar personalidades para sindicarlas bravamente como "procesistas" (el país entero lo fue) y del mismo modo silencia a muchísimos hombres que se manifestaron a favor del Gobierno. Uno de los "procesistas" más estigmatizado, el Dr. Juan Alemann, si bien pudo haberse subido al tren de algarabía que generó la copa del mundo de fútbol, con equilibrio y alejado de la tentación que el Mundial ofrecía de incurrir en demagogias, expresó: *"Es necesario tener conciencia de que hemos elegido poner nuestro dinero en dar una gran fiesta. A no quejarse, entonces, de que faltan recursos para otras cosas"*.423

El Seleccionado Nacional se consagró como campeón mundial y la organización del evento fue sobresaliente. No obstante, el Gobierno incurrió en dos lamentables maniobras que, paradójicamente, la prensa deportiva de sesgo progresista no notó y no lleva ni llevó adelante el menor cuestionamiento. El primer desatino del Gobierno fue dictar un decreto que prohibía literalmente criticar a la Selección Argentina durante el mundial. El segundo dislate, nunca aclarado y turbio, fue aquel sospechoso triunfo de nuestra selección en el partido contra el seleccionado de Perú. Si quería seguir en camino en el torneo, la Argentina necesitaba ganar por no menos de cuatro goles de diferencia y se ganó el partido por seis tantos contra cero (desde entonces se habla de una contraprestación de varios millones de dólares y cargamentos con toneladas de trigo a Perú). Asimismo, cabe destacar el sugestivo detalle de que Perú ya no tenía ninguna motivación deportiva pues había quedado eliminado el partido anterior, y ese partido lo jugaba porque así lo determinaba el *fixture*, pero sin ninguna expectativa. El técnico de la Selección de entonces, el marxista confeso César Luis Menotti, siempre se hizo el distraído en el tema y se cuenta que fue gracias a Videla que pudo consagrarse como técnico, puesto que, desde entonces, nunca jamás ganó un mísero cuadrangular de verano. La prensa de izquierda no suele comentar demasiado este episodio, a efectos de no opacar la imagen del marxista Menotti. Precisamente, uno de los pocos medios que denunció la componenda en el partido contra Perú, no fue una voz de izquierda sino el diario *La Prensa*, que en esa misma semana describió detalladamente las negociaciones y contraprestaciones.

Pero más allá de estas apreciaciones y del polémico partido contra Perú, nunca jamás se cuestionó al Mundial en lo referente a su eficiente organización, ni tampoco se pensó que en el fragor de esta se haya incurrido en episodios de corrupción o desvío de fondos: ¿cabría imaginarse lo mismo en un Mundial organizado por el Peronismo?

Asimismo, es dable destacar que la algarabía popular era irrefrenable y el pueblo había tenido un cambio anímico de ciento ochenta grados con respecto a la psicología colectiva que se vivía tres años atrás. Tanto es así que para forjar el desánimo definitivo de los terroristas detenidos, muchos de ellos fueron llevados de paseo en coches cerrados para que pudieran apreciar el júbilo y distensión anímica de la gente durante el gobierno cívico-militar, alegría que se potenció obviamente con el triunfo en el Mundial. El objetivo de dichos paseos era demostrar a los guerrilleros que a nadie le importaba ni la revolución comunista ni la suerte de los montoneros abatidos o detenidos.

El presidente Videla acudió a seis partidos del Mundial y fue ovacionado en todas las ocasiones por las multitudes que abarrotaron los estadios. El 25 de junio, la Argentina se consagró campeón mundial venciendo a Holanda por tres tantos contra uno, y el gentío se trasladó no al obelisco, sino a Plaza de Mayo a aclamar a Videla y agradecerle los logros obtenidos en los casi tres años de gestión.

Pablo Llonto, periodista que escribió un libro muy crítico del Mundial 78 (*La vergüenza de todos*, editado por Madres de Plaza de Mayo) afirma que la adhesión popular al gobierno de Videla era tan abrumadora que el ex presidente Reynaldo Bignone "*dijo que ellos se equivocaron porque tendrían que haber llamado a elecciones el 26 de junio de 1978, un día después del Mundial, porque seguramente hubieran ganado las elecciones. Y yo creo que es cierto*". Agrega Llonto: "*Hebe de Bonafini me contó que iban a llevar unos volantes a la cancha en donde se jugaba un partido. Como no tenían plata, algunas organizaciones que las apoyaban les ofrecían los volantes. Entonces*

Corrían ya dos años y cuatro meses de gobierno cívico-militar, espontáneamente, sin "choripán", ni micros, ni artificios, la ciudadanía se agolpaba frente a la Casa de Gobierno a ovacionar al presidente Videla. Este se vio obligado a salir al balcón y saludar a sus acólitos. (Fuente: diario *La Nación* tomada de Decíamos ayer, la prensa argentina bajo el Proceso. Eduardo Blaustein y Martín Zubieta.)

*Hebe me comentaba: 'Hicimos el texto pidiendo por nuestros hijos y cuando la organización nos devuelve los volantes para llevarlos a la cancha, vemos que tienen consignas mucho más combativas. Decían 'Videla al paredón', por ejemplo [...] agarramos los volantes, les agradecimos, hicimos dos o tres cuadras y los tiramos en las alcantarillas. No nos atrevimos a ir a los estadios porque sabíamos que la gente estaba totalmente a favor de Videla'".*424

El 10 de octubre de ese año, el presidente de la UCR, Ricardo Balbín, para congraciarse con el sentir popular seguía respaldando a Videla y remataba: *"A mí no me arrancarán ni una sola palabra que pueda condenar al presidente de la República".*425 El consenso que tenía el Gobierno, a pesar de llevar más de tres años de gestión, estaba intacto y el romance entre la UCR y las FF.AA. era tan idílico, que en diciembre de 1978 el Gobierno organizó la "cena de la amistad" a la que *"asistieron cerca de 400 políticos radicales, entre ellos Ricardo Balbín, Fernando De la Rúa, Juan Carlos Pugliese, Antonio Tróccoli y Juan Trilla".*426

La contraofensiva

Por octubre de 1978, cobijados por la tiranía de Fidel Castro, los terroristas efectuaron en Cuba un plenario de dirigentes montoneros que planificaba y orquestaba una contraofensiva militar en la Argentina para 1979. Se acentuaron entonces las campañas de denuncia y difamación de la Argentina desde el exterior, y para tal fin se montó una radio de largo alcance en Costa Rica para efectuar acción psicológica en diversas zonas de Latinoamérica, basada en el apoyo a las diversas fuerzas guerrilleras que operaban en el continente y en la difamación al Gobierno argentino.

En la mentada "contraofensiva", centenares de militantes adiestrados y entrenados sofisticadamente fueron introducidos al país en forma clandestina. Desde el exterior, más de mil guerrilleros eran los que coordinaban esfuerzos para el regreso a la lucha; entre ellos, el "joven idealista" Jorge *Chiqui* Falcone (hermano de Claudia, una de las protagonistas de la novela *La noche de los lápices*).[427]

Para la citada "contraofensiva", Montoneros contó además con el apoyo de diversos líderes de la Internacional Socialista de partidos pertenecientes a Suecia, Alemania Occidental, España y Austria. Cuenta Perdía que para tal fin se habían planificado *"tres tipos de acciones: militares, propagandísticas y políticas"*.[428] En el exterior, los principales dirigentes de la banda quedaron a la espera de los resultados, que fueron catastróficos. No obstante, los homicidas en cuestión pudieron llevar adelante diversos atentados, entre ellos el ataque con explosivos del 27 de septiembre a la vivienda del Dr. Guillermo Kleim (secretario de Planificación Económica del Ministerio de Economía) con toda su familia dentro (que se salva de milagro, pero mueren dos policías que custodiaban la casa). A partir de este acto "de idealismo juvenil", dentro de la delincuencia montonera se forjaron disensos en cuanto al modo en el que se deberían llevar a cabo los asesinatos. En torno a este último atentado, el 4 de diciembre de ese año, un sector disidente de Montoneros dio a conocer un comunicado crítico que sostenía lo siguiente: *"Si nuestro objetivo era matar a toda la familia implica un grave error de concepción porque: a) No podemos actuar como agente sustituvo del odio de clases. Cuando ese odio se exprese a nivel masivo, pasará lo que tenga que pasar, pero serán las masas las que lo decidan y ejecuten; b) porque la ejecución deliberada de niños nos descalifica ante las masas y favorece la propaganda del enemigo"*.[429]

Como vemos, el tenebroso comunicado no se opone a la matanza de niños porque constituye un delito aberrante, sino porque desde el punto de vista del *marketing* político podría resultar desfavorable al "descalificarlos ante las masas y favorecer la propaganda del enemigo". De todos modos, los "cariñosos adolescentes" que firman el texto, ante el disgusto de apreciar que en lo inmediato no es conveniente apelar al asesinato de niños y a modo de compensación, se esperanzan al sostener que esto se llevará a cabo más adelante cuando *"las masas decidan y ejecuten"* tales infanticidios. El documento fue firmado por el "militante de los derechos humanos" y actual diputado kirchnerista, Miguel Bonasso, secundado por Daniel Vaca Narvaja, Jaime Dri, Olimpia Díaz, Pablo Ramos y Gerardo Bavio. El marxista Pablo Giussani, analizando el texto de marras agrega: *"El documento interno montonero elaborado por el grupo semidisidente conocido como el de los tenientes atribuye a Firmenich la posición infanticida, mientras deja constancia de la posición disidente fundada en la argumentación igualmente abominable de que la matanza de los niños 'nos puede aislar de las masas'"*.[430]

La diáspora no tardaría en potenciarse y, el 27 de febrero de 1979, *"en el diario francés* Le Monde, *se publica la noticia de que Rodolfo Galimberti y el* poeta Juan Gelman han renunciado a la organización Montoneros porque 'se ha transformado en un obstáculo para poder continuar en la lucha'".431

El 19 de septiembre, el diario La Nación explayaba: "La victoria frente a la subversión es el producto también de la solidaridad activa de los más diferentes sectores sociales y políticos con la empresa resueltamente sostenida por las fuerzas de la legalidad. El cuerpo vivo de la Nación es el que en definitiva ordenó el brazo armado ante cuya acción cayeron las bandas que, de otro modo, hubieran terminado por disolver esta sociedad y asesinado a los hombres que la representan y a los que se oponen a sus desquicios".432

La diáspora no tardaría en potenciarse y, el 27 de febrero de 1979, "en el diario francés Le Monde, se publica la noticia de que Rodolfo Galimberti y el poeta Juan Gelman han renunciado a la organización Montoneros porque 'se ha transformado en un obstáculo para poder continuar en la lucha'".

El 7 de noviembre, se atentó contra el Dr. Juan Aleman (secretario de Hacienda): le dispararon un cohete PG-7 (soviético) y una granada y, milagrosamente, salió ileso. Casi una semana después, el 13 de noviembre, fueron asesinados el Dr. Francisco Soldatti y su guardaespaldas. El grueso número de terroristas caídos en esta contraofensiva suele ser uno de los hechos en los que con mayor ahínco muchos simpatizantes de la subversión critican a la conducción de Montoneros, intentando hacer pasar dicha acción como una suerte de irresponsabilidad en la que virtualmente se efectuó una "entrega" de "jóvenes sensibles" a un verdadero "matadero". Ante esta imputación Mario Firmenich se defiende y contesta: "A ninguno de los compañeros se le ocurrió pensar que la lucha contra la dictadura no implicaba el riesgo de su muerte. Suponer lo contrario es tildarlos de estúpidos. Eran personas inteligentes, formadas, cultas e informadas. Además, existía la posibilidad de irse de la organización".433 Realmente es muy curioso, pero tras diez años de guerra ininterrumpida, muchos historietistas del "setentismo" quieren hacerle creer a las nuevas generaciones que la mayor parte de los montoneros eran marionetas repartidoras de panfletos contestatarios mandados al "muere" por la cúpula de la organización. Respecto de esta fantasía, Firmenich con ironía refiere: "Es la teoría del flautista de Hamelin, según la cual yo era una especie de flautista de Hamelin ideológico y los demás eran ratas que seguían la flauta y se suicidaron todos. Esto es absurdo e injusto para con nuestros muertos. Una organización clandestina debe contar con el consenso explícito de sus militantes, minuto a minuto. No hay nada más fácil que desertar de una organización clandestina: con no concurrir a una cita y separarse de la organización, eso es todo lo que hay que hacer".434

Volviendo a la contraofensiva, cuenta Miguel Bonasso (quien obraba de jefe de prensa de la banda criminal) que durante esta reincidencia ya no hacía *"comunicados de prensa, sino boletines necrológicos. Las caídas de la contraofensiva son en cascada. Dicen que hemos perdido al 75 por ciento de los cuadros enviados por la conducción nacional al país"*.[435] En cuanto a la adhesión popular de la contraofensiva montonera, cuenta Richard Gillespie: *"Los trabajadores no se sintieron identificados con las acciones guerrilleras y tomaron distancia. A pesar de ello, los principales dirigentes montoneros (encabezados por M. Firmenich), exiliados en Nicaragua, afirmaban que la decisión de la contraofensiva había sido correcta y oportuna"*.[436]

Con el ERP liquidado desde 1977 (aunque su disolución en términos formales recién ocurre en Italia en 1979, decisión tomada por *"Luis Mattini, Roberto Guevara –hermano del* Che– *y Amilcar Santucho"*[437]) y el fracaso rotundo del montonerismo supérstite en la contraofensiva, se formalizaba tácitamente la derrota definitiva y era el fin de la banda terrorista en materia militar. Gran parte del fracaso de la "contraofensiva", según las propias voces montoneras, se debió a la delación efectuada por muchos prisioneros de guerra, tal como lo reconoce Rodolfo Galimberti: *"Los prisioneros de la ESMA dirigían la guerra contra nosotros. Cuando pude recuperar en mi proceso las cosas que habían escrito sobre mí [...]. Escritos de los tipos nuestros que habían sido capturados. No lo podía creer [...] y claro, eran mis ex compañeros. Esa guerra ustedes no la pueden entender. Para mí ya pasó. Pero en ese momento estaban haciéndonos eso. ¿Qué querés, que les tenga simpatía?"*. La operación, que comenzó a planificarse el 22 de mayo de 1978 y se ejecutó en 1979, resultó un verdadero fracaso. Juan Gelman resume el episodio: *"El saldo lo conocemos: cayeron muertos cerca de seiscientos compañeros que participaron en el retorno"*.[438]

El terrorismo queda fuera de combate y la guerra armamentística llega a su fin. Se pueden computar, entre 1969 y 1979, 21.642 acciones subversivas (lo que equivale a seis atentados por día, uno cada cuatro horas, ininterrumpidamente durante diez años). Los hechos y cantidades fueron ratificados en la sentencia dictada el 9 de octubre de 1985 por la Cámara de Apelaciones en lo Criminal y Correccional de la Capital Federal (causa n° 13).[439] Entre ellos, contamos 5.215 atentados con explosivos, 1.052 atentados incendiarios, 1.311 secuestros de explosivos, 132 secuestros de material incendiario, 52 atentados contra medios de comunicación social, 1.748 secuestros, 1.501 asesinatos, 551 robos de dinero, 589 robos de vehículos, 2.402 robos de armamento, 20 copamientos de localidades, 45 copamientos de unidades militares, policiales y de seguridad; 22 copamientos de medios de comunicación social, 80 copamientos de fábricas, entre varios otros miles de ataques y delitos. De más está decir que este rosario de felonías no tenía como finalidad ulterior la instauración de la democracia, ni de ningún "paraíso terrenal", sino del totalitarismo comunista. Para tomar dimensión de lo que significó el accionar terrorista, basta con mencionar que en el lapso indicado de diez años se cometieron un promedio de un atentado cada cuatro horas y doce homicidios por mes. En España, el grupo terrorista ETA, desde su aparición, lleva un promedio de un homicidio cada dos meses.

El comienzo de la guerra psicológica

A partir de esto, ya resignados, los activistas subversivos concentran sus esfuerzos en llevar adelante una profusa campaña de acción psicológica y en promover denuncias contra el Gobierno argentino por "violaciones a los derechos humanos" (como si alguna vez les hubiesen importado o lo hubiesen respetado). Pablo Giussiani, en su ya citada obra, dice: *"Había en la denuncia montonera 'plus' de morbosidad [...] se estaba desarrollando aquí una nueva y horrible variante del mismo sensacionalismo autocontemplativo que, en otro contexto, se expresó a través del asesinato de Aramburu y de la posterior celebración folclórica de la propia aptitud para cometerlo"*. Giussani habla de una *"morbosidad activa al principio y de morbosidad pasiva al final"*, y luego prosigue: *"No pudiendo ya producir asesinatos sensacionales, los montoneros pasaban a padecer asesinatos sensacionales, preservando aquel nivel de espectacularidad que los definía e identificaba como grupo. Era necesario dejar constancia de que los montoneros, para matar y para morir, eran grandiosas personalidades* fuori serie*".*[440] La comparación esgrimida por Giussani tiene mucho de interesante ya que los cánticos (relativos a asesinatos de personalidades públicamente conocidas) a que con frecuencia apelaban los montoneros rezaban estrofas como: *"Con los huesos de Aramburu / vamo´ a hacer una escalera / para que baje del cielo / nuestra Evita montonera"*. Estas y otras letras nos ponen de manifiesto el modo en el cual las hordas terroristas se ufanaban jubilosa y orgullosamente de sus crímenes. Luego, ante la respuesta militar por la guerra que ellos mismos desataron, de presentarse como "heroicos combatientes" pasaron a convertirse en picaruelos adolescentes que fueron "asesinados por los genocidas" por el mero hecho de poseer nobilísimos ideales humanitarios que promovían el afecto ecuménico. Sin embargo, esta última falsificación histórica es la que taladra sobre los cerebros de las nuevas generaciones de argentinos que, al no haber vivido la guerra y al recibir esta historieta de modo hegemónico y permanente, tienen una apreciación absolutamente disfrazada de lo que ocurrió hace apenas dos o tres décadas.

El trabajo de propaganda y de acción psicológica agitado desde el extranjero y auxiliado precisamente por el presidente norteamericano Jimmy Carter provocó gran presión sobre el Gobierno argentino. Como consecuencia de ello, en septiembre de 1979, la Comisión Interamericana de Derechos Humanos (CIDH) visitó la Argentina, como fruto de una invitación que el Gobierno le efectuara en diciembre del año anterior. La CIDH montó oficinas en la sede de la OEA, visitó cárceles y se entrevistó con personalidades de entidades religiosas y defensoras de los derechos humanos. En ese mismo período, la Selección Nacional Juvenil de Fútbol obtuvo un galardón internacional y tras el triunfo ante la URSS, el pueblo salió a las calles a manifestar contra las oficinas de la OEA: miles de autos portaban carteles en desagravio y calcomanías que rezaban: *"Los argentinos somos derechos y humanos"*, y una multitud de jóvenes *"se congregó en Plaza de Mayo y aclamó a Videla, cuando este salió al balcón, con el grito de 'Videla corazón'"*.441

A pesar del descontento popular por esta intromisión, la CIDH pudo trabajar sin cortapisas y durante su estadía recogió 5.580 denuncias de familiares y amigos de presuntos "perjudicados" que, mayormente, se hallaban vinculados con la subversión. En abril de 1980, se conoció definitivamente el informe confeccionado por el organismo, el cual entre otras cosas sostuvo: *"Por acción u omisión de las autoridades públicas y sus agentes durante el período a que se contrae este informe (1975 a 1979) se cometieron numerosas y graves violaciones de fundamentales derechos humanos reconocidos en la Declaración Americana de derechos y deberes del hombre"*. ¿Se enteró la comisión que la Argentina estaba en guerra civil contra el terrorismo? En otro apartado del informe, se expresa que *"la comisión observa que con posterioridad a su visita a la República Argentina, en el mes de septiembre de 1979, han disminuido las violaciones a los derechos a la vida, a la libertad, a la seguridad e integridad personal y al derecho de justicia y proceso regular y que, particularmente desde el mes de octubre de ese año, no ha registrado denuncias por nuevas desapariciones de personas"*. ¿Acaso no advierte la comisión que dicha disminución tiene directa e intrínseca relación con el hecho de haber terminado la guerra contra el terrorismo con el consiguiente cese de atentados guerrilleros? ¿No conoce la comisión la ley natural de causa-efecto? Como respuesta a esta ideologizada intromisión de la CIDH, Mariano Grondona escribió un contundente artículo para el diario *El Cronista Comercial*, publicado el 12 de septiembre de 1979, el cual entre otras cosas decía: *"¿Por qué a nosotros? ¿Por qué no en Cuba, por ejemplo? El sólo hecho de que la CIDH esté aquí y no en La Habana es ya, una definición. Una definición negativa por supuesto.*

Se acepta el derecho de la guerra contra un ejército externo que viste uniforme y se muestra. Pero no termina de aceptarse el derecho de guerra contra un ejército que no viste uniforme, ataca de noche y no se muestra.

[...] ¿Pensaron alguna vez los norteamericanos en procesar a cada soldado del Vietcong que avistaban, dándole primero la voz de alto y señalándole después que tenía el derecho de permanecer en silencio y llamar a un

abogado? Desde los tiempos más antiguos la doctrina política ha aceptado que hay solamente una situación peor que la tiranía: la anarquía.

En la anarquía no hay un tirano sino miles.

[...] por obrar de esta manera, por creer que el derecho a la seguridad es un derecho humano que el estado debe proteger, los argentinos recibimos hoy la visita de la CIDH. Esto es lo malo. Que están aquí precisamente porque somos derechos y humanos".

Notas

1 Díaz Araujo, Enrique. *La rebelión de la nada o los ideólogos de la subversión cultural.* Buenos Aires, Cruz y Fierro Editores, 1983.

2 "Carta al movimiento peronista", *Primera Plana*. España, 24 de octubre de 1967. Citado en Rojas, Guillermo. *30.000 desaparecidos, realidad, mito y dogma*. (Buenos Aires, Editorial Santiago Apóstol, 2003).

3 Pigna, Felipe. *Lo pasado pensado. Entrevistas con la historia argentina (1955-1983).* 2º ed. Buenos Aires, Planeta, 2005, p. 197.

4 Rojas, Guillermo. *Años de Terror y pólvora. El proyecto cubano en la Argentina (1959-1970).* Buenos Aires, Editorial Santiago Apóstol, 2001, p. 203.

5 *Ibidem.* p. 188.

6 Díaz Araujo, Enrique. *Internacionalismo salvaje, revolución marxista en América.* Buenos Aires, Ediciones La rosa blanca, 2005, p. 55.

7 10 agosto 1967, Teatro Chaplín de La Habana.

8 Beccar Varela, Cosme. *Curiosidades. Panorama de la historia argentina. Diccionario político y manual práctico para destruir el poder de los corruptos.* Buenos Aires, Edición de autor, 1991.

9 Pigna, Felipe. *ob. cit.* supra, nota 3. p. 118.

10 Massot, Vicente. *Matar y morir.* Buenos Aires, Emecé, 2003.

11 Acuña, Carlos Manuel. *Verbitsky de La Habana a la Fundación Ford.* 2º Reimp. Buenos Aires, Ediciones del Pórtico. 2003, p. 141.

12 Rojas, Guillermo. *ob. cit.* supra, nota 4. p. 150.

13 Alsogaray, Álvaro. *Experiencias de cincuenta años de política y economía argentina.* Buenos Aires, Planeta, 1993.

14 Pigna, Felipe. *ob. cit.* supra, nota 3.

15 Revista *Noticias*. Buenos Aires, Editorial Perfil, 21 de febrero de 2004.

16 Gorbato, Viviana. *Montoneros. Soldados de Menem. ¿Soldados de Duhalde?* 2º ed. Buenos Aires, Sudamericana, 1999, p.331.

17 Pigna, Felipe. *ob. cit.* supra, nota 3. p. 167.

18 Rojas, Guillermo. *ob. cit.* supra, nota 4. p. 193.

19 Gillespie, Richard. *Montoneros. Soldados de Perón.* Buenos Aires, Editorial Grijalbo, 1988.

20 SADTFP. "Los Kerenskys Argentinos", *La Prensa*. Argentina, 18 de octubre de 1971.

21 SADTFP. "Los Kerenskys Argentinos", *La Nación*. Argentina, 16 de octubre de 1972.

22 SADTFP. "Los Kerenskys Argentinos", *La Prensa*. Argentina, 20 de febrero de 1972.

23 SADTFP. "Los Kerenskys Argentinos", *La Nación*. Argentina, 7 de mayo de 1972.

24 SADTFP. "Los Kerenskys Argentinos", *La Razón*. Argentina, 27 de octubre de 1971.

25 SADTFP. "Los Kerenskys Argentinos", *La Nación*. Argentina, 20 de mayo de 1972.

26 Acuña, Carlos Manuel. *ob. cit.* supra, nota 11. p. 146.

27 Laprida, Mario Horacio. *Los increíbles radicales*. Buenos Aires, Edición del autor, p. 35.

28 Gorbato, Viviana. *ob. cit.* supra, nota 16. p. 322.

29 Insúa, José María. *Réquiem para la Nación*. Buenos Aires, Huemul, 1988, p. 226.

30 Parra, Julio. *El Combatiente*. Argentina, agosto de 1971. Citado en De Santis, Daniel. *El ERP-PRT y el Peronismo*. (Buenos Aires, Nuestra América, 2004).

31 Gorbato, Viviana. *ob. cit.* supra, nota 16. p. 48.

32 Pigna, Felipe. *ob. cit.* supra, nota 3. p. 235.

33 Revista *Noticias*. Buenos Aires, Editorial Perfil, febrero de 2004.

34 Pigna, Felipe. *ob. cit.* supra, nota 3. p. 164.

35 *El Combatiente*. Argentina, 1971. Citado en De Santis, Daniel. *El ERP-PRT y el Peronismo*. (Buenos Aires, Nuestra América, 2004).

36 *Ibidem*. p. 31.

37 Pigna, Felipe. *ob. cit.* supra, nota 3. p. 159.

38 Parra, Julio. *ob. cit.* supra, nota 30. p. 62.

39 *El Combatiente*. *ob. cit.* supra, nota 35. p. 31.

40 Gorbato, Viviana. *ob. cit.* supra, nota 16. p. 131.

41 *Ibidem*. p. 145.

42 *Ibidem*. p. 299.

43 *Ibidem*. p. 300.

45 *Ibidem*.

46 *Ibidem*. p. 303.

47 Bonasso, Miguel. *Diario de un clandestino*. Buenos Aires, Planeta, 2000, p. 242.

48 Gorbato, Viviana. *ob. cit.* supra, nota 16. p. 305.

49 *Ibidem*. p. 306.

50 Durante el careo con Verbistky en la investigación por el destino de los fondos del secuestro de los Born.

51 Gorbato, Viviana. *ob. cit.* supra, nota 16. p. 53.

52 Pigna, Felipe. *ob. cit.* supra, nota 3. p. 162.

53 Gorbato, Viviana. *ob. cit.* supra, nota 16. pp. 323-324.

54 Bonasso, Miguel. *ob. cit.* supra, nota 47. p. 24.

55 Sebreli, Juan José. *Crítica a las ideas políticas argentinas*. 4° ed. Buenos Aires, Sudamericana, 2002, p. 389.

56 Rojas, Guillermo. *30.000 desaparecidos, realidad, mito y dogma*. Buenos Aires, Editorial Santiago Apóstol, 2003, p. 161.

57 Acuña, Carlos Manuel. *ob. cit.* supra, nota 11. p. 131.

58 Sebreli, Juan José. *ob. cit.* supra, nota 55. p. 384.

59 García Montaño, Diego. *Responsabilidad compartida*. Buenos Aires, Ediciones El copista, 2003, p. 186.

60 Rojas, Guillermo. *ob. cit.* supra, nota 56. p. 140.

61 *Ibidem*.

62 Gorbato, Viviana. *ob. cit.* supra, nota 16. p. 63.

63 Rojas, Guillermo. *ob. cit.* supra, nota 4. p. 128.

64 Vigo Leguizamón, Javier. *Amar al enemigo. Un diálogo de reconciliación entre argentinos*. Buenos Aires, Ediciones Pasco, 2001, p. 90.

65 Gorbato, Viviana. *ob. cit.* supra, nota 16. p. 41.

66 Gorbato, Viviana. *ob. cit.* supra, nota 16. p. 43.

67 Pigna, Felipe. *ob. cit.* supra, nota 3. p. 165.

68 *Idem*.

69 Rojas, Guillermo. *ob. cit.* supra, nota 56. p. 177.

70 Rojas, Guillermo. *ob. cit.* supra, nota 4. p. 192.

71 *Ibidem*, p. 128.

72 Rojas, Guillermo. *ob. cit.* supra, nota 56. p. 180.

73 Viotto Romano, Leandro. *Silencio de mudos. La subversión en la Argentina (1959-2005). De las armas al poder institucional y político.* Buenos Aires, Editorial Dunken, 2005, p. 68.

74 Vigo Leguizamón, Javier. *ob. cit.* supra, nota 64. p. 193.

75 Acuña, Carlos Manuel. *Por amor al odio. Crónicas de guerra: de Cámpora a la muerte de Perón.* Tomo II. Buenos Aires, Ediciones del Pórtico, 2003, p. 123.

76 *Ibidem.* p. 358.

77 Rojas, Guillermo. *ob. cit.* supra, nota 4. p. 307.

78 Acuña, Carlos Manuel. *ob. cit.* supra, nota 75. p. 340.

79 *La Nación.* Buenos Aires, 26 de noviembre 1972. Citado en Rojas, Guillermo. *30.000 desaparecidos, realidad, mito y dogma.* (Buenos Aires, Editorial Santiago Apóstol, 2003, p. 170).

80 Rojas, Guillermo. ob. cit. supra, nota 56. p. 187.

81 Bonasso, Miguel. *ob. cit.* supra, nota 47. p. 87.

82 *Ibidem.* p. 100.

83 Pigna, Felipe. *ob. cit.* supra, nota 3. p. 215.

84 Bonasso, Miguel. *ob. cit.* supra, nota 47. p. 112.

85 Insúa, José María. *ob. cit.* supra, nota 29. p. 238.

86 Santucho, Mario Roberto. *El Combatiente.* Argentina, marzo de 1973.

87 *Idem.*

88 Acuña, Carlos Manuel. *ob. cit.* supra, nota 75. p. 13.

89 *Ibidem.* p. 83.

90 Revista *El Burgués.* Citado en Acuña, Carlos Manuel. *Por amor al odio. Crónicas de guerra: de Cámpora a la muerte de Perón.* Tomo II. (Buenos Aires, Ediciones del Pórtico, 2003, p. 202).

91 "El día de la jura de Cámpora. Caos en la Rosada", *Gente.* Argentina. p. 12.

92 Insúa, José María. *ob. cit.* supra, nota 29. p. 242.

93 Rojas, Guillermo. ob. cit. supra, nota 56. p. 191.

94 Laprida, Mario Horacio. ob. cit. supra, nota 27. p. 37.

95 Gorbato, Viviana. *ob. cit.* supra, nota 16. p. 80.

96 Alsogaray, Álvaro. *ob. cit.* supra, nota 13.

97 Bonasso, Miguel. *El Presidente que no fue. Los archivos ocultos del Peronismo.* Buenos Aires, Planeta, 2002. Citado en Acuña, Carlos Manuel. *Por amor al odio. Crónicas de guerra: de Cámpora a la muerte de Perón.* Tomo II. (Buenos Aires, Ediciones del Pórtico, 2003).

98 Revista *Noticias*, Argentina, 21 de febrero de 2004.

99 Laprida, Mario Horacio. *ob. cit.* supra, nota 27. p. 51.

100 Pigna, Felipe. *ob. cit.* supra, nota 3. p. 228.

101 Rojas, Guillermo. *ob. cit.* supra, nota 56.

102 Acuña, Carlos Manuel. *ob. cit.* supra, nota 75. p. 112.

103 Rojas, Guillermo. *ob. cit.* supra, nota 56. p. 195.

104 *In Memoriam.* Tomo III. Buenos Aires, Círculo Militar, 2000.

105 Acuña, Carlos Manuel. *ob. cit.* supra, nota 75. p. 125.

106 *Ibidem.* p. 156.

107 *Ibidem.* p. 167.

108 *Ibidem.* p. 224.

109 *Ibidem.* p. 171.

110 Rojas, Guillermo. *ob. cit.* supra, nota 56. p. 194.

111 Gorbato, Viviana. *ob. cit.* supra, nota 16. p. 268.

112 *La Argentina en el siglo XX.* pp. 252-253. Citado en García Montaño, Diego. *Responsabilidad compartida.* (Buenos Aires, Ediciones El copista, 2003, p. 53).

113 Diario *La Nación*.

114 Larraquy, Marcelo y Roberto Caballero. *Galimberti. De Perón a Susana, de Montoneros a la CIA*. Buenos Aires, Grupo Editorial Norma, 2000.

115 *Ibidem*. p. 114.

Vigo Leguizamón, Javier. *ob. cit.* supra, nota 64. pp. 94-95.

117 Acuña, Carlos Manuel. *ob. cit.* supra, nota 75. p. 65.

118 Gorbato, Viviana. *ob. cit.* supra, nota 16. p. 243.

119 Laprida, Mario Horacio. *ob. cit.* supra, nota 27. p. 91.

120 Bonasso, Miguel. *ob. cit.* supra, nota 47. p. 120.

121 *Ibidem*. p. 122.

122 Rojas, Guillermo. *ob. cit.* supra, nota 56. p. 189.

123 Vigo Leguizamón, Javier. *Amar al enemigo. Un diálogo de reconciliación entre argentinos*. Buenos Aires, Ediciones Pasco, 2001, p. 99.

124 *Idem*.

125 García Montaño, Diego. *ob. cit.* supra, nota 59. p. 57.

126 Revista *Gente*. Buenos Aires, Editorial Atlántida, p. 22.

127 Citado en Massot, Vicente. *Matar y morir*. Buenos Aires, Emecé, 2003. p. 224.

128 *Diccionario de la lengua española*. Buenos Aires, Kapelusz, 1979.

129 Sebreli, Juan José. *ob. cit.* supra, nota 55.

130 Gorbato, Viviana. *ob. cit.* supra, nota 16. p.173.

131 Ob. cit. supra, nota 104.

132 Acuña, Carlos Manuel. *Por amor al odio. La tragedia de la subversión en la Argentina*. Tomo I. 3º ed. Buenos Aires, Ediciones del Pórtico, 2003.

133 *Idem*.

134 Acuña, Carlos Manuel. *ob. cit.* supra, nota 75. p. 58-59.

135 Pigna, Felipe. *ob. cit.* supra, nota 3. p.154.

136 Giussiani, Pablo. *Montoneros. La soberbia armada*. Buenos Aires, Sudamericana, 2003.

137 *Ibidem*. p. 132.

138 Asociación Unidad Argentina (AUNAR). *La subversión: la historia olvidada*. 2º ed. Buenos Aires, 1997.

139 Acuña, Carlos Manuel. *ob. cit.* supra, nota 75.

140 Acuña, Carlos Manuel. ob. cit. supra, nota 11. p. 152.

141 Fallos del la Corte Suprema de Justicia de la Nación. Antecedentes, Capítulo 1, Cuestiones de hecho Nº 1 y 2, p. 74.

142 Acuña, Carlos Manuel. *ob. cit.* supra, nota 75. p. 245-246.

143 *Idem*.

144 Rojas, Guillermo. *ob. cit.* supra, nota 56. p. 201.

145 Giussiani, Pablo. *ob. cit.* supra, nota 136. p. 227.

146 Ob. cit. supra, nota 104.

147 Revista *Noticias*. Buenos Aires, Editorial Perfil, febrero de 2004.

148 Pigna, Felipe. *ob. cit.* supra, nota 3. p. 226.

149 Acuña, Carlos Manuel. *ob. cit.* supra, nota 75. p. 131.

150 *Ibidem*.

151 *Ibidem*. p. 295.

152 *Ibidem*. p. 136.

153 *Ibidem*. p. 288.

154 *Ibidem*. p. 343.

155 *Ibidem*. p. 346.

156 *Ibidem*. p. 251.

157 *Ibidem*. p. 251.

[158] Turolo, Carlos M. *De Isabel a Videla, los pliegues del poder*. Buenos Aires, Sudamericana, 1996, p. 21.

[159] *Ibidem*. p. 23.

[160] *Ibidem*. p. 19.

[161] Gelblung. Memoria. Citado en García Montaño, Diego. *Responsabilidad compartida*. (Buenos Aires, Ediciones El copista, 2003, p. 150).

[162] Rojas, Guillermo. ob. cit. supra, nota 56. p. 276.

[163] Acuña, Carlos Manuel. *ob. cit.* supra, nota 75. p. 372-373.

[164] Sebreli, Juan José. *ob. cit.* supra, nota 55. p. 278.

[165] Revista *Gente*. Buenos Aires, Editorial Atlántida, pp. 70 a 73.

[166] Gorbato, Viviana. *ob. cit.* supra, nota 16. p. 339.

[167] Pigna, Felipe. *ob. cit.* supra, nota 3. p. 165.

[168] Seoane, María. Revista *Somos*. [Publicación de la inteligencia militar uruguaya. Documentación chilena.] Citado en Acuña, Carlos Manuel. *Por amor al odio. Crónicas de guerra: de Cámpora a la muerte de Perón*. Tomo II. (Buenos Aires, Ediciones del Pórtico, 2003, p. 388).

[169] Acuña, Carlos Manuel. *ob. cit.* supra, nota 75. p. 359.

[170] *Ibidem*. p. 363.

[171] *Ibidem*. p. 368.

[172] *Ibidem*. p. 370.

[173] Acuña, Carlos Manuel. *ob. cit.* supra, nota 11. p. 147.

[174] *Ibidem*. p. 162.

[175] García Montaño, Diego. *ob. cit.* supra, nota 59. p. 64.

[176] Caparrós, Martín y Eduardo Anguita. *La voluntad*. Tomo II. Buenos Aires, Grupo Editor Norma, 1998.

[177] Acuña, Carlos Manuel. *ob. cit.* supra, nota 132.

[178] Giussiani, Pablo. *ob. cit.* supra, nota 136. p. 48.

[179] García Montaño, Diego. *ob. cit.* supra, nota 59. p. 243.

[180] Lanata, Jorge. *Argentinos*. Tomo II. Buenos Aires, Editorial Vergara, 2003.

[181] Acuña, Carlos Manuel. *ob. cit.* supra, nota 75. p. 402.

[182] *Ibidem*. p. 403.

[183] *Ibidem*. p. 404.

[184] Pigna, Felipe. *ob. cit.* supra, nota 3. p. 39.

[185] *Ibidem*. p. 274.

[186] *Ibidem*. p. 275.

[187] *Ibidem*. p. 275.

[188] Revista *Gente*. Buenos Aires, Editorial Atlántida.

[189] Acuña, Carlos Manuel. *ob. cit.* supra, nota 75. p. 408.

[190] *Ibidem*. p. 423.

[191] *Ibidem*. p. 404.

[192] *Ibidem*. p. 431.

[193] Bonasso, Miguel. *ob. cit.* supra, nota 47. p. 134.

[194] *Ibidem*. p. 136.

[195] Acuña, Carlos Manuel. *ob. cit.* supra, nota 75. p. 333.

[196] Rojas, Guillermo. *ob. cit.* supra, nota 4. p. 20.

[197] Walsh, Rodolfo. "Ayudamemoria", Revista *Cabildo*. Argentina, febrero de 2001. p. 5.

[198] Acuña, Carlos Manuel. *ob. cit.* supra, nota 75. p. 434.

[199] *Ibidem*. p. 436.

[200] *Ibidem*. p. 437.

[201] *Ibidem*. p. 438.

[202] *Ibidem*. pp. 443-444.

197

203 Laprida, Mario Horacio. *ob. cit.* supra, nota 27. p. 32.

204 Vigo Leguizamón, Javier. *ob. cit.* supra, nota 64. p. 309.

205 Pigna, Felipe. *ob. cit.* supra, nota 3. p. 240.

206 Acuña, Carlos Manuel. *ob. cit.* supra, nota 75. p. 461.

207 *Ibidem.* p. 462.

208 *Ibidem.* p. 463.

209 *Ibidem.* p. 463.

210 *Ibidem.* p. 471.

211 *Ibidem.* pp. 472-473.

212 García Montaño, Diego. *ob. cit.* supra, nota 59. p. 74.

213 Acuña, Carlos Manuel. *ob. cit.* supra, nota 75. pp. 480-481.

214 De Santis, Daniel. *El ERP-PRT y el Peronismo.* Buenos Aires, Nuestra América, 2004, p. 144.

215 Giussiani, Pablo. *Montoneros ob. cit.* supra, nota 136. pp. 17-18.

216 Pigna, Felipe. *ob. cit.* supra, nota 3. p. 242.

217 Sebreli, Juan José. *ob. cit.* supra, nota 55. p. 390.

218 Gorbato, Viviana. *ob. cit.* supra, nota 16. p. 273.

219 *Ibidem.* p. 412).

220 Revista *Noticias.* Buenos Aires, Editorial Perfil, 21 de febrero de 2004.

221 Pigna, Felipe. *ob. cit.* supra, nota 3. p. 235.

222 *Ob. cit.* supra, nota 104. p. 189.

223 Díaz Araujo, Enrique. *ob. cit.* supra, nota 6. p. 81.

224 Rojas, Guillermo. *ob. cit.* supra, nota 56. p. 213.

225 Acuña, Carlos Manuel. *ob. cit.* supra, nota 75. p. 483.

226 *Ibidem.* p. 505.

227 *Ibidem.* p. 510-511.

228 Lanata, Jorge. *Argentinos. ob. cit.* supra, nota 181.

229 Gorbato, Viviana. *ob. cit.* supra, nota 16. p. 313.

230 Bonasso, Miguel. *ob. cit.* supra, nota 47. p. 92.

231 Gorbato, Viviana. *ob. cit.* supra, nota 16. pp. 314-315.

232 *Idem.*

233 *Ibidem.* p. 315.

234 *Ibidem.* p. 316.

235 "Más sobre los palotinos", Revista *Cabildo.* Argentina, agosto de 2005, p. 11.

236 Revista *Tres Puntos,* N° 133. Buenos Aires, Editorial Tres puntos, 20 de enero de 2000.

237 Un informe completísimo y detallado tanto del sumario, la pericia mecánica, la pericia médica, la carátula y todos los detalles posibles puede verse en Ares, José Fernando, "La mentira del asesinato de Angelelli". Revista *Cabildo.* Argentina, agosto de 2005.

238 Laprida, Mario Horacio. *ob. cit.* supra, nota 27. p. 95.

239 Pigna, Felipe. *ob. cit.* supra, nota 3. p. 296.

240 *Idem.*

241 Fraga, Rosendo. "Los atentados y el crecimiento del malestar militar", *La Nación.* Argentina, 19 de marzo de 2006.

242 Acuña, Carlos Manuel. *ob. cit.* supra, nota 11. p. 105.

243 Acuña, Carlos Manuel. *ob. cit.* supra, nota 75. pp. 524-525.

244 Citado en García Montaño, Diego. *Responsabilidad compartida.* Buenos Aires, Ediciones El copista, 2003, p. 106.

245 Pigna, Felipe. *ob. cit.* supra, nota 3. p. 295.

246 Giussiani, Pablo. *ob. cit.* supra, nota 136. p. 65.

247 Bonasso, Miguel. *ob. cit.* supra, nota 47. p. 170.

248 Giussiani, Pablo. *ob. cit.* supra, nota 136. p. 102.

[249] Gorbato, Viviana. *ob. cit.* supra, nota 16. p. 183.

[250] Bonasso, Miguel. *ob. cit.* supra, nota 47. p. 201.

[251] Ibidem. p. 205.

[252] *Ob. cit.* supra, nota 104.

[253] Rojas, Guillermo. *ob. cit.* supra, nota 56. p. 218.

[254] Citado en García Montaño, Diego. *Responsabilidad compartida.* Buenos Aires, Ediciones El copista, 2003.

[255] *Idem.*

[256] Acuña, Carlos Manuel. *ob. cit.* supra, nota 11.

[257] Gorbato, Viviana. *ob. cit.* supra, nota 16. p. 149.

[258] *Idem.*

[259] *Ibidem.* p. 151.

[260] *Ibidem.* p. 154.

[261] Acuña, Carlos Manuel. *ob. cit.* supra, nota 11. p. 98.

[262] Fuente http://www.seprin.com.ar

[263] Rojas, Guillermo. *ob. cit.* supra, nota 56. p. 219.

[264] Acuña, Carlos Manuel. *ob. cit.* supra, nota 11. p. 147.

[265] Rojas, Guillermo. *ob. cit.* supra, nota 56. p. 220.

[266] *Ibidem.* p. 220.

[267] Turolo, Carlos M. *ob. cit.* supra, nota 159. p. 17.

[268] Varela, Florencio. *Persecución de la Justicia federal a las FF.AA.* Conferencia en la Asociación Unidad Argentina (AUNAR). Buenos Aires, 30 de septiembre de 2003.

[269] Sebreli, Juan José. *ob. cit.* supra, nota 55. p. 394.

[270] *Ob. cit.* supra, nota 104.

[271] Citado en *Ámbito Financiero* por Juan Bautista Yofre. Argentina, 20 de marzo de 2006.

[272] Pigna, Felipe. *ob. cit.* supra, nota 3. p. 291.

[273] Yofre, Juan Bautista en *Ámbito Financiero.* Argentina, 21 de marzo de 2006.

[274] *Idem.*

[275] *Idem.*

[276] "Asesinos", *La Nueva Provincia.* Argentina, 23 de marzo de 2006.

[277] Larrabure, Arturo Cirilo. *Un canto a la Patria.* Buenos Aires, Edición del autor, 2005.

[278] Yofre, Juan Bautista en *Ámbito Financiero.* Argentina, 22 de marzo de 2006.

[279] *Idem.*

[280] Insúa, José María. *ob. cit.* supra, nota 29. p. 271.

[281] Rojas, Guillermo. *ob. cit.* supra, nota 56. p. 230.

[282] Laprida, Mario Horacio. ob. cit. supra, nota 27. p. 97.

[283] Díaz Araujo, Enrique. *ob. cit.* supra, nota 6. p. 58.

[284] Beccar Varela, Cosme. *ob. cit.* supra, nota 8.

[285] Varela, Florencio. *ob. cit.* supra, nota 269.

[286] Pigna, Felipe. *ob. cit.* supra, nota 3. p. 295.

[287] Handel, Michael. *Sun Tzu y Clausewitz. El arte de la guerra y De la guerra, comparados.* Buenos Aires, Instituto de Publicaciones Navales, 1997.

[288] *Idem.*

[289] Varela, Florencio. *ob. cit.* supra, nota 269.

[290] Handel, Michael. *ob. cit.* supra, nota 288.

[291] García Montaño, Diego. *ob. cit.* supra, nota 59. p. 99.

[292] Fallos de la CSJN, Capítulo 8, "Cuestiones de hecho", p. 105.

[293] Rojas, Guillermo. *ob. cit.* supra, nota 56.

[294] Yofre, Juan Bautista. "24 de marzo de 1976", *Ámbito Financiero.* Argentina, 23 de marzo de 2006.

295 *Idem.*

296 *Idem.*

297 Bignone, Reynaldo. *El último de facto II. Quince años después, memoria y testimonio.* Buenos Aires, Edición de autor, 2000, p. 33.

398 Pigna, Felipe. *ob. cit.* supra, nota 3. p. 396.

399 García Montaño, Diego. *ob. cit.* supra, nota 59. p. 249.

300 Laprida, Mario Horacio. ob. cit. supra, nota 27. p. 134.

301 García Montaño, Diego. *ob. cit.* supra, nota 59.

302 *Idem.*

303 *Time Magazine*, noviembre de 1975. Citado en García Montaño, Diego. *Responsabilidad compartida.* Buenos Aires, Ediciones El copista, 2003, p. 138.

304 Citado en *Ámbito Financiero* por Juan Bautista Cofre. Argentina, 20 de marzo de 2006.

305 Gorbato, Viviana. *ob. cit.* supra, nota 16. p. 425.

306 Alsogaray, Álvaro. *ob. cit.* supra, nota 13. p. 124.

307 Yofre, Juan Bautista. "24 de marzo de 1976", *Ámbito Financiero*. Argentina, 23 de marzo de 2006.

308 García Montaño, Diego. *ob. cit.* supra, nota 59. p. 118.

309 *Ibidem.* p. 119.

310 Bonanata, Humberto. "La semana del resentimiento". http://www.notiar.com.ar. 19 de marzo de 2006.

311 *La Opinión.* Citado en García Montaño, Diego. *Responsabilidad compartida.* Buenos Aires, Ediciones El copista, 2003, p. 112.

312 García Montaño, Diego. *ob. cit.* supra, nota 59. pp. 112-113.

313 Sebreli, Juan José. *ob. cit.* supra, nota 55. p. 313.

314 Turolo, Carlos M. *ob. cit.* supra, nota 159. p. 47.

315 Yofre, Juan Bautista. *ob. cit.* supra, nota 296.

316 *La Voz del Interior.* Citado en García Montaño, Diego. *Responsabilidad compartida.* Buenos Aires, Ediciones El copista, 2003, p. 120.

317 García Montaño, Diego. *ob. cit.* supra, nota 59.

318 *Ibidem.* pp. 122-123.

319 Bignone, Reynaldo. *ob. cit.* supra, nota 299. p. 34.

320 Sebreli, Juan José. *ob. cit.* supra, nota 55. p. 394.

321 Acuña, Carlos Manuel. *ob. cit.* supra, nota 11. p. 165.

322 Viotto Romano, Leandro. *ob. cit.* supra, nota 73. p. 137.

323 Laprida, Mario Horacio. ob. cit. supra, nota 27. p. 134.

324 *Idem.*

325 García Montaño, Diego. *ob. cit.* supra, nota 59. p. 131.

326 Yofre, Juan Bautista. *ob. cit.* supra, nota 296.

327 Seoane, María y Vicente Muleiro. *El dictador. La historia secreta y pública de Jorge Rafael Videla.* Buenos Aires, Sudamericana, 2001, p. 68.

328 Turolo, Carlos M. *ob. cit.* supra, nota 159. p. 50.

329 *Ibidem.* p. 62.

330 Yofre, Juan Bautista. *ob. cit.* supra, nota 296.

331 *Idem.*

332 *Idem.*

333 *Idem.*

334 Laprida, Mario Horacio. ob. cit. supra, nota 27. p. 64.

335 Yofre, Juan Bautista. *ob. cit.* supra, nota 296.

336 *La Voz del Interior.* *ob. cit.* supra, nota 318.

337 Turolo, Carlos M. *ob. cit.* supra, nota 159. p. 167.

200

[338] García Montaño, Diego. *ob. cit.* supra, nota 59. p. 132.

[339] "A 30 años del golpe: frases que hicieron historia", *La Capital*. http://www.lacapital-.com.ar/2006/03/19/politica/noticia_278657.shtml. 19 de marzo de 2006.

[340] Yofre, Juan Bautista. *ob. cit.* supra, nota 296.

[341] Díaz, César Luis. "El 24 de marzo de 1976, una noticia que no fue primicia". Agencia NOVA.

[342] Yofre, Juan Bautista. *ob. cit.* supra, nota 296.

[343] *Ob. cit.* supra, nota 341.

[344] *Ob. cit.* supra, nota 104.

[345] García Montaño, Diego. *ob. cit.* supra, nota 59. p. 163.

[346] Seoane, María y Vicente Muleiro. *ob. cit.* supra, nota 329. pp. 223-224.

[347] García Montaño, Diego. *ob. cit.* supra, nota 59. p. 165.

[348] *Ob. cit.* supra, nota 343.

[349] García Montaño, Diego. *ob. cit.* supra, nota 59. p. 169.

[350] *Ob. cit.* supra, nota 343.

[351] Viotto Romano, Leandro. *ob. cit.* supra, nota 73. p. 170.

[352] Bignone, Reynaldo. *ob. cit.* supra, nota 299. p. 63.

[353] *Ibidem.* p. 67.

[354] *La Opinión.* Ob. cit. supra, nota 313. p. 176.

[355] *Ob. cit.* supra, nota 341.

[356] *La nación.* Buenos Aires, 25 de marzo de 1979.

[357] Sebreli, Juan José. *ob. cit.* supra, nota 55. p. 313.

[358] Lanata, Jorge. *Argentinos. ob. cit.* supra, nota 181.

[359] García Montaño, Diego. *ob. cit.* supra, nota 59. p. 178.

[360] Sebreli, Juan José. *ob. cit.* supra, nota 55. p. 313.

[361] García Montaño, Diego. *ob. cit.* supra, nota 59. p. 149.

[362] Viotto Romano, Leandro. *ob. cit.* supra, nota 73.

[363] *La Nación.* Buenos Aires, 02 de abril de 2004.

[364] *Ob. cit.* supra, nota 341.

[365] García Montaño, Diego. *ob. cit.* supra, nota 59. p. 207.

[366] *Ibidem.* p. 205.

[367] *Ibidem.* pp. 203-204.

[368] *Ibidem.* p. 204.

[369] Sebreli, Juan José. *ob. cit.* supra, nota 55. p. 394.

[370] Acuña, Carlos Manuel. *ob. cit.* supra, nota 75.

[371] Coggiola, Osvaldo. *El Trotskismo en la Argentina (1960-185).* Citado en García Montaño, Diego. *Responsabilidad compartida.* Buenos Aires, Ediciones El copista, 2003, p. 167.

[372] Sebreli, Juan José. *ob. cit.* supra, nota 55. p. 395.

[373] Turolo, Carlos M. *ob. cit.* supra, nota 159. p. 34.

[374] Pigna, Felipe. *ob. cit.* supra, nota 3. p. 367.

[375] *Ibidem.* p. 302.

[376] *Ibidem.* p. 298.

[377] Díaz Araujo, Enrique. *ob. cit.* supra, nota 6. p. 57.

[378] Gorbato, Viviana. *ob. cit.* supra, nota 16. p. 148.

[379] *Ibidem.* p. 188.

[380] *Ibidem.* p. 189.

[381] *Ibidem.* p. 319.

[382] Acuña, Carlos Manuel. *ob. cit.* supra, nota 11. p. 147.

[383] Pigna, Felipe. *ob. cit.* supra, nota 3. p. 404.

[384] García Montaño, Diego. *ob. cit.* supra, nota 59. p. 178.

385 Yofre, Juan Bautista. *ob. cit.* supra, nota 296.
386 Gillespie, Richard. *ob. cit.* supra, nota 19.
387 Pigna, Felipe. *ob. cit.* supra, nota 3. p. 298.
388 Gorbato, Viviana. *ob. cit.* supra, nota 16. p. 191.
389 García Montaño, Diego. *ob. cit.* supra, nota 59. p. 250.
390 Ob. cit. supra, nota 104.
391 Gillespie, Richard. *ob. cit.* supra, nota 19. p. 300.
392 Rojas, Guillermo. *ob. cit.* supra, nota 56. p. 256.
393 Bonasso, Miguel. *ob. cit.* supra, nota 47. p. 258.
394 Rojas, Guillermo. *ob. cit.* supra, nota 56. p. 210.
395 Insúa, José María. *ob. cit.* supra, nota 29. p. 277.
396 *Ibidem.* p. 279.
397 Varela, Florencio. "Una dolorosa verdad, con memoria y sin rencores", *La Nueva Provincia.* Argentina, 24 de diciembre de 2005.
398 Rojas, Guillermo. *ob. cit.* supra, nota 56. p. 376.
399 Gorbato, Viviana. *ob. cit.* supra, nota 16. p. 278.
400 Yofre, Juan Bautista. *ob. cit.* supra, nota 296.
401 Pigna, Felipe. *ob. cit.* supra, nota 3. p. 355.
402 *Ibidem.* p. 397.
403 Handel, Michael. *ob. cit.* supra, nota 288.
404 Díaz Bessone, Ramón Genaro. *Guerra revolucionaria en la República Argentina (1959-1978).* Buenos Aires, Círculo Militar, p. 342.
405 Varela, Florencio. *ob. cit.* supra, nota 399.
406 Grondona, Mariano. *Las condiciones culturales del desarrollo económico.* Buenos Aires, Planeta, 1999.
407 Handel, Michael. *ob. cit.* supra, nota 288.
408 Rojas, Guillermo. *ob. cit.* supra, nota 4. p. 183.
409 *Ibidem.* p. 187.
410 Giussiani, Pablo. *ob. cit.* supra, nota 136. p. 66.
411 Gorbato, Viviana. *ob. cit.* supra, nota 16. p. 204.
412 *Ibidem.* p. 206.
413 *Ibidem.* pp. 207-208.
414 Bonasso, Miguel. *ob. cit.* supra, nota 47. p. 298.
415 *Ibidem.* p. 302.
416 *Ibidem.* p. 302-303.
417 *Ibidem.* p. 304.
418 *Idem.*
419 *Ibidem.* p. 311.
420 Acuña, Carlos Manuel. *ob. cit.* supra, nota 11. p. 183.
421 García Montaño, Diego. *ob. cit.* supra, nota 59. p. 239.
422 *Ibidem.* p. 255.
423 *Idem.*
424 Pigna, Felipe. *ob. cit.* supra, nota 3. p. 390.
425 García Montaño, Diego. *ob. cit.* supra, nota 59. p. 251.
426 Lanata, Jorge. *Argentinos. ob. cit.* supra, nota 181.
427 Gorbato, Viviana. *ob. cit.* supra, nota 16. p. 101.
428 Pigna, Felipe. *ob. cit.* supra, nota 3. p. 408.
429 Vigo Leguizamón, Javier. *ob. cit.* supra, nota 64. p. 318.
430 Giussiani, Pablo. *ob. cit.* supra, nota 136. p. 124.
431 García Montaño, Diego. *ob. cit.* supra, nota 59. p. 206.
432 Insúa, José María. *ob. cit.* supra, nota 29.

433 Revista *Noticias*. Buenos Aires, Editorial Perfil, febrero de 2004.
434 Pigna, Felipe. *ob. cit.* supra, nota 3. p. 410.
435 Bonasso, Miguel. *ob. cit.* supra, nota 47. p. 318.
436 Gillespie, Richard. *ob. cit.* supra, nota 19.
437 Rojas, Guillermo. *ob. cit.* supra, nota 56. p. 256.
438 Pigna, Felipe. *ob. cit.* supra, nota 3. p. 406.
439 *Los 70', violencia en la Argentina*. Buenos Aires, Círculo Militar, 2001, Cap. 1.
440 Giussiani, Pablo. *ob. cit.* supra, nota 136. p. 52.
441 Sebreli, Juan José. *ob. cit.* supra, nota 55.

Capítulo III

El Proceso después de la guerra antiterrorista.
Del auge al naufragio

Los cinco años de Videla

Comenzando los años 80, el país se hallaba ya pacificado y ordenado. Pero durante el primer lustro de gestión cívico-militar, se recorrió un itinerario poco claro y de cierta indefinición. El gobierno del presidente Videla no fue nacionalista, pero tampoco liberal; no era una democracia, pero tampoco un totalitarismo; no era un gobierno plural, pero tampoco unipersonal; no era civil, pero tampoco puramente militar (sino una convergencia de ambos sectores). No se renegaba del capitalismo y la propiedad privada pero no se ocupó en lo más mínimo en achicar el enorme estatismo heredado (incluso se estatizaron empresas de gran envergadura); obviamente no era un gobierno comunista, pero tampoco "macartista", se mantuvieron relaciones relativamente buenas con la URSS y se contó con el apoyo explícito del Partido Comunista local y las relaciones del Gobierno con los Estados Unidos fueron siempre oscilantes.

En definitiva, la gestión de Videla fue un híbrido con sesgo autoritario, pero insólitamente sin vocación de poder ni perpetuidad. El mismo presidente Videla no quería ejercer el poder (casi fue una imposición para él ser presidente), tanto es así que debe ser uno de los muy pocos y contados casos de la historia, en el que un gobernante de facto se hace cargo del poder autolimitándose el plazo de gestión (por cinco años) y, dicho y hecho, ni un minuto antes ni después, el presidente Videla (tal como se había comprometido) se retira del poder entregando el mando al general Viola, designado en marzo del 81. Lo único que tuvo claro el gobierno de Videla fue que su tarea era erradicar la anarquía institucional, restablecer la tranquilidad, combatir al terrorismo y conservar las estructuras estatales y la cultura tradicional, pero fuera de eso, no hubo definiciones ni transformaciones relevantes.

Además, ya el hecho de que Videla se retirara entregando el mando a otro presidente de facto mostraba que el Proceso comenzaba a desnaturalizar sus propósitos de origen, puesto que por entonces, a pesar de los pros y contras que esta gestión tuvo (pero que salvó al país de la disgregación), se debió haber llamado a elecciones y normalizar la institucionalidad de la Nación.

Así como Alfonsín, Menem o ahora Kirchner durante sus primeros años de gobierno gozaron de simpatía y adhesión popular (la cual necesariamente desciende por el desgaste natural en el poder), Videla no fue ajeno a este péndulo. El ciudadano argentino adhiere o rechaza a los gobernantes según los resultados económicos tangibles e inmediatos que pueda percibir. Durante los primeros cuatro años, Videla era aclamado. Luego de que el plan de Martínez de Hoz comenzara a mostrar sus fallas y debilidades (entre 1979 y 80), la imagen de Videla comenzó su descenso. Esta caída de la popularidad fue aprovechada, por ejemplo, por Balbín, quien durante los tres primeros años del Gobierno provisional se ocupó de defenderlo y recién en 1979-1980 comenzó tímidamente a peticionar una "apertura a las formas democráticas", puesto que todos los correligionarios de la UCR que aún no ocupaban cargos en la administración pública, necesitaban vivir del Estado. Es por ello que recién el 5 de abril de 1979, Balbín manifiesta: *"La subversión está muerta y ha llegado la hora de hablar claro para ver si vamos o no en camino hacia la democracia"*.[1]

Respecto al tema más polémico del Proceso, los "desaparecidos", a la ciudadanía le importaba poco o nada el paradero de los terroristas ejecutados. Solo les importaba vivir en tranquilidad y normalidad. Solo determinados sectores comprometidos ideológica o familiarmente con la guerrilla agitaban las aguas sobre el tema. Balbín, al respecto, minimizaba: *"A los desaparecidos, que los juzgue Dios"*. Consecuente con esto, el 13 de abril de 1980 arremetió en declaraciones a la televisión española: *"Creo que no hay desaparecidos; creo que están muertos, aunque no he visto el certificado de defunción de ninguno"*. Seis meses después, complementaba: *"Los argentinos debemos olvidar estos episodios [las desapariciones], porque de lo contrario no se construye el país. Los desaparecidos son el gran precio de la guerra sucia, porque esta ha sido una guerra sucia"*.[2]

La economía durante el Proceso

A pesar de que durante los primeros años del Proceso la economía se había recuperado notablemente, en esta materia la gestión de Videla tuvo muchísimos desaciertos, pues no efectuó transformaciones institucionales profundas, ni fue privatista, ni aplicó políticas tendientes al libre mercado. Si bien los resultados no fueron halagüeños, tampoco pueden analizarse de modo aislado, pues si los comparamos con la espantosa administración peronista 1973-76 donde estalló el "Rodrigazo" (justo antes del Proceso) o con el hiperinflacionario "Plan Austral" de Raúl Alfonsín (justo después del Proceso) llevado adelante en los años 80, hasta podríamos decir que la gestión de Martínez de Hoz sale ilesa.

Con total irresponsabilidad y sin detenerse a analizar en los más mínimo ni la situación económica que heredó el Proceso ni la situación internacional dentro de la cual se trabajó, la arenga oficial suele dirigir eslóganes denigratorios destinados a imponer la ficción de que "con el Proceso se inauguró la decadencia económica argentina" y, encima, se pretende imponer la idea de que dicha "política de empobrecimiento" se impuso *ex profeso*. A modo de frase sistemática, se cargan tintas aludiendo al "aumento de la deuda externa" sin atender a ninguna otra circunstancia y, con desconocimiento total de la materia, le adjudican al Proceso haber llevado a cabo una política económica "liberal" (cosa que tampoco sucedió en modo alguno).

En rigor de verdad, al asumir las nuevas autoridades en medio de una guerra civil y del vacío institucional, el país se encontraba en cesación de pagos, lo que dificultaba enormemente las operaciones tanto financieras como con el comercio exterior. La recaudación tributaria estaba en caída libre, la DGI se encontraba deshecha e inmóvil, la hiperinflación era inminente y se había producido un aumento de más del 50% en el índice de precios minoristas tanto en marzo como en abril de 1976.

Contrariamente a lo que sostienen los lenguaraces habituales, el Gobierno cívico-militar no inauguró en materia económica ninguna etapa "neoliberal", tal como repiten patoteros famosos de la estatura intelectual del funcionario kirchnerista Luis D´Elia, por ejemplo. No sólo no hubo ni una sola privatización durante el Proceso, sino que, por el contrario, **se estatizaron empresas** como la aerolínea Austral o la Italo (compañía eléctrica) y en el colmo del estatismo, se estatizó parte de la deuda privada. Durante la gestión del presidente Videla, la cartera económica fue confiada al Dr. José Alfredo Martínez de Hoz: el país se endeudó en veinte mil millones de dólares para financiar diversos **emprendimientos dirigistas y estatistas**, tales como Yacimientos Petrolíferos Fiscales, el Mercado Central, el Ente Binacional Yaciretá, el Polo Petroquímico de Bahía Blanca, las empresas estatales Altos Hornos Zapla, Yacimientos Carboníferos Fiscales y muchísimos otros eventos. Por otra parte, una gran porción de los empréstitos fue destinada a mantener artificialmente sobrevaluado el valor del signo monetario. Hubo **controles de precios**, altísimos índices de **déficit fiscal** y un peso monetario sostenido no por la ley natural de la oferta y la demanda, sino por la artificial política de paridad cambiaria (implantada en 1978) consistente en un tipo de cambio prefijado con devaluación decreciente (popularmente conocido como "la tablita").

La obra pública estuvo en apogeo, desde la construcción de obras faraónicas, como estadios de fútbol, soberbias y monumentales autopistas, el parque de diversiones Interama y el campeonato Mundial de Fútbol. Pero la obra pública no tuvo solamente fines menores o superfluos sino muchas veces indispensables. Y así se puso en marcha el Polo Petroquímico de Bahía Blanca, se logró el autoabastecimiento de acero, se concluyó la fábrica de papel de diario Papel Prensa y se puso en marcha Papel del Tucumán, se construyó y se puso en marcha la fábrica de celulosa de fibra larga Alto Paraná en Misiones, se expandió la producción de aluminio y de cemento. También dentro de la esfera de las obras públicas, se desarrollaron *"las centrales hidroeléctricas de Alicurá, Los Reyunos y Río Grande, la Central Nuclear de Embalse, el Complejo Zárate-Brazo Largo, el puente Foz do Iguazú, el puerto de San Antonio Este, la línea de alta tensión Alicurá Abasto, la planta de gas General Cerri, el Mercado Central de Buenos Aires"*. También se invirtió en materia educativa y, en ese lustro, *"se construyeron 443.585 metros cuadrados de edificios universitarios. Además se incrementó lo existente en más de 100.000 metros cuadrados. Aumentaron los egresados universitarios con respecto de los ingresados, de un 20,5% a un 65,4%. Se crearon 166 institutos y centros de investigación, 20 nuevas unidades académicas y se habilitaron 225 carreras nuevas"*.[3]

Como vemos, todos estos emprendimientos eran promovidos por el Estado. Como consecuencia de ello, el gasto público se mantuvo en un nivel excesivo en todo el período, debido también a un elevado gasto militar, fundamentado primeramente en la necesidad de luchar contra el terrorismo, además de los preparativos ante la hipótesis de guerra con Chile y finalmente el gasto ocasionado por la guerra de Malvinas. En efecto, lejos del "ajuste" y las "políticas liberales", la inversión pública promedió el 11% del PBI, cuando tradicionalmente había oscilado entre el 5% y el 8%.

A pesar de no haber aplicado políticas privatistas y capitalistas, la gestión tuvo logros meritorios tales como superar en poco tiempo la cesación de pagos, se fue normalizando la recaudación tributaria y, en el mes de mayo, (solo dos meses después del cambio de mando) el aumento de precios bajó a un dígito. En efecto, en marzo de 1976, *"la tasa de inflación era del 54% mensual con una proyección del 17.000% anual. Al terminar su gestión el presidente Videla (1980) la tasa de inflación solo alcanzó al 57% anual"*.[4] Aunque la inflación (del orden del 8% mensual) había bajado drásticamente, seguía acusando niveles altos, pero los aspectos de la economía iban retomando cauces de normalidad.

Uno de los problemas que hacía permanecer altos los números inflacionarios era que el Ministerio de Economía proponía bajar los niveles de emisión y efectuar una mayor disciplina fiscal, pero el temor de las FF.AA. era que un ajuste podría llegar a provocar en lo inmediato un aumento de la desocupación y, en medio de la guerra civil, cada desocupado podía constituirse en un terrorista en estado potencial. A pesar de esta disyuntiva, la inflación se mantuvo a nivel constante. Es por ello que la llamada "economía impopular y oligarca" del Proceso mantuvo hasta 1980 la desocupación en el 2,4%. Formidable y añorada cifra que jamás fue igualada por las "políticas sociales" implantadas desde 1983 a la fecha. Según los nuevos formatos para calcular el PBI, el economista José María Dagnino Pastore recalculó el anterior a 1980[5] y encontró que entre los años 1976, 77, 78, 79 y 80 había aumentado un 30%, o sea un 5,6% anual acumulativo, lo que es mucho más que el promedio histórico del siglo XX (consistente en el 3,5% anual). Respecto a la acusación de que con la política de dólar bajo se destruyó la industria, cabe destacar que durante los primeros cinco años de gestión, la inversión industrial fue el 19% mayor que en 1970-75 y la capacidad de producción industrial se incrementó en un 20% comparado con los números de 1976. Hubo un importante crecimiento de la inversión en construcciones comparado con el quinquenio 1971-1975 (59% y 30%) para los sectores público y privado respectivamente. Guarismos estos que no fueron superados en el decenio 1981-1990.

En el período que estamos señalando se logró además un aumento récord de exportaciones del orden del 200%. Al mismo tiempo se registró un elevado nivel de inversión pública real de 40.000 millones de dólares, recuperando en gran parte el retraso existente en importantes obras de infraestructura económica y social. En 1980, el salario real llegó a su nivel más alto con respecto a los quince años anteriores. Ante la imputación de que durante esa gestión hubo un excesivo aumento de la deuda externa (vicio nefando aplicado de modo mucho más acentuado a partir de 1983), Martínez de Hoz se defiende argumentando: *"¿Cuándo es excesivo el endeudamiento? ¿Cómo se puede juzgar? Es relativo el término. La manera más común es en relación a la capacidad de repago. Y esto se mide, muchas veces o generalmente, con el nivel de las exportaciones. Entonces, para poder tener una imagen más certera, debemos pensar que a fines del año 75, antes del comienzo de este programa, la relación deuda externa-exportaciones era de dos y medio. Es decir, se necesitaban dos años y medio de ingreso de las exportaciones para pagar la deuda externa. Y hacia la década del 80, creció la deuda externa, pero también habían crecido las exportaciones y la relación era exactamente igual"*.[6]

Recién por 1980, se produce un fuerte resentimiento en la economía, provocada por factores internacionales y potenciados por la indisciplina fiscal interna. En efecto, durante el segundo semestre de 1980 comenzó una crisis mundial de fuerte impacto, puesto que en 1979 el cártel petrolero OPEP resolvió restringir sus cuotas de producción, llevando el precio de U$S 12 por barril a más de US$ 35. Esta triplicación del precio ocasionó una gran sacudida en la economía mundial y especialmente a los EE.UU., cuyo índice de inflación se acercó al 10%, lo que era concebido como catastrófico. Ante esto, el presidente de la Reserva Federal, Paul Volcker, endureció la política monetaria y llevó la tasa de interés norteamericana al orden del 20% anual. Por ende, en la Argentina se produjo una gigantesca huida de capitales, puesto que ningún interés interno podía competir con un depósito bancario en EE.UU. de tan rentables condiciones. Esta política monetaria de los EE.UU. duró más de dos años hasta lograr el objetivo de bajar los precios del petróleo (que se derrumbaron hasta llegar a los US$ 10 por barril y manteniéndose por debajo de los US$ 20 hasta la década del 90, y la inflación en EE.UU. bajó abruptamente). En la Argentina, que atravesaba un proceso de alta inversión financiada en parte con créditos externos, el impacto de esta política provocó una recesión que duró hasta el segundo semestre de 1983.[7]

La realidad es que más allá de las justificadas y merecidas críticas que merece ese período de políticas dirigistas (en donde además se cometieron desarreglos sombríos en cuanto al manejo y financiación del petróleo estatal), se impuso un orden económico superior a la herencia recibida por la gestión peronista (1973-76). Para no incurrir en "chivos expiatorios" reduccionistas y simplistas sobre la decadencia argentina, cabe destacar lo siguiente: Martínez de Hoz se retiró de la cartera de economía en marzo de 1981 (junto con Videla). Desde entonces y hasta 1991, la moneda argentina se devaluó 39 millones de veces y el índice de precios aumentó 34 millones de veces. Escalofriantes cifras a las que debemos agregarle la megadevaluación peronista de enero del año 2002 (del 300% y la reaparición de la inflación en la escena económica). Como si esto fuera poco, sin guerra civil, sin hipótesis de conflicto con potencias limítrofes, sin guerra contra Inglaterra, desde 1983 la deuda fue cuadruplicada.

La decadencia económica e institucional argentina es consecuencia de un gran fracaso colectivo de tinte multilateral, multipartidario y multisectorial, que comenzó en los años 40 y prosigue sin perspectivas de cambio en la actualidad. Hubo, eso sí, en algunos pasajes históricos ciertos "rebotes" de bonanza, pero no fueron más que, al decir del tango, "pobres triunfos pasajeros". A diferencia del protagonismo indiscutido que la Argentina tuvo durante muchas décadas en el concierto de las naciones, como saldo, en el año 2006 apenas consigue fatigosamente obtener de vez en cuando algún que otro papel de reparto.

El Proceso después de Videla

Después de Videla, el Proceso comenzó un lento, pero progresivo camino al naufragio. El presidente Viola, sucesor de Videla, tuvo un pasaje muy fugaz por la Presidencia debido a problemas internos y de salud. Durante su gestión nombró como ministro de Economía a un hombre del riñón del frondizismo: Lorenzo Sigaut, autor del recordado lema de triste memoria "el que apuesta al dólar pierde". Al poco tiempo, el 2 de diciembre de 1981, Viola es remplazado por el Grl. Leopoldo Fortunato Galtieri, recordado precisamente por haber encabezado como Presidente la recuperación de las Islas Malvinas y la consiguiente guerra contra Inglaterra.

Año 1982, el presidente Galtieri saluda a la multitud que lo vivaba. El 90% de la población argentina apoyó su breve gestión con la guerra de Malvinas.

Si bien el trabajo de marras no tiene por objeto analizar o desmitificar aquel conflicto bélico (sino centralizarlo en la guerra contra la subversión), muy brevemente diremos que, al igual que tantos pasajes de los años 70, la guerra de Malvinas también ha sido maltratada y distorsionada. En las constantes simplificaciones y propensiones a buscar "chivos expiatorios" que tienen nuestros opinólogos televisivos (cuyas ficciones son frecuentemente compradas por numerosos sectores de nuestra ciclotímica clase media) se suele recurrir a eslóganes baratos tales como que "fue una guerra promovida por un borracho trasnochado", cuando la mentada "borrachera" en todo caso era colectiva, ya que la población entera aplaudió y respaldó la guerra. Tanto es así que hubo numerosos y multitudinarios actos de apoyo en los que el Presidente de entonces, Leopoldo Fortunato Galtieri, se vio obligado a saludar desde los balcones de la Casa de Gobierno ante el insistente clamor de la multitud que lo vivaba.

En efecto, un arrasante fervor popular apoyaba al Gobierno y se manifestaba a favor de la guerra, al igual que lo hicieron numerosos dirigentes políticos que salieron de inmediato a dar su incondicional respaldo. Tanto es así que, inmediatamente, el 7 de abril, "dirigentes gremiales como Lorenzo Miguel y Saúl Ubaldini y políticos destacados como los peronistas Antonio Cafiero y Deolindo Bitel, el radical Carlos Contín (presidente del Comité Central del Partido), el populista Oscar Alende y Jorge Abelardo Ramos, de la izquierda nacional, viajaron a las Islas Malvinas para la farsesca asunción del efímero gobernador general Menéndez. El 10 de abril se congregaron en Plaza de Mayo cien mil personas con banderas, entre las que se destacaba un cartel con el lema "CGT presente, soberanía o muerte". El procesista Ernesto Sábato hacía declaraciones para la radio española alegando: *"no es la dictadura la que está luchando, es el pueblo entero"*.[8] Desde Comodoro Rivadavia, en una declaración radial, Deolindo F. Bittel (ex candidato a vicepresidente de Luder en 1983 por el PJ) declaró: *"Entendemos que la justicia y la reivindicación contenidas en este acto de gobierno merecen que la decisión sea compartida por todos los habitantes de la República Argentina"*.[9] En esa misma ocasión, Antonio Cafiero dijo: *"La afirmación de nuestra soberanía, el mejoramiento de la imagen exterior y la consolidación de la unidad nacional son tres de los principales réditos que el enfrentamiento armado está en condiciones de dejar. Por otra parte, **el gasto que demanda es infinitamente menor que el déficit provocado por la política de despilfarro aplicada en épocas de paz"*** y, seguidamente, agregó: *"A medida que las acciones resultan más dramáticas se va diluyendo nuestro objetivo partidista, y por esa causa nos propusimos dejar de hacer todo aquello que pudiera dividir la opinión de la comunidad, decidiendo entonces entrevistar a los jefes de las guarniciones patagónicas"*. El doble discurso de muchos crápulas de la política actual no tiene desperdicio. Luego de estos pronunciamientos y de haber viajado a Malvinas para apoyar al gobierno cívico-militar, Cafiero ahora dice: *"Sólo un grupo de dementes pudo haber concebido la operación de las Islas Malvinas como un intento de reflotar el prestigio del golpe militar ante la opinión pública"*.[10]

Políticos de todas las ideologías se reunieron con el ministro del Interior, Grl. Harguindeguy, el 2 de mayo. Al salir de la tertulia el izquierdista Oscar Alende, declaró: *"Estamos gozosos de poder asistir a un hecho trascendental. Es un acto de decisión y arrojo que hace honor al gobierno y a las fuerzas armadas argentinas"* y en igual circunstancia el relevante dirigente justicialista Torcuato Fino ratificó: *"La solidaridad del justicialismo con esta actitud del gobierno"*; en representación del radicalismo, Francisco Rabanal expresó: *"El episodio de hoy fue anhelado por varias generaciones de argentinos"*. Con más cautela, Álvaro Alsogaray, el 25 de mayo de 1982 expresó: *"Hay que tomar conciencia de que estamos en guerra contra una gran potencia"*. En sentido contrario y lleno de júbilo, dos días después, el "estadista" Arturo Frondizi declaraba: *"La acción de las fuerzas armadas, tendientes a poner fin a la usurpación de Inglaterra en Las Malvinas y demás islas del Atlántico Sur, merece todo nuestro apoyo"*. El gobernador de la provincia de Buenos Aires, Grl. Saint Jean, también se reunió con los representantes de los partidos Intransigente, Demócrata Cristiano, UCR, MID, PJ, y Demócrata Progresista y, al salir, hizo mención al apoyo brindado por los dirigentes y afirmó haber recibido expresiones que *"fueron conmovedoras"*.[11]

Una encuesta de la época efectuada por Gallup señalaba que el 90% de la población adhería a la guerra y solo el 8% se oponía. Los más entusiastas en apoyarla eran los sectores de izquierda. Sin embargo, otra leyenda negra tejida en torno a la guerra de Malvinas narró que el conflicto fue desatado por las FF.AA. para obtener rédito político y "perpetuarse en el poder", cuando en verdad, voces autorizadas han arribado a la conclusión de que la Argentina fue obligada y forzada a entrar en conflicto por Inglaterra, que en plena guerra fría necesitaba justificar un despliegue y refuerzo militar en un punto estratégico como lo era el Atlántico Sur. Tanto es así que hasta la mismísima justicia alfonsinista, cuando enjuició a Galtieri, determinó: *"El fallo de la Cámara no implica críticas de manera alguna a la gesta de Malvinas. [...] La decisión de la Junta Militar de ocupar las islas respondió a la necesidad de reaccionar frente a una añeja, pertinaz y últimamente intolerable ofensa a la soberanía argentina. [...] esas circunstancias a modo de abanico fueron concentrándose hasta conformar una agresión, que no solo justificaba, sino que imponía una oportuna defensa en aras de proteger nuestros intereses superiores de la Nación"*.[12] Tanto es así, que Galtieri ni siquiera fue condenado por la Corte Suprema de Justicia de la Nación y los cargos que se le imputaron no tenían relación con la ocupación de Malvinas y la guerra contra Inglaterra, sino con haber mantenido el "combate una vez conocida la magnitud de la reacción inglesa, a las fuerzas propias en inferioridad de condiciones".

Tampoco es cierto que los soldados argentinos fueran un temeroso tropel de "chicos asustados", puesto que, a pesar de las notables desigualdades tecnológicas, pelearon palmo a palmo contra una de las potencias militares más importantes del mundo, hecho que fuera reconocido por los mismos militares y personalidades norteamericanas e ingleses, empezando por la mismísima primera ministra Margaret Thatcher, quien cuenta que varios años después de la guerra *"un general ruso me dijo que los soviéticos habían estado absolutamente convencidos de que no lucharíamos por las Malvinas y que de hacerlo perderíamos"*. Episodio que obviamente no se dio, pero que no era impensado, puesto que al decir de la propia Thatcher: *"Sin los Harriers, con su gran capacidad de maniobra, piloteados con enorme destreza y valor y empleando la última versión del misil Sidewinder aire-aire proporcionado por Caspar Weinberger, no hubiéramos podido recuperar las Malvinas"*.[13]

Asimismo, en momentos decisivos, el día 13 de junio de 1982 (un día antes de la rendición de las tropas argentinas), el almirante británico Sandy Woodward (comandante de la Fuerza de Tareas Expedicionaria Británica) elevó un dramático informe al Comando de las Fuerzas de Tierra, en el cual, tras relatar las profusas averías y el desmantelamiento que estaban padeciendo las tropas británicas concluyó: *"Francamente, si los argentinos pudieran sólo respirar sobre nosotros, ¡nos caeríamos! Tal vez ellos están igual. Solo cabe esperar que así sea, de otra manera estamos listos para la carnicería"*. Lo cierto es que oficialmente (y sin contabilizar las bajas padecidas por las tropas de apoyo de los "Gurkas" y las escocesas), Inglaterra declaró que *"en los 45 días de guerra, proporcionalmente, perdió más hombres que en la Segunda Guerra Mundial: 255 muertos y 777 heridos. [...] en Inglaterra se suicidaron más veteranos de Falklands, que los veteranos de Malvinas en estos 20 años. [...] de los 616 muertos argentinos, casi la mitad lo fueron a causa del hundimiento del crucero* Grl. Belgrano".[14] (Fuera de la zona de exclusión.)

Luego de la derrota de Malvinas, Galtieri tuvo que dar un paso al costado. El ánimo popular y la economía se habían resentido como producto del enorme gasto que ocasionó el conflicto y los errores económicos cuyas secuelas se acentuaron tras la suba de la tasa de interés norteamericana. El Proceso estaba prácticamente agotado; ya habían pasado más de seis años de gestión, y los méritos obtenidos en la guerra civil empezaban a opacarse como producto de fracasos en otras áreas. Se tornaba imprescindible oxigenar y renovar la institucionalidad con un recambio y para tal fin, se convocó al general de división Reynaldo B. Bignone (quien asume la Presidencia de la Nación el 1 de julio de 1982) a efectos de preparar el aterrizaje a las formas democráticas y convocar a elecciones.

Una vez derrotada definitivamente la subversión terrorista que desde 1980 prácticamente había dejado de existir como tal, el 22 de septiembre de 1983, Bignone sancionó una ley de pacificación y amnistía integral (la Nº 22.924) en la que "se declaraban extinguidas las acciones terroristas, así como de los cometidos con motivo de la lucha antisubversiva". De este modo, se pretendía avanzar hacia la democracia con una mirada hacia el futuro y sin insistir en revanchismos ni rencores de esta desafortunada guerra civil. Este intento reconciliador le traería a Bignone muchos dolores de cabeza: tiempo después, durante el revanchismo llevado adelante por grupos de familiares de los terroristas (que se disfrazan con la bandera de los derechos humanos), esa ley sería insólitamente declarada nula para las FF.AA. y válida para los terroristas. Del mismo modo, Bignone por el hecho de haber dictado la ley de pacificación integral, sería insólitamente acusado de "cómplice" del supuesto "plan sistemático de apropiación de menores" (aunque nunca haya existido ni la complicidad ni el mentado plan sistemático). Lo cierto es que con esta componenda acusatoria, Bignone estuvo ocho años preso sin condena ni sentencia alguna, y luego fue dejado en libertad por haberse vencido el plazo máximo previsto para una condena que nunca se dictó por falta absoluta de pruebas, fundamentos y argumentos.

Notas

[1] García Montaño, Diego. *Responsabilidad compartida*. Buenos Aires, Ediciones El copista, 2003, p. 251.

2 *Ibidem.* p. 253.

3 Romero Carranza, A. y otros. *Historia política y constitucional argentina.* Citado en Laprida, Mario Horacio. *Los increíbles radicales.* Buenos Aires, Edición del autor, p. 69.

4 Laprida, Mario Horacio. *Los increíbles radicales.* Buenos Aires, Edición del autor, p. 68.

5 Dagnino Pastore, José María. *El nuevo look de la economía argentina.* Buenos Aires, Editorial Crespillo, 1995.

6 Pigna, Felipe. *Lo pasado pensado. Entrevistas con la historia argentina (1955-1983).* 2º ed. Buenos Aires, Planeta, 2005.

7 Romero Carranza, A. y otros. *ob. cit.* supra, nota 3.

8 Sebreli, Juan José. *Crítica a las ideas políticas argentinas.* 4º ed. Buenos Aires, Sudamericana, 2002.

9 Esteban Edgardo. *Malvinas, diario del regreso. Iluminados por el fuego.* Buenos Aires, Sudamericana, 1999, pp. 85-86.

10 Pigna, Felipe. *ob. cit.* supra, nota 6. p. 425.

11 Revista *Primera Línea*, Año 1, Nº 3. Rosario, viernes 12 de junio 1987.

12 De Vita, Alberto. *Malvinas, ¿cómo, por qué?* Buenos Aires, Instituto de Publicaciones Navales, 1994.

13 Thatcher, Margaret. *Los años de Downing Street.* 2º ed. Buenos Aires, Sudamericana, 1994.

14 Diachino, Delicia. "Reflexiones sobre Malvinas", Revista *Cabildo*. Argentina, marzo de 2003.

Capítulo IV

Los mitos del setentismo

Cuenta Vicente Massot en su notable ensayo *El poder de lo fáctico* que el mito *"entendido como idea-fuerza y, por tanto como principio de acción, representa un fenómeno cuya existencia se inscribe en el ámbito de la irracionalidad. Es una creencia ciega, además de sentimental y motora. No sólo puede regular ciertas conductas y transformarse en un remedo de la fe. Lo que es mucho más importante, cuando menos desde el punto de vista político, se entiende, es que impulsa a las personas a actuar en la medida en que le otorga a una idea, movimiento, creencia o personaje, valor absoluto. El mito prende, de suyo, en lo colectivo. Desde esta perspectiva, no hay mitos individuales. Su naturaleza siempre será social en tanto y en cuanto versa sobre aspectos vinculados no con la vida íntima del hombre, sino con su vida en común"*. Este esclarecedor párrafo explica en gran parte por qué el setentismo (además de sus apetencias e incentivos patrimoniales) tiene un accionar tan perseverante como virulento. Pues la mística parece ser la llama que mantiene encendido el fuego de la militancia y la renovación de adherentes y afiliados que van generando dinamismo y flujos de energía y vitalidad en las diferentes organizaciones. La mística es generadora de mitos; el mito, por definición es falsificador de la realidad.

Seguidamente, intentaremos analizar aquellos mitos e interrogantes que, según consideramos, más han influido en la opinión pública.

MITO UNO
Ni treinta mil, ni inocentes

La idea-fuerza más relevante instalada a presión por los batifonderos lenguaraces del setentismo consiste en insistir, a modo de regla nemotécnica, con que los "desaparecidos" durante la guerra antiterrorista fueron "treinta mil" y a partir de allí generar, entre otras cosas, un notable impacto psicológico imponiendo la simplona (pero efectista) visión de que "las FF.AA. hicieron desaparecer a cualquiera que pensara distinto" y que, además, los "genocidas te asesinaban" por el solo hecho de "figurar en la agenda de alguien", tal los "científicos" y rigurosos argumentos del terrorismo residual y su frondoso tropel de "paniaguados" que los amparan y aplauden.

En consecuencia, el tema de marras es reducido a la insistente afirmación esgrimidora de que los desaparecidos fueron treinta mil y fueron inocentes. La realidad insoslayable es que ni fueron treinta mil, ni fueron inocentes; más allá del exiguo margen de error que eventualmente pudiera haber existido en el marco de una guerra civil (desatada por los terroristas) en donde los subversivos, además de no vestir uniforme, utilizaban nombres falsos, se raspaban las yemas de los dedos para borrar sus huellas dactilares, portaban documentación apócrifa y, ante la inminencia de ser apresados por las fuerzas legales, se suicidaban con la pastilla de cianuro sin que posteriormente se pudiera identificar su verdadera identidad (esto ayudó a potenciar el fenómeno del desaparecido). Así, el terrorista Juan Zverko (en 1992 ante el juez federal Carlos Luft en careo con Horacio Verbitsky) confesó: *"Más de mil compañeros se tomaron las pastillas de cianuro, porque había una orden de la conducción superior de no entregarse vivo al enemigo"*. Además, en no pocas ocasiones las fuerzas terroristas eliminaban a sus propios hombres ante el primer síntoma de claudicación y muchísimos otros se fugaban al extranjero al advertir la derrota y palpitar su eventual captura.

El número-cábala "treinta mil" suele constituir la principal "chicana" de los "politicuchos" en boga y las acaudaladas ONG que se jactan de defender los "derechos humanos". Sin embargo, ya por 1980 y ante la propaganda internacional que los terroristas efectuaban desde el extranjero, *"la **Asamblea Permanente de los Derechos Humanos** tenía datos sobre **6000** personas desaparecidas y **Amnistía Internacional** sobre **4000**, mientras que la **OEA** hablaba de **5000**"*.[1] Por esa fecha, la mismísima **CIDH** en su visita al país recogió denuncias por **5.580** casos. Pero ya una vez "recuperada la democracia" en 1984, se efectuó el trabajo pretendidamente serio de la CONADEP y el propio informe (materializado en la publicación del libro *Nunca más*) concluye: *"La **CONADEP** estima en **8.961** el número de personas que continúan en situación de desaparición"*. O sea: el propio informe estatal y oficial (que suele ser más recomendado que efectivamente leído) fulmina la fantasía sostenedora de los "treinta mil desaparecidos". Empero y, tal como lo veremos luego, la cifra real tampoco es la arrojada en el irresponsable listado del publicitado *best seller*, sino que es sensiblemente menor.

Antes de entrar a analizar los desopilantes errores del informe oficial, vale la pena repasar otras fuentes que se han venido publicando y difundiendo durante estos más de veinte años de distorsiones, las cuales poseen cuantiosas variedades de cifras (todas disonantes y contradictorias entre sí), que ponen de manifiesto el mal manejo numérico sobre la temática de estudio. Al respecto, el presidente Alfonsín en Nueva York dijo que los desaparecidos *"apenas superan los 10.000"*.[2] El embajador argentino en Suiza, Roberto Bianca, declaró que se *"aproximaban a los 10.000"*.[3] El Dr. Hilario Fernández Long, miembro de la CONADEP, familiar de subversivos, acuñó la cifra de 8.426,[4] *"el cardenal Evaristo Arns, de San Pablo, informó a Su Santidad sobre 7.271 personas desaparecidas"*,[5] *"el Senado en España sostiene que son 7.000"*,[6] el *New York Times* informa de *"sólo 6.000 en forma dudosa por falta de seriedad y credibilidad"*,[7] *"la APDH declara que son 5.780"*,[8] *"en el Comité de Derechos Humanos de la UN, en Ginebra, tras un cuidadoso examen, se señalaron sólo 1.377 casos"*.[9]

Mientras tanto, el libro *Obediencia de vida* del activista de izquierda, D'andrea Mohr, mantiene la cifra en derredor de los 7.000 casos. El trabajo publicado por el grupo europeo de extracción marxista de derechos humanos, Fahrenheit, que se abocó al arduo trabajo de analizar el listado de la CONADEP, a efectos de ir corrigiendo los numerosos desaciertos y agregando además datos nuevos, arribó a la conclusión de que los detenidos-desaparecidos ascienden a 6.936 durante el gobierno cívico militar y 770 durante el período en que gobernó el Partido Justicialista. Por su parte, el órgano manejado por el ex terrorista Horacio Verbitsky, autodenominado CELS (Centro de Estudios Legales y Sociales) efectuó un estudio de actualidad (que se puede consultar por internet en el sitio http://www.yendor.com/vanished/vanished-/cels-list.html) y arribó a la cifra de 3.558 desaparecidos (de los cuales un importante número es anterior al gobierno cívico-militar).

Pero independientemente de estas cifras con coeficientes tan dispares, la realidad es que en cuanto a la acción psicológica, el número impuesto en la imaginación colectiva es precisamente el único que no tiene fuente ni documentación de respaldo de ninguna naturaleza: treinta mil. Un viejo y elemental principio del derecho afirma: "La carga de la prueba recae sobre aquel que afirma la existencia de un hecho". O sea, son precisamente los publicistas del eslogan "treinta mil desaparecidos" quienes tienen la obligación grave de probar y demostrar la verosimilitud de dicha afirmación. Que jamás aclaren las fuentes que arrojan tan fantástico número, es algo que obedece a una sola causa: tal fuente no existe, porque el número es manifiesta y probadamente falso.

Un anexo muy raro

Como ya fuera adelantado, el número oficialmente reconocido por el Estado ha sido el proporcionado por la CONADEP, que nos arroja 8.961 desapariciones. Este último número tampoco es en serio ni serio.

El libro *Nunca más*, en sus tres primeras ediciones, llevaba un anexo adjunto donde figuraban los 8.961 supuestos desaparecidos. El mentado anexo consta de un largo listado con los nombres de los presuntos desaparecidos y sus datos identificatorios correspondientes. Al listado, ya desde el principio, le cabe la duda razonable de sospechoso tanto por falso o por la irresponsabilidad de su confección. Hasta el mismo "mandamás" de la CONADEP, Ernesto Sábato, confesó: "*La dificultad estriba en las muy escasas pruebas y en que la mayoría son sólo testimonios*".[10]

Ahora bien, una vez advertido que hasta los informes del Estado arrojan una cifra que nada tiene que ver con la ficción de los treinta mil casos, pasaremos revista al listado oficial, a efectos de advertir (de modo tragicómico por momentos) la falsedad absoluta también de esos supuestos 8.961.

Primeramente, vale aclarar que el listado de desaparecidos (es decir el anexo) es un macizo libro compuesto por 656 páginas, de las cuales las primeras 485 constituyen el anexo correspondiente a los "desaparecidos". Estas 485 carillas poseen encolumnados un promedio de 19 "desaparecidos" por cada página, y la confección y edición del trabajo fue obviamente financiada por el Estado a través de la firma Eudeba. Es en el texto en cuestión en donde el informe de la CONADEP dispara y encolumna la cifra oficial ya mencionada de 8.961 "desaparecidos".

Manos a la obra: abrimos el libro en la página uno. Ni bien revisamos los primeros renglones, podemos anticipar lo intrépido que resulta el informe, puesto que en el primer renglón de la primera página, el primer desaparecido lleva por nombre *Pato* (número de legajo 10.544). La presunta "víctima" no tiene especificación de apellido, ni de sexo, ni de fecha de presunta desaparición, ni identificación de lugar, ni ningún otro dato. Solo dice *Pato*. Desconocemos por completo si *Pato* era un "nombre de guerra", si era el apodo del un tal "Patricio", de una tal "Patricia", o si se trataba efectivamente del simpático animalito de granja llamado "pato". ¿Tan descuidado ha sido el familiar que efectuó la denuncia?, ¿tan descuidado fue el funcionario que tomó la denuncia al omitir algún dato más preciso? Pensábamos en *prima facie* que esto no era más que una anécdota, producto de una involuntaria distracción de índole tipográfica. Pero no, el "desaparecido" subsiguiente (número dos del listado) aunque avanzando y mejorando un poco más en los rigorismos, leemos que se llama "Patricia", punto final. No hay más datos de nada. Eso sí, al menos presuponemos en principio que se refiere a una persona de sexo femenino, puesto que en la época de confección del informe la práctica del "travestismo" era todavía infrecuente. No hay ni una sola coma más que nos permita arribar a la identidad y efectiva desaparición de "Patricia" (ni DNI, ni apellido, ni lugar de residencia, ni nada de nada). Prosiguiendo en el análisis de la página inicial, encontramos que esta tiene anotado a un/a tal "Araujo" (sin nombre de pila, sin DNI y sin identificación de sexo ni de ninguna naturaleza); proseguimos con un/a tal "Balbuena", con un/a tal "Betaldi" (todos sin datos adjuntos), y seguidamente encontramos en esa página a un/a tal *Tota* Carmiglia. En resumen, ya la página número uno resulta por demás curiosa. Se colocan los apodos o presuntos nombres de diecinueve "desaparecidos", pero sólo dos (sobre los diecinueve) traen consigo número de DNI o LE. De los diecisiete restantes, ni noticias.

Pero no seamos tan exigentes con el informe, tengamos un poco de paciencia y advirtamos que en la primera página, quizás la muchachada de la CONADEP estaba algo tensa por ser la foja "debut", y ya una vez que avancemos en la materia iremos obteniendo datos en serio y perfectamente detallados. Pasamos entonces, con esperanza y confianza a la página dos. Pero nos volvemos a desanimar, puesto que también cuenta con otros diecinueve presuntos desaparecidos, y también en solo dos de ellos encontramos número de DNI o LE. En los diecisiete restantes, solo hallamos datos insólitos compuestos por sobrenombres o apodos sin ninguna otra reseña. Y así nos topamos con la "Sra. Guevara", un/a tal "Gómez", un/a tal "Lencina", un/a tal "Kalzgudemian", un/a tal "*Kuki* Leone", una "Sra. De Lobo" y otros "nombres" sin referencias. ¡A no desmoralizarse!, nos decimos con espíritu esperanzador. La tercera es la vencida y pasemos entonces a la página tres que, con seguridad, allí encontraremos una nómina profesionalísima e inexpugnable. Pero no, tampoco. Ahora ya como ciudadanos (que financiamos el trabajo de la CONADEP y sus abrumadoras publicaciones y reediciones) comenzamos a sentirnos más que desconcertados. En efecto, en la carilla tres, de los diecinueve "desaparecidos", directamente ni uno sólo figura con su respectivo Nº de DNI o LE. Pasamos a la página cuatro ya con desánimo (pero sin perder del todo las esperanzas de revertir la desalentadora tendencia) y en ella nos encontramos con una "desaparecida" que se llama "Sra. De Vergara 1", e inmediatamente abajo en la nómina tenemos a "Sra. De Vergara 2", ni un solo dato más de las "Vergara". ¿Cómo las diferenciamos?, decidimos con ímpetu acudir a la guía telefónica a efectos de ver si encontramos alguna referencia diferenciadora, pero a poco andar notamos que no nos servía de mucha ayuda.

Adentrándonos ya de lleno en el macizo libro comenzamos a darnos cuenta de que estábamos frente a una sopa de letras inconexas, desprovista de datos identificatorios y de toda seriedad. Ya con lenguaje barrial y alejándonos de toda solemnidad y protocolo, no nos pudimos resistir a la tentación de esbozar un procaz "¡che viejo, pero este listado parece en joda!". En efecto, en la página 137, por ejemplo, ingresando en la letra "D", nos topamos con el desaparecido "Díaz", punto final. En esta ocasión, desechamos la guía telefónica y decidimos actuar con mayor profesionalismo: acudimos a los servicios del Registro Civil y solicitamos referencias sobre el Sr./a. "Díaz", pero el empleado que nos atendió, al sentirse ofendido (pues pensó que lo estábamos cargando) nos cortó la comunicación. En la página 137 encontramos a "Fernández" (sin ningún otro dato), en la página 185 tenemos a dos sujetos (de los que desconocemos el sexo) pero que responden al apellido "García". En fin, a lo largo y ancho de todo el catálogo hallamos una abrumadora cuantía de sobrenombres, nombres de pila sueltos, apellidos y apodos sin más datos. Incluso, en el colmo del absurdo, en la página 427 encontramos tres "personas" que abultan el listado (puesto que cada una tiene número de legajo correspondiente: 10.529, 10.626 y 10.615) que responden al extravagante nombre de "sin información" (¿?).

Ya con ánimo de tomar el anexo y utilizarlo para equilibrar la pata de alguna mesa destartalada del ajuar, previamente nos tomamos el trabajo de contabilizar uno por uno los "desaparecidos", a efectos de constatar cuántos de los 8.961 poseen al menos efectivamente N° de DNI o LE, para por lo pronto, a ese saldo "hacerlos pasar" como verosímil y tomar de buena fe esos datos como ciertos. En efecto, ni *Pocho*, ni *Cacho* ni *Tota*, ni *Pato*, ni "García", ni "Fernández" ni "sin información", ni *Kuqui* ni tantos miles de alias y seudónimos pueden ser tomados como "desaparecidos" ni por el presunto "denunciante", ni por el que tomó la "denuncia", ni por la runfla de asalariados que "trabajó" en la comisión confeccionadora del informe.

En resumidas cuentas, tras varias horas de "puntear" el catálogo, del total de "desaparecidos", solamente **4.905** tienen DNI o LE. O sea, casi la mitad (el 46%) son sobrenombres o apodos de indocumentados sin el menor rigor de verdad. De los **4.905** con datos más o menos "aceptables", tampoco sabemos fehacientemente cuántos están efectivamente "desaparecidos". Pero aunque el informe de la CONADEP no nos brinde motivos de ninguna orden para confiar, obremos con buena fe y tomemos a este número como válido.

La conclusión a que arribamos, entonces, es que cuanto más se indaga en el rigor, afortunadamente, más se aminora la cuantía de "desaparecidos". Y tanto es así, que en el listado encontramos además un muy grueso tropel de "resucitados"; es decir, de personas que figuran como desaparecidas pero que para alegría de todos no lo están. Efectivamente, uno de los primeros episodios más notables y escandalosos (aunque ya olvidado y silenciado) lo encontramos precisamente en el año 1985, cuando un poderoso terremoto sacudió el D.F. de México y las autoridades diplomáticas comunicaron los datos de los argentinos residentes en el país azteca (nómina publicada el 22/09/85): resultó que dentro de esta lista "apareció" la formidable cifra de ciento treinta argentinos que residían en México y que en la nómina de la CONADEP figuraban como "desaparecidos". Dicho listado de "reapariciones" conocidas por casualidad a raíz del mentado movimiento sísmico puede consultarse detalladamente en el portal de la agencia de noticias SEPRIN en la dirección web http://72.41.7.70/portal2/notas/los_aparecidos.htm. Además de este escándalo, ya por esas fechas comenzaban a insinuarse rarezas en el listado de "desaparecidos" y precisamente en el diario *Ámbito Financiero* de fecha 12 de septiembre del mismo año, se informaba acerca de una misiva enviada por Eduardo Kurt Fuentes (por entonces residente en Estocolmo) a la secretaria de Relaciones Públicas de la Asamblea Permanente por los Derechos Humanos, Rosa Pantaleón, en la cual solicitaba su baja de la nómina de "desaparecidos", por cuanto se encontraba residiendo en Suecia desde abril de 1978. Kurt Fuentes figuraba en la página 242 del anexo del informe *Nunca más* de la edición de Eudeba del año 1984.

Más adelante en el tiempo, a raíz de la polémica extradición del capitán Ricardo Cavallo a España, diarios de varios países del mundo citaban como una de las principales acusadoras del oficial de la Marina a Ana María Testa, quien figura como "desaparecida" en la página 445 del anexo del *Nunca más*. En este caso (que salió a la luz también por azar) encontramos tres curiosidades: primeramente ni siquiera figura el documento de Testa en el listado, en segundo término, figura como desaparecida el ocho de enero de 1976 (o sea, no durante el "genocidio militar" sino durante la sacrosanta democracia) y, en tercer lugar, figura como "desaparecida" dos veces (primero con el número de legajo 09.234, y con el número 06.561 después). Otro caso de reciente "descubrimiento", lo encontramos en la persona de Rafael Daniel Najmanovich, (legajo N° 3.565), quien fuera desenmascarado a raíz de una nota publicada en el diario *Clarín* el 23 de febrero de 2004 y firmada por el corresponsal Shlomo Slutzky, que informa: *"Ocho israelíes y un suicida palestino murieron ayer en un nuevo atentado terrorista en Jerusalén en el que resultaron heridas más de 60 personas, entre ellas, el argentino Daniel Najmanovich, que emigró a Israel desde su país natal en 1975"*.

Otro hecho reciente y muy poco difundido es el del Dr. Alfredo Humberto Meade, quien primigeniamente tuvo a su cargo la publicitada causa del padre Grassi y que asombrosamente figura como "desaparecido" en la página 288 del anexo. También figura como "desaparecido" (y esto ya es el colmo del absurdo) el Dr. Esteban Righi (tal como consta en la página 381 del listado) personaje que, como sabemos, fue ministro de Cámpora (obrando de operador político de las amnistías masivas a terroristas en mayo de 1973) y actualmente (año 2006) es procurador general de la Nación e impulsor de la declaración de la inconstitucionalidad de las leyes de Obediencia debida y Punto final. Pero los papelones no se detienen allí; también figura como "desaparecida" en el mismo informe (página 29, número de legajo 00299) la abogada Carmen Argibay, actualmente miembro de la Corte Suprema de Justicia en calidad de oficialista. Para renovado júbilo de todos, este caso también se trata de un error de Sábato y sus no muy detallistas camaradas de la CONADEP. En el mismo sentido, el investigador Emilio Ugolini descubrió muchos casos de personajes menos famosos como Miguel Lauletta (pág. 247), la agente de inteligencia montonera Silvia Tolchinsky (pág. 447), Guido Puletti (pág. 366), Alicia R. D'ambra (pág. 124), Adriana Chamorro (pág. 102), Caros G. Lordkipanidse (pág.

263), Jorge Osvaldo Paladino (pág. 334), Rúben Sampini (pág. 408), Carmelo Vinci (pág. 473) y un inacabable etcétera que conforman el listado de "desaparecidos" pero que para dicha popular, no lo están.

Nótese que estas y otras (afortunadamente) inexactitudes de la CONADEP, en muchos casos, incluyen a personalidades de renombre y conocimiento público y, por ende, los errores han sido pasibles de rectificación. ¿Con cuántos desconocidos y hombres comunes o de bajo perfil ha pasado lo mismo sin que tengamos la posibilidad de advertir las negligencias? Si la CONADEP yerra con magistrados, ex ministros y jueces de la Corte Suprema, ¿a cuánto llega el margen de error para con los desconocidos? ¿A cuántas de estas desapariciones-apariciones les habremos pagado 225.000 dólares de indemnización? ¿Cuántos terremotos o catástrofes tenemos que esperar para seguir desenmascarando estos embustes?

Quizás conscientes de la poca seriedad del listado en cuestión, los integrantes de la CONADEP, en lugar de reconocer con hidalguía el grueso error de haber efectuado nóminas con datos tan imprecisos como falsos, sigilosamente retiraron los anexos del mercado (recién serían reeditados 22 años después aminorando el número de desaparecidos con motivo de la incomodidad que generaba contar con ministros y magistrados "reaparecidos"), y sólo mantuvieron en pie el libro *Nunca más*, que está fundamentalmente basado en improbables testimonios de suyo parcializados, relatados por personas mayormente vinculadas directa o indirectamente con los presuntos desaparecidos y la subversión. Tal como lo reconoció el tribunal alfonsinista en la sentencia dictada por el tribunal que en 1985 juzgó a la junta de comandantes: *"No debe extrañar, entonces, que la mayoría de quienes actuaron como órganos de prueba revistan la calidad de parientes o de víctimas"* y agrega que dichos testimonios *"en modo alguno revisten el carácter de una prueba testimonial. [...] Por lo demás, bueno es destacar que el tribunal en ningún caso ha de darse por probado un hecho sobre la base exclusiva de prueba proveniente de la CONADEP"*. (Página 1561.) Eso sí, la cifra de "8.961 desaparecidos" (de los cuales solo 4.905 ostentan DNI o LE) nunca la modificaron en el libro principal, a pesar de las permanentes y constantes "reapariciones" que se fueron y se siguen sucediendo.

El informe del Foro de la verdad histórica

Promediando el año 2004, el grupo cívico "Argentinos por la memoria completa" (presidido por la dirigente Karina Mujica), por intermedio de su secretaria (Srta. Silvia Abagnato), intimó al Poder Ejecutivo Nacional y a la Secretaría de Derechos Humanos a que dieran a conocer públicamente la nómina de familiares que habrían cobrado resarcimientos por "desapariciones" hasta el día de la fecha. Dado que las indemnizaciones son abonadas por el Estado, el origen de los desembolsos proviene de los impuestos pagados por los ciudadanos, y puesto que la administración pública tiene obligación de rendir cuentas con precisión de centavo acerca del destino de sus desembolsos (aunque vivamos en la Argentina), era de esperar una rápida y esclarecedora respuesta informativa. Sin embargo, la petición fue respondida por el entonces ministro Gustavo Beliz y por el secretario de Derechos Humanos, el ex subversivo Eduardo Luis Duhalde, que con lenguaje evasivo y difuso, indicaron que *"la cuestión se tornaba abstracta dado que la información oficial disponible sobre desaparecidos y muertos ya está volcada en internet"*.

A partir de esta respuesta que remitía al ciberespacio a quienes formularan la inquietud, el Foro de la verdad histórica (organización ciudadana dedicada con mucha seriedad a analizar en detalle temas relacionados con la guerra civil de los años 70) estudió el dominio www.desaparecidos.org, advirtiendo que la publicación no sólo contiene la nómina de los beneficiarios, sino el listado completo de desaparecidos y de muertos en combate. Esta publicación fue efectuada en mayo del año 2004 (durante el gobierno de Kirchner) y en esta ocasión (con grata sorpresa), la nómina no es exactamente igual a la de la CONADEP, pues aquí se "pulen" y "perfeccionan" parcialmente los desacreditados e inflados listados de esta. Pero, ¿qué motivó al Gobierno a indagar un poco más en la poco confiable lista primigenia? No podemos contestar de forma precisa, aunque sí sospechamos la respuesta: por esa fecha, el Gobierno pretendía a toda costa imponer a la Dra. Carmen Argibay en la Corte Suprema que estaba armando a su talla (cosa que finalmente hizo). Que la magistrada figurara como "desaparecida" en las listas oficiales resultaría cuanto menos un papelón; en consecuencia, se armó una nueva nómina con algunas correcciones y, obviamente, quitar a Argibay de la lista fue una de ellas. La nueva nómina corregida por la Secretaría de Derechos Humanos puede verse en el enlace http://www.desaparecidos.org/arg/conadep/lista-revisada/ (esta es precisamente la misma nómina que ha sido reeditada en el anexo del año 2006 del *Nunca más*, el cual sugestivamente no se reeditaba desde 1984).

Si bien, como ya hemos visto, la cifra de desaparecidos con datos aceptables (nombre completo y DNI o LE) es de 4.905, en el "nuevo listado" obrante en internet siguen apareciendo un grueso número de apodos, alias e indocumentados. Aunque al menos esto constituye un avance parcial en la materia, pues advierte el Foro de la verdad histórica que en esta renovada nómina el Gobierno agrega una serie de "desaparecidos" sorpresivamente nuevos y quita muchos otros por absurdos, quedando entonces la cifra de 8.425 (540 menos que los 8.961 colocados en el anexo del *Nunca más* en 1984). Pero descartando inaceptables errores (casos comprobados de detenidos liberados no desaparecidos, casos con falta de datos mínimos fehacientes, insólitas repeticiones contiguas y nombres que ya figuran en las listas de muertos comprobados), la lista disminuye a 6.809 "desaparecidos" durante el Proceso y 751 durante el gobierno peronista. O sea: 7.560 "desaparecidos" entre democracia y gobierno de facto como máximo, ya que el foro incluye y suma a los que ni siquiera tienen DNI ni LE. Quiere decir que con indulgencia y mucha benevolencia, el Foro mantiene y contabiliza también los "desaparecidos" con nombre y apellido completo (aunque adolezcan de la documentación mínima antedicha).

Cifra final de desaparecidos

Según la CONADEP

Desaparecidos con DNI o LE (o sea, con datos mínimos aceptables): **4.905**
Fuente: Anexo *Nunca más* de la CONADEP

Según informe del Foro de la verdad histórica

Gobierno peronista	751
Gobierno cívico-militar	6.809
Total	7.560

Incluyendo "desaparecidos" sin DNI y sin LE

Fuente: listado oficial actualizado por el Gobierno nacional y revisado por el Foro de la verdad histórica

Aunque nuestra contabilización de "desaparecidos" con datos serios ascienda a **4.905**, tomaremos como referencia el análisis y los guarismos del Foro, dado el respeto y confiabilidad que nos merece, por la seriedad y exactitud con la cual han encarado diversos trabajos en la materia. Entonces: **7.560** es el dato final, global y total de "desaparecidos" que tomaremos como referencia para proseguir con nuestro análisis.

Caídos en Combate

En el listado gubernamental también se agrega la nómina de muertos no desaparecidos (abatidos en enfrentamientos) y, tras el análisis del Foro, la cifra total (entre abatidos en democracia y durante el gobierno cívico-militar) es de **860**.

Total de caídos (entre muertos en combate y "desaparecidos")

Gobierno peronista	751	desaparecidos
Gobierno cívico-militar	6.809	desaparecidos
Durante toda la década del '70	860	muertos en enfrentamientos

Total de caídos   **8.420**

En diez años de guerra civil, sumando aquí tanto el período democrático como el gobierno de facto, y contabilizando a los muertos en combate y a los "desaparecidos" (detenidos-ejecutados), incluyendo indocumentados.

Cantidad de integrantes de las organizaciones terroristas

Una vez establecido (aproximadamente) el número total de caídos entre muertos (860) y "desaparecidos" (7.560) en democracia y durante el Gobierno provisional, surge el siguiente interrogante: ¿Los caídos eran terroristas o eran inocentes?

Para intentar develar este enigma, primeramente habría que poner en claro a cuánto ascendía el número de integrantes de las bandas subversivas. Va de suyo que la organización terrorista más numerosa, por lejos, era Montoneros, secundada por el ERP y muy lejos por su inferioridad numérica aparecía el resto (FAL, FAP, ERP 22 de Agosto y OPCO, entre otras). Como iremos viendo (y esto es algo inherente al estudio de cualquier guerra, máxime una guerra civil), las cifras analizadas varían según las fuentes y los investigadores, pero todas tienen en común que arrojan datos oscilantes en números que, a la postre, nos permiten obtener un punto de referencia válido y aproximado, que superen con creces al total de desaparecidos y abatidos.

Montoneros

Roberto Cirilo Perdía (de la conducción nacional de Montoneros), admite que Montoneros tenía una capacidad numérica estimada en doce mil cuadros[11] plenamente comprometidos con la causa (con la consiguiente área de influencia que agigantaba aun más la cifra de doce mil). Por su parte, el ex guerrillero Luis Mattini (quien conformó la máxima conducción del ERP), en reportaje publicado por el diario La Nación, el 12 de enero de 1997, confiesa que el área de influencia de Montoneros ascendía a 26.600 personas.[12] Marta Sánchez, en nota titulada "Montoneros y el ERP, el gatillo de la memoria" (publicada en diario Clarín en octubre de 1996) afirma que Montoneros tenía en armas unos cinco mil combatientes y un área de influencia de unos 170.000 adherentes o simpatizantes.[13] Miguel Bonasso (jefe de prensa de la banda), por su parte, cuenta que a partir de mayo de 1973 se produce un agigantamiento exponencial de la organización y que por entonces *"hubo miles de personas desfilando bajo la bandera montoneros [...] hubo un crecimiento impresionante del orden de cinco mil cuadros, más o menos, en el año siguiente y, por lo menos, podemos estar hablando de unos cincuenta mil simpatizantes"*.[14]

En el libro *Montoneros soldados de Menem. ¿Soldados de Duhalde?*, su autora, la periodista Viviana Gorbato, afirma: *"Las cien mil personas que movilizaba Montoneros, en 1974, expresaban una tendencia que iba más allá de la organización armada que a lo sumo llegó a tener 12.000 cuadros, entre guerrilleros y grupos de superficie"*.[15] El investigador y escritor de tendencia marxista Richard Gillespie, en su obra de investigación *Montoneros, soldados de Perón* comunica que, en el año 1975, los activistas montoneros *"se dividían en combatientes y milicianos, teniendo un mínimo de **5000 personas encuadradas como tales**"* (pág. 221). El libro *La Voluntad* (escrito por los ex subversivos Eduardo Anguita y Martín Caparrós) agrega: *"La organización Montoneros tenía de 5.000 a 10.000 combatientes y milicianos. Sus simpatizantes eran muchos más"*.[16] Carlos Manuel Acuña, citando datos oficiales obtenidos de estudios de Inteligencia durante el gobierno peronista (entre 1973 y 1975), asevera que Montoneros contaba con 18.500 integrantes, entre combatientes y periféricos.[17] Peter Waldman sostiene que de acuerdo con sus propias fuentes militares *"a Montoneros le atribuye una composición militar de 25.000 hombres y mujeres"*.[18]

Ejército Revolucionario del Pueblo (ERP)

Conforme lo especifica el tomo III del publicitado libro *La Voluntad*, Mena (miembro del comité central del ERP) les había expresado que en 1976 ***"tenían alrededor de 5000 compañeros incluyendo militantes, aspirantes, combatientes y simpatizantes"***. Este dato es confirmado por Gorriarán Merlo quien confesó: *"Nosotros llegamos a tener una militancia de 5.000 compañeros. Para ser militante cada uno tenía que tener cinco colaboradores simpatizantes"*[19], lo que equivale a una estructura de 25.000 hombres. Por su parte, el ex guerrillero Luis Mattini (del ERP), en el reportaje ya citado concedido al diario *La Nación*, confiesa que el área de influencia del ERP abarcaba las 8.000 personas.[20] Asimismo, Marta Sánchez (en la nota de *Clarín* titulada "Montoneros y el ERP. El gatillo de la memoria") sostiene que el ERP llegó a contar con 1.500 combatientes y una aceitada organización clandestina. Su área de influencia era de unos 20.000 simpatizantes y colaboradores.[21] Carlos M. Acuña, basándose en datos oficiales obtenidos de estudios de Inteligencia del gobierno peronista (entre 1973 y 1975), confirma que el PRT-ERP contaba con 9.600 integrantes entre combatientes y periféricos.[22] Peter

Waldman, en sus estudios, le atribuye al ERP un número de miembros que *"en 1975 ascendería a unos 3.000 hombres y mujeres en armas"*.[23] P. Barcia, por su parte, *"le asigna a esta banda unos 5.000 combatientes"*.[24]

Es dable aclarar que a las cifras de ERP y Montoneros deben sumárseles las de bandas de menor envergadura como FAL, FAP, ERP 22 de Agosto, OCPO y otras.

Determinación de la justicia alfonsinista

Finalmente, la ideologizada y subjetiva justicia alfonsinista (a la que nos referiremos *in extenso* más adelante) en el juicio a los comandantes de 1985, siempre aminorando y morigerando cuantitativa y cualitativamente la significancia del terrorismo, determinó que en total las bandas terroristas (ERP, Montoneros y el resto) contaban con *"**25.000** miembros activos, de los cuales **15.000** eran combatientes"*.[25] Aun tomando como parámetro estas reducidas cifras oficiales determinadas en aquella sentencia, la cantidad de caídos (8.420) equivale a un tercio del número total de subversivos.

Cantidad de terroristas abatidos en combate o "desaparecidos"

Ahora bien, si a efectos de ser lo más objetivos como sea posible tomamos como base el número aproximado de terroristas en función de la sentencia de 1985 (que es sugestivamente el guarismo más exiguo –25.0000 en total–) habiendo establecido también el número de bajas contabilizadas entre muertos en combate y desaparecidos (8.420 en el lapso de diez años), vayamos ahora al análisis de las bajas de las bandas terroristas, para confrontar luego esa cifra con la de 8.420 caídos ya analizados.

Si bien la guerra nace como tal durante los primeros meses de 1970, el terrorismo empezó a padecer bajas a gran escala a partir de los decretos de aniquilamiento. El primero (emitido en febrero de 1975), no produce gran cantidad de bajas pues sólo se circunscribe a la provincia de Tucumán. Recién en octubre de ese año (ocho meses más tarde) al emitirse el decreto de aniquilamiento que extendía las operaciones a todo el país, comienza verdaderamente la merma de los cuadros terroristas y el número de "desaparecidos" se incrementa en un 700%. Vale decir, a finales de 1975 se produce un salto cualitativo en cuanto a la intensidad de la resistencia estatal al terrorismo. Tanto es así, que según lo informó minuciosamente el diario de izquierda *La Opinión* (ejemplar del 31 de diciembre de 1976) *"en los últimos 12 meses [del 31/12 de 1975 al 31/12 de 1976] la subversión tuvo 4000 bajas"* (vale recordar que la guerra duró hasta la contraofensiva de 1979). Aquí tenemos que efectuar la siguiente acotación: en tres de los doce meses mencionados el país se encontraba gobernado por el Peronismo; en los nueve restantes, por el Gobierno provisional.

El detallado informe dice que del total de los 4.000 guerrilleros caídos, 1.800 pertenecían al ERP, 1.600 a Montoneros y 700 a las bandas terroristas de menor envergadura. Es decir que entre ERP y el resto de las fuerzas menores suman 2.500 bajas. Estas últimas cifras, no fueron posteriormente modificadas en demasía, puesto que la única banda que queda con gran potencial y estructura para proseguir en la guerra es Montoneros. En ese mismo informe, el diario agrega que el ERP *"prácticamente quedó sin cuadros combatientes y en la necesidad de reestructurar su aparato de superficie, tarea que linda por ahora en la imposibilidad absoluta"*. Tanto es así que el ERP, al igual que las fuerzas "chicas", subsiste la lucha en 1977 en repliegue, con pocos cuadros, deserciones a gran escala y escasas o nulas acciones de combate, lo cual disminuye por ende el porcentual de bajas. A partir de allí, la guerra contra el terrorismo se concentra en Montoneros y es por esta razón que son estos últimos quienes comienzan a padecer bajas de manera masiva.

Que el ERP haya quedado desguazado antes que Montoneros obedece a tres razones fundamentales: la primera es que tenía menos cantidad de integrantes que Montoneros (se calcula que Montoneros era entre tres y cuatro veces más numeroso); la segunda es que el ERP peleaba, generalmente, con la tesis "foquista" (a través de la guerrilla rural y muchas veces con uniforme y vestimenta de guerra), lo cual hacía que el combate contra las fuerzas legales fuera mucho más frontal y, por ende, con mayor riesgo de padecer bajas rápidamente (cosa que ocurrió); la tercera causa (y la más importante) es que el ERP fue la primera organización declarada ilegal (a través del Decreto 1.545 del 24 de septiembre 1973), mientras que Montoneros es declarada ilegal dos años después (por Decreto 2.452 del 6 de septiembre de 1975). Además, el primer decreto que ordenó el aniquilamiento de la subversión (febrero de 1975) se dirigió virtualmente sólo contra el ERP, ya que se circunscribía a Tucumán, donde precisamente el ERP concentraba esfuerzos para tomar la provincia. Entre tanto, el decreto que ampliaba el "aniquilamiento" a todo el país (abarcando las zonas donde operaba mayormente Montoneros) fue emitido recién en octubre de ese año (ocho meses después).

Es importante considerar esta explicación porque a partir de 1977 los datos de bajas de guerrilleros que iremos analizando se limitan fundamentalmente a las de Montoneros, ya que el resto estaba diezmado.

En septiembre de 1977, el consejo nacional del partido Montoneros comunica y reconoce que *"entre el 24 de marzo de 1976 y 1977, en aproximadamente 12 meses de lucha [de marzo de 1976 a marzo de 1977, y sin contabilizar las bajas anteriores al 24 de marzo de 1976], sus bajas ascendían a 2000"*. Las bajas totales de Montoneros luego del cambio de mando (24 de marzo), según expresara el oficial montonero Manuel Pedreira al investigador Richard Gillespie, en agosto de 1998 en Cuba: *"En agosto de 1978 [las bajas de Montoneros] ascendían a 4500"*. (Sin contabilizar las anteriores al 24 de marzo ni las 600 bajas de la contraofensiva de 1979, lo que nos arroja una cifra muy por encima de las 5100.) Esta cifra es completada por lo informado por Roberto Cirilo Perdía quien tomando todo el período de la guerra (abarcando también el lapso anterior al Proceso) entre muertos y desaparecidos informa que la cifra oscilaría de 5.000 a 6.000 caídos y agrega Perdía: *"Casi la mitad de la organización"*,[26] que como ya lo anticipamos y, Perdía mismo lo ratifica, llegaría a doce mil miembros.

Nótese que sobre 8.400 caídos, entre cinco y seis mil pertenecerían solamente a Montoneros (según lo informado por Perdía), lo cual indicaría que el resto de abatidos eran integrantes del ERP y otras organizaciones. Por su parte, Gregorio Levenson, en su trabajo autobiográfico *El país que yo he vivido,* sostiene que la cifra de Montoneros caídos ronda en los 5.000.[27] Miguel Bonasso recuerda que por marzo de 1977 recibe información de haber perdido *"el 60 por ciento de los cuadros"*.[28]

Sin contar los caídos hasta 1979 (solamente en la contraofensiva fueron 600, según confirmó Juan Gelman) y tomando como parámetro un número oscilante entre los diez mil y los doce mil miembros (conforme datos arrojados por los propios miembros de la banda), el 60% al que se refiere Bonasso estaría rondando entre los 5.500 y 6.600 caídos. Del mismo modo, además de esto, según declaró Galimberti ante la justicia (en el ya citado careo ante el juez Carlos Luft en 1992) *"redondeando hacia arriba"* la cifra total de bajas (contabilizando todas las organizaciones armadas), los caídos fueron aproximadamente diez mil.

Montoneros: número aproximado de caídos

Como vemos, descartando por inflada la cifra "redonda" declarada por Galimberti, todas las voces montoneras oscilan en caídos cuyas cifras van, como hipótesis, de mínima en 5.000 a 6.500 como máximo.

Dentro del margen de flexibilidad que nos permite esta franja, dada la dificultad de obtener un número exactísimo (lo que es de suyo imposible en una guerra civil contra ejércitos irregulares), podemos promediar (según los propios informes y confesiones de los principales jerarcas de Montoneros) aproximadamente:

Montoneros: 5.750 caídos

ERP y otras bandas: número aproximado de caídos

Tomándolas como cifras oficiales, podemos contar 2.500 bajas, entre ERP (1.800) y otras organizaciones (700), producidas en el período comprendido entre el 31/12/1975 y el 31/12/1976 y cuya proyección a futuro virtualmente queda congelada allí, pues ya se encontraban desmantelados. Empero, aquí tenemos que sumar el período anterior al 13/12/1975. Si bien resulta muy dificultoso arribar a un número preciso del pasaje previo al 31 de diciembre de 1975, analizando las 1.637 páginas distribuidas en los tres macizos tomos del libro *In memoriam*[29] (trabajo documental fundamentalmente aplicado a enunciar los muertos ocasionados por la guerrilla, documentados en crónicas y diarios de la época), podemos identificar y contabilizar antes del 31/12/1975 al menos ciento ochenta integrantes del ERP caídos en enfrentamientos (118 en el tomo I, 13 en el tomo II y 49 en el tomo III).

Sumando finalmente:

ERP	1980 caídos
Otras fuerzas	700 caídos
Total	**2680** caídos (entre ERP y bandas menores)

Resumiendo:

Terroristas caídos

Montoneros: Promediando **5.750** caídos (este número puede tener un pequeño margen de oscilación tanto ascendente como descendente).

ERP: 1980 caídos (la cifra tiene un muy pequeño margen ascendente pues no están computadas las bajas de 1977, que fueron muy pocas).

Otras bandas: 700 caídos (la cifra tiene un pequeño margen de oscilación ascendente pues no está computadas las bajas en 1977, que fueron muy pocas y las anteriores al 31/12/1975 también exiguas).

Sumando estos datos totales (que tienen un mínimo margen de oscilación descendente o ascendente) la cifra total y final sería: **8430 terroristas caídos**

A riesgo de ser insistentes, recordemos las cifras oficiales ya analizadas:

Desaparecidos durante el gobierno cívico-militar	6.809
Desaparecidos durante la democracia peronista	751
Abatidos en combate	860
Total caídos	**8.420**

Si en lugar de una lastimosa guerra civil, estuviésemos trabajando sobre asuntos deportivos o contiendas electorales, va de suyo que estos datos (8.420 por un lado y 8.430 por el otro), merecerían la calificación de "empate técnico" entre el número total de desaparecidos y abatidos en combate oficialmente reconocidos e informados por el Gobierno y el número total de terroristas desaparecidos o abatidos en combate reconocido e informado por las propias bandas terroristas y publicaciones oficiales.

Sin descartar casos de muertes ajenas a la contienda como producto de eventuales márgenes de error (que no dudamos de su existencia), queda totalmente claro que el espacio para los equívocos en el blanco fue mínimo (en nuestro análisis tenemos una diferencia de diez casos sobre 8.420, lo que constituye un margen de error del 0,1%). Nunca tendremos un dato con precisión de centavo y no descartamos que ese insignificante porcentual pueda crecer un poco pero como vemos, más allá de ello, todos los guarismos nos conducen a una conclusión indubitada:

Salvaguardando simbólicas excepciones, todos los desaparecidos y abatidos fueron miembros de las diversas bandas terroristas.

Esta correspondencia numérica que nos lleva a inferir un margen de error francamente intangible, ha sido reconocida y confesada nada menos que por **Mario Firmenich**, cabeza de Montoneros, quien ante el periodista español Jesús Quinteros declaró lo siguiente: *"Habrá alguno que otro desaparecido que no tenía nada que ver, pero la inmensa mayoría eran militantes y la inmensa mayoría eran montoneros. Yo sé cómo vivieron ellos. A mí me hubiera molestado muchísimo que mi muerte fuera utilizada en el sentido de que un pobrecito dirigente fue llevado a la muerte"*. (Reportaje publicado el 17 de marzo de 1991 en el diario *Página/12*.)

Estas verdades de a puño, no sólo han sido expresamente admitidas por los más importantes protagonistas de la guerra civil, sino incluso hasta por el Dr. Gil Lavedra, quien fuera uno de los magistrados alfonsinistas que integró el tribunal que juzgó a la junta militar en 1985. A pesar de la naturaleza política e ideologizada que tuvo ese episodio, reconoce Gil Lavedra: *"Yo sinceramente creo que la mayoría de las víctimas de la represión ilegal eran militantes de la guerrilla"*.[30] Aunque agigantando desmesuradamente la cifra de desaparecidos, Hebe de Bonafini reconoció que los desaparecidos eran todos guerrilleros y arengó: *"La lucha sin claudicaciones es el legado maravilloso de nuestros 30.000 hijos combatientes"*.[31] Ratificando su condición de "presidenta de las Madres de los guerrilleros desaparecidos", Bonafini luego ratificó: *"Siempre pensé en mis hijos como guerrilleros y revolucionarios, con un gran orgullo"*[32]

Empero, dentro del grupo de familiares de desaparecidos, la persona con mayor autoridad moral para opinar en la materia es el Dr. Alberto Molinas, puesto que es padre de once hijos, de los cuales cinco desaparecieron (la familia con mayor cantidad de desaparecidos de toda la década del 70), quien al respecto reconoce: *"Yo los eduqué dentro de los principios, pero les respeté la libertad. Cuando llega el momento de la guerrilla, el mayor me escribe una carta realmente sincera diciendo: 'Papá, acá no queda más que la guerrilla'. Y así, en un año, cinco de mis hijos dijeron lo mismo"*, más adelante, Molina agrega que sus hijos *"eran Montoneros [...] solía tener entrevistas clandestinas con ellos. Cuando la cosa se agravó al punto de 'matar o no matar' les dije: ustedes tienen solamente un futuro, la muerte en cualquier momento. Los cinco me dijeron: 'Papá, nosotros lo hemos meditado y ya sabemos, pero estamos dispuestos a dar la vida'.*[33] *[...] Las Madres de Plaza de Mayo varias veces vinieron acá a decirme que yo tenía que ir al frente de todas las manifestaciones en Buenos Aires porque era un caso único. Les dije: 'No, yo tengo otra actitud, no voy a politizar [...] tampoco me gusta la actitud de Hebe de Bonafini que escondidita y hábilmente está haciendo surgir un sentimiento comunista puro".*[34]

Como vemos y, siempre en función de datos objetivos analizados y sumados cronológicamente y discriminados por organización (basándonos en informes, declaraciones y documentos tanto oficiales como pertenecientes a las mismas organizaciones terroristas), estamos en condiciones de afirmar que los abatidos y desaparecidos eran terroristas casi sin excepción.

En cuanto al margen de error que eventualmente pudo haber existido (propio e inherente a toda guerra), advertimos que si bien es imposible suponer que en diez años de guerra civil no haya existido tal cosa, queda claro que los mismos fueron sumamente exiguos, meramente aislados y muy inferiores a los guarismos normalmente existentes en guerras tanto civiles como tradicionales.

Tanto sea por confesión de los más destacados integrantes de la guerrilla como por el análisis de los datos objetivos, la deducción insoslayable que queda de la guerra antiterrorista es la siguiente: No sólo no fueron treinta mil, sino que además no fueron inocentes.

MITO DOS
El "juicio justo"

Una vez puesta de manifiesto la correspondencia intrínseca entre el número de desaparecidos y abatidos y las bajas terroristas, no es de extrañar que aparezca algún "progre garantista" que, ya sin posibilidades de retrucar los números, se vaya por la tangente con el conocido "llorisqueo" rezador del lema "pero los militares no le dieron a los 'jóvenes' un juicio justo". Más allá de que en la guerra civil no se suele recurrir a burocracias leguleyas demasiado detallistas, es dable analizar el eslogan de marras dividiendo el análisis en tres etapas:

1) Primeramente, vale aclarar el error del *bluff*, puesto que los terroristas sí tuvieron por parte del Gobierno cívico-militar el tan reclamado "juicio justo", ya que entre 1971 y parte del 73 (pleno Gobierno de facto) ante el desborde que estaba ocasionando la guerrilla, el Gobierno tomó la decisión de crear la Cámara Federal en lo Penal (conformada por nueve jueces divididos en tres salas) y, en el lapso en que el augusto cuerpo funcionó, se elevaron 8.927 causas, se dictaminaron 600 condenas y hubo más de mil procesamientos. No se registró en ese lapso ni un solo caso de "desaparecidos".

2) En mayo de 1973 se produce el advenimiento de la democracia, el Peronismo accede al poder a través del presidente Cámpora que, tal como lo hemos visto, lleva adelante la derogación de la Cámara Federal Penal y las liberaciones (amnistías) de los terroristas detenidos y/o juzgados por la cámara (derogada el mismo día de las amnistías). Los terroristas amnistiados, seguidamente, atentaron contra la vida de quienes los habían juzgado conforme a derecho. Ante los ataques y amenazas, ocho de los nueves jueces lograron milagrosamente escapar al extranjero, pero el juez Quiroga no corrió esa suerte: fue asesinado por la espalda. En el lapso democrático (mayo de 1973 a marzo de 1976), el terrorismo cometió el 52% de la totalidad de sus asesinatos y efectuó cerca de 7.000 atentados.

Contrastando con las casi 9.000 causas llevadas a cabo por la cámara derogada, en el lapso democrático no se dictó ni una sola condena a ningún terrorista y a estos se los comenzó tardíamente a combatir a través de la AAA y de los decretos de aniquilamiento emitidos en 1975 (a partir de esa orden comenzó a presentarse de modo masivo el fenómeno de los "desaparecidos").

En síntesis, el Gobierno cívico-militar **sí** le brindó un **"juicio justo"** a los terroristas, y los "reyes del estado de derecho" se lo **negaron** a partir de 1973.

3) Al asumir las nuevas autoridades en marzo de 1976, se presentaba la siguiente disyuntiva:

   a) Volver a las formas instauradas durante el gobierno de Lanusse (1971-73).

   b) Proseguir con la metodología peronista consistente en detener al terrorista y ejecutarlo sin más trámite, continuando con la figura del "desaparecido".

La metodología aplicada en 1971-73 (Cámara Federal Penal) ya era inviable de revivir, puesto que había temor en los funcionarios judiciales de tomar esas causas habida cuenta de la experiencia vivida con los anteriores magistrados que fueron asesinados, mutilados y exiliados.

Aunque de todos modos se hubiese reinstaurado alguna forma de procedimiento que acabara con una condena a prisión por parte de los terroristas, hubiera sido en vano porque al volver a la democracia esta habría quedado sin efecto y absolutamente todos los terroristas habrían sido liberados automáticamente. Pruebas al canto, luego de 1983 ningún terrorista fue condenado, ni detenido (ni siquiera los asesinos que atacaron La Tablada en 1989 están presos). Ergo, los posibles juicios rigurosamente legalistas hubiesen sido totalmente en vano (al igual que lo fueron los llevados a cabo por la Cámara Federal Penal entre 1971-73). Entonces, las autoridades del Proceso, en el fragor de la guerra, decidieron no innovar ni retrotraerse a Lanusse, sino "peronizar" el procedimiento del combate y continuar con la práctica heredada por el gobierno justicialista (aunque parcialmente mejorada, pues durante el Proceso no existió el accionar de las AAA).

La detención del terrorista y su posterior ejecución no es un tema que desde el análisis de fondo merezca demasiados cuestionamientos, pues esta drástica medida (que se tornaba por entonces de imprescindible aplicación) ha sido recomendada por la cámara que en 1985 juzgó a los comandantes (independientemente de las irregularidades de dicho juicio, que ya analizaremos) al determinar que *en muchos casos estaba plenamente justificada la aplicación de la pena de muerte*.[35] Por ende, el cuestionamiento y la crítica recaen sobre aspectos procesales del combate (que sin duda debieron haber sido mejores) pero no sobre asuntos de fondo.

Seguidamente, cabe preguntarse ¿por qué el gobierno de facto obrante a partir de 1976 no publicó los listados de ejecutados? Uno de los argumentos más fuertes con los que se explica la naturaleza irregular de la ejecución de los terroristas de un modo reservado obedece a que, en plena guerra fría, publicar la nómina diaria de ejecuciones de terroristas acarrearía una abrumadora campaña internacional promovida por diversos sectores del marxismo global que, alzando la bandera glamorosa de los "derechos humanos", fustigarían con creces al Gobierno y al Estado argentino ante el trato "despiadado" que se llevaba a cabo para con los terroristas detenidos ("presos políticos" los llama el discurso dominante). Entonces, para evitar dicha tensión, fue que el gobierno peronista primero y el gobierno provisional después, llevaron adelante las ejecuciones de modo secreto y silencioso.

¿Pudo haberse instalado una práctica intermedia entre la impuesta por Lanusse y la creada por el Peronismo?, consideramos que sí, y haber "peronizado" el método es el grave reproche que al Proceso le cabe en esta materia. Pues, muy probablemente, se debió haber creado un sistema de ejecuciones, previo juicio sumarísimo de por medio y, si políticamente era inconveniente emitir publicaciones diarias, el listado de dichas ejecuciones y sus respectivas sentencias debió haberse dado a conocer una vez culminada la guerra en 1979-80, pero la claridad y publicidad de las ejecuciones nunca debieron estar ausentes. Al respecto, el jurista e historiador Enrique Díaz Araujo sostiene con buen criterio: *"Si se impartía justicia a la luz del día aplicando las penas más severas contra los terroristas y guerrilleros, todas las iras del marxismo que dominaba los medios de comunicación a nivel mundial, y toda una corte de imbéciles famosos vehiculizada por ellos comenzaría a quejarse en plañidero. Arreciarían las presiones. Resistirlas era, en definitiva, lo que debía hacer el gobernante decidido a cumplir con su deber"*.[36]

Entonces, el cuestionamiento que debe hacerse al respecto, recae sobre la forma del procedimiento pero no sobre la legitimidad y necesidad del combate en sí. Vale decir: las críticas pueden recaer sobre aspectos de tinte doméstico, o sea en cuanto a lo accesorio, pero no sobre lo principal. Y lo principal era aniquilar al terrorista (tal como Perón públicamente lo manifestó y el Gobierno constitucional lo decretó) y así se hizo. Luego, el debate sobre la indudable defectuosidad del método se torna quizás adjetivo y, si se quiere, se constituye en una polémica sobre cuestiones accidentales y/o formales, pero no esenciales o materiales.

No obstante, no invalidamos cuestionar la metodología aplicada por las fuerzas legales durante la guerra antiterrorista consistente en detener al terrorista y ejecutarlo sin dar a conocer luego el paradero del cuerpo. Pero de la probable irregularidad del procedimiento creado y aplicado por el gobierno antecesor al "golpe", no sólo se pretende sugerir la inculpabilidad del terrorista, sino lo que es peor, su necesaria glorificación. Pero la condición de "desaparecido" no convierte al terrorista en héroe.

MITO TRES
¿Fue una guerra?

El análisis de la década del 70 puede variar drásticamente según nos atengamos o no a los siguientes parámetros: si consideramos que lo vivido por entonces constituyó una guerra o, por el contrario, si negamos la naturaleza bélica de la contienda.

Este interrogante (que de no ser por la abrumadora propaganda oficial ni siquiera debería plantearse) suele constituir motivo de polémica permanente cada vez que se aborda el drama en cuestión (o sea, constantemente) y resulta esencial y determinante para enfocar el tema que nos ocupa. El hecho de aceptar o rechazar que aquello haya sido una guerra, nos cambia totalmente el enfoque filosófico, jurídico, político y moral al respecto.

A diferencia de otros tipos de contiendas, enseña Karl Von Clausewitz que *"la guerra es una colisión entre intereses trascendentales, la cual es resuelta por el derramamiento de sangre, que es el único sentido en el cual difiere de los otros conflictos"* y agrega: *"En la guerra el sometimiento del enemigo es el fin y la destrucción de sus fuerzas de combate el medio"*.[37]

Tal como hemos visto, durante el transcurso de la década del 70, absolutamente toda la dirigencia a pleno mencionó con total naturalidad y sin la menor vacilación la palabra "guerra". Por entonces, desde el presidente Perón hasta el ciudadano más ignoto y sin compromiso se manifestaban de idéntico modo. Todos los funcionarios de todos los partidos políticos utilizaron (sin retrucamiento alguno) insistentemente la palabra "guerra". De izquierdas a derechas, absolutamente todas la publicaciones de diarios y revistas (políticas, económicas o de farándula) mencionaron la palabra "guerra" con total y absoluta normalidad y sin que tal concepto sea pasible del menor cuestionamiento.

Las FF.AA., aunque no lo hayan hecho expreso durante el conflicto (a efectos de no favorecer los intereses políticos del ERP ya relatados en capítulos anteriores), luego de acabada la contienda, reconocieron institucionalmente que fue una guerra. Las organizaciones subversivas y sus máximos exponentes en todo momento manifestaron estar en guerra. A modo de mero ejemplo, tomamos las palabras de emblemáticos terroristas como Rodolfo Galimberti que, desmintiendo a los fabuladores del setentismo, afirmaban: *"No fue un enfrentamiento entre jóvenes románticos y el Ejército. Fue una guerra civil, la más irracional de las guerras. Hubo excesos de los dos bandos y no podemos calificar por la cantidad o por la magnitud de los excesos"*.[38] Además, Galimberti agrega: *"Mi país vivió una guerra [...] una guerra de aparato a aparato entre el ejército montonero y el Ejército Argentino"*.[39] El jerarca del ERP (y segundo de Santucho), Luis Mattini, cuenta: *"Para nosotros la guerra –y eso se discute bien claro en el congreso [del PRT]– era la cuestión, el elemento esencial era neutralizar al enemigo, es decir, el enemigo tenía que ser neutralizado y en lo posible el concepto de neutralización se imponía sobre el concepto de aniquilamiento. En una guerra se combate, se dispara, se mata gente, no cabe la menor duda"*.[40]

Abundar en declaraciones ejemplarizadoras tornaría inacabable el presente capítulo. Lo cierto es que los dos bandos en pugna (terroristas y fuerzas legales) disentían en todo, pero si tenían algún punto en común era precisamente que reconocían estar peleando una verdadera guerra en el acabado sentido del término. Como resumen de lo antedicho, el máximo jerarca de la más importante organización terrorista, Mario Firmenich, confesó: *"Coincido con Videla, fue una guerra"*.[41]

Seguidamente preguntamos: ¿Qué autoridad moral e intelectual tienen los "paniaguados" del progresismo local para negar la naturaleza de aquel conflicto, si hasta los mismos protagonistas de las diversas tendencias enfrentadas coinciden en que fue una guerra? Si aún los inexpugnables argumentos que determinan inequívocamente que lo que se vivió sí fue una guerra, no bastaran, entonces podemos tomar los conceptos (que tanto le gusta rememorar y reivindicar a la progresía local) vertidos precisamente en la sentencia de la Cámara Federal que en 1985 juzgó a la junta militar. El fallo, entre otras cosas, determinó:

> "En consideración a los múltiples antecedentes acopiados en este proceso y a las características que asumió el terrorismo en la República Argentina, cabe concluir que, dentro de los criterios de clasificación expuestos, el fenómeno se correspondió con el concepto de guerra revolucionaria [...] algunos de los hechos de esa guerra interna habrían justificado la aplicación de la pena de muerte contemplada en el Código de Justicia Militar [...] no hay entonces delincuentes políticos, sino enemigos de guerra, pues ambas partes son bélicamente iguales [...] como se desprende de lo hasta aquí expresado, debemos admitir que en nuestro país sí hubo una guerra interna, iniciada por las organizaciones terroristas contra las instituciones de su propio Estado".

Vale decir: la sentencia reconoce y utiliza dos términos a modo de sinónimos: "guerra revolucionaria" y "guerra interna". Sin embargo, activistas al servicio del embuste, como Estela de Carlotto, efectúan declaraciones (nada originales por cierto) tales como: "Realmente acá no hubo una guerra, hubo un terrorismo de Estado que tenía el poder político, el poder militar y que eliminó físicamente a todo aquel que se oponía a este designio".[42] Esta panfletaria declaración (desmentida por la justicia de Alfonsín, a la que suponíamos que Carlotto no se oponía), sin embargo, es permanentemente repetida y difundida por la ralea izquierdista de modo masivo en todos los ámbitos de influencia en la opinión pública.

Como digresión y nota de color, notamos que a diferencia de los defensores del terrorismo, en el presente trabajo cuestionamos y deslegitimamos por inconstitucional y viciado el fallo de la mencionada Cámara Federal (trataremos el tema más adelante). Empero, salvo que los defensores de la subversión coincidan con nosotros en que ese juicio fue una verdadera parodia, deben y tienen necesariamente que aceptar que fue una guerra, pues así lo determinó de modo expreso el mismo fallo con el que la progresía local se regocija de solo mencionarlo. Las declaraciones de Carlotto negando que haya habido una guerra (en contraposición a lo establecido en la sentencia de la Cámara Federal), nos hacen deducir que evidentemente comparte con nosotros la tesis de que el juicio a la junta militar fue inconstitucional, puesto que no puede reivindicar el fallo y contrariar lo que el fallo determinó. Una cosa no puede ser y no ser a la vez. A pesar de las profusas diferencias que tenemos con la activista en cuestión, nos alegramos en mantener al menos un punto de coincidencia.

MITO CUATRO
¿Hubo un genocidio durante la lucha antiterrorista?

En cumplimiento del anhelo de Perón de exterminar *"uno a uno [...] con la ley o sin ella al reducido número de psicópatas que va quedando"*, en 1975 el gobierno justicialista emitió los ya citados decretos que ordenaban *"aniquilar el accionar de los elementos subversivos"*.

Siempre intentando desfigurar la historia y apelando a la utilización de palabras o frases impactantes, los propagandistas de la mentira oficial le llaman "genocidio" al combate antiterrorista y "genocidas" a los destinatarios de la orden de aniquilar el accionar subversivo (los miembros de las instituciones castrenses o policiales). Sin embargo, el "genocidio", por definición nada tiene que ver con lo que ocurrió aquí.

La Convención de Ginebra del 9 de diciembre de 1948 define y tipifica el término de marras y en su artículo 2° determina que "genocidio" es:

"La destrucción total o parcial de un grupo nacional, étnico, racial o religioso como tal."

Del mismo modo, en consonancia con la definición, el Estatuto de Roma de la Corte Penal Internacional, aprobado el 17 de julio de 1998 define el "genocidio" en su artículo 6:

"A los efectos del presente Estatuto, se entenderá por 'genocidio' cualquiera de los actos mencionados a continuación, perpetrados con la intención de destruir total o parcialmente a un grupo nacional, étnico, racial o religioso como tal."

Las circunstancias definidas, obviamente no se dieron durante la guerra contra el terrorismo en nuestro país, puesto que desde ninguna óptica se intentó efectuar (ni se efectuó, de hecho) ninguna destrucción a grupos étnicos, raciales, ni religiosos, sino a bandas terroristas que operaban para asaltar el poder del Estado. En efecto, se combatió a los integrantes de las bandas terroristas no por lo que eran, sino por lo que hacían.

Ante estos irrebatibles argumentos, suelen torcer la discusión los setentistas y "chicanear" alegando que en puridad hubo una persecución sistemática, aunque por "motivos políticos". Pero de haber habido tal cosa (que no la hubo), la misma tampoco encuadra en el concepto de "genocidio", puesto que en su definición no se contemplan los "motivos políticos", sino (y a riesgo de ser reiterativos) solamente y de manera taxativa los motivos "religiosos, étnicos y raciales".

Luego advertimos que la repetida calificación de "genocidio", monotemáticamente publicitada por televisión, sólo puede obedecer a dos factores: ignorancia o malicia por parte del calificador.

MITO CINCO
¿Hubo lesa humanidad durante el combate contra el terrorismo?

Con la habilidad que los caracteriza, los setentistas, así como acostumbran a llamar "genocidas" a todos los miembros de las Fuerzas Armadas que participaron de la guerra, al *modus operandi* empleado para combatir al terrorismo (que fue creado y puesto en marcha por el Gobierno constitucional comandado por el Partido Justicialista) le llaman "crimen de lesa humanidad". Bajo esta palabra "talismánica", todo policía o militar que peleó contra el terrorismo ha cometido entonces delitos de "lesa humanidad", definición que generalmente no se sabe bien en qué consiste, pero que se pregona y aplica a los miembros de las fuerzas legales con el objeto de quitarles todas las garantías jurídicas de las que goza cualquier imputado común (irretroactividad, prescripción, posibilidad de indulto o amnistía).

¿Pero qué es en concreto el delito de "lesa humanidad"? La Corte Penal Internacional en el artículo 7° del Estatuto de Roma, aprobado el 17 de julio de 1998, define el concepto de esta manera:

> *"Se entenderá por 'crímenes de lesa humanidad' cualquiera de los actos siguientes cuando se cometa como parte de un ataque generalizado o sistemático contra una población civil: a) Por 'ataque a una población civil' se entenderá una línea de conducta que implique la comisión múltiple de actos [...] contra una población civil, de conformidad con la política de un Estado o de una organización."*

Note el lector que este último párrafo dice expresamente que la categoría "lesa humanidad" no se limita a los ataques cometidos por el Estado, sino también por organizaciones ajenas a este, tales como fueron Montoneros, FAR, ERP y otras. Vale decir: aunque la Corte Suprema kirchnerista se haga la distraída y prevaricando falle lo contrario (tal como lo hizo para descomprometer al terrorista de la ETA Lariz Iriondo), los 1.748 secuestros, las 5.052 bombas colocadas o los 1.501 asesinatos llevados a cabo contra una población civil conforman lisa y llanamente "un ataque generalizado o sistemático contra una población civil", tal como lo define el Tratado de Roma. O sea: los únicos que aquí cometieron crímenes de "lesa humanidad" fueron precisamente las bandas terroristas tan reivindicadas por el presidente Kirchner e indemnizadas involuntariamente por los ciudadanos.

En efecto, nuestra corte kirchnerista sostiene (contrariando el Derecho Internacional) que los delitos de terrorismo (ajenos al Estado) no constituyen delitos de "lesa humanidad", y que sólo se incluyen en tal categoría los cometidos por agentes del Estado o dependientes de él (es por ello que los indultos o amnistías concedidos a los terroristas son considerados "válidos" por la corte kirchnerista).

Ahora bien, con respecto al accionar del Estado en los años 70, no hubo ningún "ataque sistemático a una población civil", sino una respuesta exclusiva y excluyentemente dirigida a ejércitos irregulares conformados por combatientes armados y entrenados, lo cual constituye una acción de suyo justa y legítima, independientemente de los errores a los que ya hemos hecho mención.

Asimismo y aún suponiendo que en la Argentina el Estado sí hubiese cometido delitos de "lesa humanidad" (tesis que obviamente no compartimos), de todos modos esos delitos no podrían juzgarse como tales, puesto que esa figura se incorpora a nuestra legislación recién en 1994 (con la incorporación de tratados internacionales tras la firma del Pacto de Olivos). Por ende y, tal como lo dispone el principio de irretroactividad de la ley (previsto en el artículo 18 de nuestra Constitución Nacional), sólo puede aplicarse dicha tipificación a hechos acaecidos con posterioridad a su entrada en vigencia (esto es a 1994).

¿Y a qué obedece la insistencia revanchista en imponer el concepto de "lesa humanidad"? Pues además del quite de las garantías jurídicas ya mencionadas, en el plano internacional, al suponer las potencias extranjeras que en la Argentina ocurrió tal cosa (como producto de la habilidosa campaña efectuada en el exterior por el setentismo militante auxiliado por el eurocomunismo), jueces mediáticos y vedetistas recurren permanentemente a peticionar la detención de cualquier militar que cruce las fronteras argentinas, siendo acusado inmediatamente de cualquier cosa por el solo hecho de haber estado en actividad durante la guerra antiterrorista.

Para no abrumar al lector con detalles jurídicos, tomaremos las palabras de Enrique Díaz Araujo que, con lenguaje claro y doméstico, explica cómo funciona esta argucia transnacional: "*El secreto del asunto aparece cuando un sujeto nativo en un país x, que dice haber padecido tal o cual atropello policial, decide, por sí y ante sí, ir a denunciarlo, no a la justicia local, sino a la del país Z. Ahora en Z, no sólo se lo atiende con toda deferencia, sino que encima se le da curso a sus peticiones, en nombre de los sacrosantos 'derechos humanos'. ¿Y en X qué pasa...? Sucede que los organismos 'Defensores de los derechos humanos' de X festejan esa transgresión de jurisdicciones, echando la casa por la ventana, y si es posible, condecoran a los jueces de Z que se han metido a juzgar lo que no les incumbe".* [43]

Prosigue Díaz Araujo explicando que la trampa consiste en que *"cualquier delito vinculado a 'Violaciones de derechos humanos', puede ser juzgado en los tribunales del orbe donde las presuntas víctimas o sus parientes elijan y denuncien, aunque los hechos hayan acontecido en otro país y los sujetos activos y pasivos del ilícito tampoco pertenezcan a ese Estado eventual juzgador".*[44] Poniendo de manifiesto la *"asimetría de la indulgencia"* y la hemiplejia con la que se juzgan estos episodios, agrega el autor que *"si el detenido está acusado de alguna violación de cualquiera de las infinitas cláusulas de las Convenciones de los Derechos Humanos, está perdido, y no hay abogado que se anime a defenderlo. Además del inmediato 'juicio' mediático, con los periodistas usando la toga de los magistrados, y formulando condenas previas, el referido sujeto se verá enfrentado a un proceso tribunalicio, donde no correrán ni la prescripción, ni el juez natural de la causa, ni el principio de legalidad, ni la ultractividad de la ley penal más benigna, ni nada de nada. Estos nuevos 'crímenes' son, por definición, imprescriptibles e imperdonables. Un estuprador empedernido, con un historial de reincidencias interminables, puede ver rebajada su condena, o indultada su pena. Un policía maltratador, jamás".* Concluye Díaz Araujo denunciando: *"El novísimo Derecho Internacional de los Derechos Humanos es sólo para uso de marxistas-leninistas. Club selecto y exclusivo. Los demás, deben abstenerse de utilizar ese mecanismo. Primacía del Derecho Internacional sobre el Derecho Interno. Protección de los guerrilleros. Esos son los dos postulados básicos de la rediviva quimera internacionalista".*[45] A modo de ejemplo, agrega: *"Si un violador mata a varias de sus víctimas menores de edad, pasados quince años sin persecución penal, la acción prescribe".* Ahora, si un policía maltrató a un terrorista, *"su infracción jamás prescribirá, y podrá ser perseguida en Indonesia o en España, en este siglo o en el siguiente [...] Porque la violación seguida de muerte no hace a la 'persona humana en cuanto tal', mientras que maltratar a un terrorista sí que es un crimen que conmueve a la 'conciencia universal'".*[46]

Sin embargo y, a pesar de esta componenda con apariencia jurídica muy bien señalada, se advierte que hasta el mismísimo Derecho Internacional posee principios que si se cumplieran verdaderamente impedirían llevar adelante todas estas persecuciones ya que hasta la ONU reconoce *"el pleno acatamiento del principio de no intervención de los Estados en los asuntos inter-*

nos y externos de otros estados" y que *"todo Estado tiene el derecho inalie-*
nable a elegir sus sistemas político, económico, social y cultural, sin injeren-
cia en ninguna forma, por parte de ningún otro estado".[47]

En el ya citado trabajo titulado *Internacionalismo Salvaje*, Enrique Díaz
Araujo señala: *"Quienes declaman contra las 'violaciones de DD.HH.' sue-*
len omitir un pequeño detalle: que la situación descripta por las Convencio-
nes Internacionales se refiere a un estado de 'paz', donde acontecen esos de-
litos, no al de guerra. Porque si hay conflagración lo primero que cabe apli-
car son las Convenciones de Ginebra y La Haya sobre el derecho de guerra,
y no los tratados sobre DD.HH. Por ejemplo, conforme a las Leyes Interna-
cionales los guerrilleros o 'partisanos' que combaten a las fuerzas regulares,
pueden ser fusilados, en el momento de su aprehensión, sin juicio previo
(porque al no uniformarse, ni llevar abiertamente sus armas y, por el contra-
rio, mimetizarse con la población civil, la ponen en peligro)".

En rigor de verdad, la definición verdadera y real utilizada en la Argentina para encuadrar la figura en cuestión es la siguiente: "Delito de lesa humanidad es toda presunción de participación en operativo antiterrorista cometido eventualmente por todo aquel que vista uniforme legal, o que sea considerado de 'derecha'".

MITO SEIS
Desvaríos de la *nonna*

El inexistente "plan sistemático de apropiación de menores"

Otro de los iconográficos mitos del setentismo, consiste en hacer creer
que la "dictadura genocida" dedicó parte de su malicia a instalar un "plan sistemático de robo de menores" y que dentro de tan macabro propósito "fueron
robados 500 niños". Episodio y cifras que no poseen respaldo argumental ni
documental alguno pero que, al igual que tantos otros embustes y desmanejos
numéricos, han sido instalados rabiosamente como eslogan propagandístico.

Si bien esta temática ya ha sido tratada *in extenso* en otro trabajo (ver el
libro *La otra parte de la verdad* del autor), consideramos oportuno abordar y
aportar aspectos complementarios de suma importancia sobre esta grotesca
quimera.

Primeramente vale aclarar que, el órgano de superficie propulsor de este dislate es la diminuta pero poderosa célula conocida como Abuelas de Plaza de Mayo, la cual desde su inicio tuvo como principal dirigente a la Sra.
Chorobik de Mariani, cuyo hijo *"había sido muerto por el ejército en un ver-*

dadero combate campal en la ciudad de La Plata en 1977, en una casa que ocupaba con su mujer, Diana Teruggi. Ambos eran miembros de la guerrilla montonera –en la que según dicen, se llegó a utilizar armamento pesado–, no se encontró a la niña entre los restos de la casa. El matrimonio murió con las armas en la mano".[48] También desde su origen, dicho grupo estuvo integrado por la multimediática Estela de Carlotto (también madre de dos hijas integrantes de la banda terrorista Montoneros), quien sin alternancia, ni rotación y de manera perpetua (fiel al estilo y tradición castro-comunista), preside ininterrumpidamente desde 1989 la mencionada organización.

Una de las hijas de Carlotto, llamada Laura y de nombre de guerra *Rita*, murió en la guerra y la otra, de nombre Susana Estela (también montonera pero que sobrevivió en la contienda), por entonces, contrajo matrimonio con Jorge Falcone, oficial montonero, mano derecha de Firmenich y hermano de la montonera Claudia Falcone (protagonista del episodio distorsionadamente conocido como La noche de los lápices). [49]

En cuanto al mito del "plan sistemático", promocionado por Carlotto y compañía, se apoya fundamentalmente en que "las abuelas" afirman haber "recuperado" (al momento de escribir estas líneas) ochenta y tres niños (los cuales hoy ya son jóvenes cuyas edades oscilan en derredor de los 30 años) y que dicha "proyección" (según fantasean las "Abuelas") ascendería "a 500 casos".

¿Y como llegan las "Abuelas" a la cifra de 83 "recuperaciones"? Pues cuando las fuerzas legales durante la guerra antiterrorista efectuaban operativos y los guerrilleros eran detenidos o abatidos, en muchas circunstancias (y con motivo de la actividad delictiva de sus padres) quedaban sus niños en situación de orfandad o total desolación. Pero como los terroristas poseían nombre de guerra, documentación falsa y se mudaban permanentemente de casa, barrio, ciudad o provincia, con frecuencia era muy difícil identificar a los abuelos o parientes cercanos de las desdichadas criaturas. Por ende, la acción de las fuerzas legales ante el desamparo de los menores se efectuaba en el siguiente orden:

1) Entregarlo a la familia (abuelos, tíos, etc.) si había conocimiento de su existencia y localización fehaciente.

2) Si no se tenían datos acerca de parientes y consanguíneos, el menor era llevado entonces a disposición del juez de la jurisdicción correspondiente o autoridad competente, quien seguidamente lo derivaba a la Casa Cuna o institución pertinente.

Vale decir, en la medida en que el estado de guerra civil lo permitía, en el tema de marras se actuaba dentro del principio de racionabilidad y legalidad (tal el caso de la orden de operaciones del comandante de la zona 1 o la orden emanada del Ministerio del Interior a la Policía Federal cuya autenticidad fueron avaladas por la fiscalía en la Causa 13). De este modo, se llevaron adelante 227 devoluciones de menores desamparados a familiares o autoridades pertinentes, lo que demuestra que por parte de las fuerzas legales, el único "plan sistemático" que hubo fue la devolución conforme a derecho.[50]

Posteriormente, muchas de estas criaturas, una vez destinadas y alojadas en instituciones oficiales, eran adoptadas (cumpliendo con las normativas al efecto) por diferentes familias o matrimonios que le brindaron su amor y educación, tal como suele ocurrir en la actualidad con menores en situación de adopción.

Pero ocurre que las Abuelas de Plaza de Mayo, posteriormente, se dedicaron a efectuar una labor de rastreo (tras muchos años y con el auxilio estatal) consistente en tratar de contactar algún pariente biológico de esos menores (hoy adultos). De esta manera, lograron en ciertos casos conectar, por ejemplo, a determinados jóvenes con algún tío, abuelo o pariente de cualquier grado. Una vez localizado efectivamente el vínculo, se produce el televisado encuentro, y las "abuelas" salen con "bombos y platillos" a arengar "recuperamos al número X".

Hasta aquí, la labor comunitaria de Abuelas de Plaza de Mayo, lejos de ser criticable, es total y absolutamente encomiable. Similar servicio a la comunidad llevaba adelante el conductor televisivo Franco Bagnato (hoy radicado en Miami), en su exitoso ciclo televisivo *Gente que busca gente*, en el cual se intentaba reencontrar familiares que por diversos motivos se habían distanciado o perdido el rastro durante años.

Sin embargo, es dable efectuar la siguiente aclaración: de los casos "recuperados" por las "abuelas", la mayoría absoluta de ellos no sólo no obedecen a "robo" ni "plan sistemático" alguno, sino que ni siquiera forman parte de las adopciones legales. Efectivamente, de esas "83 recuperaciones", las "abuelas" meten en la bolsa circunstancias que por muchas veces rayan en lo tragicómico.

En efecto, cuando todavía la cifra de "recuperados" rondaba en los sesenta y seis casos, las abuelas publicaron un libro titulado *Niños desaparecidos, jóvenes localizados en la Argentina desde 1976 a 1999* (edición de diciembre de 1999) en el cual, detallan caso por caso los sesenta y seis episodios a través de los cuales arriban a esa cifra. Y del trabajo de marras, involuntariamente las "abuelas" dan a conocer no sólo que el "plan sistemático de robo" no existió sino que, a efectos de abultar las cifras, colocan a "la marchanta" cualquier cosa que eventualmente les resulte funcional a la sumatoria de coeficientes.

Ahora bien, de esos sesenta y seis casos contabilizados por las "abuelas" (y según consta en el libro de su propia autoría), **29** son niños devueltos por las fuerzas legales a sus familiares o entregados a la Justicia de Menores (no hay "robo" alguno ni "recuperación"), **6** son casos de niños apropiados ilegalmente por otros integrantes de las bandas terroristas o vecinos (en este caso hay "robo" pero cometido por los terroristas o terceros), **11** son niños desamparados que estuvieron incomunicados como producto de situaciones anormales por causas totalmente ajenas a la guerra civil (tampoco existe "robo"); **6** corresponden a cuerpos NN identificados de mujeres embarazadas al morir en tiroteos en donde obviamente tampoco hay "robo" ni "recuperación" (y parece ser que afortunadamente y contrariando su ideología, en este ítem las "abuelas" se muestran *ad hoc* a favor de considerar a la persona desde el momento de su concepción); **2** corresponden al caso de niños accidentalmente muertos en un mismo tiroteo o enfrentamiento de sus padres y otros guerrilleros con las fuerzas legales (tampoco hay "robo" ni "recuperación" y los lamentables accidentes son producto de la irresponsabilidad delictual de sus padres al exponer a los niños en medio de los enfrentamientos) y **12** casos más, que son los únicos episodios puntuales de niños comprobadamente apropiados de modo ilegal (de los cuales en solo dos de ellos hubo repudiable participación de algún miembro de las FF.AA.).

Con este heterodoxo *modus operandi* consistente en rejuntar y acumular casos a todo propósito y hasta fuera de propósito, se completó así la cifra de sesenta y seis "niños recuperados" difundida por las "abuelas" en su propio libro, el cual, siguiendo con la misma metodología inclusiva de lo que venga, siete años después el número asciende hoy a 83 (o sea, 17 casos más en donde tampoco hubo "plan sistemático" alguno).

Va de suyo que la reducida cantidad de menores en los que hubo algún deleznable ilícito imputable a miembros de las FF.AA. (dos casos) no puede ser indicio de ningún "plan sistemático", en una guerra que duró diez años con unos 8.400 abatidos y desaparecidos por parte de la guerrilla y con al menos 227 devoluciones comprobadas de criaturas en situación de desamparo.

Para más datos, vale mencionar que dentro de esta tarea investigativa "privada" efectuada por las "abuelas", de haber habido "plan sistemático con 500 robos de niños" tendría que haber quinientas condenas a cada "apropiador ilegal", o al menos ochenta y tres, tal los casos "recuperados" por las "abuelas". Sin embargo y como es de público conocimiento, la mayoría absoluta de las "recuperaciones" ni siquiera fueron denunciadas ante la justicia. ¿Y porqué no se efectuaron las denuncias?, pues porque no hay delito que denunciar.

A pesar de ello, con insistencia y violando el principio jurídico y constitucional del *ne bis in idem* (nadie puede ser juzgado dos veces por el mismo hecho), de tanto en tanto se rearman y fabrican imputaciones y causas por el mentado "plan sistemático" (sin que jamás se llegue a condena alguna) a los miembros de la ex junta militar o jerarquías inferiores, lo cual resulta tan ilegal como absurdo, puesto que la misma Justicia ya se ha expedido al respecto, determinando la inexistencia de tal "plan sistemático". Tanto es así que, durante el juicio a la junta militar en 1985, respecto al tema en cuestión el tribunal alfonsinista determinó:

> "*Como se viera, del catálogo de delitos que el Tribunal consideró integraban el sistema, se han excluido: la sustracción de menores, la extorsión, el plagio y la usurpación. Ello implica la no atribuibilidad de tales ilícitos.*"[51]

La *nonna* Carlotto

Aunque polémica y tardíamente, es de celebrarse que Estela de Carlotto en la actualidad se dedique a defender y difundir los "derechos humanos" que no supo inculcarle a sus dos hijas, en cuanto a su presunto rol de "abuela" perjudicada, el tema no parece ser tan claro.

Pues afirma Carlotto que su hija Laura, estando detenida en supuesto estado de preñez, dio a luz una criatura que, en vez de ser entregada a sus ascendientes consanguíneos en segundo grado, fue irregularmente trasladada a manos de otra familia. Esto no es más que una frágil hipótesis esbozada por la propia Carlotto, ya que no se conoce constancia fehaciente de que su hija muerta en la guerra haya estado embarazada alguna vez.

En efecto, a fines de 1977, Carlotto denunció la desaparición de su hija, sin mencionar ningún estado de embarazo según consta en el Legajo CONADEP, número 2085. Por entonces, con motivo de la profusa amistad que frecuentaba Carlotto con Marta Bignone (hermana del Grl. Reynaldo Bignone y a quien había conocido como compañera de trabajo en el área de la docencia), aprovechando sus aceitados contactos con las cúpulas castrenses, Carlotto se entrevistó en 1977 con Bignone (entonces secretario general del Ejército) y, posteriormente, le fue entregado el cuerpo de su hija, sin que ninguna autopsia determinara jamás el estado de embarazo.

Tan insustancial resultan los fundamentos de Carlotto (quien tiene el cuerpo de su hija y con una mera autopsia *ad hoc* quedaría dilucidado el enigma), que en reportaje publicado en la revista dominical del diario *La Nación*, la periodista le pegunta: "*¿Está segura de que su nieto nació?*" y Carlotto en lugar de contestar en función del rigor científico vagarosamente respondió: "*Un chico que cumplía el servicio militar y que hoy es testigo la custodió hasta la sala de partos. Luego le quitaron al hijo y Laura vivió dos meses más [...]*". Seguidamente la periodista le pregunta: "*¿Cómo dio con su hija desaparecida?*". "*[E. Carlotto] Mediante una carta anónima supimos que estaba viva y embarazada. Nueve meses después nos citaron en una comisaría para que reconociéramos el cadáver de Laura*".[52]

A esta respuesta tan poco consistente, otro aspecto por demás sugestivo lo hallamos en el extraño hecho de que la incorporación de Carlotto a las Abuelas de Plaza de Mayo posee una profusa curiosidad: mucho antes de haber recibido esa supuesta noticia anónima informando que su hija presumiblemente habría estado embarazada, Carlotto ya integraba el grupo Abuelas de Plaza de Mayo. ¿En carácter de que integraba ese grupo si no sólo no era "abuela", sino que tampoco había obtenido siquiera rumores de tal cosa? En efecto, durante uno de los llamados "juicios por la verdad", el 17 de marzo de 2004 en La Plata, la misma Carlotto confesó: *"Yo ya estaba trabajando incorporada a las Abuelas de Plaza de Mayo, ya fundadora desde Octubre del 77"*[53]. Sin embargo, el rumor de que su hija pudiera estar embarazada surge con posterioridad a dicha militancia en el grupo, pues prosigue Carlotto en ese mismo testimonio alegando que recibe la mentada información *"en abril del 78 [seis meses después de estar militando en "abuelas"] cuando se acercó hasta la fábrica, hasta el negocio de mi esposo, una señora vecina de apellido Campos que había compartido con Laura el secuestro [...]. Laura le pidió que fuera a ver a su papá para decirle que estaba bien, que estaba esperando un bebé en un embarazo de seis meses, que iba a nacer en junio del 78"*.[54] (¿No había dicho en reportaje transcrito arriba que la información recibida era anónima?)

O sea Carlotto militaba en Abuelas de Plaza de Mayo desde octubre del 77 y recién en abril del 78 se entera de la eventual posibilidad de que ella también puede ser "abuela". ¿Acaso por la naturaleza del grupo en que militaba Carlotto necesitaba tener un "nieto" para ascender en jerarquía dentro de la organización?, ¿se sentía disminuida respecto del resto de las militantes y precisó fabricar un rol apócrifo?, ¿o esto solo obedeció a una mera casualidad? No lo sabemos, por lo pronto saque conclusiones el lector.

Al mismo tiempo, surge otro aspecto confuso en el tema en cuestión. Si tal como lo afirma Carlotto la criatura iba "a nacer en junio", por ende el coito ocasionador del embarazo se llevó a cabo en el mes de septiembre del año anterior (1977), precisamente el mes anterior de que Carlotto se incorporara al *staff* de las "abuelas". ¿Se enteró antes que su hija del embarazo entonces?

Otro dato por demás interesante, es que Carlotto mantuvo contacto con su hija (quien estaba en la clandestinidad pero no detenida) por lo menos hasta el 16 de noviembre de 1977 (jamás su hija en esos contactos le manifestó la halagüeña noticia de estar con más de dos meses de embarazo). En efecto, relata Carlotto: *"Ella vivía con su compañero y a mí me llamaba por teléfono, cada semana o por lo menos cada 10 días y me enviaba una carta también, fechada el mismo día que me llamaba por teléfono para contarme como estaba [...] la última carta que recibí de Laura fue fechada el 16 de noviembre del 77 y el último llamado fue ese mismo día también a la Escuela 43, donde yo ejercía la docencia [...]. Luego el silencio, no hubo más cartas, no hubo más llamados"*.[55]

A estas declaraciones de Estela de Carlotto (tan confusas en cuanto a fechas), se le suman los testimonios expuestos ante el juez Bagnasco, quien también desarrolla el caso "Carlotto" con pruebas absolutamente insuficientes o inexistentes, excepto por el relato de dos testigos que habrían también estado detenidos (la Sra. Alcira Ríos y su marido Luis Córdoba), quienes dicen haber visto a Laura Carlotto un mes después del presunto parto (ya que estos llegaron al lugar de prisión un mes después del hipotético episodio) y según ellos, la misma Laura les habría comentado haber tenido un hijo. O sea, no son testigos de embarazo ni parto alguno, sino que solo repiten palabras no verificadas de una persona confirmadamente muerta. Pero para potenciar el desconcierto, sendos testigos dicen en el mismo texto que cuando conocieron a Laura, esta les manifestó que había sido detenida aproximadamente en el mes de octubre de 1977. Lo cual no es cierto, pues hasta Estela de Carlotto confirma su última comunicación con su hija el 16 de noviembre, y el juez Bagnasco estima la detención el 26 de noviembre (10 días después de la última comunicación). Por ende, tenemos una diferencia de casi dos meses y, además, de haber sido así y haber existido el embarazo, el estado de preñez hubiese durado al menos diez meses y medio, lo que obviamente es inviable.

Ante el altísimo margen de duda sobre la condición de "abuela" de Carlotto, *"el abogado Emilio Guillermo Federico Nazar, especialista en derechos humanos y director del diario* Pregón *de La Plata, indicó que 'la justicia debería demostrar si el nieto de Estela de Carlotto existe o es una mentira'. De esta manera, Nazar hizo referencia a la presentación, que en 2001, había efectuado ante la Unidad Funcional de Instrucción N° 3 de Dolores, para que esta se expidiese sobre la existencia o no del nieto de la titular de Abuelas de Plaza de Mayo, quien aún no ha recibido ninguna respuesta efectiva. [...] Nazar acusó a Carlotto de llevar adelante una lucha que, según sus propias palabras, 'no le corresponde'. Asimismo hizo mención a que, 'de comprobarse la inexistencia de su nieto nacido en cautiverio, las reuniones mantenidas en el Vaticano con el Papa y su candidatura a la obtención del Premio Nóbel de la Paz, quedarían injustificadas'"*.[56]

Como reza el viejo adagio, la carga de la prueba recae sobre aquel que afirma la existencia de un hecho. En el caso de marras, las "abuelas" se aferran a tres aristas:

1) Que hubo un "plan sistemático de robo de menores".

2) Que dentro de este plan se "robaron quinientos niños".

3) Que dentro de esos quinientos niños se encontraría un supuesto nieto de Carlotto.

Al día de la fecha, Carlotto y sus adláteres no han podido demostrar ninguna de las tres cosas. En cuanto al primer y segundo punto, ya la justicia se ha expedido en sentido contrario. Falta dilucidar en forma plena el tercer enigma (si es que no lo está ya dilucidado por la lógica y el sentido común).

Los verdaderos culpables del drama de los niños

En rigor de verdad, toda la triste problemática y secuelas conexas tienen por causa-fuente la irresponsabilidad e insensibilidad en cuanto al manejo, apropiación ilegal y exposición que de sus hijos hacían los mismos terroristas subversivos durante el fragor de la guerra por ellos desatada.

En efecto, los mismos protagonistas reconocen estas y otras circunstancias, tal como lo relata la guerrillera Marcela Durrieu (devenida luego en funcionaria menemista y pareja del dirigente Fernando Galmarini): *"Todos te decían que cuando tenías que escapar o dejas a tu hija a salvo en un lado o te la llevas con vos. Es un dilema de hierro que no se puede resolver. Yo llevé a mi hija a todos lados. Tuve suerte y zafamos –recuerda jornadas en las que robaba para comer o le daba explicaciones absurdas a su hija de por qué dejaban un auto robado en la calle–: 'Lo dejamos Malena porque después vamos a tener otro mejor' –le decía"*.[57] Para advertir el grado de irracionalidad de las terroristas, Durrieu explica: *"A la noche, poníamos la cunita de Malena y las armas al lado (en lo primero que pensábamos era en cómo salir corriendo con un bebé en brazos). Habíamos hecho una ruta para escapar para la Panamericana"*.[58] La colocación de los niños en situación de riesgo grave era permanente y al respecto confiesa la guerrillera Susana Sanz: *"Todavía recuerdo cómo yo trasladé materiales debajo de mi panza con ocho meses de embarazo. Al mes del parto, yo estaba militando de nuevo"*.[59]

Como si estas felonías fueran insuficientes, muchas veces los integrantes de la guerrilla utilizaban como escudos a sus hijos, tal como lo ha reconocido la guerrillera Miriam Trilleltesky, quien ante la pregunta de una periodista: *"¿Hubo oportunidades en que utilizaban niños para cubrir actos de terrorismo?"*, respondió: *"Se los utilizaban para ir a citas, para hacer tareas, se los llevaba a citas como cubierta"*.[60] Pero el grado de inseguridad al que los terroristas sometían a sus niños, no se limitaba al lapso del combate o enfrentamiento, sino a todo el *modus vivendi*. La citada montonera Alicia Pierini expresa: *"Yo era militante montonera, además mamá de dos nenas chicas. Mariela nació en el 67 y Bárbara en el 68. Tuve ocho años de clandestinidad viviendo en casas compartimentadas, con contraseguimiento de ida y de regreso del colegio. Viviana Gorbato: –¿Qué es una casa compartimentada? ¿Cómo es un contraseguimiento? Pierini: –Compartimentación quiere decir que pocas personas o casi ninguna saben donde vivís. Una compartimentación podía ser de dos modelos, una más blanda y otra más rigurosa. Una compartimentación más blanda es aquella en la que tus hijos saben volver a la casa por sus pro-*

pios medios. Tu hogar está solamente compartimentado para los ámbitos políticos, organizativos, para los otros militares. [...] Mis hijas iban y venían del colegio. Tuvimos otras casas más rigurosamente compartimentadas. Ni siquiera nuestra familia sabía. La gente venía a visitarnos tabicada [...] por ejemplo, cuando mi suegra (la mamá de Ernesto Jaurteche, mi compañero de entonces) venía a vernos, primero se la llevaba a dar vueltas en auto y se le pedía que mantuviera cerrados los ojos, antes de llegar, para que nunca pudiera reconocer la casa. También, si se compraban facturas o masas en la panadería se sacaba el papel de envolver con la dirección. Teníamos fundas para los sifones. A los almanaques, también se les cortaba la propaganda del almacenero vecino. El visitante no debía tener el menor indicio de dónde estaba. Así viví durante ocho años".[61] Cuenta Gorbato: *"Alicia Pierini desde muy joven tuvo que combinar las mamaderas con los 'embutes' (dispositivos especiales para llevar documentos, armas o plata)"*.[62] Complementariamente, el ya citado oficial montonero, Jorge Falcone, relata que durante la guerra *"hacía tres días que personal de fuerzas de seguridad estaba preguntando por nosotros [...]. Era a fines del 77 y respondiendo a la estrategia que la organización Montoneros había trazado exitosamente, nos mudamos a barrios fabriles [...]. Allí rescato a mi hija recién nacida y a mi esposa Susana Estela de Carlotto, hija de la presidenta de las Abuelas de Plaza de Mayo"*.[63]

Otro dato clave que se suma a la confusión generada era precisamente la desembozada práctica de tener hijos (con la misma frialdad de un coleccionista de estampillas) a efectos de "fabricar guerrilleros" y agigantar así la "familia revolucionaria", pues *"la tasa de natalidad creció, notablemente, entre las militantes con la primavera democrática de mayo a junio del 73 y volvió a pegar otro salto en el 76 y 77. [...] Este particular instinto de supervivencia explica por qué muchas mujeres tenían hijos pequeños o estaban embarazadas en el momento de ser 'chupadas'"*.[64] Esta práctica irresponsable es defendida como estrategia de guerra por Mario Firmenich, quien sostiene: *"Han pasado los tiempos en que se pensaba que era correcto evitar tener hijos. [...] si hace treinta años los vietnamitas hubieran pensado de esa manera, no habrían tenido a nadie para ganar la guerra [...]. Los hijos son nuestra retaguardia"*.[65]

El "plan sistemático de robo de menores" de la guerrilla

Visto y considerando que por parte de las fuerzas legales el único "plan sistemático" fue el de la devolución del menor conforme a derecho, no podemos decir lo mismo respecto del actuar de las bandas terroristas, quienes pergeñaron un "plan sistemático de robo" de hijos pertenecientes a sus camaradas caídos. En efecto, dentro de las propias organizaciones terroristas, además de una política de adoctrinamiento revolucionario para con las criaturas, existía la "apropiación sistemática de menores", consistente en quedarse con la criatura y no devolver el niño a su familia biológica. Así lo confiesa, por ejemplo, la guerrillera Susana Sanz: *"La organización sostenía que ante la baja de unos de nosotros el hijo debía ser criado por otro compañero. Eso tenía un fin predeterminado. Ese chico debía crecer en la moral revolucionaria, con la moral revolucionaria de una familia revolucionaria. Eso era lo que pensábamos nosotros, la organización"*.[66] Confirmando este testimonio, Ernesto Jauretche (oficial montonero) admite: *"Había una tendencia en el movimiento en su conjunto de rescatar a los hijos y ver cómo se podía [...]. No siquiera entregarlos a sus familias [...]. Había una concepción muy ortodoxa de que si la familia no contaba con la simpatía de la organización, tampoco le entregaban a su hijo"*.[67] Cuenta la guerrillera Susana Sanz (cuadro de superficie de Montoneros): *"A los hijos de los compañeros los sentíamos como hijos propios, era una gran responsabilidad colectiva [...] pero visto desde hoy los chicos corrían muchos riesgos"*.[68] La guerillera Alicia Pierini (quien luego cobrara un sueldo como secretaria de Derechos Humanos) despersonalizando las tutorías y paternidades naturales explica: *"Los hijos eran un poco los hijos de la organización [...]. Era una especie de 'padrinazgo'"*. [69] Complementariamente, cuenta Jorge Rachid (ex secretario de Prensa y Difusión de Menem y militante en los 70): *"Paco (Urondo) y Alicia viven juntos y tienen una hija. Pero al poco tiempo los dos son asesinados en Mendoza. La nena se salva. Se llama Angelita [...].* Rachid cuenta que su ex suegra trae a Angelita para Buenos Aires. Pero aquí la otra hija de *Paco* Urondo *"reclama la nena para la organización. [...] Se produce un episodio que hace que mi cuñado me llame por teléfono a Neuquén pidiéndome por favor que viniera porque la organización le quería sacar a la nena para que no se criara en un hogar burgués [...]. Estamos todos muy enfermos. Acabamos de recuperar la nena. La mamá está muerta. La nena está con la abuela y viene este apriete [...]. Es de locos"*.[70]

Como conclusión, de existir el supuesto nieto de Estela de Carlotto, probablemente sería mucho más fructífero que la interesada en cuestión, en lugar de buscar vanamente en los ambientes castrenses, indague a los miembros de las bandas terroristas a efectos de conseguir más y mejores datos al respecto, ya que tras treinta años de exhaustiva búsqueda, generosos apoyos económicos y auxilios estatales, los resultados propios no han sido los mejores.

MITO SIETE
¿Hubo campos de concentración?

Siguiendo en esa inteligencia de aplicar palabras y terminologías selectivamente pensadas –a efectos de "demonizar" a las FF.AA.– a los establecimientos instituidos para alojar a los prisioneros de guerra, el libro *Nunca más* los calificó en primera instancia bajo la sigla CCD, Centros Clandestinos de Detención y, como la acción psicológica avanza en las tergiversaciones lingüísticas, ahora se los suele llamar públicamente "campos de concentración". Pero resulta que no hubo ni CCD (Centro Clandestinos de Detención) ni CC (Campos de Concentración), sino LRD (Lugar de Reunión de Detenidos). Efectivamente, la mismísima reglamentación militar (sancionada en los años 60 y ratificada por el Congreso en democracia, del 73 al 76), prevé la creación de establecimientos *ad hoc* para alojar prisioneros de guerra. ¿Y por qué los terroristas no eran alojados en establecimientos penitenciarios convencionales? Precisamente para desorientar al enemigo y no darle información acerca de los lugares de detención y evitar intentos de rescate o fugas de las bandas terroristas (cosa que ocurrió durante los primeros años de guerra). En efecto, el Reglamento *ROP-30-5 Ex RC-15 Prisioneros de Guerra,* en el capítulo IV "Reunión y evacuación", explica, a partir del artículo 4001 en adelante, la operatoria del traslado y alojamiento de los detenidos. Estos establecimientos *ad hoc* comenzaron a utilizarse durante el gobierno peronista en 1975, a efectos de no dar a conocer a los terroristas el lugar en donde sus pares eran apresados.

Vale aclarar que los mentados reglamentos que preveían el alojamiento en lugares creados para la ocasión, no fueron una invención de dos o tres generales trasnochados, sino que constituyen un modelo basado *ad literam* de la doctrina militar reglamentada por las fuerzas armadas de los principales países del mundo. Desde el punto de vista jurídico, quien ha estudiado en profundidad dicha reglamentación ha sido el Dr. Florencio Varela, quien explica: *"Los terroristas capturados fueron alojados en lugares de detención expresamente previstos en los reglamentos militares, por ende no clandestinos, donde inicialmente fueron interrogados por los efectivos de inteligencia conforme a los procedimientos autorizados en ellos. (RC-8-3, Operaciones contra la subversión urbana)"*[71]

Respecto a los detenidos durante el gobierno de facto, los mismos tenían un triste denominador común: eran integrantes activos de las bandas terroristas. Así lo confirman los autores del libro *La Voluntad* (los ex subversivos Martín Caparrós de Montonero y Eduardo Anguita del ERP) cuando confiesan que *"la inmensa mayoría de los presos políticos que poblaban las cárceles de la dictadura militar eran combatientes de las organizaciones guerrilleras"*.[72]

Si algún militante "derecho-humanista" suponía que en una guerra civil con ejércitos terroristas e irregulares los prisioneros de guerra iban a ser alojados en un "Apart Hotel", probablemente confundió el concepto de guerra con el de un "carnaval".

MITO OCHO
¿Hubo terrorismo de Estado?

Por definición, el "terrorismo" es una acción dirigida a sembrar el terror en la comunidad. El objetivo consiste en que nadie se sienta seguro, que nadie sepa dónde va a explotar la próxima bomba, que nadie sepa quién va a ser la próxima víctima, que la matanza sea indiscriminada. En cumplimiento de este objetivo, en relevante cantidad, los asesinatos perpetrados por la guerrilla terrorista que operó en la Argentina fueron dirigidos contra civiles de diversas clases sociales y de diversas extracciones ideológicas. Va de suyo que los civiles eran totalmente ajenos a la guerra. Pero esa es la lógica del terrorismo.

Si bien la propaganda oficial suele omitir que los "jóvenes idealistas" hayan sido terroristas, ante el retrucamiento y la evidencia insoslayable de que fáctica y legalmente así lo fueron (calificados como tales por decretos del PEN –Nº 2.452 y 1.454– en plena democracia), a sus apologistas no les suele quedar mayor remedio que distraer la atención arremetiendo con la conocida patraña: *"Pero el terrorismo de Estado es infinitamente peor"*, tratando así de minimizar o exculpar los crímenes del terrorismo y al mismo tiempo atribuirle y transferirle a las fuerzas legales la categoría de "terroristas de Estado". En verdad, lo más cercano a un "terrorismo de Estado" que hubo en esa guerra, fue precisamente el accionar de las bandas subversivas, al estar en gran parte respaldadas y financiadas por el estado cubano.

En efecto, los propagandistas de la mentira oficial invierten las palabras con un dialéctico juego simplón y trasladan el rótulo de "terroristas" imputándoselo a las fuerzas legales (que precisamente combatían al terrorismo). A modo de ejemplo de cómo se lleva adelante esta manipulación dialéctica traslativa de los roles verdaderos de la guerra civil argentina, la desenfrenada activista Hebe de Bonafini nos dice: *"Un revolucionario nunca es terrorista. Es alguien que quiere el bien del pueblo para que otros vivan, coman y sean felices"*, y brindándonos una clase de Derecho Constitucional, agrega: *"El terrorista es el Estado que reprime, el otro es una respuesta prevista en la propia Constitución"*.[73]

El "terrorismo de Estado" no es un concepto jurídico sino político, inventado por los defensores de los terroristas para denigrar al bando triunfante, pues han necesitado contrarrestar los efectos de la palabra "terrorismo" con un concepto más fuerte, construyendo así un demonio más grande e impactante, pues el eslogan "terrorismo de Estado", al ser presentado como una suerte de "superestructura" endiablada, ocasiona notable conmoción psicológica y emocional en el lector o televidente de circunstancia.

El concepto de marras sólo podría ser aplicable a aquellos regímenes de tinte totalitario que se sostienen a base de infundir terror o miedo intenso en el grueso de la población (verbigracia "hitlerismo", "stalinismo", "castrismo" u otros), extremos que no son ni cercanos ni comparables en modo alguno con el último gobierno de facto. En efecto, el grueso de la población que nada tenía que ver con la subversión, no sólo no sentía ningún "terror" al Estado, sino que alentó y recibió con alivio y júbilo al gobierno provisional del 76. La clase media, distendida al sentirse protegida y dentro de un marco diametralmente opuesto al caos preanárquico obrante entre 1973 y 1976, se dedicaba a disfrutar de los beneficios del nuevo orden y de un dólar accesible que le permitía comprar productos importados a costo irrisorio, viajar por el mundo, y volver al país cargada de productos de toda índole. De allí el famoso apodo "deme dos", que los mismos extranjeros le ponían al desbordante aluvión de turistas argentinos que compraban en grandes cantidades en los *shoppings* y tiendas de las principales ciudades turísticas del mundo. Solo los terroristas padecieron el tan mentado "terror al Estado", lo cual resulta más razonable a que se sintieran "amigos del Estado", tal como ocurrió durante los penosos tiempos de Cámpora.

El argumento utilizado por la izquierda se funda en la drasticidad aplicada por el Estado para combatir al terrorismo. Empero, no se detiene a analizar en que la virulencia de la reacción antiterrorista, obedece precisamente a la naturaleza irregular de la guerra desatada. Enseña Vicente Massot: *"Al tener que pelear contra grupos armados clandestinos, de carácter prioritariamente urbanos, cuya estrategia no se compadece con ningún código ético, de ordinario las FF.AA. regulares han optado por sacrificar las leyes en aras del resultado, o sea, de la victoria. En una contienda de naturaleza clásica, entre ejércitos convencionales, la distinción entre justicia y prudencia no siempre es fácil de trazar. En una guerra irregular es prácticamente imposible. El drama de cualquier guerra sucia reside en el hecho de que los soldados quedan enredados en una telaraña mortal: deben actuar como soldados frente a soldados (guerrilleros) que asumen la categoría militar cuando obran como victimarios pero se escudan en su condición de civiles cuando resultan víctimas".* Agrega Massot: *"Toda guerra irregular que apela al terrorismo implica un proceso de regresión hacia lo tribal, cuya naturaleza radica en la no distinción entre violencia y crimen. Con estas coincidencias particulares e insalvables: que el ejercicio del terror como arma política supone transformar a las personas contra las que se apunta, de sujetos cuya existencia se valora, en meros objetos destinados a ser destruidos. Cuando una organización política se militariza y vertebra bajo las características de guerrilla, en realidad está rompiendo los fundamentos de la guerra convencional. Excepto por el hecho de tener jefes responsables, los aparatos armados clandestinos recusan las insignias fijas y visibles en las ropas de sus combatientes, no portan armas abiertamente y jamás respetan las costumbres del Derecho de Guerra, características que los igualarían a los ejércitos regulares. Al violarlas, el guerrillero (cualquiera sea, de izquierda o de*

derecha, árabe o israelí, del FLN argelino o de la EOKA chipriota) pasa a convertirse en un criminal. Y la guerra, a partir de ese momento, adopta las formas de la enemistad absoluta, que nunca se da entre ejércitos clásicos".[74]
En efecto, en las guerras de este tenor, las reglas del juego necesaria e inexorablemente las impone el bando agresor, en este caso, el terrorismo marxista que por su propia doctrina nunca escatimó el uso del terror para hacer la revolución. Por el contrario, era una de las estrategias más difundidas y recomendadas por Lenin: *"En principio nunca hemos rechazado el terror ni podemos rechazarlo. El terror es una de las formas de acción militar que puede ser perfectamente aplicable, aún esencial en un momento dado del combate"*[75]

El *modus operandi* aplicado por entonces para combatir al terrorismo no puede ser distorsionado alegando un falso "terrorismo de Estado", ni se puede deslegitimar la noble tarea de pretender combatir a la subversión. Un estado que no combate al terrorismo, bien es un Estado ineficiente o un Estado cómplice o aliado de este que lo está cobijando (como en los tiempos de Cámpora).

Con esa notable capacidad de transmitir ideas que puedan ser captadas por todos los sectores culturales y sociales de la comunidad, el periodista Bernardo Neustadt cierta vez ironizó: *"Si en este país el llamado 'terrorismo de Estado' está prohibido, y el 'terrorismo privado' aplaudido [...]. ¡Cuánta ventaja tienen los delincuentes!*[76]

Notas

[1] Gillespie, Richard. *Montoneros. Soldados de Perón.* Buenos Aires, Editorial Grijalbo, 1988, p. 304.
[2] *Clarín.* Argentina, 23 de enero de 1984.
[3] *Clarín.* Argentina, 22 de febrero de 1984.
[4] *Crónica.* Argentina, 27 de marzo de 1984.
[5] *Clarín.* Argentina, 18 de enero de 1984.
[6] *Tiempo Argentino.* Argentina, 1 de junio de 1983.
[7] *Tiempo Argentino.* Argentina, 28 de febrero de 1984.
[8] *Crónica.* Argentina, 07 de mayo de 1983.
[9] *Clarín.* Argentina, 15 de febrero de 1983.
[10] *Tiempo Militar.* Argentina, 21 de febrero de 1984.
[11] Gorbato, Viviana. *Montoneros. Soldados de Menem. ¿Soldados de Duhalde?* 2° ed. Buenos Aires, Sudamericana, 1999.
[12] Etchecolatz, Miguel. *La otra campana del Nunca más.* Buenos Aires, Edición del autor.
[13] Rojas, Guillermo. *30.000 desaparecidos, realidad, mito y dogma.* Buenos Aires, Editorial Santiago Apóstol, 2003, p. 255.
[14] Pigna, Felipe. *Lo pasado pensado. Entrevistas con la historia argentina (1955-1983).* 2° ed. Buenos Aires, Planeta, 2005, p. 201.
[15] Gorbato, Viviana. *ob. cit.* supra, nota 11. p. 429.

16 Caparrós, Martín y Eduardo Anguita. *La voluntad*. Tomo II. Buenos Aires, Grupo Editor Norma, 1998. p. 571.

17 Acuña, Carlos Manuel. *Por amor al odio. La tragedia de la subversión en la Argentina*. Tomo I. 3º ed. Buenos Aires, Ediciones del Pórtico, 2003.

18 Waldmann, Meter. *El poder militar en la Argentina*. Citado en Acuña, Carlos Manuel. *Por amor al odio. La tragedia de la subversión en la Argentina*. Tomo I. 3º ed. (Buenos Aires, Ediciones del Pórtico, 2003).

19 Pigna, Felipe. *ob. cit.* supra, nota. 14. p. 165.

20 Etchecolatz, Miguel. *ob. cit.* supra, nota. 12.

21 Rojas, Guillermo. *ob. cit.* supra, nota. 13. p. 255.

22 Acuña, Carlos Manuel. *ob. cit.* supra, nota. 17.

23 Waldmann, Meter. *ob. cit.* supra, nota. 18.

24 Barcia, P. A. "Las guerrillas en la Argentina", *Interrogaciones*, Nº 8. Argentina, junio de 1975. Citado en Acuña, Carlos Manuel. *Por amor al odio. La tragedia de la subversión en la Argentina*. Tomo I. 3º ed. (Buenos Aires, Ediciones del Pórtico, 2003).

25 Capítulo VI, Cuestiones de Hecho, Nº 15 y 16, p. 98.

26 Gorbato, Viviana. *ob. cit.* supra, nota 11. p. 273.

27 Citado en Acuña, Carlos Manuel. ob. cit. supra, nota 17.

28 Bonasso, Miguel. *Diario de un clandestino*. Buenos Aires, Planeta, 2000, p. 258.

29 *In Memoriam*. Tomo I, II y III. Buenos Aires, Círculo Militar, 2000.

30 Vigo Leguizamón, Javier. *Amar al enemigo. Un diálogo de reconciliación entre argentinos*. Buenos Aires, Ediciones Pasco, 2001, p. 68.

31 Rojas, Guillermo. *30.000 desaparecidos, realidad, mito y dogma*. Buenos Aires, Editorial Santiago Apóstol, 2003. Citado en "Historia de las Madres de la Plaza de Mayo", *Página 12*.

32 *La Nación*. Argentina, 02 de abril de 2004.

33 Vigo Leguizamón, Javier. *ob. cit.* supra, nota 30. p. 357.

34 *Ibidem*. p. 280.

35 Cámara Federal, causa 13.

36 Díaz Araujo, Enrique. *Internacionalismo salvaje, revolución marxista en América*. Buenos Aires, Ediciones La rosa blanca, 2005, p. 78.

37 Handel, Michael. *Sun Tzu y Clausewitz. El arte de la guerra y De la guerra, comparados*. Buenos Aires, Instituto de Publicaciones Navales, 1997.

38 Acuña, Carlos Manuel. *ob. cit.* supra, nota. 17. p. 370.

39 Larraquy, Marcelo y Roberto Caballero. *Galimberti. De Perón a Susana, de Montoneros a la CIA*. Buenos Aires, Grupo Editorial Norma, 2000. Citado en Díaz Araujo, Enrique. *Internacionalismo salvaje, revolución marxista en América*. (Buenos Aires, Ediciones La rosa blanca, 2005).

40 Pigna, Felipe. *ob. cit.* supra, nota. 14. p. 163.

41 Vigo Leguizamón, Javier. ob. cit. supra, nota 30. p.

42 Pigna, Felipe. *ob. cit.* supra, nota. 14. p. 342.

43 Díaz Araujo, Enrique. *ob. cit.* supra, nota. 36. p. 8.

44 *Ibidem*. p. 11.

45 *Ibidem*. pp. 9-10.

46 *Ibidem*. p. 11.

47 Asamblea General de las Naciones Unidas, sesión plenaria 1408, 21/12/1965, resolución 2131 (XX). Citado en Díaz Araujo, Enrique. *Internacionalismo salvaje, revolución marxista en América*. (Buenos Aires, Ediciones La rosa blanca, 2005, p. 21).

48 Rojas, Guillermo. *ob. cit.* supra, nota. 13. p. 294.

49 Márquez, Nicolás. *La otra parte de la verdad. La respuesta a los que han ocultado y deformado la verdad histórica sobre la década del 70 y el terrorismo*. 5º ed. Buenos Aires, Edición del autor, 2006.

50 El listado completo de las devoluciones puede verse en el libro *La otra parte de la verdad*.

51 Fallos de la Corte Suprema de Justicia de la Nación. Criterios en el tratamiento de las cosas, punto 4, p. 309.

52 Entrevista de abril de 2003 publicada luego en la Revista dominical del diario *La Nación*.

53 Barnes de Carlotto, Estela. Juicio por la verdad. La Plata, 17 de marzo de 2004.

54 *Idem*.

55 El texto completo del relato de Carlotto puede leerse en http://www.nuncamas.org/testimon/carlottoest_20040317.htm

56 Cable de la Agencia Nova, del 13 de mayo de 2004.

57 Gorbato, Viviana. *ob. cit.* supra, nota 11. p. 114.

58 *Ibidem*. p. 116.

59 *Ibidem*. p. 127.

60 Diario *Córdoba*. Argentina, 23 de marzo de 1976. Citado en García Montaño, Diego. *Responsabilidad compartida*. (Buenos Aires, Ediciones El copista, 2003, p. 134).

61 Gorbato, Viviana. *ob. cit.* supra, nota 11. p. 117.

62 *Ibidem*. p. 118.

63 *Ibidem*. p. 100.

64 Roldán, Roberto. "Pareja, Monogamia y Fidelidad", *El Porteño*. Argentina, abril de 1988. Citado en Gorbato, Viviana. *Montoneros. Soldados de Menem. ¿Soldados de Duhalde?* 2° ed. (Buenos Aires, Sudamericana, 1999, p. 125).

65 Gorbato, Viviana. *ob. cit.* supra, nota 11. p. 123.

66 *Ibidem*. p. 128.

67 Jauretche, Ernesto. *Violencia y política en los 70. No dejés que te la cuenten.* Buenos Aires, Ediciones del pensamiento nacional, 1997, p. 268.

68 Gorbato, Viviana. *ob. cit.* supra, nota 11. p. 126.

69 *Ibidem*. p. 120.

70 *Ibidem*. p. 131.

71 Varela, Florencio. "Una dolorosa verdad, con memoria y sin rencores", *La Nueva Provincia*. Argentina, 24 de diciembre de 2005.

72 Caparrós, Martín y Eduardo Anguita. *ob. cit.* supra, nota 16. p. 476.

73 Díaz Araujo, Enrique. *ob. cit.* supra, nota 36. p. 161.

74 Massot, Vicente. *Matar y morir.* Buenos Aires, Emecé, 2003. p. 219.

75 Díaz Araujo, Enrique. *ob. cit.* supra, nota 36. p. 64.

76 Neustadt, Bernardo. *Tiempo mio.* Crónica TV.

Capítulo V

El progresismo y el setentismo

Subcapítulo I: El progresismo

Luego del fracaso mundial en el que ha incurrido el régimen comunista resulta sumamente dificultoso explicar y analizar por qué sus adherentes, en vez de efectuar un riguroso acto de constricción y reflexión mudando de tan horrorosa ideología hacia aquellas que han demostrado eficacia y vigencia, prosiguen aferrándose al marxismo y sus derivados, a modo de masoquismo intelectual o espiritual. Creemos que una de las causas que quizás explique esa perseverancia, en parte consiste en que mayormente no se suele juzgar a esa ideología en función de sus infructuosos resultados, sino en función de la aparente bondad de sus objetivos.

De todos modos y a pesar de su insistencia en permanecer en el desacierto, existe en los numerosos prosélitos de este espectro ideológico una notable mutación en las formas y en el lenguaje con respecto a la radicalizada militancia de otrora. En efecto, una vez ya devaluado el Comunismo y, por ende el término "comunista", la mayor parte de sus simpatizantes de inmediato maquillaron el actuar y en primera instancia salieron a la palestra aplicando un discurso vagaroso nutrido de una fraseología repartidora y distribuidora de culpas alegando que "es el fin de las ideologías" (metiendo a todas ellas en una difusa licuación derrotista) cuando en verdad, *prima facie*, solamente era el fin de la ideología comunista que había fracasado, pero no de las exitosas que perduraron.

Dentro de esta estrategia disuasiva, se solía decir (y se sigue diciendo) que las categorías "derecha-izquierda" son caducas; pero sin embargo, los izquierdistas (conscientes o no) insistentemente tildan de "derechista" a todo aquel que no piense como ellos, lo cual resulta contradictorio, puesto que como el concepto "derecha" se vincula necesariamente con el de "izquierda", al declararse que la "izquierda" después de la caída del Muro de Berlín ha desaparecido, por lógica debería dejar de usarse la palabra "derecha". Asimismo, el término "derecha" nunca es definido de manera concreta o taxativa, y se suele llamar de ese modo a todo aquel que no sea de izquierda.

Ocurre entonces que la izquierda no ha desaparecido sino ha cambiado de cáscara. El hecho de que en la actual coyuntura no le convenga cuestionar el derecho de propiedad (aunque se lo relativice) ni la economía de mercado (aceptada como medicina amarga) no implica la extinción de la izquierda y, muchísimo menos, el aminoramiento de la cuantía de sus militantes e ideólogos. Que el debate actual se haya perfilado hacia un costado menos economicista y se haga mayor hincapié en aspectos culturales o morales, ello no impide que tal antinomia se encuentre a la orden del día.

Pero este *aggiornamento* no es absoluto, pues, aunque en minoría, subsisten sectores pertenecientes a una nostálgica izquierda tan bulliciosa como dogmática y dividida en tantos partidos como militantes. Estos, aunque numéricamente modestos, muchas veces y en determinados puntos concretos marcan objetivos que luego son alcanzado no por ellos, sino por el progresismo (poseedor de mayor poder político) que los consciente cómplice y silenciosamente.

Esta izquierda rabiosa, según lo describe la fastuosa pluma del profesor Antonio Caponnetto, está compuesta por variados grupos que *"ideológicamente hacen gala de anarquismo y marxismo explícitos, de guevarismo y comunismo directo y brutal, y de una forma mentis signada por la promiscuidad, el hampa, la roña moral y física, y el odio a todo lo que represente la más elemental noción de autoridad humana o divina. Son en sentido estricto, irrecuperables hordas rojas, llámense quebrachos, polos obreros, corrientes clasistas y combativas, izquierdas unidas o delincuentes rejuntados"*.[1]

Empero, como ya fuera dicho, el grueso de la "izquierda" actual no está representada por estas infelices comparsas sino que, utilizando diferentes solapas, rara vez suele presentarse en sociedad como tal. Pues el Comunismo residual y sus adaptados simpatizantes comenzaron a utilizar denominaciones que resultasen más almibaradas ante la opinión pública, suavizando entonces los rótulos y así como la expresión "socialdemócrata" o "reformista" fueron los eufemismos favoritos y más utilizados durante las décadas 80-90, actualmente la denominación predominante y en boga es el "progresismo". La propia etiqueta nos lleva a relacionarla instantáneamente con la palabra "progreso" que resulta "talismánica" al sonar agradable a los oídos de cualquier interlocutor.

Tradición, progreso y progresismo

En efecto, el vocablo "progresismo" utilizado a modo de desprendimiento del término "progreso" es asociado *ipso facto* con el "avance", a lo que se suele vincular instantáneamente con la "mejoría" o el "bienestar" en cualquier área que se trate. Asimismo, quien se oponga a alguno de los "cambios" (selectivamente promovidos por los hábiles manipuladores de esta corriente) de inmediato es calificado en forma difamatoria como un "retrógrado". Si bien oponerse a novedades nocivas no implica ser tal cosa, la etiqueta ya queda colocada y luego es difícil erradicarla cuando detrás del estigma hay además una profusa campaña mediática dirigida a consolidar el mote de arcaico.

Este tipo de trampas lingüísticas no es nuevo ni exclusivo, puesto que así como nadie puede estar en contra –en materia penal– de las "garantías jurídicas", estas nada tienen que ver con el "garantismo" (que es la corriente criminológica del progresismo), doctrina tendiente a beneficiar siempre y de cualquier modo a los delincuentes. *Mutatis mutandis,* nada tiene que ver el "progreso" con el "progresismo".

¿Y cuál es la verdadera naturaleza de aquello que se denomina "progresismo"? Aquí tendríamos que efectuar una clasificación divisoria:

Por un lado encontramos lo que denominaremos el "progresista activo", que es el ideólogo, el militante consciente, portador de un objetivo concreto.

Por el otro, encontramos al "progresista pasivo" (la inmensa mayoría de sus miembros) que son simples adherentes al discurso superficial del progresismo.

Es decir: tenemos progresistas abiertamente comprometidos y compenetrados con una causa específica y progresistas que repiten y acatan el discurso con motivo y ocasión de una extraña mezcla compuesta por el hábito, la ingenuidad, la hipocresía y el esnobismo. A estos últimos también les cabe el mote de "idiotas útiles", pues en palabras de Chesterton: *"Hay dos clases de dogmáticos: los que saben que lo son y los que lo son si saberlo".*

En extrema síntesis, podemos decir que el progresismo constituye una tendencia propensa a abrazar todo aquello que es nuevo o transgresor por el solo hecho de serlo. Vale decir, se nutre del hecho sintomático de aplaudir y promover las novedades como un fin en sí mismo, sin siquiera analizar la fecundidad de la novedad en cierne. Pero en rigor de verdad, es dable efectuar la siguiente aclaración: el objetivo enmascarado de los verdaderos ideólogos del "progresismo" (el progresismo activo) no consiste en barrer con todo lo actual como un fin que se agota allí sino para luego y, como objetivo ulterior, construir otro esquema de valores y de sociedad (de tinte igualitaria y emparentada con el socialismo). La consigna es entonces: "Destruir para construir", o como lo pregonaba en otro contexto el líder comunista, Mao Tse Tung: *"Desaprender lo aprendido para aprender".*

La enmascarada finalidad de los "progresistas activos" consiste entonces en "destruir" la cultura, las instituciones y los valores tradicionales o naturales, no para generar un gigantesco escombro socio-cultural como un daño *per se*, sino para, sobre sus ruinas, edificar todo aquello que no se pudo efectuar por la vía armada y la coacción. En cambio, el "progresista pasivo" (probablemente bienintencionado) no tiene conocimiento sobre estas metas ulteriores, pero resulta involuntariamente funcional a los retorcidos intereses escondidos por los "progresistas activos", que obran como verdaderos titiriteros. Para estos últimos, el objetivo de plazo inmediato es cambiar todos los paradigmas antedichos y a la postre, modificar las estructuras políticas.

A modo de ejemplo de lo que conforma este fundamentalismo de adhesión a lo flamante, tomemos en cuenta el lema escogido por el brillante pensador marxista italiano Antonio Gramsci (considerado como el *padre* de la "revolución cultural") para la revista *Ordine Nuovo*: "*La verdad es Revolucionaria*", y tangencialmente, como la "revolución" es por definición algo necesariamente "nuevo" que viene a suplantar a lo vigente, lo "nuevo" es luego ofrecido como algo necesariamente verdadero. A esto debemos agregar el siguiente detalle: el marxismo nunca tuvo por objetivo buscar la verdad, sino "construir" una verdad, y sobre esta "verdad artificiosa" o premisa falsa, construir una nueva estructura social.

Dentro de su composición interna, los "progresistas activos" no siempre trabajan en forma conjunta, pero tampoco inorgánica. Por lo general se mueven en el marco de plataformas autónomas, pero unidas o entrelazadas por objetivos comunes. O sea, el progresismo no tiene una textura uniforme y está integrada por diversas expresiones, dirigentes, grupos u ONG, que se especializan o dedican cada una a temáticas concretas, que van desde los "ecologismos", "pacifismos", "ecumenismos", "feminismos", "derechos humanos" y "pansexualismos" entre otros "buenos propósitos". *Prima facie*, ninguna de estas consignas conlleva un objetivo malsano, sino que la perfidia suele esconderse detrás de sus atractivos carteles.

Desde lo cotidiano y concentrándonos en el perfil del "progresista pasivo", este defiende las principales ideas-fuerzas direccionadas por el "progresismo activo", pero difícilmente consienta el objetivo ulterior que se halla enmascarado. Siguiendo la pluma del citado profesor Caponnetto, a este espectro lo componen por igual *"funcionarios y piqueteros, periodistas y legisladores, partidócratas y punteros de comité, abortistas y manfloros, sedicentes defensores de los derechos humanos y esa inmensa ralea en la que tanto cabe el cantautor como el comunicador social, el universitario progresista, el marginal salteador, el atildado dirigente oficial, el curerío apóstata, los jueces garantistas y la turba juvenil o senil a la que han llenado el alma de resentimientos e historias mendaces".*[2]

Según lo señala el impecable análisis de Juan José Sebreli, el progresismo argentino constituye una *"franja compuesta por un sector de la clase media semiculta de los grandes centros urbanos, agrupada bajo la denominación vagarosa de 'progresismo' [...]. Sus principios confusos y contradictorios, mezcla de ingenuidad e hipocresía, de contestación y conformidad con las bogas vigentes y beata devoción por las 'buenas causas', asemejan a los progresistas de hoy a los 'idiotas útiles' de los tiempos dorados del estalinismo. Los progresistas inciden en la opinión pública, ya que muchos son pro-*

fesores, escritores, periodistas, psicoanalistas, artistas, comunicadores so- ciales, a los que se suman ricos con sentimiento de culpa, o gente exitosa en el mundo del espectáculo, el deporte o los negocios. Para muchos de ellos, el progresismo, en la acomodada madurez, representa la fidelidad al ultraiz- quierdismo cultivado en su juventud.

Rasgos característicos del progresismo son la confusión entre la moral y política, entre moral y economía, el rechazo por toda forma de realismo po- lítico, la sustitución de los análisis concretos por la denuncia y la lamenta- ción, el reemplazo de propuestas viables por la sujeción a principios abstrac- tos, a bellos deseos imaginarios, una obstinada negación a ver la cruda rea- lidad y una memoria histórica maniquea y distorsionada [...]. La indigna- ción del progresismo es una actitud moralista y sentimental que, en abierta contradicción con el marxismo clásico, consideran reaccionaria la preocu- pación por los datos de la economía, por los fríos y deshumanizados núme- ros [...]. Por su incapacidad de crear un nuevo partido o un movimiento ho- mogéneo, el progresismo está obligado a adoptar alternativamente a los dos partidos mayoritarios (radical y peronista) aunque de tanto en tanto, rompe esta rutina con la aparición de algún nuevo partido de trayectoria fugaz [...]. El progresismo, que nada aprende, repite eternamente los mismos errores y su arrogancia no le permite admitirlos, prefiere creer que fue traicionado por estos partidos aunque las expectativas no cumplidas solo estaban en su pro- pia imaginación y no en la voluntad de los dirigentes políticos; el engaño se- rá siempre posible mientras existan quienes desean ser engañados y necesi- tan engañarse a sí mismo".[3]

Progresismo pasivo (hipocresía, igualitarismo y esnobismo)

Respecto al defecto de la "hipocresía" señalado por Sebreli, cuya defi- nición es "fingimiento o falsa apariencia", es esta característica (tan común en vastos sectores de nuestra clase media y alta) la que provoca que este es- pectro poblacional adhiera al progresismo, al advertir que ser "progre" suena *chic* y, públicamente, se definen de ese modo o defienden y sostienen posi- ciones enroladas en él. De este modo, el "progresista pasivo" se muestra a fa- vor del "amor libre" (siempre y cuando no lo practiquen su mujer y su hija) aplaudiendo efusivamente la novedad del "casamiento gay" (siempre que el contrayente pederasta no sea su hijo); en materia criminológica, el "garantis- mo" se considera "un avance de los derechos humanos" (hasta que le roban la casa e *ipso facto* peticiona la pena de muerte); mira con antipatía al siste- ma económico capitalista, pero cuando tiene que emigrar al extranjero en busca de prosperidad, ni se le ocurre escoger un país que no sea capitalista y así, se sirve y disfruta del confort y la tecnología occidental, aunque con entusiasmo repudie a la "sociedad de consumo". Fustiga con virulencia a la Iglesia, hasta que padece una enfermedad o situación grave y se rodea de rosarios y estampas con santos de los más variopintos; en economía abomina del individualismo y pregona un "distribucionismo solidario", hasta que le retienen o confiscan sus depósitos en algún "corralito" bancario y en defensa de su patrimonio, no vacila en impulsar el derrocamiento a un gobierno al que votó (tal lo ocurrido en la Argentina en el año 2001) y así, se divulgan inacabables declaraciones de principios nunca practicadas con el ejemplo personal, que ratifican la doble faz entre el discurso y el actuar concreto. En torno a este último ejemplo, un viejo chiste decía que "socialista es todo aquel quiere repartir lo que no le pertenece".

Pero todas las novedosas consignas que estamos viendo y que en materia cultural se pretenden instalar como algo natural y cotidiano, no son arrojadas a la opinión pública indiscriminadamente, sino que la mayor parte de las ideas-fuerza promovidas poseen un inadvertido denominador común: todas profesan el igualitarismo (columna vertebral del marxismo) que trae como secuela la nivelación hacia abajo. De esta manera, en lo económico, la postura "distributiva" pretende nivelar la remuneración del vago con el laborioso o del productivo con el improductivo; en lo criminológico, el "garantismo" o el "abolicionismo" asimila al hombre honesto con el delincuente; el "relativismo moral" iguala al asceta con el depravado y así, numerosos ejemplos nos conducen a la misma finalidad igualitaria.

La prédica "igualitaria" del progresismo llega a absurdos tan grandilocuentes que no vacila en exaltar por ejemplo la "igualdad de oportunidades", que por definición es enemiga de la "igualdad ante la ley". Cuenta Benegas Lynch: *"Si se enfrenta un lisiado con una atleta en un partido de tenis, para otorgarles igualdad de oportunidades habrá que maniatar al atleta con lo cual se habrá conculcado su derecho [...] de lo que se trata es de que la gente tenga más oportunidades pero no iguales. La igualdad entonces es ante la ley, no mediante ella"*.[4] Es por ello que Milton Friedman alertaba: *"Una sociedad que coloque a la igualdad por encima de la libertad terminará sin libertad y sin igualdad"*. Agrega Benegas Lynch que hay tres factores que conducen al igualitarismo: *"la envidia, la inseguridad respecto a las propias capacidades y la hipocresía. De los tres, tal vez este último sea el elemento que, con más frecuencia, aparece como rasgo sobresaliente en los 'apóstoles de la igualdad'"* y con pluma festiva se pregunta *¿cuáles son entonces las ventajas que reporta la tan cacareada 'justicia social' y su correlativa 'distribución de ingresos'? Ningún beneficio reporta, sólo quita incentivo para la optimización de la capacidad creadora [...]. Para ilustrar la idea, recurramos a un ejemplo sencillo: si el gobierno decide nivelar las fortunas 'en 100' –y todo excedente se expropia para entregarse a los que tienen ingresos menores que 100– nadie en su sano juicio producirá mas de 100, aunque su potencialidad fuera de 10.100"*.[5]

La prédica "igualitaria" va tomando entonces tanta fuerza y aceptación que, alegando el loable propósito de destruir privilegios y desigualdades excesivas, se puede ir más allá y abolir también gradualmente desigualdades naturales y legítimas. A medida que el rodillo compresor del igualitarismo se vaya tornando más pesado y destructivo, la sociedad irá aceptando el igualitarismo como algo normal, aunque no lo sea. A modo de mero ejemplo cotidiano, es pacíficamente consentido por la masa el concepto del "impuesto a la riqueza" (lo que es algo así como una sanción al éxito comercial), o en otros campos (como el político) la absurda imposición del cupo mínimo de mujeres en una lista partidaria (tratando a la mujer de infradotada al presumir que no tiene capacidad de ganarse un espacio propio) y así, un inacabable etcétera.

No sin relevante dosis de esnobismo, el "progresista pasivo" es además propenso a tomar posiciones favorables a temas de moda (ahora centradas en un exaltado racionalismo) y así, opinará que en el siglo XXI hablar de religión ya es algo propio del "oscurantismo medieval", y no vacilará en plegarse a despiadadas críticas a la Iglesia Católica (algo que siempre queda bien y jamás hay represalia por blasfemar gratuitamente). "*¿Cómo vamos a creer en esas cosas en la era de internet?*", afirmará teologalmente en la mesa de comensales nuestro "progre" lenguaraz, mientras le alcanza el salero a uno de sus contertulios y sin vacilar lo apoya en la mesa (no en la mano), caso contrario trae "mala suerte". Seguidamente, el mentado "racionalista" ya "liberado de las ataduras religiosas", lo primero que lee en el diario es el "horóscopo" (los hombres particularmente la "suerte numérica" y las mujeres los temas referidos al "corazón") y probablemente participará en reuniones de "meditación", "gimnasias orientales" e "imposición de manos", entre otras "ciencias milenarias" a efectos de "armonizar los chacras energéticos". Del mismo modo, y con el objeto de atraer las "energías positivas", perfumará su casa con "sahumerios", decorará el interior de la misma con colores perfecta y "científicamente" combinados a fin de ahuyentar las "malas ondas" y no escatimará en consumir devotamente toda la proliferación de textos de "autoayuda", los cuales suelen traer una serie de aforismos y moralejas pretendidamente profundas.

Al mismo tiempo, el progresista solerá tener una porción notable de soberbia contraída a partir de la elevada capacidad intelectual que él mismo supone tener (o que le han hecho creer que tiene), quizás por haber transitado en educación terciaria o universitaria, convirtiéndose así en un verdadero "especialista en generalidades" siempre predispuesto a "reflexionar" y opinar autorizadamente sobre cualquier tema, siendo tan capaz de analizar profusamente la política trasnacional como de armar (en una servilleta de papel) la lista del equipo de fútbol imbatible. Políticamente correcto y teorizador de un difuso "deber ser", adhiere en la mesa de café al "pacifismo universal" y se indigna con igual intensidad tanto por los "pingüinos que están impregnados de petróleo"o "las injusticias que hay en el mundo" como por los "niños que mueren de hambre", entre otros sollozos líricos. Propuestas económicas para solucionar los problemas que tanto parecen acongojarlo no se le suelen ocurrir demasiado, aunque a veces recurre a soluciones asombrosas proponiendo "vender las riquezas que hay en el Vaticano".

Pero como el "progre" no necesariamente se limita al análisis de temas contemporáneos, también se da el gusto de viajar cinco siglos en el tiempo y en dos segundos afirmar que somos pobres por el "sometimiento del que somos objeto tras la colonización europea", teoría conocida y repetida, aunque demasiado rebuscada al provenir de un "progre" argentino (de apellido paterno y materno de origen europeo) que quizás no posea el mínimo rasgo aborigen. Tampoco advierte que el supuesto "saqueo" al que alude no fue hecho contra él y los suyos, sino por su familia y consanguíneos ascendentes, ni se le ocurre pensar por qué la Argentina hace no cinco siglos sino cinco décadas era económicamente superior a España, Portugal e Italia juntos.

Como característica destacada, agregamos que el "progresista pasivo" incurre en la insistente indignación y no sabe ni propone ninguna solución concreta a los temas universales que por el lapso de cinco minutos diarios lo apesadumbran. En algún sentido, el progresista es un "utopista", y para el "utopista" la vida no puede tener normalmente un sentido legítimo de lucha, de prueba y de expiación, sino solamente de una paz blanda y regalada.

La penetración doctrinal

El "progresista pasivo" las más de las veces internaliza y acepta como válidos los mandatos lanzados por el "progresismo activo" como consecuencia de que ha sido hábilmente manipulado y programado a través de la repetida distorsión del lenguaje y de los valores que se vienen efectuando desde diversos lugares de influencia en la opinión pública, tanto por los oficios de políticos, catedráticos y entretenedores televisivos como por toda una variada camarilla de "comunicadores" que, cada uno en su área, le brindan coro y consenso a todos y cada uno de los reiterativos apotegmas doctrinales.

En cuanto a los institutos educativos, los futuros intelectuales y profesionales (que serán mayormente los formadores de opinión en el futuro cercano) también son preparados en esta corriente cada vez más hegemónica desde las aulas y cátedras en todos sus niveles y materias, egresando con una visión "progre", tanto de su profesión en particular como de la política y de la vida en general. Para ello, consciente o inconscientemente, los educadores utilizan, al pie de la letra, palabras, interpretaciones y modismos propios del discurso dominante, siendo las nuevas generaciones las más fácilmente propensas al engaño, las que se van acostumbrando, aclimatando y aceptan los nuevos dogmas (por absurdos que resulten) con total naturalidad, cumpliéndose así la advertencia que ya en 1959, el profesor Plinio Correa de Oliveira esbozaba: *"Un 'semicontrarrevoluciuonario' muy opuesto a los paroxismos de la revolución tiene un hijo menos contrario a éstos, un nieto indiferente y un bisnieto plenamente integrado en el flujo revolucionario".*[6]

Por la gran capacidad de arribar simultáneamente a miles o millones de hogares, indudablemente la televisión constituye el principal vehículo de penetración ideológica, en el que, además, el mensaje mayormente viene acompañado de imágenes calculadamente editadas y compaginadas, las cuales generalmente apelan al costado emocional del televidente. Con este cóctel audiovisual sostenido en el tiempo y en el espacio, el televidente incorporará más fácilmente el mensaje y lenguaje recibido.

Explica el pensador brasileño Correa de Oliveira que lo que se busca es la aplicación y utilización de palabras *"cuyo sentido es simpático y a veces hasta noble: ella importa, sin embargo, cierta elasticidad. Empleándose tal palabra tendenciosamente, comienza a refulgir para el paciente con un brillo nuevo que lo fascina y lo lleva mucho más lejos de lo que podría pensar. [...] los conferencistas, oradores o escritores que emplean tales palabras, por ese sólo hecho ven aumentadas sus posibilidades de buena acogida en la prensa, en la radio y en la televisión. Es este el motivo por el cual el radioescucha, el telespectador, el lector de diarios o revistas encontrará utilizadas esas palabras a todo propósito, que repercutirán cada vez más a fondo en su alma".* Le surge así *"al escritor, orador, al conferencista la tentación de usarla con frecuencia, a todo propósito, y hasta fuera de propósito. Pues así lograrán hacerse aplaudir más fácilmente. Y, para multiplicar las oportunidades de usar tal palabra, la van utilizando en sentidos analógicos sucesivamente más audaces, a los cuales su elasticidad natural se presta casi hasta el absurdo".* Concluye Correa de Oliveira afirmando que en estas palabras "vedetísticas" su gran fuerza reside *"en la emoción que provocan".*[7]

En cuanto al uso de "latiguillos" y vocablos sanadores, el "progresista pasivo" recibirá e incorporará palabras seductoras como "ecumenismo", "solidaridad", "pacifismo" (los cuales en *prima facie* no tienen nada de negativo) entre las cuales llevará la delantera en su diccionario mental la palabra "social", que por cierto le fascina y así este se autodefinirá como "un hombre con conciencia social" y hablará de política, cambio, plataforma, corriente, reivindicación o justicia social, convencido de que esta palabra santifica todo lo que hace. Al respecto, sostiene Benegas Lynch que la expresión "justicia social" remarca una *"horrible redundancia ya que la justicia no puede ser vegetal ni mineral".*[8] Mutatis mutandis, podemos inferir que cada vez que se habla de "derechos humanos" (palabra también obligada en el libreto progresista), siendo que los derechos no están destinados a las hormigas o a los bananos, el vocablo redundantemente conexo "humanos" busca sensibilizar las emociones de incautos y anodinos.

Pero todo este juego de palabras utilizado por la izquierda para confundir a la opinión pública, no tiene por finalidad el mero episodio de generar confusión por la confusión misma, sino que los ideólogos que operan detrás del escenario tienen (entre varios otros objetivos) el propósito intangible de capturar adeptos y así, concluye Benegas Lynch: *"Toda persona de sentimientos nobles se acongoja frente a la miseria y, de allí, muchas veces, si no está atenta, puede ser fácilmente conducida al socialismo".*9

Situación actual del progresismo

Con todo este bagaje de ideas deletéreas, el progresismo puede (y de hecho lo hace) generar muchísimo daño a la sociedad y al hombre común. Tanto a través de la maniquea distorsión histórica del pasado reciente, como promoviendo un inacabable cúmulo de ideas igualitarias y disolventes que, inadvertidamente, van forjando una idiosincrasia relajada, juerguista, resentida, facilista, proclive al atraso, aferrada a la pereza mental y por ende, obstaculizante del progreso moral, institucional y material del país.

Paralelamente, los sectores históricamente resistentes a estas corrientes negativas (FF.AA, Partidos Políticos de Centro o de Derecha y la Iglesia) se hallan en retaguardia en una alarmante etapa de confusión y disgregación como nunca antes se ha visto. O sea, aquí se fue desarrollando un *"efecto tenaza"*. Por un lado se creó en la *mass media* un clima infecto y cretinizante, y por el otro, los sectores de resistencia ante esta embestida tóxica se han ido degradando, desinflando y desmantelando hasta el paroxismo, quitándole conciencia y capacidad de reacción para llevar adelante una contrarrevolución, la que no debe ser una revolución de signo contrario, sino hacer lo contrario de lo que nos manda la revolución.

Es dable aclarar que cuando empleamos los términos "revolución" o "contrarrevolución", siempre nos estamos refiriendo en términos ideológicos, culturales, morales o políticos (no armamentísticos obviamente), pues la antinomia actual nada tiene que ver (afortunadamente) con el derramamiento de sangre acaecido durante los años 70.

Alternativas al progresismo

En sentido contrario al progresismo, tenemos aquello que se denomina "misoneísmo", que incurre por oposición en el mismo error que el "progresismo". El misoneísta pretende el inmovilismo consistente en almacenar algo solamente porque ese algo es viejo y, al mismo tiempo, repeler lo nuevo por el hecho de serlo. El progresista es un recolector de primicias, el misoneísta de antigüedades. Tanto las primicias como las antigüedades, no son ni buenas ni malas *per se*, sino por la naturaleza y propiedades inherentes a cada una de ellas.

Como genuina superación a estas dos posiciones viciadas, el Papa Pío XII en su notable alocución del 28 de febrero de 1957 a profesores y alumnos del liceo Ennio Quirino Visconti de Roma, al referirse al acatamiento a las tradiciones, enseña: "*No quiere decir que tal respeto signifique fosilizarse en formas sobrepasadas por el tiempo, sino mantener vivo lo que los siglos han demostrado que es bueno y fecundo. De este modo, la tradición no obstaculiza en lo más mínimo el sano y feliz progreso, sino que es al mismo tiempo un poderoso estímulo para perseverar en el camino seguro; un freno para el espíritu aventurero, propenso a abrazar sin discernimiento cualquier novedad*".[10]

La tradición es como el lecho de un río por el cual transita el agua, pero en lugar de agua transita la civilización. Sin el lecho, el agua del río estaría desprovista de rumbo. Lo mismo ocurre con la civilización, ya que al no tender al progreso dentro del lecho de la tradición, en vez de avance genuino habría un desconcertante e impredecible laberinto capaz de arrastrarnos a disímiles naufragios. No se trata de remontar la corriente y volver a formas de vida pasadas, sino más bien de avanzar con vigor de inmutable juventud, tomando lo mejor del pasado y continuándolo. La tradición es el don que pasa de generación en generación, la antorcha que, a cada relevo, el corredor pone en manos de otro sin que la carrera se detenga o disminuya en su velocidad. Tradición y progreso se complementan mutuamente con tanta armonía, que el progreso sin tradición sería una empresa temeraria, y la tradición sin progreso, una quietud petrificante.

Dado el carácter político-ideológico del enfrentamiento contemporáneo, párrafo aparte merece el análisis del rol de los partidos políticos "opositores" al progresismo dominante.

Los partidos políticos no progresistas

Tal como ya lo hemos visto, la batalla es eminentemente política y, en un sistema de partidos como el nuestro, no podemos soslayar un somero análisis sobre la naturaleza de los partidos no izquierdistas y, por ende, presumiblemente contrario a sus postulados.

La lógica de la democracia implica capturar votos para llegar al poder. Si la derecha tiene argumentos mejores que la izquierda, no basta pues con poseerlos, sino con saberlos transmitir. Y el no saberlos transmitir es el punto que ha provocado el naufragio de los diversos partidos de derecha que, muchas veces encabezados por dirigentes destacados, pero desprovistos de carisma y lenguaje abierto al vulgo, nunca han podido alcanzar expectativas electorales con posibilidades serias de triunfo.

Cuando hablamos de "derechas", englobamos aquí a corrientes políticas abiertamente no izquierdistas, empero, no necesariamente coincidentes entre sí, pues siguiendo la definición de Calderón Bouchet, *"el término 'derecha' es un término acuñado por el progresismo revolucionario para denotar, en líneas generales, el pensamiento que se le opone. Y así, me siento implicado en la vastedad significativa del adjetivo"*. En esta inteligencia y dentro de la señalada vastedad, nos referimos a fuerzas de extracción liberal, conservadora o nacionalista (o combinaciones de ellas) que han ido apareciendo en el escenario político con éxito fugaz durante los últimos años.

Quien escribe, nació en 1975 y al momento de escribir estas líneas (junio del año 2006), descontando los casi ocho años de gobierno provisional (1976-83) en donde no hubo actividad partidaria (nos quedan veintitrés años entonces), pasaron sucesivamente la Alianza Republicana Federal (comandada por Ezequiel Martínez) y el Partido Federal (comandado por Francisco Manrique) en los años 70, la Ucedé (comandada por Alvaro Alsogaray) en los 80, el Modín (de Aldo Rico) en la primera mitad de los 90, Acción por la República (de Domingo Cavallo) en la segunda mitad de los 90 y aunque, con no pocas reservas, colocamos en este pelotón a Recrear (de Ricardo López Murphy) pues este último es un partido difuso conformado por liberales residuales, peronistas no invitados al banquete kirchnerista y correligionarios que escapan del barco radical que se hunde. Punto final. Aquí se detiene nuestra contabilización. Pues de las actuales fuerzas nuevas, más allá de su sello alegre y voluntarista, no tenemos la menor idea de cuál es la ideología que defienden (suponiendo que la tengan).

Esto equivale a decir que en veintitrés años hubo seis partidos "de derecha" (uno cada cuatro años). Es impensable que con tanta incapacidad de permanencia y perdurabilidad pueda llevarse a cabo un proyecto política e ideológicamente exitoso.

Una derecha sin mística

Pero a todos estos inconvenientes que según nuestro análisis ha padecido y padece la "derecha" (en sus diversos matices y orígenes), se agrega otra carencia que es vital para la subsistencia de una fuerza o sector con vocación de poder e influencia: **la mística**.

Efectivamente, la mística constituye un notable envión hacia la militancia. La derecha argentina ha adolecido por completo de esa condición, y es por ello que las generaciones jóvenes (propensas en política a dejarse arrastrar más por la emoción que por la razón), en abrumadora mayoría se inclinan por partidos u organizaciones de cuño izquierdista. A modo de ejemplo, basta con destacar que no existe ni una sola agrupación "derechista" en la Federación Universitaria Argentina (cuna de formación de dirigentes actuales y futuros). En efecto, en los ambientes estudiantiles, por la natural efervescencia biológica que genera la lozanía, los jóvenes son proclives a sacrificar el raciocinio por la pasión. El pensador Armando Ribas, con la gracia que lo caracteriza, cierta vez comentó: *"Si a los 20 no eres de izquierda, es que no tienes corazón, pero si a los 40 no eres de derecha, es que no tienes cerebro".*

La mística no es patrimonio exclusivo de las izquierdas, pues el populismo (en la versión que se quiera), que siempre apela a la simbología y la emoción, también goza de la mentada cualidad. El populismo no es una ideología, es un estilo semidelictual de hacer política y lucrar con la miseria. Pero muchas veces el populismo mismo, por conveniencia coyuntural, abraza el libreto progresista para darles cierta sustancia doctrinal (de la que carece por completo) a sus mañas politiqueras. Pero como ya fuera dicho y, aunque por motivos distintos, tanto el progresismo como el populismo son portadores de mística y, con ella, mejores resultados se han obtenido a través de la figura del caudillo providencial repartidor de bienes y alegría ("marchita" musical de trasfondo para darle cadencia al marco), que la efigie del solemne y engominado derechista disertando en contra de la "emisión de moneda sin respaldo". Más aplausos arrancarán de la multitud los declamatorios discursos colmados de objetivos embriagantes (sin explicar el "como" lograrlos), que la del mesurado expositor explicando cuáles han de ser los mecanismos institucionales favorables para atraer inversiones. Ovaciones rabiosas se obtendrán de las zoológicas muchedumbres los estridentes ataques verbales a enemigos abstractos (como "los poderosos", el *establishment*", la "derecha" la "oligarquía"), que la elegante y sutil crítica del dirigente derechista hacia los programas económicos voluntaristas. Este último tendrá razón en su prédica, pero aquel ganará la elección.

Ni perseverancia ni simpatía

Asimismo, otro defecto grave de las derechas es que estas no han tenido tampoco la virtud de la paciencia y, sin ella, no hay posibilidades de éxito trascendente, más allá de algunos "repuntes" de coyuntura. Del año 83 en adelante, la sed de poder y la falta de serenidad lograron que la Ucedé fuera absorbida por el "menemismo"; el Modín, por el "duhaldismo" y Acción por la República, por el "delarruismo". A la vieja y conocida frase popular que en materia de seducciones y amoríos reza "billetera mata galán", a las efímeras fuerzas que hemos enumerado, bien le cabe el desafortunado pero no desatinado parangón "billetera mata ideal".

A estos despropósitos, se les suma otro contratiempo al que no escapó ninguno de sus líderes: carecían por completo de carisma. Va de suyo que la simpatía o antipatía no deberían siquiera tenerse en cuenta, puesto que las elecciones debieran ser una competencia en función de la exposición de ideas y programas concretos al servicio del bien común y, no un concurso de "macanudos" y bufones. Pero guste o no, es esta última la naturaleza verdadera de las campañas electorales. Así le va al país.

Nótese que de las seis fuerzas expuestas, tres fueron comandadas por militares (Martínez, Manrique y Rico), dos por economistas (Cavallo y López Murphy) y una representó al unísono los dos roles (Álvaro Alsogaray). ¿Puede haber algo más hostil a la muchedumbre (que vota y define las elecciones) que la imagen que los medios de comunicación (en manos progresistas) han fabricado sobre el perfil de un militar o de un economista? De aquel (el militar), está grabada a fuego en la fantasía colectiva la artificial imagen de un acartonado cascarrabias con gesto adusto, acentuados bigotes y anteojos negros que reparte absurdas órdenes *urbi et orbe* con altisonante voz ronca. De este (el economista), se ha construido el estereotipo de un insensible y deshumanizado emisario del "empresariado" que (desde las elegantes oficinas de la *city* y con sus infaltables tiradores), atiborrado de curvas, gráficos y aburridos cálculos aritméticos, trata de dilucidar cuánto será el déficit fiscal del próximo semestre, preocupado siempre porque le "cierren" los números aún a costa del "hambre de la gente". Obviamente, estos estereotipos y las "chicanas" superficiales que les endilgan a sendos arquetipos pueden contestarse y explicarse perfectamente, pero cuando se terminan de replicar con argumentos fundados, razonados y documentados, las elecciones ya pasaron y se perdieron.

¿Y por qué la mayor parte de los dirigentes de "derecha" han surgido de ambientes castrenses o economicistas?; ora por egoísmo, ora por incapacidad de ampliar su espectro político, o por los motivos que se quieran, no han sabido o no han querido formar cuadros de militantes en el resto de los ambientes (estudiantiles, barriales o sindicales) de donde tradicionalmente surgen los dirigentes populistas o izquierdistas, dejando dichos campos librados al acecho de las hordas de siempre.

Cabe destacar un aspecto más: de los seis referentes "derechistas" enunciados, es considerado el más "simpático" Ricardo López Murphy, a quien debido a su ostensible cara de pocos amigos, lo llaman precisamente "el bulldog". Nótese el carisma del resto.

La derecha en la actualidad

Hasta aquí, hemos somera y sintéticamente repasado a las fuerzas de "derecha" (en sus variados matices y orígenes) que representaron a una porción de la sociedad tiempo atrás. Pero dichos partidos o referentes (salvo López Murphy, cuyo futuro no está tan claro) por circunstancias políticas o biológicas ya no tienen ningún protagonismo.

En la actualidad ya no se trata de la existencia de partidos de una derecha con algunos méritos y muchos defectos como los de otrora, sino directamente de un centrismo desgarbado, inorgánico, vergonzante, políticamente insuficiente, ideológicamente nulo, sin energía verbal, sin inteligencia argumental y sin siquiera la capacidad de contención y retención de sus propios legisladores. Luego, la coyuntura no podría ser más favorable y funcional al progresismo hegemónico.

Incluso, un modesto y permisivo bloque "opositor" en el Congreso Nacional le permite al oficialismo jactarse de "vivir en democracia y en el pluralismo" y los diversos sellos de goma de cuño "centrista" que cada dos o tres años aparecen con recicladas siglas en escena, constituyen precisamente la garantía para que el régimen continúe.

Puede ser que ciertos referentes actuales del pensamiento opuesto a las corrientes progresistas no reaccionen políticamente a causa de su cobardía, pero también es cierto que muchos otros no lo hacen por ignorancia e ingenuidad, ya que el envolvente y "amable" discurso ofrecido, entre otros propósitos, logra debilitar en los no izquierdistas los mecanismos de defensa, inspirándoles un ánimo propenso a las condescendencias, a la no resistencia, a la simpatía y hasta al entreguismo. Y tanto es así, que ciertos sectores anticomunistas de ayer, hoy sólo manifiestan su repulsa *más contra los métodos violentos y el cuño dictatorial de los regímenes bolcheviques, que contra los objetivos finales del comunismo*".[11] Incluso, esta versión "presentable" y "simpática" de una izquierda que no espante ni ahuyente al ciudadano común es utilizada con tan fabulosa destreza, que hasta personalidades no enroladas en el izquierdismo, incautamente festejan y aceptan con júbilo a esta "izquierda razonable" que "no mete bombas como en el pasado", cumpliéndose así aquella máxima de Lenin cuando respecto de sus enemigos decía: "*Son tan estúpidos que nos van a vender la soga con la que los vamos a horcar*".

En puridad, más que una "oposición" las insustanciales fuerzas del gelatinoso centrismo, en lugar de cumplir un genuino y obligatorio rol confrontativo en el verdadero sentido de la palabra (máxime ante un oficialismo que hace de la agresión y la prepotencia una forma de gobernar), parecen ser una suerte de club semidisidente (o semioficialista según como se mire) propenso a confeccionar una magra teatralización de "oposición constructiva", de naturaleza contemplativa y pasiva, cumpliendo entonces un desteñido papel de espectador lamentón, promotor de la "coexistencia pacífica" y el amanerado disenso sobre aspectos secundarios y no esenciales. Esta inoportuna serenidad, se torna culpable al tener en la vereda de enfrente a un sector que considera al disidente no un adversario, sino un enemigo.

Con "opositores" de utilería como los que existen en este momento, lo único que hace la siniestra es agigantar su ego y sus energías para proseguir eufóricos (y con la tranquilidad del éxito seguro) en su infausta militancia y sus ominosos objetivos.

¿Hasta dónde puede avanzar el progresismo?

Más allá de los innegables logros del progresismo y del amplísimo margen que le queda para seguir avanzando, no creemos factible que tal desarrollo pueda desembocar a la postre en la instalación de un totalitarismo marxista, pues si bien los perjuicios a la sociedad que han logrado estas corrientes son cuantiosos, no avizoramos que de todos modos logren torcer el orden natural de las cosas y arriben a un sistema colectivista como los de otrora.

Si el progresismo es mucho en tanto fuerza de destrucción, es poco en cuanto fuerza de construcción, pues el principal obstáculo que las hordas rojas (o rosadas) tienen es, precisamente, la eficacia demostrada por la economía de mercado (en los países que la han aplicado en serio), y aunque al hombre medio el libreto progresista lo vaya influyendo hasta formarle una mentalidad anticapitalista, de todos modos posee por naturaleza un celoso y justísimo apego a querer conservar su patrimonio y la propiedad privada (aunque *pour la galerie* muchas veces se pregone lo opuesto).

Por ende, ante este obstáculo con el que se estrella el progresismo, no se advierten en el corto o mediano plazo evidencias razonables que nos hagan suponer que tal cosa (una revolución colectivista y totalitaria) ocurrirá. La contranatura inherente de los sistemas marxistas es tal, que sólo pudo imponerse en otros tiempos dejando millones de muertos en el camino e instalando un aterrador sistema controlador de todos y cada uno de los aspectos de la vida del individuo.

Por lo pronto, en el ámbito cultural ninguna duda cabe de que el progresismo ha hecho estragos y está obteniendo un avance al parecer imparable en la imposición de todos y cada uno de sus postulados. Creemos que el problema se le presentará al progresismo cuando una vez explotadas al paroxismo sus divagaciones culturales, intente saltar de lo cultural a lo material; es decir, avanzar sobre los aspectos económicos.

Que quede claro entonces, si hay algún obstáculo para que en el país la revolución no se complete, no son precisamente los acaramelados partidos de la "oposición", sino ciertas instituciones naturales como la propiedad privada, de las cuales el hombre medio nunca se desprendería (por más propaganda que haya) de no ser por la coacción y la confiscación arbitraria a punta de pistola.

Subcapítulo II: El setentismo

¿Qué tiene que ver todo esto que venimos exponiendo con el drama de la década del 70? Pues, precisamente, tanto el populismo como el progresismo son totalmente funcionales a una corriente política que, particularmente, comenzó siendo pequeña y que hoy ha avanzado tan abruptamente que condiciona incluso muchas políticas de gobierno internas y externas. Estamos hablando del setentismo.

El setentismo es una suerte de "corriente interna" dentro del "progresismo", pero es tan poderosa, y tan protagónico su actuar, que se puede hablar igualmente de setentismo (como especie) o de "progresismo" (como género) porque muchas veces las dos expresiones son utilizadas como sinónimos. Vale efectuar la siguiente aclaración: nunca los setentistas se presentan en sociedad con ese rótulo o etiqueta, sino que se escudan bajo el atrayente y embaucador disfraz de "organizaciones de derechos humanos", tal el modo en que se autodenominan.

¿Y a qué llamamos setentismo? Sintéticamente, podríamos decir que es aquella militancia actual llevada a cabo en función de la década del 70. La militancia está a la orden del día, pero la bandera, la causa y el discurso se retrotraen treinta años.

El lema fundamental y la carta de presentación del setentismo son el repudio y el pedido de cárcel a los "genocidas" que hicieron un "golpe de estado" y al mismo tiempo, reivindicar a los "luchadores sociales" que fueron "asesinados por pensar distinto". Para extender a todos los ambientes el mensaje, a efectos de homogeneizarlo, es necesario que el mismo sea sencillo y de fácil penetración en la opinión pública. Por ejemplo: en cuanto a los fines y caracterizaciones de los terroristas, es usual el uso de frases impersonales compuestas a base de máximas que no remiten a ninguna imagen concreta sino a generalizaciones abstractas. ¿Qué significa "luchar por un mundo mejor"?, ¿qué significa ser un "luchador social"?, nadie especifica ni aclara que hay detrás de estos vagarosos altruismos.

Los proverbios, refranes y mitos (ya analizados) aplicados por el setentismo han calado tan hondo, que prácticamente no hay refutación ni opinión en contrario en los medios de comunicación, ni siquiera en las charlas cotidianas y reuniones sociales, puesto que hasta aquel que disiente moderadamente con ciertas afirmaciones o posturas del discurso setentista teme manifestarse en contra, ante las eventuales hostilidades que pueda padecer por parte de sus amistades, compañeros de estudio o de trabajo (máxime si se trata de jefes o superiores). En los ambientes castrenses por ejemplo, entre los miembros en actividad, impera un mayoritario mutismo y amordazamiento extensivo a cónyuges o familiares directos, bajo pena de sanción *ipso facto*.

La teatralización del "consenso" como elemento legitimante de la partidocracia

La miseria imperante es funcional a la perpetuación en el poder de los demagogos de turno y este vicio ya era advertido por uno de los más destacados defensores de la democracia, como Juan Bautista Alberdi quien alertaba: "*La ignorancia no discierne [...]. La miseria no delibera, se vende. Alejar el sufragio de manos de la ignorancia y de la indigencia es asegurar la pureza y acierto de su ejercicio*". Aparejadamente, a la podredumbre clientelista se le suma el negocio de las "listas sábanas" que obligan a los ciudadanos a introducir papeletas colmadas de apellidos escondidos detrás de sellos partidarios en enormes listados que nadie lee ni conoce. Luego, en función de los favorables guarismos arrojados en los escrutinios (que siempre benefician a los detentadores del "aparato") se cierra el ciclo que les permite a los "politicuchos" apelar a los habituales argumentos de estar "representando la voluntad popular".

En puridad, la glorificada "representación popular" autoadjudicada por los integrantes de la corporación política, desde lo fáctico dista de ser así. Pues como bien lo describe Massot, "*actuar en nombre del pueblo resulta, después de todo, una abstracción*" puesto que las decisiones políticas en verdad no pasan por el "*pueblo*", sino que ellas están "*en manos de los comités, las convenciones, los congresos, el Parlamento y los organismos montados por la clase partidocrática*" y por ende "*el pueblo tiene la posibilidad de elegir, a través del voto en segunda instancia. Significa esto que, en una instancia anterior, los partidos han decidido quienes conformarán las listas que se presentarán en las elecciones generales [...] los puestos y cargos electivos están, teóricamente, al alcance de todos [...] Pero, en realidad, salvo excepciones, quienes compiten no son individuos aislados sino partidos organizados*".[12] En efecto, el mito de que la democracia es "el gobierno del pueblo" no deja de ser un efectivo y sonoro aforismo propagandístico estrellado contra la realidad, ya que siguiendo nuevamente a Massot "*la verdad es que el pueblo no elige a sus dirigentes, sino que los consagra. [...] Nunca el pueblo saca a sus jefes del seno de la multitud para otorgarles el poder: su operación se limita a votar por quien o quienes ya lo mandan. El sufragio es la ratificación de una autoridad previa [...] cuanto más simbólica sea la participación de las mayorías, mayor enjundia cobrará la definición del politólogo alemán Rudolf Wasermann que habla de una democracia de espectadores*".[13]

Efectivamente, en esta Argentina carente de normas morales, indigente en lo económico y descuartizada en lo institucional, el sufragio universal (herramienta de suyo bienintencionada y noble) acaba constituyéndose en el instrumento idóneo para consumar la funesta parodia de una autoridad que se quiere radicar o conservar en las multitudes. En este desalentador escenario, la derruida y desnaturalizada democracia argentina colocó a la sociedad ante la más terrible disyuntiva imaginable: la de elegir entre lo peor y lo pésimo. Sin embargo, por el hecho de que la teatralización electoral esté muy lejos de representar fidedignamente la voluntad ciudadana, tampoco el apático sufragante queda exento de culpa por los males pasados y presentes que padece el país, ya que como con razón afirmaba Victor Hugo: *"Entre un gobierno que hace el mal y un pueblo que lo consciente hay cierta solidaridad vergonzosa"*.

La teatralización del "consenso" como elemento legitimante del setentismo

El formidable poder actual del setentismo no arribó de un día para el otro. Para llegar a la actual instancia gozosa, previamente (y tras paciente militancia de varios años), tuvo que alcanzar (al menos en el plano de lo aparente) un consenso o legitimidad tal, que permitió instalar como concepto popular, la idea-fuerza de que sus banderas son "incuestionables". Luego, bajo el amparo de esta "incuestionabilidad" están pudiendo llevar adelante un sinfín de acciones directas o indirectas en beneficio propio y en perjuicio de terceros, sin resistencia jurídica, política ni ideológica.

Las acciones políticas (partidarias o no) para adquirir fuerza precisan siempre ser justificadas en aras del consenso del que gozan. En los años 70, por ejemplo, los homicidios terroristas eran excusados alegando que se hacían en "representación del pueblo"; tanto es así que hasta una de las bandas más poderosas de la época se autodenominaba Ejército Revolucionario del Pueblo, y el grueso de los homicidios guerrilleros se hacían en aras de la "justicia popular".

En el caso de las bandas terroristas de ayer, esta presunta "representación popular" no era más que un eslogan intangible, ya que no había forma de medir materialmente el grado de adhesión de la sociedad a los grupos armados. En la actualidad, ya comprobada la ineficacia en el plano armamentístico, gran porción de los terroristas de ayer (que hoy "trabajan en política" partidaria) artificialmente exaltan hasta el empacho la "democracia" (a la que en su fuero íntimo no adhieren), ya que les resulta imperioso defender el sistema del que viven y se sirven y del cual resultan electoralmente beneficiarios por obra y gracia del "voto cautivo", consistente en el intercambio del sufragio por una bolsa de comida o "plan social".

Dentro de la militancia setentista hay quienes actúan en partidos políticos y son funcionarios de diversa envergadura, empero la inmensa mayoría absoluta de los militantes setentistas no opera en estructuras partidarias de forma directa, sino en diversas organizaciones o comparsas que ejercen presión sobre el poder político y estatal ("madres", "abuelas", "hijos", "CELS" y ONG "derechohumanistas" varias).

¿Y cómo logran estos últimos imponer con tanta virulencia sus objetivos al no contar con un aval electoral que les brinde la apariencia del "consenso"? Pues a través de dos acciones concretas:

1) El objetivo inmediato de la militancia setentista de tinte apartidario radica en lograr la anuencia (activa o pasiva) de **los medios de comunicación**.

2) Una vez hecho esto, el camino queda allanado para emprender el segundo objetivo, consistente en contar con el **auxilio del poder político**.

1) *Adhesión de los medios de comunicación*

Para alcanzar el primer objetivo, es indispensable imponer la legitimidad de sus obras y proclamas a través de los medios de comunicación. Cuenta Giovanni Sartori que *"actualmente, el pueblo soberano 'opina' sobre todo en función de cómo la televisión lo induce a opinar. Y en el hecho de conducir la opinión, el poder de la imagen se coloca en el centro de todos los procesos de la política contemporánea"*. Para alcanzar tal fin, el setentismo lleva adelante aquello que Carlos Manuel Acuña denomina la "Técnica de la Uniformidad Aparentemente Objetiva", la cual se expresa a través de la opinión de *"periodistas antagónicos pero que sí coinciden en el tratamiento de determinados temas que, de esa manera, adquieren una validez universal. Si el animador de programas faranduleros o dedicados a la mujer o simplemente a divertir dice lo mismo que el periodista político o especializado en analizar con detenimiento asuntos importantes, las ideas a imponer son más creíbles y aceptables"*.[14] De este modo, se produce aquello que ya advertía el filósofo español Julián Marías, al sostener: *"La acumulación de noticias, la reiteración cotidiana de ideas poco contrastadas y de escasa justificación, todo eso hace que sea difícil defenderse de la realidad y rechazarla"*.

De manera similar y complementaria, encontramos la "Técnica de la Persuasión Implícita", ya analizada por el pensador brasileño, Plinio Correa de Oliveira, en su ensayo *Trasbordo ideológico inadvertido y diálogo* publicado en los años 60. Esta técnica (adaptada al tema que nos ocupa) consistiría en que este sector no se muestre abiertamente ante la opinión pública, sino que escogería en su remplazo agentes de apariencia no setentista, que actúen en los más diversos sectores del cuerpo social. Cuanto más insospechados de setentismo parezcan, tanto más eficaces serán y, de este modo, personas, órganos de publicidad y partidos políticos (insospechados de setentismo) les prestan un primer y precioso concurso, por el simple hecho de mantener en la *mass media* un clima de superficialidad de espíritu, como también de optimismo fácil y despreocupado en lo que se refiere a la amenaza de su militancia. Así las organizaciones contrarias u hostiles al setentismo quedan implícitamente vistas como apasionadas y exageradas por la mayor parte de la opinión pública.

Con estas dos técnicas complementarias a la cabeza, el setentismo alcanza consenso mediático, y pasa a la etapa siguiente.

2) *Obtención del auxilio del poder político*

Una vez instalada en la opinión pública la noción de "incontrovertible bonhomía" de sus propósitos y acciones, el setentismo prosigue en la segunda etapa, consistente en contar con el auxilio de la corporación política. ¿Por qué?, por dos razones. Primero porque la corporación política es la que tiene el poder real y la capacidad de disponer de dinero ajeno y distribuirlo en propósitos demagógicos o bien vistos por los medios de comunicación y segundo, porque dicha corporación es la que más y mejor se escuda en la apariencia del "consenso", precisamente por contar con el aval de algo tangible y "medible" como lo es el voto.

Entonces, si el político (que teóricamente goza de "consenso" por ser "representante del pueblo") le brinda respaldo y financiación a la militancia y a las organizaciones setentistas (algo que además lo hará pasar por dirigente "sensible" y comprometido con los "derechos humanos"), por carácter transitivo los grupos setentistas también gozarán del aparente consenso "del pueblo". O sea, si el político es un "representante del pueblo soberano" que lo ha escogido libremente a través de elecciones, las acciones posteriores del político ya consagrado no son más que una consecuencia del "mandato que el pueblo le dio". Ergo, si el pueblo respalda al político a través del sufragio, y el político respalda a los setentistas, entonces el setentismo es respaldado por el pueblo. Finalmente, oponerse a la militancia setentista o cuestionarla es oponerse a la "voluntad popular". A modo de ejemplo, Néstor Kirchner llegó al absurdo de afirmar que la "*derogación de las leyes de Obediencia debida y Punto final*" que él promovió (pero que nadie pedía y que ni siquiera figuró en la plataforma electoral de su candidatura) era "*una deuda pendiente con la sociedad*".

¿Y por qué habrían los políticos de congraciarse con los setentistas? Los menos, por simpatía ideológica. Los más, al pertenecer en la Argentina a expresiones partidarias casi siempre populistas (que por definición están desprovistas de ideología y valores trascendentes), solo son movilizados por la demagogia, la "encuestología" y las acciones "políticamente correctas". Entonces, al contar las bandas setentistas con consenso mediático, si el político osara darles la espalda o no hacer lugar a las insistentes peticiones formuladas por las hordas, le podría valer como represalia un profuso ametrallado verbal que lo expondría ante la opinión pública como un "insensible", "reaccionario" y "defensor del genocidio". Como el populista no se ata a ningún principio ni valor que no sea el de la conservación del poder que ostenta como un fin en sí mismo, jamás correría el riesgo de caer en tal "*desprestigio*", y por ende, cede y concede permanentemente a las presiones y peticiones del setentismo militante, aunque estas sean absurdas y conlleven resultados antieconómicos.

Lo cierto es que a pesar de este montaje, el grueso de los ciudadanos en su fuero íntimo no quieren a Bonafini, ni a Carlotto ni a ninguno de los suyos; no avalan a Montoneros ni al ERP; no quieren una "caza de brujas" con centenares o miles de militares presos (sacados de sus jueces naturales); no quieren que un diputado (por ser de "derecha") no pueda asumir a su justa y legítima banca; a nadie le importa que el 24 de marzo sea feriado (salvo a aquellos que añoran un fin de semana largo para descansar); ni quieren un museo en la ESMA; ni que sus impuestos sean dirigidos a indemnizar a familiares de terroristas abatidos en la guerra civil; ni quieren que los militares en actividad hoy sean un conjunto de burócratas destinados a tareas domésticas u hogareñas como el bajar o subir cuadros. Solo los setentistas (que son una minoría irrelevante en términos numéricos) quieren todo esto pero cuentan con el aval de los medios y la consiguiente bendición de la partidocracia populista.

No importa que el setentismo no goce de consenso real; lo que importa es que exista la percepción de que tal consenso existe. El objetivo no es tanto ser consentido por la comunidad, sino aparentarlo y con el respaldo de esta apariencia dar curso a sus acciones.

En síntesis: la teatralización del consenso y la presunción de nobles propósitos del setentismo son ideas-fuerzas instaladas por los medios de comunicación y la instrumentación de sus objetivos se lleva a cabo con el auxilio de la corporación política.

¿Y cómo reaccionan los demás sectores de la sociedad ante los progresivos e ininterrumpidos avances de estas corrientes? Pues cuentan con el consentimiento tácito o apático del "progresismo pasivo" (la mayoría absoluta de la ciudadanía progresista), con la indiferencia de la *mass media* independiente y con el aval (a regañadientes y con el ceño fruncido) de los amilanados y gelatinosos sectores del adaptable "centrismo" actual.

Entre la convicción y la conveniencia

Sin excluir otras causas, analizamos que mayormente se puede ser de izquierda por tres razones concretas:

A) Por error ideológico y/o doctrinal. Algo relativamente frecuente, así como de fácil corrección en las personas de buena fe que abrazan ideas de izquierda suponiendo que en ellas está la prosperidad y solución a los males. Tanto sea por sana pedagogía, contacto con literatura o bibliografía de contenido sensato, por corrección fraterna de algún amigo o allegado, por madurez psíquica o por mantenimiento del contacto con la realidad, el desvío ideológico puede y suele ser subsanado en el corto o mediano plazo sin demasiados inconvenientes.

B) Por resentimiento. Esto es mucho más difícil de solucionar y ha sido analizado extensamente por pensadores de la talla de Robert Nozick y Von Mises quien dice: *"Está uno resentido cuando odia tanto que no le preocupa soportar daño personal grave con tal de que otro sufra también. Gran número de los enemigos del capitalismo saben perfectamente que su personal situación se perjudicaría bajo cualquier otro orden económico [...]. Cuántas veces oímos decir que la penuria socialista resultará fácilmente soportable ya que, bajo tal sistema, todos sabrán que nadie disfruta de mayor bienestar"*. Es dable aclarar que el resentimiento del individuo no debe ser visto como una consecuencia necesaria del fracaso personal (todos los mortales en mayor o menor medida tenemos frustraciones y objetivos inconclusos) puesto que los hombres rectos y desprovistos de esta perturbación pueden perder y aceptar con hidalguía la adversidad. El resentido, en cambio, ante la incapacidad para tolerar sus infortunios se refugia en los anestésicos y embriagantes desvaríos izquierdistas para aminorar la angustia interna provocada por sus naufragios. En esta situación, y como bien lo define el ensayista Enrique Arenz, el izquierdismo se constituye en un "retardo madurativo".

En este acápite, a diferencias del punto A, ya no se trata sólo de presentarle al izquierdista argumentos razonables y lógicos para recuperarlo del error, ya que la lógica y la razón se estrellan ante la ceguera proporcionada por el dogmatismo ideológico que además le sirve de alivio para apalear su malestar interno. Por ende, la tarea de reencauzamiento ha de ser minuciosa, prolongada en el tiempo y con no pocas probabilidades de fracaso.

C) Por conveniencia patrimonial. Ya que siendo de izquierda se abren inacabables puertas para "trabajar en política", en secretarías burocráticas, obtener cátedras, cargos en ONG "humanistas" (muchas veces subsidiadas por el Estado), facilidades para llevar adelante actividades "artísticas", periodísticas, impunidad ante la comisión de determinados delitos, premios literarios otorgados precisamente por "academias" o institutos conformados por izquierdistas que se aplauden entre ellos y obviamente, generosos espacios en los medios de comunicación social. Al presentarse alguien en sociedad como "izquierdista", de inmediato se posee la presunción de que sus actividades (en la materia que fueren) son de gran valor y profundidad intelectual.

Los setentistas, casi unánimemente, constituyen una mezcla de las categorías B (resentimiento) y C (afán de lucro). En cuanto al punto C, son asombrosos los desembolsos multimillonarios del Estado nacional (y entidades extranjeras) en favor de esta militancia.

El setentismo como negocio

En los años 90, durante la presidencia de Carlos Menem, fue sanciona-da, entre otras leyes afines, la 24.411 que prevé y regula indemnizaciones a los familiares de los "desaparecidos" (prevista por entonces en 225.000 dóla-res por peticionante). Esta curiosa normativa (que consta de solo doce artícu-los) en su increíble artículo 5 dice: *"En caso de aparición de las personas mencionadas en el artículo 1°, se deberá comunicar esta circunstancia al juez competente, pero no habrá obligación de reintegrar el beneficio si ya hubiera sido obtenido"*. O sea: aunque posteriormente se demuestre que hu-bo una flagrante estafa al Estado, no habrá sanción ni devolución dineraria al-guna. Pero ante lo desconcertante del curioso artículo 5 de esta ley, es de su-poner entonces que para cobrar el dinero, el peticionante previamente debe ofrecer pruebas inexpugnables e indubitadas acerca de la desaparición y que, por ende, la administración pública deberá tener certeza plena de la situación y que el margen de "reaparición" es virtualmente nulo. Sin embargo, con to-tal ligereza el artículo siguiente (el 6) dice: *"En caso de duda sobre el otor-gamiento de la indemnización prevista por esta ley, deberá estarse a lo que sea más favorable al beneficiario o sus causahabientes o herederos, confor-me al principio de la buena fe"*. (Este último artículo es transcripto práctica-mente de modo literal como artículo 3 en la ley 25.914 que extiende las in-demnizaciones a los hijos de los desaparecidos). ¿Es muy osado pensar que aquí se está escondiendo un fantástico negocio? Rechazamos categóricamen-te cualquier atisbo de sospecha acerca de manejos turbios en estas millona-rias indemnizaciones, puesto que estas cosas en la Argentina no pasan. Em-pero, lo que sí podemos señalar sin temor a equivocarnos demasiado, es que resulta mucho más rentable militar en el setentismo que arriesgar en el mer-cado con algún emprendimiento comercial.

Lo cierto, es que hasta agosto del año 2003, por esta Ley 24.411 *"se des-tinaron hasta 4 mil millones de pesos (dólares entonces) para estas 'indem-nizaciones' [...]. Otro aspecto remarcable es que estas compensaciones no al-canzan a los causahabientes de víctimas provocadas por las bandas subver-sivas. La secretaría que maneja estos asuntos con los consiguientes e inmen-sos recursos, se niega a suministrar cualquier clase de datos sobre los bene-ficiarios y las circunstancias que rodean a cada uno de los casos indemniza-dos, lo que podría derivar en un nuevo y multimillonario caso de corrup-ción"*.[15] Para afrontar estos exorbitantes gastos, además de la utilización de los fondos impositivos se aumentó *"en 1.300 millones de dólares la deuda externa. De eso sí que no se quejaba la izquierda, siempre presta a pedir el cese del endeudamiento y el no pago de la misma"*.[16]

¿Y quién fue el elaborador de esta ley con tan sugestivo articulado? Pre-cisamente el ex terrorista Ernesto Jauretche, quien ingresó a Montoneros para pelear no contra la "dictadura" sino contra la democracia (en 1973). En efecto, fue este personaje quien durante el gobierno de Menem ocupó el cargo de asesor de Alicia Pierini (con quien estuvo vinculado sexualmente) en la Secretaría de Derechos Humanos (¿dónde si no?) durante seis años.

Efectivamente, el drama de los terroristas desaparecidos se ha constituido en tan provechoso negocio, que ni siquiera les conviene a sus activistas dilucidarlo, porque la bandera de la eterna búsqueda es la que mantiene vigente y pujante la militancia con los beneficios conexos. Si el paradero del total de los terroristas desaparecidos pudiera determinarse con precisión de centavo, entonces se terminaría *ipso facto* el accionar de estas bandas y el consiguiente cúmulo de disfrutes y desembolsos a expensas del Estado. Y es por ello que, ya por 1986 (con notable visión para el comercio) las Madres de Plaza de Mayo afirmaban: *"No aceptamos la entrega de los cadáveres porque eso significa cerrar el problema de los desaparecidos"*.[17] Como vemos, la prédica y militancia de los desaparecidos son un fin en sí mismo. La no dilucidación total del problema constituye su razón de ser, y si este fuera resuelto, se acabarían las utilidades para "madres", "abuelas", "hijos", "primos", "amigos", "amigotes" y "conocidos" por todo concepto. Esto es equiparable al tema de los "piqueteros", pues si en la Argentina hubiese pleno empleo, salarios dignos y movilidad social ascendente, los líderes piqueteros se quedarían sin clientes y sin negocio, es por ello que la prédica contra la pobreza (sin que esta se solucione) es su principal herramienta política y comercial.

Pero como el negocio setentista es un campo muy amplio para explotar, uno de los últimos episodios que se adjuntó fuertemente al gran festival de premios otorgados al enjambre subversivo, lo constituyó el resonante caso Susana Yofre de Vaca Narvaja (madre del jerarca terrorista Fernando Vaca Narvaja), cuya indemnización (aprobada por la "unanimidad automática" de la corte) se fundó, en este caso, en el exilio que su familia tuvo que "padecer" como consecuencia de la "persecución a que fue sometida durante la última dictadura militar". Pero lo insólito de esto último es que la madre del mentado terrorista perdió a un hijo en 1975 (pleno gobierno constitucional); a su marido, el 10 de marzo de 1976 (pleno gobierno constitucional), la familia se refugió en la embajada de México el 23 de marzo de 1976 (pleno gobierno constitucional) y Susana Yofre reconoció al diario *La Nación* haber regresado al país en 1982 (pleno gobierno cívico-militar). ¿En qué quedamos: se escapó perseguida por el gobierno democrático y volvió durante el gobierno de facto? ¿Acaso se sentía más segura bajo el gobierno militar que bajo el gobierno constitucional?

Sin embargo, la prensa mayoritaria informó que esto se debió a un resarcimiento por la persecución sufrida durante la "dictadura", aunque, como vemos, no fue así. De todos modos, es dable aclarar que los sobresaltos que la familia Vaca Narvaja pudo haber padecido, ocurrieron como consecuencia de las actividades criminales de Fernando y algunos de sus hermanos enrolados en Montoneros y no por otra causa. Con notable valentía, el propio nieto de Susana Yofre de Vaca Narvaja, el joven Jorge Martínez Gavier (h), desenmascarando a su propia abuela, publicó en diversos medios una carta que decía:

> "Susana Yofre de Vaca Narvaja no emigró a México con todo su grupo familiar. Una de sus hijas, la mayor, se quedó en Córdoba con su familia; en esa época ya estaba casada y tenía 6 hijos. Aclaro esto puesto que en el artículo se plantea el exilio total del grupo familiar como única 'alternativa viable para permanecer con vida', lo cual, por lo antes expuesto, no fue real. Quizás habría que preguntarse por qué la única integrante de la familia que permaneció en Córdoba no tuvo inconvenientes para vivir, no fue secuestrada ni perseguida por fuerzas gubernamentales ni paramilitares (esto echaría por tierra varias teorías de izquierda que señalan persecuciones masivas por parte de los militares).
>
> Al momento de realizar este ejercicio mental, hay que descartar algo: la hija mayor nunca tomó partido ni por los montoneros ni por los militares. Esto no significa adoptar una posición frívola o neutral ya que, en el momento en que toda su familia partía al exilio, ella tuvo que encargarse de cerrar/concluir todos los asuntos familiares que el resto de su familia dejó pendientes al momento de huir.
>
> Como integrante directo de ese grupo que se quedó en Córdoba —soy hijo de Susana, la hija mayor antes mencionada— podría sentarme y hablar del tema, contando la otra cara de la verdad pero es algo que prefiero no hacer, puesto que trato (y mi familia también) de vivir para adelante, recordando el pasado para no cometer los mismos errores, pero abandonando todo tipo de rencor y odios, algo que algunos de nuestra familia –los que huyeron– se niegan a hacer.
>
> Atte. Jorge Martínez Gavier (h)".

Pero más allá del caso puntual en el que la madre de Vaca Narvaja resultara galardonada por el Estado (con motivo de haber sido progenitora de delincuentes), lo más grave es que a partir de allí se sentó un precedente que abrió las puertas para que se lleve adelante un proyecto de ley dando curso a un nuevo mega-desembolso a favor del terrorismo supérstite. En efecto, de inmediato al caso relatado (al momento de escribir el libro el mentado proyecto legislativo ya contaba con media sanción al respecto), el diario *La Nación* nos informaba: "*El Estado podría afrontar pagos por más de 1.000 millones de pesos en indemnizaciones si prosperara en la Cámara de Diputa-*

dos un proyecto de ley que auspicia el Gobierno, destinado a resarcir a los exiliados durante el convulsionado período de los años de plomo, entre 1974 y 1983. La iniciativa [...] contempla no sólo a los expatriados, sino también a los menores que nacieron en el extranjero por la persecución que sufrieron sus padres". Según López Arias (autor del proyecto): *"El monto total que debería afrontar el Estado treparía a la friolera de 1.200 millones de pesos".* Dentro de este formidable negociado pagado con el aporte de los contribuyentes, agrega *La Nación* en la nota de marras: *"Aún resta desembolsar las indemnizaciones a quienes nacieron en cautiverio durante la privación de libertad de sus madres (Ley 25.914)".*

Como si todo este festival fuera insuficiente, el diario *Clarín* del 1 de junio de 2006 informa: *"El ministro de Justicia, Alberto Iribarne, resolvió que el Estado amplíe una indemnización al hermano menor del guerrillero argentino-cubano Ernesto* Che *Guevara, por haber estado preso durante ocho años por motivos políticos.*

En la resolución 739 del 10 de mayo último, el ministro dio por probado que Juan Martín Guevara pasó 2.928 días privado de su libertad, desde el 3 de marzo de 1975, cuando fue detenido en Rosario". (O sea en democracia.) Pero el reo y convicto Guevara ya había demostrado buenos antecedentes y habilidad para los negocios, puesto que *"en 1994 ya había cobrado una indemnización por los 1.462 días que estuvo disposición del Ejecutivo, desde el 5 de marzo de 1975 –cuando gobernaba María Estela Martínez de Perón– hasta el 5 de marzo de 1979. Pero reclamó que ese beneficio se ampliara a los 1.466 días de 1979 a 1983.*

En esa segunda etapa de reclusión, el hermano del Che *ya no estuvo encerrado a disposición del PEN sino cumpliendo la condena a 12 años de prisión que le había impuesto el juez de Rosario Pedro Cáceres, en aplicación de la Ley antisubversiva 20.840 del Gobierno de Isabel".* Culmina la información de Clarín alertando que *"en ámbitos judiciales y de los derechos humanos consideran que se trata de un 'caso testigo', pues sienta precedentes y permitirá a miles de ex presos políticos de la dictadura militar ampliar sus reclamos indemnizatorios".*[18]

Pero todavía hay más. A todos estos episodios que estamos destacando (son muchos más pero el análisis lo hemos limitado a los más notorios) le cabe sumar, por ejemplo, emprendimientos asombrosos, como el caso del proyecto del megamuseo de la amnesia en la Escuela Mecánica de la Armada, cuyo presupuesto de reestructuración tiene una valuación superior a los cien millones de pesos. Mientras tanto, el hambre y la indigencia siguen intactos en nuestro país.

En resumen, actualmente se encuentra en vigencia la Ley 24.043 (aprobada en 1991 y que indemniza a quienes fueran prisioneros de guerra entre 1973 y 1983); la Ley 24.411 (aprobada en 1994, que indemniza a familiares de "desaparecidos"); y la Ley 25.914, que indemniza a los nacidos durante la detención de sus madres (aprobada en 2004), más las indemnizaciones provenientes de otras leyes, numerosas sentencias y dictámenes *ad hoc* y el consiguiente bombardeo de futuras leyes indemnizatorias, muchas de las cuales ya están en trámites avanzados.

Pero como el negocio resulta harto rentable, a efectos de ampliar el mercado y las posibilidades de usufructo más allá de los años 70, el terrorista indultado y actual diputado oficialista, Miguel Bonasso, en debate con el diputado Alberto Natale (con motivo del cincuenta aniversario de los "bombardeos a Plaza de Mayo" en 1955), anticipó en el programa *A dos voces* (emitido por canal TN y conducido por los periodistas Gustavo Silvestre y Marcelo Bonelli) que estaba trabajando en un proyecto para indemnizar a los familiares de las "víctimas" del 55. Hasta el día de la fecha no se registran proyectos para indemnizaciones de familiares de caídos en la reyerta de 1919 en el Sur, ni tampoco de la Batalla de Caseros, ni ningún enfrentamiento de antaño. Será cuestión de tomar la iniciativa.

Notas

1 Caponnetto, Antonio. "Kirchner: jefe y garante del delito", *Cabildo*. Argentina, octubre-noviembre de 2005.

2 Caponnetto, Antonio. "Estado de descomposición", *Cabildo*. Argentina, mazo-abril de 2004.

3 Sebreli, Juan José. *Crítica a las ideas políticas argentinas.* 4° ed. Buenos Aires, Sudamericana, 2002, p. 402.

4 Benegas Lynch, Alberto. *Las oligarquías reinantes. Discurso sobre el doble discurso.* Buenos Aires, Editorial Atlántida, 1999, p. 102.

5 *Revista de la Cámara de Comercio de Guatemala*, N° 8. Guatemala, febrero de 1975.

6 Correa de Oliveira, Plinio. *Revolución y contrarrevolución.* Buenos Aires, Ediciones Tradición, Familia y Propiedad. 1992.

7 Correa de Oliveira, Plinio. *Trasbordo ideológico inadvertido y diálogo.* Santiago de Chile, Corporación Cultural Santa Fe, 1985.

8 Benegas Lynch, Alberto. *ob. cit.* supra, nota 4. p. 35.

9 *Ibidem*. p. 157.

10 Correa de Oliveira, Plinio. *Nobleza y elites tradicionales análogas en las alocuciones de Pío XII al patriciado y a la nobleza romana.* Buenos Aires, Ediciones Tradición, Familia y Propiedad, 1993.

11 Correa de Oliveira, Plinio. *ob. cit.* supra, nota 7.

12 Massot, Vicente. *El poder de lo fáctico.* Buenos Aires, Ediciones Ciudad Argentina, 2001. p. 89.

13. *Idem.*

14 Acuña, Carlos Manuel. *Verbitsky de La Habana a la Fundación Ford.* 2° Reimp. Buenos Aires, Ediciones del Pórtico. 2003. p. 127.

15 *Ibidem*. pp. 119-120.

[16] Rojas, Guillermo. *30.000 desaparecidos, realidad, mito y dogma*. Buenos Aires, Editorial Santiago Apóstol, 2003, p. 389.

[17] Madres de Plaza de Mayo de Colección. Citado en Rojas, Guillermo. *30.000 desaparecidos, realidad, mito y dogma*. Buenos Aires, Editorial Santiago Apóstol, 2003, p. 302.

[18] "Un fallo que servirá de precedente para otros ex presos políticos. Amplían una indemnización para un hermano del *Che*". *Clarín*, El país, 01 de junio de 2006. http://www.clarin.com/diario/2006/06/01/elpais/p-01701.htm

Capítulo VI

El setentismo como política de Estado

Introducción

Con lenguaje tan emocional como irreal y sin privarse de calificaciones "lombrosianas" para describir a sus enemigos, narra Miguel Bonasso: *"Ese es el punto vulnerable de esta guerra sucia. La ventaja que tienen ellos sobre vos. Su absoluta falta de límites para vencer. Su definitiva renuncia a la condición humana. Compartís el territorio con los horribles. Los ves todos los días. Pasan en los Falcon verdes o celestes, medio cuerpo emergiendo de la ventanilla, la Itaca enarbolada contra cualquiera, desde la impunidad absoluta. Tienen caras siniestras, de auténticos degenerados. Donde no cuesta descubrir los rasgos del asesino, el violador, el tipo que se va a meter una noche en la tibieza de tu intimidad, para arrancar de la cama a tu mujer en camisón, para meterle una 45 en la cabeza a tu nena. Este es el Estado, querido, la alimaña que se esconde detrás de los faldones retóricos de la Patria. La fiera que acecha en el sótano del poder. Con ellos compartís el territorio"*.[1]

No sería importante destacar la ceguera del autor (uno de los exponente más iconográficos del terrorismo de ayer y de las quimeras de hoy) en el estereotipado relato de marras, de no ser por el hecho de que este (por ficticio y maniqueo que resulte) es precisamente (detalles más, detalles menos) el que acata como dogma bíblico el grueso de las nuevas generaciones, hoy **rehenes del libreto setentista.**

Tampoco resultaría tan grave que existan dogmáticas leyendas distorsionadoras, si estas proviniesen de alguna organización, partido político, recolector de votos, puntero de comité, ex terrorista o historietista de coyuntura. Lo alarmante aquí, es que dichas adulteraciones explicativas, cuentan desde su inicio con el constante respaldo legal y estatal, cuyas consecuencias como hemos visto, no se limitan a la sola imposición del engaño.

Durante las últimas dos décadas y media, la Argentina ha padecido cambios de moneda, devaluaciones tremebundas, pesos convertibles, pesos flotantes, estabilidad monetaria, inflación, hiperinflación, modificaciones y manipulaciones constantes de leyes vitales (entre ellas, la mismísima Constitución Nacional), repetidas renuncias de presidentes, programas estatistas, programas privatistas, realineamientos con EE.UU., realineamientos con el "tercermundismo", aplausos al *default*, aplausos al pago anticipado al FMI, inestabilidad constante de la Corte Suprema de Justicia y así, todo un sinfín de sobresaltos, rebotes, zigzagueos, marchas y contramarchas que nos han impedido por completo, mantener aquello que se conoce como "políticas de Estado". Que son las que, mantenidas y sostenidas en el tiempo con coherencia y previsibilidad, trazan los países serios en consecución con objetivos preestablecidos y concretos, los cuales no varían al ser remplazado un gobierno o un partido en la alternancia en el poder.

Nuestro país no ha gozado de tal cosa, sino por el contrario lo único que al parecer ha sido perdurable e inmutable en estos años (además de la rapiña y el saqueo) ha sido precisamente el auxilio estatal de los diferentes gobiernos a la militancia setentista, el cual con diferentes niveles de velocidad e intensidad ha permanecido en el tiempo de manera progresiva y perenne.

Las explicaciones maniqueas de la historia reciente han tenido éxito (entre otras cosas) porque cuando el setentismo empezó con sus primeros embates al comenzar los años 80, por parte de quienes debieron ser sus detractores (salvo aisladas excepciones) hubo una llamativa inacción y falta de lucidez para salir a la palestra con la suficiente energía, a efectos de contestar y refutar todos y cada uno de los embustes de la incipiente mentira oficial. Y la reacción tardía ante la naciente falsedad trae luego secuelas nada fáciles de revertir, pues tal como ya lo había advertido en otro contexto, tiempo y lugar el pensador francés Charles Maurras: *"Un error y una mentira que no nos hemos tomado el trabajo de desenmascarar han ido adquiriendo poco a poco la autoridad de lo verdadero"*. Y en el tema que nos ocupa, la pasividad culpable por no haber incurrido en esta labor "desenmascarativa" de estos artificios, acabaron por adquirir la "autoridad de lo verdadero".

Desde los primeros decretos lanzados por el inconcluso presidente, Raúl Alfonsín, en 1983 y hasta nuestras fechas, la estatización del engaño se ha ido construyendo a través de un monocorde discurso condicionado y auxiliado por una abrumadora proliferación de leyes y normativas dirigidas a confundir las mentes y almas de las nuevas generaciones que no vivieron los episodios. En consecuencia, la artillería legal al servicio de la patraña doctrinal se compone de numerosísimas leyes (provinciales y nacionales) poseedoras de disposiciones que establecen la realización de *"actividades que contribuyan a la información y a la profundización del conocimiento por parte de los educandos, del golpe de Estado perpetrado el 24 de marzo de 1976 y las características del régimen que el mismo impuso. Art. 2: Las actividades referidas [...] se realizarán durante la semana de cada aniversario y tendrán una duración de una hora cátedra"*.[2] En cuanto al falsario filme *La noche de los lá-*

pices (cuyo contenido ha sido desmentido por los propios protagonistas de la película en la vida real)³ la legislación nos impone: *"Institúyase en la provincia de Buenos Aires el 16 de septiembre de 1976 como día de los derechos del estudiante Secundario".*⁴ A efectos de instalar una fecha artificial que brinde arbitrario comienzo a la tragedia acaecida, por ley se nos dice: *"Se declara el 24 de marzo de todos los años como el Día provincial de la Memoria [...]. La fecha que se instituye en el artículo anterior deberá ser expresamente reconocida en el calendario oficial de la provincia de Buenos Aires".*⁵ Además, el Peronismo bonaerense con generosidad y el benevolente ánimo de cultivar a la población (toda una rareza) por ley *"consagra el derecho de todo integrante a conocer la verdad acerca de la desaparición forzada de personas, muerte, sustracción de menores y demás violaciones de derechos humanos ocurridos en relación con los hechos de la represión ilegal desarrollada entre el 24 de marzo de 1976 y el 10 de diciembre de 1983".*⁶

En el ámbito nacional y en cumplimiento del insistente objetivo de construir un día inaugural de la "decadencia argentina", en honor a los terroristas caídos la ley reza: *"Institúyase el 24 de marzo como Día Nacional de la Memoria por la Verdad y la Justicia en conmemoración de quienes resultaron víctimas del proceso iniciado en esa fecha del año 1976",* y para grabarlo a fuego agrega: *"El Ministerio de Educación de la Nación [...] acordará la inclusión en los respectivos calendarios escolares de jornadas alusivas al día nacional".*⁷

En fin, podríamos proseguir citando innumerables normativas de similar contenido e idéntico objetivo, pero no pretendemos aburrir al lector con ellas, sino mostrar un puñado a efecto de poner de manifiesto la intencionalidad de las mismas, las cuales no consisten en promover la "memoria" (sino la desmemoria), ni la "verdad" (sino la falsedad), ni la "justicia" (sino la venganza).

El objetivo pérfido de estas leyes, en puridad, no surge de la letra de las mismas de modo manifiesto. Pues *prima facie*, nada de malo tendría (sino por el contrario) estudiar, discutir y enseñar el pasado reciente. Pero ocurre que la legislación que hemos citado tendiente a "informar y educar" a la sociedad en general y a las nuevas generaciones en particular, constituyen el "continente" doctrinal del engaño. Pero el "contenido" de tal falsificación, lo encontramos precisamente en la mayor parte de los libros de EGB y Polimodal (educación primaria y secundaria) cuyos textos son aprobados por el Ministerio de Educación.

En efecto, en cumplimiento de las leyes antedichas, a los niños y jóvenes se les obliga a estudiar, por ejemplo, que en aquellos años, en lugar de bandas terroristas al servicio del Comunismo, había jóvenes cariñosos y altruistas que luchaban *"por mejorar la educación pública, por terminar con la miseria y las desigualdades sociales, por un sindicalismo honesto y cercano a los problemas de los trabajadores, por condiciones de trabajo dignas, por el aumento del presupuesto de la salud y porque toda la gente pudiera acceder a la cultura. La dictadura militar se ocupó de que esas voces fueran acalladas y de empobrecer y embrutecer aún más al país"*,[8] o que *"durante los años 60 y 70 en la mayoría de los países latinoamericanos comenzaron a surgir movimientos políticos, sindicales y sociales que plantearon una mejor distribución de la riqueza"*.[9]

En cuanto a la respuesta militar (ordenada por el Gobierno constitucional en 1975) ante el accionar homicida de dichas bandas, se enseña que en puridad fue *"un plan de represión a las organizaciones sociales que no compartían el pensamiento de los integrantes del gobierno militar"*[10] y que *"el peso de la represión estatal se hizo sobre toda expresión de protesta a cualquier proyecto de una sociedad alternativa"*.[11] Finalmente, desconociendo por completo principios básicos del derecho, se afirma: *"El resultado de la aplicación de esta metodología por parte de las Fuerzas Armadas y policiales fue un genocidio"*.[12]

Dentro del cúmulo de errores, se alecciona a los alumnos explicando que entre los métodos de tortura aplicados a terroristas detenidos *"las violaciones sexuales fueron los más frecuentes"*[13] y que las mismas tenían por objetivo *"el castigo por pensar diferente"*.[14]

Paralelamente, con desviada pedagogía se instruyen falacias (desmentidas por la propia justicia) tales como que *"los niños que nacieron mientras sus madres estaban detenidas, se transformaron en parte del botín a repartir"*,[15] y con total desconocimiento sobre los principios fundamentales de la economía, se alega que durante aquellos años de asfixiante estatismo *"la pequeña y mediana industria nacional fue la más afectada por estas medidas liberales"*[16] y que el gobierno de facto se propuso *"un disciplinamiento generalizado de la sociedad argentina"* a través de *"dos tipos de violencia sistemática y generalizada: la violencia del Estado y la violencia del mercado"*.[17]

Siempre tratando de imponer una fecha arbitraria para explicar los hechos y virtualmente dando a entender que antes se vivía en un paraíso, se enseña que *"el golpe militar de marzo de 1976 significó el punto de partida de la construcción de un nuevo tipo de Estado: un Estado terrorista"*.[18]

Ignorando por completo la trayectoria y los actuares de diversas personalidades de entonces, se confunde a los alumnos afirmando: *"Los partidos y los dirigentes políticos de orientación conservadora (habitualmente calificados como de derecha) brindaron un apoyo decidido a la dictadura. Entre éstos se encontraron el liberal Álvaro Alsogaray"*.[19] (Alsogaray fue el único político que públicamente se opuso al "golpe".) En sentido contrario, también se yerra al narrar que *"varios personajes importantes de la cultura hicieron fuertes declaraciones públicas de oposición en los medios de difusión, como por ejemplo Ernesto Sábato."*[20] (Quien fue uno de los "golpistas" y defensores del Proceso más conspicuos y entusiastas.) Respecto de las víctimas del "terrorismo de Estado", se enseña ahora que hay que sumar *a los 1500 soldados caídos en las Islas Malvinas"*,[21] duplicando además la cifra real de argentinos abatidos en la justa guerra contra Gran Bretaña. Empero, dentro de esta última tontería, por analogía podríamos decir que los muertos durante las Invasiones Inglesas (1806/07) fueron entonces las primeras víctimas del "terrorismo de Estado".

No tildamos de mentirosas las publicaciones invocadas, sino de equivocadas, el mentiroso es el régimen que condiciona, orienta y aprueba dolosamente dichos lemas.

Los apotegmas estatales se basan en dos aristas: omisiones imprescindibles por un lado, y afirmaciones falsas por el otro. Y la omisión de lo necesario es tan injusta como la afirmación del error.

El setentismo es la única política de Estado, la mentira se ha institucionalizado y estamos asistiendo a la **mentira oficial**.

El llamado a elecciones

Ya antes de comenzar su verborrágica campaña destinada a recolectar los votos de la multitud y alzarse con el poder del Estado (que luego no sabría ejercer ni terminar), el ex abogado del ERP, Raúl Alfonsín, comenzaba a dar signos sensibles y vaticinatorios acerca del rumbo ideológico que adoptaría, ante la posibilidad de ser Presidente. Con desvergüenza imperturbable, ante parlamentarios italianos afirmó que *"la subversión terrorista solo había sido un pretexto para la represión de los militares"*. Argumento mentiroso puesto que al mandatario lenguaraz le constaba perfectamente que haber reprimido el terrorismo no fue un mero "pretexto", sino una alarmante necesidad ordenada por un gobierno civil del que Alfonsín formó parte en calidad de diputado y sin que él ni su partido jamás alzaran la voz en contra ante estas necesarias directivas. Incluso, durante el posterior gobierno cívico-militar nacido en 1976, el ya mencionado romance entre la UCR y el Proceso fue tan efusivo, que hasta el propio presidente Videla manifestó que *"los usufructuarios del Proceso eran los radicales [...] por lógica los radicales eran amigos, y si de algún sector se podía esperar algún revanchismo era de los peronistas. Es más, creo que muchos militares votaron [en 1983] a la UCR porque eran amigos, los amigos que habían estado en las intendencias, etc. [...] Nunca fui antirradical"*.[22]

Lo cierto es que con notables habilidades discursivas, durante su campaña, Raúl Alfonsín fue de a poco despegándose del "procesismo" radical de otrora y ganándose la simpatía de una multitud que (horrorizada por la lista que llevó por entonces el Peronismo) inclinose por el aparente mal menor. En

Jubiloso y en su ambiente, escoltado por el busto del tirano Lenin, Raúl Alfonsín efectuaba su personal saludo proselitista durante su visita por Moscú.

sus rememoradas arengas, Alfonsín acudía a diversos aforismos milagreros tales como *"con la democracia se come"*, *"de la noche a la mañana se abren las fábricas"* y culminaba sus abstracciones orales recitando el Preámbulo de la misma Constitución Nacional (que luego se encargó de destruir en connivencia con Menem con la firma del Pacto de Olivos en 1994).

La fórmula del PJ capitaneada por la dupla Lúder-Bittel no terminaba de convencer al grueso del electorado, ya que estaban muy frescos los recuerdos de la última gestión peronista. Además, eran recurrentes los papelones que por entonces protagonizaba el burlesco Herminio Iglesias (candidato a gobernador de la provincia de Buenos Aires por el PJ). A todo esto, debe sumársele la pésima impresión que causaba en los palcos de los actos proselitistas la protagónica presencia de diversos exponentes de la delincuencia sindical.

Todo este marco favorecería las chances de Alfonsín, quien finalmente ganó con el 51,74% de los guarismos (equivalente a 7.725.173 sufragios) y era la primera vez en la historia que el Peronismo perdía una elección presidencial. Lejos, en tercer lugar, se ubicaba el también izquierdista Partido Intransigente de Oscar Alende. El día de la asunción de Alfonsín, la gente salió a la calle eufórica y los cánticos y consignas mayormente escuchadas apuntaban a fustigar tanto al Peronismo como al Gobierno saliente (el mismo que el año anterior habían ovacionado durante de la guerra de Malvinas). Por entonces, el maestro Bioy Casares en alusión al PJ y la UCR decía: *"Los argentinos alternamos entre el horror y la desesperanza"*.

Subcapítulo I: El gobierno de Alfonsín

A poco de asumir el cargo en diciembre de 1983, Alfonsín aplicó un bombardeo ideológico en todas las esferas posibles, aunque centralizado en la retorcida explicación de la guerra antiterrorista. Esta maniobra se vio auxiliada por el retorno de "artistas" de izquierda que, habiendo emigrado tanto durante el gobierno peronista como durante el gobierno provisional, regresaban como "héroes" o "víctimas" a vociferar el uniforme sermón "comunistoide". Si bien ni un solo cantante o actor murió durante la guerra civil (a pesar de que varios integraron las bandas terroristas), todos repetían el consabido libreto "victimista". Ellos no volvían de Cuba, Nicaragua, URSS o China (países a los que tanto adulaban y admiraban), sino que se habían asentado en países occidentales y capitalistas a efectos de disfrutar de los beneficios de la vituperiada "sociedad de consumo". Además, estos exponentes de la "cultura" se vieron beneficiados por un abrumador apoyo estatal montado al servicio de la revolución cultural (la mayoría absoluta de los medios de comunicación estaba en manos estatales) y, a partir de allí, se sucedió una proliferación de *hits* musicales con pegadizas melodías cuyas letras rezaban frases como *"que nos digan adónde han escondido las flores que aromaron las calles persiguiendo un destino"* (en alusión a los guerrilleros desaparecidos), tal como reza la conocida canción (titulada *Todavía cantamos*) del zurdicantor Víctor Heredia, la cual hizo estragos comerciales en los albores del alfonsinismo, en donde tener un *long play* de un "cantautor de protesta" era muy *chic* y bien visto en muchos ambientes de nuestra mutable clase media.

Tanto Heredia como el futuro menemista Horacio Guaraní, el alfonsinista afrancesado Jairo, el futuro duhaldista Piero o la reacondicionada longeva devenida en *teenager* Nacha Guevara (cuyo apellido artístico fue puesto *ex profeso* para homenajear al guerrillero Ernesto) fueron algunos de los elementos que, cobijados bajo el enorme poncho de la millonaria Mercedes Sosa, promovieron el emocionalismo izquierdozo con más arengas que poesías y con más voluntad que talento. No obstante, el furor comercial no se hizo esperar y muchos de estos exponentes de la "canción popular" se enriquecieron e hicieron luego jugosos contratos con megadiscográficas del más rancio capitalismo transnacional. Mientras tanto, la "gilada" global consumía como pan caliente sus pegadizos y "revolucionarios" estribillos.

Paralalelamente, diversos escritores e ideólogos cumplieron un destacado papel en el sostenimiento doctrinal del régimen, entre ellos Marcos Aguinis (quien más tarde evolucionaría al "lopezmurphysmo") y el futuro menemista Pacho O´Donell. En lugares clave para la educación se colocaron personajes de militancia gramsciana, entre ellos el ex dirigente de la Federación Juvenil Comunista, Juan Carlos Portantiero (asesor cultural del presidente Raúl Alfonsín), así como también todo el conocido "grupo gramsciano" compuesto por *"Beatriz Sarlo, Oscar Terán, Gregorio Klimovsky, Ernesto La-clau, José Nun, Carlos Altamirano, Oscar Landi, Emilio Ipola, etc., que jun-to a otros núcleos de ex exiliados ocuparán y coparán las universidades y el CONICET"*.[23] En la faz educativa se embistió con los prolongados "congre-sos pedagógicos" que se sucedieron entre 1984 y 1988, los cuales sirvieron de antesala para instalar políticas igualitarias y promover el facilismo. Con-cluye Juan José Sebreli: *"En los ochenta, los gramscianos fueron socialde-mócratas teóricos y alfonsinistas prácticos"*.[24]

Con la Iglesia, se mantuvieron relaciones tensas, y el régimen promovió la apología del desorden moral ("boom del destape" y vulgarización de las costumbres), la corrosión de nuestros valores tradicionales y la relativización del concepto tradicional de familia como institución básica del tejido social. Tanto es así que, en septiembre de 1985, los senadores radicales (Velásquez, Nápoli, Berhongaray y Malharro de Torres) presentaron un proyecto de *"edu-cación sexual para niños de entre 6 a 8 años"*, en cuyos fundamentos entre otras cosas se señalaba: *"Sería muy beneficioso que a esos niños se les diera información verídica sobre la inocuidad de la masturbación"*.[25]

A fin de potenciar la ideologización, siempre utilizando como instru-mento la cultura, se llevaron a cabo *"una serie de 'convenios culturales' con diversos países comunistas como la República Argelina (3/12/84), con Nica-ragua (16/2/84), con Cuba (9/8 y 13/11/84), con Rusia (26/1 y 26/7/86) y con Bulgaria (29/7/86)"*.[26] Para poder dimensionar hasta dónde avanzaban en los ámbitos educativos las ideologías prostibularias, basta con mencionar que el mismísimo rector de la UBA, el doctor Oscar Shuberoff (sumamente sospe-chado por irregularidades detectadas durante su prolongada gestión), conce-dió un fotografiado reportaje a la revista "cultural" *Playboy*.

A efectos de quitar todo resabio "represivo", se sancionaron leyes "ga-rantistas" (para júbilo de los delincuentes), entre ellas la Ley 23.070 (de con-mutación de penas), Ley 23.050 (en la que se amplía el régimen de eximición de prisión) y la Ley 23.077 (que disminuyó las penas de numerosos delitos, entre ellos el infanticidio, abuso de armas de fuego y ocupación ilegal de in-muebles). Las consecuencias de estas "democráticas reformas" no tardaron en hacerse notar y, ya en el mismo año 1984, *"los delitos aumentaron de 36.315 a 56.926 de acuerdo con el informe de la Policía Federal"*. En la pro-vincia de Buenos Aires, durante 1983 se denunciaron 51.361 delitos, cifra que fue aumentando hasta triplicarse en 1988, cuando el coeficiente anual as-cendió a 134.832.

En cuanto a la economía, Alfonsín implementó políticas dirigistas basa-das en la indiscriminada emisión de moneda sin respaldo, controles de pre-cios, y el avance del Estado por sobre las iniciativas individuales (en 1985 el 50% de los bienes de producción ya estaba en manos del Estado). La buro-cracia se agigantaba y de ocho secretarías de Estado se pasó a cuarenta y dos, de veinte subsecretarías a noventa y seis, y se nombraron *"más de 280.000 nuevos agentes públicos"*.[27] Primeramente, Alfonsín nombró ministro de Economía al Dr. Bernardo Ginspun; diecinueve meses después y tras sucesivos fracasos, Ginspun sería remplazado por Juan Vitale Sourrille, autor del desastroso Plan Austral que dejó como resultado la hiperinflación más alta de la historia nacional y el récord de desabastecimiento. Al cabo de menos de un mandato, Alfonsín y sus secuaces destruyeron dos signos monetarios: el Peso y el Austral. La Argentina llegó a constituirse, después de México, en el país no comunista con mayor grado de estatismo en el mundo. Las "políticas sociales" de Raúl Alfonsín mostraron sus consecuencias de inmediato, y ya por 1985 se registraron los niveles más bajos de inversión de los últimos quince años.

Ahora que habíamos "recuperado" la democracia "que con tanto esfuerzo supimos conseguir" (tal los eslóganes propagandísticos de la época), era de suponer una imponente producción de debate "liberador y plural" tras tantos años de "represión y censura". Por ende, el Congreso Nacional conformado por "los representantes del pueblo" se convertiría en un entusiasta recinto promotor de ideas dentro del marco "respetuoso y comprensivo" de todos y cada uno de los bloques y legisladores. Pero resulta que bastó sólo el primer año de gestión para que el grueso de la horda parlamentaria pusiera de manifiesto su esencia. Al culminar el año legislativo, para que los legisladores pudieran irse de vacaciones sin mayores demoras, *"en sólo 3 días –viernes, sábado, domingo– el Congreso Nacional sancionó las dos terceras partes de todas las leyes tratadas durante todo el año. En un aluvión impresionante, los senadores llegaron a resolver 99 asuntos –leyes y otras iniciativas– en 40 minutos, en tanto que los diputados consideraron durante su maratónica sesión alrededor de 500 temas mientras la legisladora (Cristina Guzmán) llamaba la atención porque un proyecto en tratamiento ya había sido votado el día anterior".*[28]

En cuanto a la política internacional, la Argentina se alineó con los países "tercermundistas", siempre de la mano del socialista Dante Caputo (a la sazón canciller de la República), quien nos colocó en el pelotón de las naciones más miserables del mundo. Como si durante la gestión de Alfonsín se nadara en la abundancia, entre 1984 y 1985, *"la República Argentina otorgó a Nicaragua y a Cuba préstamos por la suma de 400 y 600 millones de dólares".*[29] Las "relaciones carnales" de Alfonsín con lo más rezagado del tercermundismo eran desembozadas, y el diario *La Nación* del 29 de agosto del 86 titulaba: *"Parlamentarios de Nicaragua con Alfonsín [...] Lo acompañaron en la ocasión dirigentes del Movimiento de Acción Popular Marxista-Leninista, del Frente Sandinista de Liberación Nacional y otros de la misma ideología".*

En marzo de 1987, Caputo votó negativamente en la Comisión de Derechos Humanos de la ONU para formar una comisión que investigue la situación de los derechos humanos en Cuba. Las "relaciones carnales" de Alfonsín con estos países era inversamente proporcional al protagonismo que la Argentina tenía en el primer mundo. Tanto es así que en junio de ese año, cuando Alfonsín viajó a los EE.UU, el entonces presidente Ronald Reagan ni se dio por enterado de su presencia y el secretario de Estado ni siquiera recibió al canciller Dante Caputo. Otro verdadero papelón internacional protagonizado por tan lamentable dúo. Eso sí, cuando Argentina, meses después, víctima del "estado de bienestar" se quedó literalmente sin energía eléctrica, no le fueron a pedir ayuda a Fidel Castro, sino que tuvieron que acudir desesperadamente a un préstamo de modernos equipos electrógenos provenientes de los Estados Unidos. Vale aclarar que en los años noventa, Caputo blanqueó su verdadera ideología desafiliándose de la UCR y pasándose al Partido Socialista. Al ser consultado sobre este cambio de camisetas protagonizado por el ex canciller, el dirigente radical Rodolfo Terragno exhultante expresó: *"Ahora el problema lo tienen ellos"*.

De la mano de Alfonsín, la miseria se desparramó en forma vergonzosa y las "cajas PAN" (el plan asistencialista de la época) se multiplicaban al mismo tiempo que el número de menesterosos. La gestión radical era prácticamente infalible en el error, pero Alfonsín, con la soberbia que lo caracteriza, salió públicamente a la palestra y definió a sus funcionarios de Gabinete como "un equipo de lujo". Ya es consabida la tradición radical consistente en tener dirigentes con notables habilidades discursivas inversamente proporcionales a sus virtudes ejecutivas. Para más datos: en 1986 Alfonsín pronunció ciento treinta discursos (uno cada dos días) y habría concurrido a su despacho menos de la mitad de los días hábiles (2,3 de cada 5 días por semana).[30]

Nos estábamos quedando sin agua, sin teléfonos, sin luz, y en la víspera del siglo XXI, "el Estado de bienestar" imponía a los ciudadanos que la transmisión televisiva comenzara a las 17 h, a efectos de lograr una forzosa merma en el consumo de electricidad. Por televisión se aconsejaba a los ciudadanos que vivían en los "pisos bajos" de los edificios acceder por escalera a efectos de no gastar energía con el ascensor. Poco antes del colapso institucional, en lugar de anticiparse a la hecatombe que se venía encima, Alfonsín se dedicaba a propagar sus delirios fundacionales divagando en conformar un "tercer movimiento histórico" y en promover el "traslado de la Capital Federal a Viedma", y arengaba: *"El traslado de la Capital Federal a su nuevo asentamiento, no constituye un fin en sí mismo, sino que es la piedra basal de la fundación de una nueva república"*.[31] La ciudadanía escuchaba atónita el cúmulo de tonterías verbalizadas por el Primer Mandatario, quien soñando en quedar en el Olimpo de los próceres agregaba: *"Este es un hito importante en la historia de los argentinos. Nuestros nietos nos van a recordar porque aquí también hemos puesto una bisagra en la historia"*.[32]

Esta medida –que no se concretó– trajo funestas consecuencias para muchas familias que, confiando en las promesas de Alfonsín, *"se trasladaron a Viedma en busca de posibilidades que no tenían en su radicación anterior [...] y ahora luego de haber perdido su vivienda original y sus vinculaciones con el medio en que se desenvolvían, se encuentran sumidos en la desesperación [...] incumbe proveer una solución que permita al menos paliar los graves efectos de la situación creada por quien ha sido el gobernante más irresponsable de las últimas décadas"*.[33]

Ante el desconcierto del infructuoso "Plan Austral", el 3 de agosto de 1988, se lanzó el "Plan Primavera", otra "genialidad" del "equipo de lujo" que no era ni más ni menos que una maquillada aventura dirigista que habría de estallar en mil pedazos en febrero de 1989.

Poco antes de culminar la gestión de Alfonsín, en enero de 1989, el ERP –ahora bajo la denominación MTP (Movimiento Todos por la Patria)–, encabezado por Gorriarán Merlo, atacó el regimiento de La Tablada, asesinando once soldados e hiriendo a otros sesenta. Las FF.AA. salieron a la palestra a contrarrestar el accionar de los asesinos y con éxito repelieron el ataque que tenía como finalidad dar un golpe de estado terrorista. Después de pasarse años humillando a las FF.AA. y condecorando terroristas, Alfonsín hacía el ridículo al observar que quienes quisieron derribarlo fueron los guerrilleros y quienes lo defendieron fueron los militares. Al respecto, el diario *La Prensa* publicaba: *"El Presidente había incurrido en el peor error que se puede cometer en la batalla, cual es el de haberse confundido al designar al enemigo, puesto que el Ejército nunca quiso derribarlo y en cambio lo ha defendido de la izquierda, mientras que ésta lo ha atacado con armas de probable procedencia de Cuba o Nicaragua, favorecidas por su política internacional"*.[34] El diputado radical César Jaroslavsky (otro personaje infructuoso de la época) se lamentó del terrible atentado marxista, pero no por el saldo dramático de muertos y mutilados, sino porque *"esta acción terrorista ayuda a los que quieren la reivindicación de las Fuerzas Armadas"*.[35] Entre los miembros del MTP, además de Gorriarán, había personajes como Pablo Díaz (protagonista de La noche de los lápices, presentado como un adolescente "sensible y tierno" en el filme homónimo) y el abogado Jorge Baños (quien además pertenecía al CELS y murió en el atentado).[36] Presidido por el ex terrorista Horacio Verbitsky, el CELS se presenta en sociedad como una inocente ONG defensora de los "derechos humanos". También fue caído en combate el sacerdote criminal Puigjané. El capitán de la banda, Gorriarán Merlo, cuenta que el grupo terrorista MTP se formó en reuniones fundacionales acaecidas en 1986 en Managua, en las que se escribieron los documentos con los objetivos a cumplir y que, en dichas tertulias, participó animosamente el inefable "humanista" Eduardo Luis Duhalde.[37]

Ya promediando 1989, la hiperinflación llegó a su punto culminante. En junio y julio, el costo de vida subió al 114% y al 196%, respectivamente. Las "políticas solidarias" de la socialdemocracia provocaron que *"desde el 10 de diciembre de 1983 hasta la transferencia del poder, el 8 de julio de 1989, la inflación acumulada por el gobierno de Alfonsín fue del 664.801 por ciento, en cifras redondas no registrándose en el mundo entero un proceso semejante en ningún país de la Tierra desde el término de la segunda guerra mundial. En el mismo período la devaluación de la moneda nacional implicó una depreciación de 1.627.429 por ciento, lo que igualmente constituye un récord histórico sin precedentes. Entre el 6 de febrero y el 8 de julio el austral se devaluó un 3.050 por ciento. Al asumir el gobierno actual [presidente Menem] las reservas en poder del banco Central eran inferiores a 100 millones de dólares. La deuda externa ascendía a 67.000 millones de dólares es hoy superior al PBI y prácticamente 10 veces el equivalente de las exportaciones de un año [...] sólo un 31 por ciento de los pobres son de vieja data mientras que el resto (o sea un 69 por ciento) son pobres recientes [...] al asumir Alfonsín el desempleo era del 3,1 por ciento, el último registro disponible antes de la eclosión de la hiperinflación ese índice había trepado al 6,3 por ciento"*.[38] Durante los sesenta y un meses de social democracia, el poder adquisitivo de los salarios bajó entre el 107 y el 121%.[39]

En el epílogo del alfonsinismo, se designó (a modo de "manotazo de ahogados") como ministro de Economía a Juan Carlos Pugliese, hombre de vieja data en el partido y de composición mental inequívocamente radical, puesto que mientras la gente corría desesperada por los desabastecidos mercados a efectos de arrebatarse un paquete de yerba (que en pocos minutos iba a estar más caro), Pugliese con lirismo se quejaba: *"Les hablé con el corazón y me contestaron con el bolsillo"*.

En medio del desconcierto, Alfonsín tuvo que abandonar la Presidencia seis meses antes del vencimiento de su mandato. La soberbia alfonsinista (solo comparada en intensidad a su incapacidad) llegaba a su dramático final.

Días previos a la fuga de Alfonsín, en uno de sus inmortales monólogos, el destacado cómico *Tato* Bores bromeaba en su programa de televisión: *"Los radicales son como los dientes de leche: antes de los seis años se caen solos"*.

Subcapítulo II: El setentismo durante el gobierno de Alfonsín

Teoría de los dos demonios

> *"Blanco preferido del agravado resentimiento de Alfonsín
> fueron las FF.AA. y por eso el radicalismo 'zurdo' mira con be-
> nevolencia, casi con ternura, a los jefes terroristas, quizás con
> remordimiento y envidia por no haberse atrevido a imitarlos,
> quizás contenido por resabio de pequeñoburgués rebelde, pero
> burgués al fin, que siempre ha estado insito en el radicalismo de
> todos los tiempos"*

Hardoy, Emilio J., No he vivido en vano.

Así como muchos montoneros aprovechan los gobiernos peronistas para ocupar cargos públicos, el ERP tuvo su cuarto de hora con el "alfonsinismo", dadas las simpatías ideológicas y los vínculos familiares que tenían con
Alfonsín. Tras enumerar múltiples personajes del Gobierno por entonces vinculados a la guerrilla, desde las páginas de *Cabildo*, el profesor Antonio Ca-
ponetto con preocupación denunciaba y se preguntaba: *"¿Qué significa que
el* Coti *(hermano de la terrorista que secuestró al contraalmirante Aleman y
reivindicador el mismo de los desaparecidos y de su causa) sea ministro del
Interior? ¿Qué significa que a quien participó de ese secuestro como novio
de la joven Nosiglia, Oscar Ciarlotti, se lo sindique como empleado en el Ministerio de Acción Social y qué, quien dirigió ese operativo, Enrique Ferreyra Beltrán haya quedado libre en 1984 y hoy esté en Córdoba, según parece
como ladero de Becerra? ¿Qué significa que el nombre de otro Ferreyra Beltrán (Pablo, hermano del anterior) haya trascendido como el de un secretario del susodicho Becerra, a quien se atribuye, entre otras cosas, ordenar la
libertad del terrorista Tumini? ¿Y que decir de la reciente libertad de Fermín
Angel Nuñez, el asesino del capitán Viola y de su hijita de 3 años? ¿Y cómo
no inquirir por Juan Manuel Murúa, Aníbal Luis Viale, Julio Neder, Marcelo Adrián Ambroggio, el despreciable Invernizzi y un enjambre de nombres
ligados simultáneamente a la subversión y a actuales funciones gubernati-
vas? ¿Qué significa, al fin, que un abogado defensor del más destacado ca-
pitanejo erpista sea el presidente de esta desdichada Argentina?"*.[40]
En cuanto a los inicios de aquello que hoy denominamos "la mentira
oficial", lo primero que hizo Alfonsín en política setentista fue instalar en la
opinión pública lo que se denominó como la "Teoría de los dos demonios".
Esta teoría intentaba demonizar a los dos bandos en pugna (militares y terroristas), tesis sistemáticamente rechazada por la izquierda, que sólo atribuye
dicha demonización en forma exclusiva a las FF.AA., y no a los "jóvenes

idealistas" (tal el eufemismo con que califican a los subversivos de ayer). Sin embargo, compartimos con la izquierda el rechazo de la aplicabilidad de la teoría de marras, pero por motivos bien distintos.

En primer lugar, resulta ridículo colocar en pie de igualdad a las fuerzas legales y a la delincuencia terrorista. En segundo término, va de suyo que ser militar no implica ser un delincuente. Por el contrario, la vocación militar es un servicio hidalgo y noble. El ciudadano que se enrola en las filas del Ejército se pone a disposición entera de la patria y sus semejantes, incurriendo en riesgo grave de perder su vida si es necesario. Por lo tanto, demonizar a una institución conformada por miles de hombres probos que poseen tan valiosa disposición, no deja de ser una canallada. Asimismo, es dable reconocer que lo excelso de la vocación militar no exime de culpa a todo militar que, en ejercicio de sus funciones o no, incurra o haya incurrido en delitos o irregularidades.

Durante la guerra antisubversiva (y como inevitablemente sucede en toda guerra) quizás una pequeñísima minoría de integrantes de las FF.AA. eventualmente cometieron excesos y/o abusos, los que deben ser pasibles del rechazo social y de las penas de rigor (previstas en la Justicia militar, no civil). Mientras en las FF.AA., el exceso y el delito fueron excepcionalísimo, en la delincuencia subversiva por el contrario, el delito fue la norma, pues el delito es inherente a su existencia y la propia esencia y finalidad de toda organización terrorista es intrínsecamente ilegal. No hay terroristas buenos y terroristas malos. Por lo tanto, todo aquel que estaba enrolado en dichas bandas, se constituía *ipso facto* en un delincuente, independientemente del rol, función o jerarquía que haya ocupado en las citadas organizaciones, aunque curiosamente muchos periodistas, actores y funcionarios hoy se ufanen de su pasado juvenil de tinte delictivo.

No obstante ello, en una banda criminal de estas características existen diversos grados de responsabilidad, puesto que no tiene la misma penalidad el que materialmente colocó una bomba para matar a un grupo indeterminado de personas (tal como ocurría a diario), que aquel que pensó y planificó el atentado, ni que el que facilitó una camioneta para efectuar la operación o el que sabía de ella y no la denunció. En la criminalidad incurren todos, aunque con diferente sanción según la participación que hayan tenido en el hecho.

De haber algún "demonio" (etiquetamiento que no resulta apropiado por lo tremebundo de la caricaturización), solo pueden ser calificadas de tal modo las organizaciones terroristas, cuya ilegalidad es inherente. Ni siquiera puede esgrimirse el argumento tramposo de que eran "idealistas que resistían a la dictadura", porque como sabemos, el grueso de sus crímenes se efectuaron en el período democrático que imperó de mayo de 1973 a marzo de 1976. De las FF.AA, cuyas funciones y naturaleza institucional es obviamente legal, sólo cabe imputar en forma individual a todo aquel que probablemente haya incumplido la ley.

Pero la "Teoría de los dos demonios" tenía otra finalidad menos tangible (pero sumamente importante) que consistía en el intento de deslindar de responsabilidad, culpa y cargo a toda la partidocracia y a innumerables personajes e instituciones de la vida civil, colocándolos como meros "espectadores" equidistantes de lo acaecido. Esta era la argucia de trasfondo que subyacía cuando se promovió e instaló esta penosa teoría en la opinión pública.

El objetivo de esta enrevesada interpretación era liberar a la clase política de cualquier responsabilidad por los casi mil desaparecidos en democracia, los casi 500 crímenes del terrorismo peronista dirigidos desde el Ministerio de Bienestar Social (AAA), los casi 2.000 terroristas amnistiados, de haber abandonado el poder del Estado para dar paso voluntario e instigador a que las FF.AA. encabecen la conducción del país (colaborando con ellas y ocupando miles de cargos) y de haber sido los verdaderos creadores y progenitores del *modus operandi* para combatir a las bandas terroristas a través de la figura del "desaparecido".

En extrema síntesis, la mentada "Teoría de los dos demonios" sería un mero puntapié inicial que contaba con dos objetivos de plazo inmediato:

1) Poner a las FF.AA. en el mismo lugar que las bandas terroristas.

2) Deslindar de culpa, cargo y responsabilidades a la clase política.

Una vez instalada esta trampa, el paso subsiguiente sería comenzar a demonizar sólo a las FF.AA. e ir poco a poco quitando responsabilidades a los terroristas y posteriormente glorificarlos. Tanto es así que ya durante la misma gestión de Alfonsín, la terminología utilizada iría mutando progresivamente. Se habló primero de "terroristas contra las FF.AA.", luego de "jóvenes subversivos contra las fuerzas represivas" y finalmente de "jóvenes idealistas oprimidos por el terrorismo de Estado".

Hacia la "Teoría de un solo demonio". La creación de la CONADEP

A efectos de comenzar a construir la mentira oficial y preparar un sainete vengativo con juicios a los militares que gobernaron el país (junto a los radicales), el 15 de diciembre de 1983 –a tan solo días de asumir–, Alfonsín emitió el Decreto 187/83 con el que se creó la CONADEP, cuya finalidad sería investigar los hechos sucedidos durante la guerra civil.

La comisión estaba integrada por diez personas designadas en el decreto y otras seis nombradas por el Congreso Nacional. Por el carácter y la función que este organismo debía desempeñar, era de esperar que la comisión fuera integrada por personalidades notables, neutrales, de espíritu humanista y desprovistas de ideologías. Sin embargo, la CONADEP fue presidida por Ernesto Sábato, quien había estado afiliado al Partido Comunista (partido que en ejercicio del poder asesinó a más de cien millones de personas en solo siete décadas en todo el mundo). Vale decir: en una guerra en la que de un lado estaban las FF.AA. y del otro el Comunismo armado, el presidente de esta comisión "imparcial" había estado enrolado en las filas ideológicas del segundo bando.

Si bien es cierto que Sábato es un izquierdista de fuste, también sabemos que como militante nunca ha tenido muchos escrúpulos pues, durante el gobierno cívico-militar, disfrutó de un distendido almuerzo con el entonces presidente de la República, Jorge Rafael Videla, en mayo de 1976. Al salir del afable banquete, la prensa le preguntó a Sábato cual era su impresión sobre Videla y contestó: *"El Grl. Videla me dio una excelente impresión. Se trata de un hombre culto, modesto e inteligente. Me impresionó la amplitud de criterio y la cultura del Presidente. Hablamos de la cultura en general, de temas espirituales, culturales, históricos [...] hubo un altísimo grado de comprensión y respeto mutuo, y en ningún momento incurrimos en el pecado de caer en banalidades; cada uno de nosotros vertió sin vacilaciones su concepción personal de los temas abordados"*.[41] Lo que no aclaró a la prensa el por entonces "videlista" Sábato, es que dentro del cordial almuerzo le sugirió al general Videla que *"el país necesitaba un baño de sangre para purificarse. El presidente Videla, pese a estar en plena represión, le aclaró que los militares no estaban para hacer la guerra sino para evitarla y no para derramar sangre sino para intentar contenerla"*.[42]

Dos años después, en 1978, Sábato ratificó su opinión "pro Proceso" diciendo a la revista alemana *GEO*: *"La inmensa mayoría de los argentinos rogaba casi por favor que las Fuerzas Armadas tomaran el poder. Todos nosotros deseábamos que se terminara ese vergonzoso gobierno de mafiosos. Desgraciadamente ocurrió que el desorden general, el crimen y el desastre eran tan grandes que los nuevos mandatarios no alcanzaban ya a superarlos con los medios de un estado de derecho [...] los extremistas de izquierda habían llevado a cabo los más infames secuestros y los crímenes monstruosos más repugnantes"* y haciendo un balance de la gestión en curso de Videla, remató: *"Sin duda alguna, en los últimos meses, muchas cosas han mejorado en nuestro país; las bandas terroristas han sido puestas en gran parte bajo control. La democracia tiene que aprender su lección de la historia y debe saber que con los viejos métodos liberales heredados de tiempos menos problemáticos, no se pueden dominar los delirios del presente"*.

Pero el servilismo de Ernesto no se limitó al abierto elogio para con los llamados "genocidas del Proceso", sino que su pasión por adular "golpes de estado" viene de larga data. En efecto, ya en los años de la "Revolución Libertadora" de 1955, el perseverante golpista explayó: *"En toda revolución hay vencidos. En esta los vencidos son la tiranía, la corrupción, la degradación del hombre, el servilismo. Son vencidos los delincuentes, los demago-*

gos, los torturadores. Personalmente creo que los torturadores deberían ser sometidos a la pena de muerte".[43] Seguidamente, su militancia "golpista" tiene lugar en la "Revolución Argentina", llevada adelante por el Grl. Juan Carlos Onganía contra el presidente radical Arturo Illia en 1966, en donde Sábato apoyó el "golpe" y manifestó desprecio por la democracia: *"Llegó el momento de barrer con prejuicios y valores apócrifos, que no responden a la realidad. Debemos tener el coraje para comprender [y decir] que han acabado, que se habían acabado instituciones en las que nadie creía seriamente. ¿Vos crees en la Cámara de Diputados? ¿Conocés a mucha gente que crea en esa clase de farsas? Por eso la gente común de la calle ha sentido un profundo sentimiento de liberación. Se trata de que estamos hartos de mistificaciones, hartos de politiquería de comité, combinaciones astutas para ganar tal o cual elección. Ojalá la serenidad, la discreción, la fuerza sin alardes, la firmeza sin prepotencia que ha manifestado Onganía en sus primeros actos sea lo que prevalezca y que podamos al fin levantar una gran Nación, sin hipócrita acatamiento a viejos mitos políticos. Como se comprende, es mucho más lindo y viste más hablar de democracia vulnerada y otras falacias del mismo calibre. Yo prefiero equivocarme haciendo o intentando hacer algo más grande, que ser una persona correcta y honorable, contribuyendo a que nos hundamos todos en la podredumbre".*[44]

Pero volviendo al Proceso, todos sabemos quiénes son los primeros en huir cuando el barco se hunde. Sábato, tras haber almorzado y elogiado a Videla, respaldado el Mundial 78, y apoyado la guerra de Malvinas en 1982, luego del llamado a elecciones efectuado por el presidente Reynaldo Bignone previsto para octubre de 1983, el 27 de mayo (cinco meses antes de las elecciones) se despegaba del Gobierno y con admirable facilidad para el "zigzag" afirmaba: *"Toda dictadura implica la violación de esos derechos sagrados. Cualquiera sean los fines invocados, no hay persecuciones benéficas y persecuciones perversas: todas las persecuciones son innobles. No queda más camino que el de la democracia".*[45] Voces autorizadas cuentan que más adelante en el tiempo, el pediatra multimediático Eduardo Lorenzo Borocotó se inspiró en Sábato para llevar adelante su militancia política.

En su rol de presidente de la CONADEP alfonsinista, Sábato se vio acompañado por personajes también de nula imparcialidad, como la polémica dirigente "frepasista", Graciela Fernández Meijide, comprometida ideológicamente con la izquierda y familiarmente con la guerrilla, puesto que tuvo la desgracia de perder un hijo durante la guerra desatada por su vástago en calidad de montonero. Cuenta el guerrillero Miguel Angel Lico (uno de los pocos que conservan lealtad y reivindicación a su Jefe Mario Firmenich), que él conoció perfectamente bien a Pablo Fernández Meijide cuando militaban en la UES, y agrega: *"Fue uno de los mejores cuadros que Montoneros tuvo en este país. Te hablo de tipos que tenían mi edad y parecía que tenían 30 años por su formación y capacidad. Pablo era montonero, aunque la señora Fernández Meijide reniega permanentemente del origen de su hijo. Lo peor que puede hacer un padre es anular su memoria".*[46]

Otra integrante de la CONADEP fue la conductora televisiva Magdalena Ruiz Guiñazú (progresista-caviar proveniente de una familia "paqueta" e hija de un relevante dirigente nacional-socialista). En este punto, cabe mencionar la notable capacidad de adaptación de Magdalena a las diferentes coyunturas, puesto que trabajó en carácter de periodista en canales estatales durante todo el Proceso (que hoy tanto abomina), sin cuestionar una sola coma a las presuntas "violaciones a los derechos humanos" de las que hoy tanto presume preocuparse. Asimismo, cabe destacar que no tuvo en ese lapso un rol menor, sino que fue nada más y nada menos que vicegerenta del Departamento de Noticias de Canal 11. Fue recién en julio de 1980 (más de cuatro años de gestión de Videla) cuando Magdalena Ruiz Guiñazú junto con otra exponente de la prensa complaciente de entonces, Mónica Cahen D'anvers (quien durante los años del "exterminio a los jóvenes idealistas" conducía en Canal 13 el ciclo "Mónica Presenta", el noticiero de mayor índice de audiencia del país),[47] se reunió con el general Harguindeguy, a la sazón ministro del Interior, para hacerle reclamos (no por el supuesto "genocidio"), sino "por la censura que deben soportar los programas de radio y televisión".[48]

¿Y en qué consistía la "censura"? Pues durante el lapso en el que los "derechos humanos" eran presuntamente conculcados, a Magdalena parecían importarle poco ya que, si bien trabajó ganando jugosos honorarios durante el gobierno de facto, la tardía abanderada de los derechos humanos se encargó de dar a conocer su rol de "víctima del genocidio" afirmando que durante aquellos años *"poco a poco fueron sacándome las notas importantes o políticas y dejándome solo la lotería o los accidentes".*[49] En efecto, tal como lo confiesa Magdalena, parece que su problema con el Proceso obedecía a una mera cuestión "vedetística" al opacarse su protagonismo y su cartel en la pantalla televisiva.

Ruiz Guiñazú es periodista y todo periodista, por profesión y función social, maneja información; puesto que Magdalena no formuló jamás absolutamente ninguna denuncia sobre presuntas violaciones a los derechos humanos cometidas durante el llamado "genocidio", caben dos hipótesis posibles: o bien Magdalena era una inútil en su profesión que no sabía nada de nada de la realidad o por el contrario, sabía mucho pero por acción u omisión era colaboracionista con el Proceso. Saque conclusiones el lector.

Como si estos exponentes no bastasen como para desprestigiar (tanto por ideologías como por hipocresía manifiesta) al *staff* de la CONADEP, se mencionó también a un extranjero, el rabino Marshall Meyer de EE.UU. (quien asombrosamente fuera condecorado por el Gobierno de Alfonsín con la "Orden del Libertador") a pesar de que con anterioridad había sido expulsado de su comunidad religiosa entre otros cargos, por corrupción de menores. En efecto, Marshall Meyer fue enjuiciado por el periódico *La Voz Judía* –N° 21, noviembre de 1983– siendo "desautorizado moral y públicamente a ejercer el ministerio rabínico por su conducta amoral".

El 15 de octubre de 1971 en causa N° 26.176 instruida en el Juzgado en lo Correccional letra I de la Capital Federal, se dicta sentencia (posteriormente confirmada por la Excma. Cámara del mismo Fuero, el 11 de agosto de 1972) donde en su parte resolutiva el magistrado expresa: *"Aunque cueste creerlo –por su investidura, su cultura públicamente reconocida, su labor religiosa y educacional– el rabino M. Meyer ha sido eje de este lamentable proceso. Con su obrar ha mancillado los honores de su cargo religioso. Llegó a tal punto que hizo conmover la escala de valores de algún joven [...]. Este proceso se debe a que M. Meyer había promovido la corrupción de menores de edad, ya sea proponiendo requerimientos sexuales, especialmente durante un campamento juvenil realizado en enero y febrero de 1969 en Río Ceballos (Córdoba). El fallo judicial motivó la intervención del Consejo Rabínico, quién con la firma del gran rabino Dr. David Kahana, aconsejó la separación de Meyer del medio donde actuaba"*.[50] Meyer también fue expulsado *"por un tribunal plenario, integrado por los presidentes de: DAIA (Delegación de Asociaciones Israelitas Argentinas), AMIA (asociación Mutual Israelita Argentina) y OSA (Organización Sionista Argentina) por 'corrupción moral de sus alumnos y homosexual'"*.[51]

¿Y quien fue el "cráneo" que influyó en la selección del no muy destacado *staff* de la CONADEP? Precisamente, el inefable marxista Carlos Nino, quien reconoció: *"Yo jugué un rol activo en la definición de los miembros de la CONADEP. Yo trabajaba con José Ignacio López, un periodista católico que fue el vocero de Alfonsín en la formación de la CONADEP"*. Además de los personajes antedichos, la comisión fue integrada por: *"Gregorio Klimovsky, un marxista epistemólogo de profesión [...]. Hilario Fernández Long, ex rector de la UBA, que tenía un hijo desaparecido* [lo que también constituía un condicionamiento a su parcialidad]; *los juristas Ricardo Colombres, propuesto por el presidente de la Corte Genaro Carrió y Enrique Rabossi, miembro del grupo de filósofos que asesoraban a Alfonsín. La componían también el pastor protestante Enrique Gattinoni, del Movimiento Ecuménico por los Derechos del Hombre y el Obispo de Neuquén Jaime de Nevares (pro marxista)"*.[52] Este último, además, había trabado amistad con el sacerdote criminal Puigjané.

Vale aclarar que no todos los miembros de la CONADEP eran personajes poco confiables, pues también la integró el eximio médico-cirujano Dr. René Favaloro, hombre íntegro y desideologizado, quien a poco de andar no vaciló en renunciar alegando que la comisión padecía "falta de ética y de objetividad".

El libro *Nunca más*

El trabajo de la CONADEP se plasmó con la edición del *best seller* (pagado por los contribuyentes) titulado *Nunca más*, con el que se explicó la "versión oficial" de los hechos ocurridos durante la guerra civil. Desde entonces, el libro de marras (más nombrado que efectivamente leído) es abrazado a modo de dogma infalible y el eslogan "Nunca más" es insistentemente repetido en cuanto acto o arenga televisiva se refiera al tema. Si bien ya nos hemos referido *in extenso* al anexo –en exceso ridículo– del libro *Nunca más*, vale la pena destacar algunos pasajes del texto principal.

El mentado libro comienza con unas líneas en las que se lamenta que las Fuerzas Armadas no hayan actuado en igual forma en que se desempeñaron en Italia o Alemania contra el terrorismo, lo cual es un parangón improcedente. Ni las Brigadas Rojas italianas ni el terrorismo alemán contaban con más de un puñado de decenas de miembros; tampoco tenían la capacidad operativa como para atacar guarniciones militares o tomar localidades o provincias como en nuestro caso. Basta con mencionar que "*la banda alemana llamada Baader-Meinhof nunca contó con más de medio centenar de combatientes*" y las "*Brigadas Rojas apenas si alcanzaba a las trescientas personas*".[53] Además, en esta extravagante comparación se omite, por ejemplo, que cuando en Italia las Brigadas Rojas asesinaron a Aldo Moro, de inmediato el Parlamento modificó las leyes punitivas. Se derogaron las medidas del Código Penal que fueran introducidas de favor en 1972 y sobrevino una ley penal de emergencia a la vez que en el Código de Procedimientos Penal se aplicaron cambios bajo la dirección de los jueces, que fueron quienes marcaron la política criminológica que se presentaba como más eficaz para combatir al terrorismo introduciendo, entre otras reformas, normas que aliviaban la situación de terroristas arrepentidos. Absolutamente todo lo contrario fue lo que ocurrió aquí, dado que como ya explicamos, el Peronismo provocó un furibundo desmantelamiento jurídico y un estado total de indefensión legal, material y político (caritativa amnistía mediante).

Uno de los propósitos que se intentaron plasmar en el libro en cuestión, fue precisamente el de exculpar (además de a los terroristas) a la dirigencia política por los asesinatos de la AAA y por las casi mil desapariciones acaecidas antes del cambio de mando en 1976. Para tal fin, el libro incurre en minimizaciones o justificaciones absurdas tales como afirmar que los episodios anteriores al "golpe" formaron parte "de un ensayo llevado adelante en el Operativo Independencia en Tucumán", o que eran "algunos antecedentes previos al golpe de estado del 24 de marzo de 1976" o una mera "prueba piloto", tales los insólitos conceptos afirmados por los asalariados de Alfonsín para proteger a la partidocracia.

"Poniendo huevos en todas las canastas". A la izquierda, Sábato (junto a otras personalidades) al momento de despedirse del presidente Videla tras haber compartido afectuoso y cálido almuerzo en donde el escritor le pidió a Videla que efectuara "un baño de sangre". A la derecha, Sábato le entrega a Alfonsín el informe de la CONADEP para enjuiciar a Videla.

Otro despropósito en el que incurre el *Nunca más* es el de intentar demostrar la existencia de una metodología diabólica digitada desde los altos mandos de las FF.AA. Este último objetivo, además de no ser logrado, es un desborde de sus propias funciones, ya que el mismo decreto que creó la CONADEP dice: *"La Comisión no podrá emitir juicio sobre hechos y circunstancias que constituyen materia exclusiva del Poder Judicial".* Pero quizás la más grave injusticia en que incurre el informe es analizar los hechos a partir del 24 de marzo de 1976, cuando va de suyo que el informe debió haberse extendido muchísimo tiempo atrás.

En cuanto al humor de la sociedad de la época (que apoyó el "golpe" y vivió mucho más distendida y segura que durante el desgobierno peronista), la pluma de Sábato vuelve a mentir en el *Nunca más* afirmando: *"En cuanto a la sociedad, iba arraigándose la idea de la desprotección, el oscuro temor de que cualquiera, por inocente que fuese, pudiese caer en aquella infinita caza de brujas".* En rigor de verdad, el apoyo del hombre común era total, aunque no todos los ciudadanos podían darse el lujo de almorzar con Videla y solicitarle un *"baño de sangre"*, prerrogativa que sí tenía (y de la cual hizo uso) Sábato por entonces.

Con lenguaje no exento de recursos impresionables o sensibleros, el libro da por sentado que las "víctimas" eran todas inocentes y en el prólogo, el ex golpista Sábato dispara: *"Todo era posible: desde gente que propiciaba una revolución social hasta adolescentes sensibles que iban a villas miseria para ayudar a sus moradores. Todos caían en la redada: dirigentes sindicales que luchaban por una simple mejora de salario, muchachos que habían sido miembros de un centro estudiantil, periodistas que no eran adictos a la dictadura, psicólogos y sociólogos por pertenecer a profesiones sospecho-*

sas, jóvenes pacifistas, monjas y sacerdotes que habían llevado la enseñan-
za de Cristo a barriadas miserables. Y amigos de cualquiera de ellos, y ami-
gos de esos amigos, todos, en su mayoría, inocentes de terrorismo, o siquie-
ra de pertenecer a los cuadros combatientes de la guerrilla" y glorificando a
los terroristas agrega: *"Porque estos presentaban batalla y morían en el en-*
frentamiento o se suicidaban antes de entregarse, y pocos llegaban vivos a
manos de los represores".

En primer término, vale aclarar que los miembros de la CONADEP
(conforme lo especifica el decreto que la creó) no tenían por función averi-
guar la culpabilidad o inocencia de los caídos, sino indagar por las aparentes
violaciones a los derechos humanos cometidas durante la guerra contra el terrorismo. En segundo lugar, la inocencia o culpabilidad de los caídos era una
situación de hecho que la CONADEP nunca investigó (ni le correspondía),
por lo tanto la ignoraba total y absolutamente. ¿Con qué elementos de juicio
emiten tamaña afirmación entonces? Con ninguno. ¿No hubiese sido más
propio de una comisión neutral mantenerse equidistante de estas valoraciones
infundadas? Téngase en cuenta que la CONADEP sólo recogió datos de familiares y amigos de los desaparecidos y en estos parcializados relatos basó
la totalidad de su obra. Asimismo, el fragmento del prólogo transcripto más
arriba que manifiesta que los desaparecidos eran cándidos jovenzuelos, se
contradice con lo afirmado por el propio Sábato, el 18 de febrero de 1981, al
diario *El País* de Madrid: *"Qué duda cabe: el terrorismo (argentino) come-*
tió crímenes abominables, incluyendo los perpetrados por la Triple A, que ja-
más fueron castigados. De los miles de desaparecidos, muchos fueron culpa-
bles de viles atentados".[54]

Los "juicios" alfonsinistas

¿Cuál fue el objetivo del trabajo de la CONADEP? Todo indica que
obrar de antesala de un fallo condenatorio a los jefes de las FF.AA. en el pendiente juicio que ya estaba decretado y virtualmente sentenciado en forma inconstitucional por el Poder Ejecutivo Nacional.

En efecto, dos días antes de dictar el decreto que ordenó crearla, Alfonsín emitió otro (el 158/83) que puso en marcha ante la Justicia civil el Proceso (cuando debió aplicarse la Justicia militar) contra la junta de comandantes
por los hechos ocurridos durante la guerra revolucionaria. Pese a que el *Nunca más*, jurídicamente, no prueba absolutamente nada fue la base sobre la que
se fundamentó la parodia del juicio que terminaría con la condena (decreta-
da virtualmente por el PEN) de cinco ex comandantes de las FF.AA.

El ya citado Decreto 158/83, en flagrante violación a los más elementales principios jurídicos de Occidente, no dispone que se investigue la presun-

ta comisión de delitos, sino que directamente supone su existencia, asumiendo Alfonsín facultades judiciales inadmisibles. En efecto, la normativa dice taxativamente en sus considerandos: *"Que la Junta Militar usurpó el gobierno de la Nación el 24 de marzo de 1976"*. A esta afirmación le faltó agregar que la "usurpación" se efectuó conjuntamente con la UCR a la cabeza, el resto de los partidos y el respaldo de todos los sectores sociales. Seguidamente, el decreto agrega: *"Los mandos orgánicos de las fuerzas armadas que se encontraban en funciones a esa fecha concibieron e instrumentaron un plan de operaciones contra la actividad subversiva y terrorista, basado en métodos y procedimientos manifiestamente ilegales"*. Si fue legal o no, es materia que debe definir la Justicia y no Alfonsín en su decreto inconstitucional. Además cabe preguntarse si antes del citado 24 de marzo se respetó la legalidad. Si no es así, ¿por qué los delitos cometidos con anterioridad han sido exculpados? Luego, el decreto incurre en la malicia de no decir que quienes *"concibieron e instrumentaron un plan de operaciones contra la actividad subversiva y terrorista"* no fueron las FF.AA. sino el régimen peronista (consentido por la UCR) entre 1974 y 1975.

Siguiendo con esta flagrante afrenta a la verdad histórica y a la Constitución Nacional, Alfonsín (siempre usurpando facultades judiciales) decretó que *"entre los años 1976 y 1979 aproximadamente, miles de personas fueron privadas ilegalmente de su libertad, torturadas y muertas"*. Cabe agregar que además de entrometerse en sentencias que sólo puede dictaminar la Justicia, como vemos, Alfonsín prosigue (a través del decreto) la mentira diciendo que dicha acción nace en marzo 1976, a efectos de salvar el pellejo a sus colegas de la partidocracia.

Luego, esta argucia político-ideológica disfrazada de decreto "humanista" persiste juzgando ilegalmente al sentenciar que *"en el curso de las operaciones desarrolladas por el personal militar y de las fuerzas de seguridad se cometieron atentados contra la propiedad de las víctimas, contra su dignidad y libertad sexual y contra el derecho de los padres de mantener consigo a sus hijos menores"*. Y con respecto a la legislación dictaminada durante el Gobierno provisional para combatir al terrorismo, el decreto afirma: *"Son insanablemente nulas las normas de facto"*. O sea, Alfonsín deshecha la normativa antiterrorista por provenir de un gobierno de facto (siempre integrado por numerosos radicales), aunque sin embargo, durante su gestión se valió absolutamente de toda la legislación emitida durante los casi ocho años de gobierno provisional y solo descartó en el decreto en cuestión aquella que contemplaba operaciones antiterroristas, argumentando su invalidez por su origen. Esta fundamentación resulta indefendible, ya que por ejemplo, hasta el artículo 14 bis de la Constitución Nacional es de facto (colocado en 1957 por la Revolución Libertadora), y a nadie se le ocurriría derogarlo (mucho menos Alfonsín, dado el contenido populista de esa cláusula). Con esto queremos decir que Alfonsín, de la legislación de facto solo le quitó validez a la antiterrorista y no al resto; por ende, su argumentación no peca por absurda, sino por abiertamente maliciosa.

Pero el cúmulo de irregularidades no cesaba allí y entre los dislates más famosos, el decreto determinó: "*Que para el enjuiciamiento de esos delitos es aconsejable adoptar el procedimiento de juicio sumario en tiempo de paz*", lo cual es una felonía, puesto que en todo caso, la legislación aplicable es la prevista para tiempos de guerra, ya que incluso al mismo tribunal no le quedó más remedio que sentenciar: "*Cabe determinar que sí hubo una guerra*"; de modo que la legislación en tiempos de paz es ilegal e inaplicable al caso de marras. Esta disquisición resulta clave, puesto que en lugar de juzgar los hechos a la luz de los procedimientos y formas previstos para tiempos de guerra (es decir, bajo la contemplación de los códigos de Justicia militar) se aplicó la normativa destinada a regir en tiempos de paz (la Justicia civil) y a modo de ejemplo, tengamos en cuenta que el hecho de "tomar un prisionero de guerra" (perfectamente consentido en la Justicia militar) es tipificado en la civil como "privación ilegítima de la libertad".

Seguidamente, se incurrió en otro atentado inconstitucional al aplicar leyes *ex post facto* (después del hecho del proceso) ya que el decreto reza: "*Se prevé enviar inmediatamente al Congreso un proyecto de ley agregando al procedimiento militar un recurso de apelación amplio ante la justicia civil*" y, tal como se desprende de este, se ordenó expresamente qué es lo que debía disciplinadamente legislar el Congreso posteriormente. Siendo que los poderes son independientes, el Ejecutivo no puede decretar ni dictaminar, ni siquiera insinuar qué es lo que se debe o no hacer en el Parlamento. Obviamente, el obediente Congreso legisló de inmediato y sancionó las leyes 23.040 y 23.049, lo que una vez más pone de manifiesto el espíritu de teatralización en cierne, conformada por arreglos previos entre los poderes que conformaron un verdadero contubernio habilidosamente disfrazado de "ceremonia cívica". Estas leyes, en evidente afrenta a la Constitución Nacional, se aplicaron *ex post facto*, violando el artículo 18 de nuestra Carta Magna, que reza: "*Ningún habitante puede ser penado sin juicio previo fundado en ley anterior al hecho del proceso*".

Luego de los considerandos de contenido ilegal que acabamos de ver, pasemos a recordar que Alfonsín inconstitucionalmente decretó: "*Art.1: Sométase a juicio sumario ante el Consejo Supremo de las Fuerzas Armadas a los integrantes de la Junta Militar que usurpó el gobierno de la Nación el 24 de marzo de 1976 y a los integrantes de las dos juntas militares subsiguientes*". El Presidente jamás puede ordenar que se someta a juicio a ningún ciudadano, pues ello es facultad exclusiva del Poder Judicial; así el artículo vuelve a poner de manifiesto la intromisión del Poder Ejecutivo, no sólo en asuntos del Poder Judicial, sino también del Legislativo al que seguidamente le ordenara en el

Art.3: *"La sentencia del tribunal militar será apelable ante la Cámara Federal en los términos de las modificaciones al Código de Justicia Militar una vez sancionadas por el H. Congreso de la Nación el proyecto remitido en el día de la fecha".* ¿Y cómo sabe Alfonsín si el Legislativo lo va aprobar o no? ¿No es acaso el Legislativo un poder separado e independiente del Ejecutivo? ¿Cómo sabe Alfonsín cuáles serán los alcances de la eventual votación parlamentaria? En efecto, todo estaba inconstitucionalmente planeado y calculado.

Seguidamente y a efectos de hacerse pasar por "neutral", el Presidente desertor emitió otro decreto (157/83) en el que incluía en acusaciones similares a siete dirigentes de la subversión: Mario Eduardo Firmenich, Fernando Vaca Narvaja, Ricardo Armando Obregón Cano, Rodolfo Gabriel Galimberti, Roberto Cirilo Perdía, Héctor Pedro Pardo y Enrique Gorriarán Merlo. Curiosamente todos ellos se encontraban viviendo fuera del país y con nulas posibilidades de ser detenidos (de un lado se acusaba a miles de militares y por el otro a siete terroristas).

En los considerandos mismos de este último decreto se advierte la absoluta parcialidad ideológica y la manipulación de la historia, ya que allí se emiten declaraciones respecto a los terroristas (que atentaron contra la democracia tal como ya lo hemos visto y comprobado) totalmente condescendientes y hasta por momentos de cierta justificación al pronunciar que *"la actividad de esas personas y sus seguidores, reclutados muchas veces entre una juventud ávida de justicia y carente de la vivencia de los medios que el sistema democrático brinda para lograrla"* (esta afirmación es falsa, puesto que el terrorismo es anterior al gobierno de facto de 1976). Luego, al referirse al estado de violencia que se vivía, afirma *"que la instauración de un estado de cosas como el descripto derivó asimismo, en la obstrucción de la acción gubernativa de las autoridades democráticamente elegidas, y sirvió de pretexto para la alteración del orden constitucional por un sector de las Fuerzas Armadas que, aliado con representantes de grupos de poder económico y financiero usurpó el gobierno".* (Faltó agregar que entre los "aliados" de los "usurpadores" se destacaba el partido de Raúl Alfonsín.)

El decreto mendaz, seguidamente, dice (sin pruebas ni sentencia) que el actuar represivo del gobierno de facto no se limitó al combate antiterrorista sino que se extendió *"a sectores de la población ajenos a aquella actividad"* y con descaro infrecuente arremete alegando que dicha represión a los terroristas *"vino a funcionar como obstáculo para el enjuiciamiento, dentro de los marcos legales"* y que la situación *"no dejó margen para la investigación de los hechos delictivos con arreglo a la ley".*

Resulta sumamente curioso que Alfonsín se queje de que los terroristas no tenían "marcos legales" para su defensa, puesto que cuando los hubo (entre 1971 y 1973), él mismo, en su calidad de abogado defensor de terroristas del ERP que secuestraron y asesinaron a Oberdan Sallustro (causa 305) presentaba en sus escritos argumentos para la defensa que se basaban en *"cuestionamiento de la competencia de la Cámara Federal en lo Penal de la Nación, destinada exclusivamente a la represión de los delitos políticos del régimen de turno"*, aclarándose que este, *"es el pensamiento común de los defensores sobre el particular"*[55] (Fs.124). Nótese que por entonces Alfonsín cuestionó su legitimidad y luego dijo que la guerrilla debía combatirse dentro de un "marco jurídico"; y como vemos, cuando hubo tal "marco", lo deslegitimó y combatió. Además, vale recordar que la dificultad señalada consistente en "no dejar margen para la investigación de los hechos delictivos con arreglo a la ley" es culpa de dirigentes políticos irresponsables como Alfonsín y sus amigos de la UCR, que derogaron la ley represiva, anularon la Cámara Federal Penal y amnistiaron a los terroristas procesados o condenados conforme a derecho en 1973.

Cabe destacar que esta acción política dirigida al revanchismo, violentando y desatendiendo la mismísima Constitución Nacional, no se constituyó en un mero descuido "leguleyo", sino que obedecía a una calculada estrategia ilegal inspirada por Alfonsín y su principal asesor en la materia, el pensador gramsciano Carlos Salvador Nino, quien sostenía antijurídicamente: *"Alguna forma de justicia retroactiva por violaciones masivas a los derechos humanos brinda un sustento más sólido a los valores democráticos"*.[56] Lo que equivale a decir que a efectos de brindar sustento a la sacrosanta democracia, a la vigencia de los derechos humanos y a los principios constitucionales, había justamente que violar y desatender por completo dichos derechos.

La composición del tribunal y la fiscalía

Siguiendo con el kilométrico rosario de atropellos legales, Alfonsín armó –inconstitucionalmente– una Cámara Federal de Apelaciones *ad hoc* conformada por amigos, que juzgó y condenó a los ex comandantes. Esta cofradía tuvo el carácter de una "comisión especial" (prohibida por el artículo 18 de la Constitución Nacional), que sacó a los imputados de los jueces naturales en una insólita maniobra pseudojurídica. El ya citado Nino (personaje clave en esta farsa), a modo de justificación ante la alevosía en cuanto al trato de amistad y familiaridad existente entre el Gobierno y la "comisión especial" que teatralizaba de tribunal independiente, afirmó: *"Los jueces en los tribunales claves eran amigos cercanos de la administración"* pero se disculpa alegando que de todos modos *"los dos tribunales (La Corte y la Cámara Federal) mantuvieron un alto grado de independencia"*.[57] ¿Qué significa "alto grado de independencia"? Se es independiente o no se es independiente. El caso es que los miembros de esta comisión especial inconstitucional, lejos de ser independientes, constituían una runfla infame de asalariados subordinados del régimen que, luego del "juicio", obtuvieron diversos premios y recompensas por parte del gobierno central (tal como luego lo veremos). Como caricaturesca nota de color de la farsa en cuestión, vale aclarar que los siete miembros del tribunal habían sido funcionarios judiciales del Proceso de Reorganización Nacional sin que jamás obraran de oficio ante la eventualidad de alguna presunta violación a los derechos humanos.

En cuanto al fiscal del juicio, el encargado de ocupar ese papel fue el Dr. Julio Strassera, quien entusiastamente colaboró histriónicamente con la mentada "comisión especial" que "juzgaba" a los comandantes. Con respecto a este último, vale también destacar que fue nombrado por Videla como fiscal federal el 23 de abril de 1976 "*a cargo de la Fiscalía en lo Criminal y Correccional Nº 3 con asiento en la ciudad de Buenos Aires*".[58] Técnicamente, son los fiscales y no los jueces los que reciben las denuncias y luego las elevan a juicio, pero no se conoce que Strassera haya efectuado denuncias por desapariciones o violaciones a los derechos humanos durante el gobierno de facto. Es más, para advertir la flexible moral del mencionado personaje, cabe destacar que, cuando obraba de fiscal durante el "genocidio", llevó adelante dictámenes judiciales avalando a la Junta de Gobierno Provisional, reafirmando y reconociendo expresamente el rango de legitimidad constitucional de esta y rechazando pedidos de *habeas corpus* de detenidos. Tal como se puede advertir, por ejemplo, en el caso del ex gobernador de Santa Cruz, Jorge Cepernic, en la causa "Cepernic Jorge C/ Estado Nacional", en la que Strassera dictaminó que debido al "*carácter constitucional de las Actas Institucionales [...] necesariamente ha de coincidirse en que la privación de la libertad impuesta al beneficiario de este recurso encuentra su legitimidad en la misma Constitución Nacional indudablemente reformada por el Estatuto para el Proceso de Reorganización Nacional y el Acta*" y que esta última "*constituye una norma de idéntica jerarquía que la contenida en el art. 23 de aquella, en cuanto faculta al Poder Ejecutivo Nacional para arrestar personas a su exclusiva disposición, en tanto las circunstancias excepcionales por las que atraviesa el país así lo aconsejen*". Como Strassera sostenía que el Estatuto del Proceso de Reorganización era equiparable a la Constitución Nacional misma agregaba que "*impugnar la Resolución Nº 2 de la Junta Militar resulta inadmisible, pues ello equivale a afirmar que la Constitución es inconstitucional*". En cuanto a la detención de Cepernic, Strassera la avala totalmente y agrega que "*encontrándose Jorge Cepernic legítimamente detenido, opino que corresponde tanto el rechazo de la presente acción de habeas corpus, como la excesiva petición a que me he referido en el párrafo precedente*".[59]

Como frutilla del postre de la parodia descripta, vale agregar que varios de los títeres que participaron del culebrón jurídico (o antijurídico) en cuestión, fueron premiados por el gobierno de Alfonsín, y así Strassera fue compensado y galardonado con una cómoda estada como embajador especial en

Europa. En cuanto a los jueces del Tribunal, "*D´Alesio fue nombrado procurador general del tesoro; Gil Lavedra, subsecretario del Interior; Ledesma, abogado del Banco Central, y Arslanián beneficiado por el Banco Hipotecario Nacional*".[60]

Para no ser injustos, no podemos dejar de mencionar al adjunto de Strassera, el Dr. Luis Moreno Ocampo, por entonces joven abogado a quien, tras ganar fama televisiva, se le abrieron las puertas del mundo de la farándula y posteriormente pudo darse el gusto de conducir por televisión un programa que competía a la hora de la tarde con los "*magazines* chimenteros". El programa conducido por Moreno Ocampo, en rigor de verdad, era un abominable *talk show* llamado *Forum* en el cual el "jurisconsulto" parodiaba de juez o amigable componedor y dirimía contiendas de lo más desopilantes, tal el caso de dos travestis que al "divorciarse" se disputaban la tenencia de un loro o el conflicto suscitado por unos ciudadanos que se hallaban profusamente molestos y agraviados porque sus vecinos colindantes emanaban por las noches sonoras flatulencias que impedían el buen dormir. Seguidamente, Moreno Ocampo pega un nuevo salto y muta de la "TV basura" a "fiscal del universo", desempeñándose como tal en la Corte Internacional de Justicia. Cabe aclarar que también colaboraron con la fiscalía en el "juicio", el Dr. Aníbal Ibarra, ex secretario general de la Federación Juvenil Comunista y futuro jefe de Gobierno (postulado primero en carácter de "delarruista" y reelecto después en carácter de "kirchnerista"), devenido en 2006 en muerto político al ser destituido mediante juicio político (destacándose la notable actuación fiscalizadora del Dr. Jorge Enríquez) por ser considerado inútil y responsable por la "Tragedia de Cromagnon" (donde murieron 192 jóvenes). ¿Y quién fue el abogado defensor de Ibarra durante el juicio político que lo destronó? El inefable Julio Strassera. Dios los cría y el diablo los amontona.

Volviendo al "juicio" a la Junta, es dable destacar que las declaraciones testimoniales presentadas por la parte acusadora aparecieron teñidas en su mayoría de un interés marcadamente ideológico, en donde "*los testigos eran traídos desde Europa con todo pago, para declarar contra los acusados*".[61] En este contexto, el tribunal (es decir, la comisión especial inconstitucional) se negó repetidas veces a inquirir, conforme lo solicitó la defensa, acerca de los antecedentes y de la actuación política de los testigos en los movimientos subversivos. Con esta negativa, se mancilló otro derecho más, que constituye el principio de ampliación de la prueba en detrimento del derecho de defensa en juicio.

El proceso judicial fue llevado a cabo a toda velocidad, en medio de una formidable campaña publicitaria y sin la más mínima sorpresa para nadie en cuanto a la decisión que la comisión especial (que remedaba de tribunal imparcial) tomara el 9 de diciembre de 1985. Como corolario, el juicio fue rubricado con el jubiloso abrazo (posado para la televisión y la foto) del ex fiscal procesista Strassera con su adjunto Moreno Ocampo.

Estas y otras manipulaciones dolosas y culposas contaron con otras atrocidades tales como: no existió un proceso legal, la cámara importó ser una "comisión especial" (prohibida por el artículo 18 CN), se sacó a los procesados de los jueces naturales designados por ley antes del hecho de la causa (prohibido también por el citado artículo), se impuso además una pena inexistente en el Código Penal y, bajo el amparo de leyes aplicadas *ex post facto*, se sufrió el yugo de un tribunal enrolado en parcialidad manifiesta. El diario *La Prensa* informaba: *"El Presidente asumió funciones judiciales y habría violado el Artículo 95 de la Constitución Nacional"* (10-5-88). Del mismo modo, el destacado jurisconsulto Alberto Rodríguez Várela afirmaba: *"Se violó el derecho de defensa y la garantía del Juez natural, así como el principio de irretroactividad de la Ley Penal y el precepto que exige que todo proceso se funde en Ley anterior a los hechos de la causa"* y agregó que se *"dejó cesantes a todos los jueces federales y nombró a otros que homologaron el designio de condena del Decreto 158/83. El gobierno armó y puso en marcha un mecanismo que tiende a destruir a las Instituciones Armadas"*.[62]

Pero este galimatías antijurídico al servicio de la "vindicta" no es de extrañar, puesto que, cuando Alfonsín fue abogado de la guerrillera del ERP, Silvia Inés Urdampilleta (por el secuestro de Sallustro), dentro de los argumentos esgrimidos alegó el "estado de guerra" y conforme fundamentó su defensa, *"los subversivos no son delincuentes sino combatientes, integrantes de un Ejército Revolucionario del Pueblo, alzado en armas en rebelión abierta, en operaciones, en síntesis fue una guerra"*.[63] Pero la imputación que cupo a Raúl Alfonsín no se agotaba en que haya obrado como defensor de esta célula criminal (ello en definitiva no es más que el ejercicio de la profesión), sino como integrante de la banda, pues se presentó una denuncia ante el Congreso Nacional con el respaldo de diversos diputados en la que el entonces presidente Alfonsín fue sindicado nada más y nada menos que como actor *"en la negociación por la liberación de Oberdan Sallustro como un verdadero hombre del ERP. Esto tiene que salir a la luz de cualquier modo e impedir de inmediato que siga usurpando un poder que obtuvo con engaño. Nos referimos a un episodio tal vez prescripto para el derecho criminal, pero no se ha extinguido ni en lo moral ni en lo político. De todos modos la denuncia-petición ha sido dirigida al presidente de la Cámara de Diputados de la nación y será entonces el diputado Moreau quien deba darle curso y trámite correspondiente"*.[64] Pero resulta que Moreau (tal como ya lo vimos), por intermedio de Alfonsín, trabajó en los años 70 con Montoneros en el diario *Noticias* (financiado con fondos obtenidos por secuestros extorsivos). Y qué pudo haber hecho Moreau ante esta denuncia: ¿Darle curso o archivarla? Saque conclusiones el lector.

Las vinculaciones de Alfonsín con la guerrilla no se reducen a simpatías ideológicas o a vínculos profesionales, sino también familiares, puesto que *"había tenido que recurrir años antes a su amistad con el ministro del Interior de Videla, general Albano Harguindeguy, compañero suyo del Liceo Militar General San Martín, para salvar la vida de su propia hija, miembro del ERP, capturada por los militares".*[65] El favor fue concedido y se facilitó el exilio de su hija lo que, según autorizadas voces, ocasionó que Harguindeguy nunca fuera molestado durante el revanchismo alfonsinista.

En definitiva, ha sido tan evidente esta ruin operación político-revanchista con vestimenta jurídica que hasta reconocidos montoneros tuvieron que admitir que el juicio era una pantomima innecesaria, tal como lo manifestó la guerrillera Alicia Pierini que criteriosamente manifestó: *"Cuestioné que se viera enmarcado dentro del ámbito penal lo que había sido una lucha política, con crímenes de guerra, pero lucha política. Cuando se hace el juicio a las juntas en el 85, yo cuestioné que esto jurídicamente no tendría destino, que sería un hecho político con formato jurídico. Porque en derecho penal hay autores, coautores, cómplices, encubridores. Si seguíamos aplicando el derecho, acá no quedaba nadie en pie o por lo menos medio país iba a tener que sentarse en el banco de los acusados".*[66]

En síntesis, la parodia antijurídica se apoyó en cuatro aristas dantescas:

1) Este asalto fue llevado a cabo por el Gobierno nacional en manos de la UCR, el partido que precisamente con mayor ahínco impulsó el "golpe" y obtuvo récord de funcionarios durante el gobierno de Videla.

2) Se juntaron y reunieron testimonios a efectos de elevarlos para enjuiciar a los comandantes, cuyas compilaciones fueran elaboradas por la CONADEP presidida por Ernesto Sábato, ex golpista y compañero de almuerzos de Videla.

3) Con el decreto inconstitucional de Alfonsín, se utilizaron estos testimonios para forjar la "acusación" del fiscal Julio Strassera, ex fiscal y juez del proceso nombrado por Videla.

4) El tribunal (o sea, la comisión especial inconstitucional) que en cumplimiento del decreto de Alfonsín condenó a los comandantes estaba conformado por siete jueces (los doctores Edwin Torlasco, Andrés D'Alessio, Guillermo Ledesma, Jorge Valerga Aráoz, Jorge Ricardo, Gil Lavedra y el conspicuo León Arslanián) que tenían un risueño denominador común: fueron unánimemente relevantes funcionarios judiciales del gobierno de Videla.

En verdad, la parodia montada por Alfonsín y sus nuevos amigos fue tan tragicómica, que no faltó algún ocurrente que (mitad en serio, mitad en broma) dijera que el juicio (impulsado por los videlistas de ayer) se había constituido en una disputa interna de "procesistas contra procesistas".

La otra parte de la verdad de la sentencia

Si bien año tras año se suele rememorar el "Nüremberg argentino" a través de documentales perfectamente compaginados y musicalizados como para impactar al incauto televidente y movilizarle los sentimientos (informes audiovisuales que suelen ser precisamente conducidos por Magdalena Ruiz Guiñazú), hay aspectos de esa sentencia que obviamente no se muestran en los culebrones que se difunden por televisión. Empero, a pesar de la parcialidad manifiesta del tribunal y del sainete acaecido, consideramos que la sentencia tuvo muchas consideraciones (que curiosamente no se muestran) que no pueden soslayarse, las cuales transcribiremos, más allá de la ilegitimidad que sostenemos al respecto:

Al tribunal no le quedó más remedio que reconocer que "*el fenómeno terrorista tuvo diversas manifestaciones con distintos signos ideológicos en el ámbito nacional con anterioridad a la década de 1970, pero es este año el que marca el comienzo de un período que se caracterizó por la generalización y gravedad de la agresión terrorista evidenciadas no sólo por la pluralidad de bandas que aparecieron en la escena, sino también por el gran número de acciones delictivas que emprendieron e incluso por la espectacularidad de muchas de ellas... los principales grupos aparecieron públicamente en forma casi simultánea entre los años 1969 y 1970*".[67]

En cuanto a la situación preexistente al 24 de marzo de 1976 "*ya ha quedado suficientemente demostrado, al punto de caracterizarlo como un hecho notorio, que ese fenómeno delictivo asoló al país desde la década de 1960, generando un temor cada vez más creciente en la población, al par que una grave preocupación en las autoridades.*

También está fuera de discusión que a partir de la década de 1970 el terrorismo se agudizó en forma gravísima, lo que se manifestó a través de los métodos empleados por los insurgentes; por su cantidad; por su estructura militar; por su capacidad ofensiva; por su poder de fuego; por los recursos económicos con que contaban provenientes de la comisión de robos, secuestros extorsivos y variada gama de delitos económicos; por su infraestructura operativa y de comunicaciones; la organización celular que adoptaron como modo de lograr la impunidad; por el uso de la sorpresa en los atentados irracionalmente indiscriminados; la capacidad para interceptar medios masivos de comunicación; tomar dependencias policiales y asaltar unidades militares".

Respecto al progresivo accionar terrorista y sus acechanzas cometidas en democracia se estableció que "*multiplicaron su accionar y produjeron, en el lapso posterior a la instauración del gobierno institucional, la mayor parte de los hechos registrados estadísticamente para todo el período analizado*".[68]

En lo relativo a la matanza de Ezeiza, se determinó que *"había infiltrados elementos terroristas que pretendían el asesinato del Grl. Perón a su regreso del exilio. Se produjeron gran cantidad de muertos y heridos".*[69]

Sobre la relevancia y extensión operacional del terrorismo *"se desarrolló en todo el territorio de nuestro país, predominantemente en las zonas urbanas; existiendo, asimismo, asentamientos de esas organizaciones, en zonas rurales de Tucumán [...]".*[70]

En lo concerniente al número de terroristas que operaron, *"las bandas terroristas contaban con 25.000 integrantes de los cuales 15.000 eran combatientes*[71]*[...] siendo sus características más importantes su organización de tipo militar que incluyó la creación de normas y organismos propios de tipo disciplinario, su estructura celular, la posesión de un considerable arsenal que utilizaban en sus acciones y abundantes recursos económicos, producto principal de delitos cometidos".*[72]

En cuanto al fin perseguido por las bandas terroristas (que no era la rebaja del "boleto estudiantil") se determinó: *"El objetivo último de esta actividad fue la toma del poder político por parte de las organizaciones terroristas, alguna de las cuales incluso intentó, como paso previo, a través de los asentamientos en las zonas rurales de Tucumán ya mencionados, la obtención del dominio sobre el territorio, a fin de ser reconocida como beligerante por la comunidad internacional".*[73]

Respecto al funcionamiento de la Cámara Federal Penal entre 1971 y 1973 (derogada por Cámpora), *"entre el 1° de junio de 1971 y el 25 de mayo de 1973, la actividad jurisdiccional relacionada con estos delitos se concentró en el tribunal citado en último término, cuya actuación arrojó como resultado, la iniciación de 8927 causas".*[74]

Teniendo en cuenta los efectos deletéreos de la amnistía del año 1973, *"se dictó la ley de amnistía 20.508, en virtud de la cual obtuvieron su libertad un elevado número de delincuentes –subversivos condenados por una justicia que se mostró eficaz para elucidar gran cantidad de los crímenes por ellos perpetrados– cuyos efectos, apreciados con perspectiva histórica, lejos estuvieron de ser pacificadores".*[75]

Atendiendo al número de desaparecidos en democracia (lo que pone en evidencia, una vez más, que el *modus operandi* para combatir la guerrilla no fue un invento del Proceso sino del inefable Peronismo), *"la Comisión Nacional sobre Desaparición de Personas recabó la información sobre 19 casos ocurridos en 1973, 50 casos ocurridos en 1974, 359 casos ocurridos en 1975 y 549 casos en el primer trimestre de 1976".*[76]

Sobre la necesidad imperiosa de que las FF.AA. intervinieran en el combate ante el desborde de la policía, *"la gravedad de la situación en 1975, debido a la frecuencia y extensión geográfica de los hechos terroristas, constituyó una amenaza para la vida normal de la Nación, estimando el gobierno nacional que los organismos policiales y de seguridad resultaban incapaces para prevenir tales hechos".*[77]

Respecto a la fábula promovida por Estela de Carlotto y su minúsculo pero influyente "grupete" acerca de la creación de un *"plan sistemático de apropiación de menores"*, la sentencia determinó su inexistencia *"como se viera, del catálogo de delitos que el Tribunal consideró integraban el sistema, se han excluido: la sustracción de menores, la extorsión, el plagio y la usurpación. Ello implica la no atribuibilidad de tales ilícitos".*[78]

En cuanto a si existió una guerra o no, concluye la sentencia: *"En consideración a los múltiples antecedentes acopiados en este proceso y a las características que asumió el terrorismo en la República Argentina, cabe concluir que, dentro de los criterios de clasificación expuestos, el fenómeno se correspondió con el concepto de guerra revolucionaria [...] algunos de los hechos de esa guerra interna habrían justificado la aplicación de la pena de muerte contemplada en el Código de Justicia Militar [...] no hay entonces delincuentes políticos, sino enemigos de guerra, pues ambas partes son bélicamente iguales [...] como se desprende de lo hasta aquí expresado, debemos admitir que en nuestro país sí hubo una guerra interna, iniciada por las organizaciones terroristas contra las instituciones de su propio Estado".*[79]

En cuanto a la cantidad de atentados terroristas *"como resultado de la actuación guerrillera en el lapso comprendido entre 1969 y 1979 se computan 21.642 acciones de diversa entidad".*[80]

En reconocimiento de que la reacción militar fue consecuencia del accionar terrorista (y no al revés, como mienten opinólogos embusteros), *"se tiene por acreditado que la subversión terrorista puso una condición sin la cual los hechos que hoy son de objeto de juzgamiento posiblemente no se hubieran producido. Además, el Tribunal también admite que esos episodios constituyeron una agresión contra la sociedad argentina y el estado, emprendida sin derecho, y que éste debía reaccionar para evitar que su crecimiento pusiera en peligro la estabilidad de las instituciones".*[81]

Observando el funcionamiento de la CONADEP y la verosimilitud de los testimonios recogidos, determinó la sentencia que *"las denuncias que tales funcionarios recogieron de las víctimas...en modo alguno revisten el carácter de una prueba testimonial [...]. Por lo demás, bueno es destacar que el Tribunal en ningún caso ha de dar por probado un hecho sobre la base exclusiva de prueba proveniente de la CONADEP".*[82]

En cuanto a la procedencia de las personas que testimoniaron ante la CONADEP, dice el veredicto: *"No debe extrañar, entonces, que la mayoría de quienes actuaron como órganos de prueba revistan la calidad de parientes o de víctimas".*[83]

La sentencia, en definitiva, determinó que los cargos que se les imputaban a los comandantes obedecían a un exceso empleado en la legítima defensa:

"Parece claro que los hechos típicos en que se basa la acusa-
ción importaron la causación de un mal por parte de quienes te-
nían responsabilidad en el uso de la fuerza estatal.

También que ese mal estuvo conectado casualmente con otro
mal, que se quería evitar, y que consistía en los hechos de terror
que producían las bandas subversivas.

Estos hechos presentaban dos aspectos que, en lo que aquí
interesa, consistían a) por un lado, en la concreta, actual y presen-
te existencia de un mal que eran las muertes, atentados con explo-
sivos, asaltos; b) por el otro, en el peligro que entrañaban para la
subsistencia del Estado.

Se trataba, pues, de impedir la prosecución de lo primero, y
de evitar la consecución de lo segundo, cosa que tendría lugar si
las organizaciones terroristas tomaban el poder. En fin, el mal que
hubiera constituido la toma del poder no aparecía como cercana-
mente viable, no se cernía como una acuciante posibilidad y, por
lo tanto, la reacción que en ese caso hubiera podido generar –que
tampoco podría haber sido la regresión a la ley de la selva– no
contaba con las condiciones previas que la justificaran pudieron
razonablemente haber recurrido a gran cantidad de medios menos
gravosos".

Cosa que las FF.AA. hicieron a partir de 1.971 y que la corporación que
promovía el juzgamiento destruyó en 1.973. Es curioso que no se los haya
condenado.

Subcapítulo III: El gobierno de Carlos Menem

En 1989 se llevaron adelante nuevas elecciones y el candidato presidencial de la UCR fue Eduardo César Angeloz, personaje lamentable que más
adelante en el tiempo y tras diversas gestiones como gobernador de Córdoba
tuvo que huir de su cargo y renunciar antes de tiempo (práctica frecuente en
la militancia radical) como producto de escandalosas ineficacias y denuncias
de corrupción, de las que salió sospechosamente ileso ante la Justicia (ante la
indignación del pueblo cordobés).

Como el gobierno de su correligionario Alfonsín se caía a pedazos, Angeloz tuvo que salir a inventar en plena campaña electoral algún discurso más
sensato y, contrariando la tradición radical, propuso privatizar las ineficaces
empresas del Estado. El candidato presidencial de la UCEDE (la tercera fuerza por entonces), Álvaro Alsogaray) azorado afirmaba: *"Lo escucho a Ange-*

loz y tengo la impresión de haber perdido un borrador". Por parte del Peronismo, el candidato era el Dr. Carlos Menem, quien por entonces se presentaba en sociedad luciendo un pintoresco disfraz de Facundo Quiroga.

La gestión de Alfonsín era tan abominable que por caricaturesca que resultare la imagen de Menem, su triunfo se tornaba inevitable. En medio de la disolución económica e institucional, Alfonsín se escapó del Gobierno y a efectos de darle un ropaje elegante a la huída, adelantó el traspaso de mando a Menem seis meses antes del tiempo previsto en la Carta Magna.

A pesar de los gruesos y graves errores en que –iremos viendo– se incurrió durante la gestión "menemista", no se puede dejar de mencionar una serie de logros concretos, pues hubo un crecimiento exponencial (un promedio del 7,5% anual del PBI), una rápida modernización de los servicios públicos, acceso a tecnología importada a muy bajo costo y un descenso drástico de la pobreza que, en las postrimerías de la gestión de Alfonsín ascendía al 47%. Hubo inversiones millonarias, las exportaciones se duplicaron y el consumo por habitante creció un 35%. Otro mérito que cabe atribuirle al denostado Carlos Menem, es que, desde 1983 a la fecha, fue por lejos el presidente (junto a Duhalde y De la Rúa) que más respeto tuvo por la libre expresión y la libertad de prensa. Algo que precisamente a Menem le jugaba muy en contra, dada la cuantía notable de escándalos de corrupción que hubo y que la prensa nunca se privó de dar a conocer durante los diez años de Gobierno. Si bien Menem es considerado (dentro de lo que es el indescifrable abanico ideológico del Peronismo) un hombre de "derecha", muestra de la libertad con que trabajó la prensa es un estudio de la consultora Nueva Mayoría y la Fundación Konrad Adenauer publicado en 1997, el cual determinó que más del 70% de los programas de los medios de comunicación estaban en manos de la izquierda (al momento de escribirse este libro esa cifra es mucho mayor).

Entre los desatinos cometidos durante la gestión de Carlos Menem, probablemente el mayor haya sido haber destruido –en connivencia con Raúl Alfonsín– una Constitución Nacional que, aunque criticable en algunos puntos, en líneas generales era una Carta Magna muy valiosa. Pero con el irrefrenable afán reeleccionista (para lo cual había necesariamente que reformar la ley fundamental), se reunió en Santa Fe la Convención Constituyente que llevó a cabo la reforma de 1994, en donde Cristina Fernández de Kirchner votó entusiastamente y con rango jerárquico en su bloque la cláusula a favor de la reelección de Menem. En esta componenda surgida de lo que se dio en llamar "Pacto de Olivos", se incorporaron a la Constitución Nacional alegres y kilométricos tratados internacionales (mayormente funcionales a los apetitos revanchistas de la izquierda) y así se perdió la soberanía jurídica a través de la "internacionalización" del derecho, a causa del cual ni un solo militar puede de hoy salir tranquilo del país, no vaya a ser cosa que el ex diputado comunista y juez *vedette* Baltazar Garzón pida su captura (siempre gozosamente concedida por parte de la diplomacia nacional) con cualquier argumento difuso y sin la menor documentación probatoria.

En materia económica, a pesar de los favorables guarismos que recién vimos, el resultado final no nos arroja un saldo positivo. Pues la tradición de populismo deficitario prosiguió no ya intacta, sino potenciada al paroxismo (aunque maquillada de "moderna y globalizadora"). En efecto, so pretexto de achicar la grandilocuente dilapidación y el asfixiante estatismo, vino la ola privatizadora (lo cual era una novedad para un gobierno peronista) pero aparejadamente, el gasto público se incrementó un 143% durante el primer mandato del presidente Menem y en el segundo, aumentó un 36,5% más. Del mismo modo, el presupuesto de Presidencia de Menem fue de 703 millones de dólares en 1995 y subió a 3.285 millones en 1999.

Lo que distinguió a este neopopulismo de sus antecesores, es que no se financió con la "maquinita" de fabricar papel pintado, sino con el dinero de las privatizaciones monopólicas, la formidable suba impositiva (el IVA trepó al 21%) y, por supuesto, con el inmenso endeudamiento externo. Hacer mención a la asfixiante artillería de impuestos confiscatorios no es un detalle menor, puesto que la herencia de la gestión de los años noventa en materia tributaria (situación que no fue modificada hasta el día de la fecha) nos arroja que "*el Estado se lleva tres quintos de la riqueza generada por el contribuyente promedio, los alicientes para la evasión o la elusión son altísimos mientras que los riesgos de ser detectado –especialmente en ciertas actividades– son mínimos*".[84]

Con el objetivo de mantener altos niveles de vida de un modo artificial, durante el período 1991-1995, el hiperdéficit se alimentó con la venta de activos de las privatizaciones y, en los años subsiguientes, a través de endeudamiento. La deuda que en 1989 era de 63.000 millones, ascendía a 147.000 diez años después. Durante esta década de "ajuste" (tal el asombroso apodo que le pone la propaganda anticapitalista), el incremento del gasto público representó dos veces el crecimiento del PBI, y el déficit fiscal fue de doce mil millones de dólares. Concluye Álvaro Vargas Llosa: "*Se acusa a la década de los 90 de desmantelar el Estado cuando el gato público creció 100% y la economía argentina 40%. Pero el peor efecto fue generar la sensación de que lo que falló fue la reforma del Estado, y eso está dando vuelo al rebrote populista*".[85]

Todo este gigantesco despilfarro estatista se llevó a cabo para sostener otro plan dirigista, conocido como la "convertibilidad", en el cual el bien mueble por excelencia (es decir, la moneda) tenía un importe no fijado por la ley natural de la oferta y la demanda, sino por una arbitrariedad legal que le impuso un artificioso valor nominal (el engañoso y obviamente transitorio "uno a uno"). La convertibilidad no fue una quimera sólo imputable a Menem o a Cavallo (su ministro de Economía y artífice del plan), pues el sistema monetario (apoyado por prácticamente toda la partidocracia) fue votado y ratificado constantemente durante los diez años de su gobierno. Tanto es así que, ya en 1999, paradójicamente era el candidato peronista Eduardo Duhalde el que cuestionaba la convertibilidad y la fórmula opositora De la Rúa-Álvarez (UCR-FREPASO) la que se presentaba como garante de la misma, a tal punto que en el fragor de la campaña electoral, el futuro presidente Fernando De la Rúa, para tranquilizar a la población, lanzó un *spot* televisivo ratificando que mantendría la paridad "un peso, un dólar", caso contrario, no hubiese ganado las elecciones. Del mismo modo, su candidato a vicepresidente, Carlos *Chacho* Álvarez tuvo que confesar su "arrepentimiento" por haber votado como diputado en contra de la Ley de Convertibilidad. Luego, el mismo padre de la convertibilidad, Domingo Cavallo (por instigación de *Chacho* Álvarez sobre De la Rúa) sería designado ministro de Economía de De la Rúa, una muestra cabal del continuismo.

Por ende, acusar alegremente a Menem (a modo de chivo expiatorio) de las secuelas de la convertibilidad es incurrir nuevamente en la hipocresía en la que siempre cayó un importante sector de la sociedad argentina, consistente en correrse a un costado de las responsabilidades individuales (como ciudadanos) y colectivas (como sociedad). Para ser justos, vale mencionar que, al menos durante esa prolongada gestión, se logró acabar con la inflación, lo que no era poca cosa en un país acostumbrado a la depreciación monetaria crónica. No puede afirmarse alegremente que la convertibilidad constituya de suyo un mal, pero sin temor al error, podemos afirmar que convertibilidad sin equilibrio fiscal es una empresa destinada no ya al fracaso sino a la catástrofe. Y durante los años noventa hubo una verdadera fiesta de ñoquis y dispendio. Provincias enteras se servían del aparato estatal para sustentar el caudillismo clientelista a través de la indiscriminada creación de empleo público superfluo (provincias como La Rioja, Santa Cruz o Tierra del Fuego tenían un empleado estatal cada tres familias y la mismísima ciudad de Buenos Aires ostentaba nueve empleados públicos por manzana). ¿Y quién pagó esta jarana irresponsable? A la postre, el sobrepeso recayó sobre las espaldas de la empresa privada con abrumadores impuestos confiscatorios, llegando la recaudación impositiva a crecer $ 30.000 millones anuales entre 1991 y 1999.

Durante el "ajuste" menemista, el aparato estatal gastaba 20.000 millones de dólares anuales y gran parte del dispendio se iba en miles de cargos electivos con sus inacabables derivados (asesores, subsidios, prebendas, módulos, nepotismos y todo tipo de clientelismo). Ningún partidócrata se inmutó cuando Carlota Jackisch denunciaba en impecable informe datos escalofriantes, tales como que la provincia de Baviera (Alemania) con 12.500.000 habitantes y 204 legisladores, tuviera un presupuesto legislativo de 54 millones de dólares: es decir que un legislador les cuesta 4,3 dólares por habitante, mientras que el de Formosa era de 57 millones (3 más que Baviera), con solo 30 legisladores, 500.000 habitantes (costaba 114 dólares por habitante mantener al legislador), y un PBI 156 veces más bajo. De igual modo, Cataluña (España), con 6 millones de habitantes, gastaba menos que el Chaco (con 950.000 habitantes y un PBI 36 veces más bajo).

En los 40 como en los 90, para el Peronismo gobernar fue sinónimo de estar de fiesta con plata ajena.

Subcapítulo IV: El setentismo durante el menemismo

El gobierno de Menem pudo no haber sido setentista en sentido estricto, pero contribuyó muchísimo a allanar el camino para que esta corriente no sólo no cesara, sino que se agigantara y enquistara. Se llevaron a cabo indultos que beneficiaban a los jerarcas militares inconstitucionalmente juzgados en 1985 y a terroristas de diverso pelaje, entre ellos Mario Firmenich, Cirilo Perdía, Vaca Narvaja y el "humanista" Miguel Bonasso.

Consciente o inconscientemente, en esta década se llevó adelante un efecto "tenaza" consistente en dar poder y financiación al terrorismo supérstite, familiares y activistas asociados, y por otro lado, desbaratar el aparato y la moral de las FF.AA. Durante el gobierno de Menem no solo se disolvió el servicio militar obligatorio, sino que, durante casi una década, se colocó al frente de la institución al felón Martín Balza (quien instaló el adoctrinamiento flácido y descafeinado en las FF.AA.), personaje total y absolutamente desacreditado en las instituciones castrenses, no sólo por su desempeño como jefe de Estado Mayor, sino por su condición de sofista y desleal. En 1995, en el programa *Tiempo Nuevo* (conducido por el destacado periodista Bernardo Neustadt) Balza efectuó un profuso "pedido de perdón" en nombre de las FF.AA. por el "horror y el terrorismo de Estado" aplicado en los años 70 durante la guerra antisubversiva (de la cual Balza participó en calidad de jerarca más allá de su breve estada en Perú). Este multimediático acto de "constricción" no era casual, puesto que Balza pretendía lanzarse a una potencial carrera política (cosa que logró con éxito más adelante) y para tal fin debía presentarse en sociedad como un "militar moderno y sensible", pues ello le permitiría mimetizarse con el espíritu laxo que se vivía en los años 90, cuando Balza jugaba de menemista.

Si esta fuera la verdadera opinión de Balza, en última instancia su punto de vista debería respetarse. Pero resulta que el entonces menemista y futuro kirchnerista, envió en 1989 una misiva al ex presidente Videla, en la cual (elogiándolo de medio a medio) le expresaba *"su más profundo agradecimiento a quien diera tanto por el engrandecimiento y la profesionalización de la Institución que con tanto cariño hemos abrazado"*. Complementariamente, el 20 de diciembre de 1989, con motivo de la Navidad (evidentemente la venida de Papá Noel lo acongoja mucho al zigzagueante general) tras *"hacerle llegar un especial y afectuoso saludo"* a raíz de las distorsiones históricas que por entonces ya venían muy avanzadas, le expone: *"A nadie escapa que ya los tiempos de la historia han comenzado a reubicar los hechos, iluminando la verdad que algunos intentaron colocar bajo un cono de sombra tan falso como creíble"*. Seguidamente define a la gestión del presidente Videla del siguiente modo: *"La conjunción de estas fiestas navideñas y el brillo de una gesta heroica que empieza a adquirir su real dimensión a pesar de las falacias, debe ser interpretada con la fe y la esperanza que contempla un nuevo amanecer"*.

Balza no se privó de nada: fue videlista, alfonsinista, menemista, y embajador kirchnerista. Obró mejor como político que como militar. Evidentemente erró en su vocación.

En cuanto al acceso de diversos ex terroristas al aparato del Estado, *"Menem le había dicho a Anzorregui: A Galimba (Galimberti) es mejor tenerlo adentro que afuera"*.[86] En efecto, esta anécdota simboliza la filosofía de Menem frente al tema, consistente en conglomerar y rejuntar a personajes cualquiera sea su prontuario. En efecto, con esta política inclusiva de lo peor, Menem incorporó en su gobierno ex montoneros a rabiar, tanto es así que, según un detallado informe de la periodista Viviana Gorbato, ocuparon relevantes cargos públicos al menos "500 montoneros reciclados".[87]

Menem no fue un setentista consciente pero (tras potenciar la desarticulación de las FF.AA.), no sólo no combatió el setentismo, sino que le dio jugosas indemnizaciones (como las leyes 24.411 y 24.043 que ya hemos visto), facilidades y centenares de cargos, los cuales fueron utilizados en silencio por la runfla guerrillera para esperar agazapada el momento oportuno para proseguir con su perseverante tarea.

Subcapítulo V: El gobierno de Fernando De la Rúa

Finalmente, en 1999, le llegará el turno al presidente radical Fernando De la Rúa (sucesor de Carlos Menem), quien, con el respaldo de una alianza conformada por la UCR y el FREPASO, logró ganarle al Peronismo que llevaba como candidato a Eduardo Duhalde. Lejos y en tercer lugar quedó Domingo Cavallo (candidato presidencial de la centrista y fugaz Acción por la República).

De la Rúa, debido a su breve paso por el poder (fue derrocado por un golpe de estado civil en diciembre del año 2001), no efectuó cambios importantes. En materia económica solo se limitó a mantener la Ley de Convertibilidad creada por el Peronismo y a resistir las constantes exigencias de Anne Krueger, en nombre del FMI.

El dispendio populista que el país venía padeciendo desde hacía 60 años fue financiado en tres etapas:

1) Con la depredación de las reservas en los años 40.

2) Con la emisión de moneda sin respaldo y empréstitos hasta culminar los años 80.

3) Con impuestos confiscatorios y endeudamiento externo hasta el año 2001.

Estas tres modalidades se fueron agotando una a una, y la bomba le explotó en las manos a De la Rúa cuando ya no había margen para aumentar impuestos, la emisión de moneda era una receta agotada que además contrariaba el espíritu de la convertibilidad y la capacidad del endeudamiento externo se había cercenado. Para compensar la merma de este último modo de financiación, las provincias (casi en su totalidad comandadas por el Peronismo) comenzaron a emitir monedas de fantasía (catorce en todo el país) a través de bonos provinciales, los cuales remplazaron virtualmente a la moneda oficial. La desconfianza fue aumentando, se produjo una fuga masiva de capitales y para apalear el déficit se acudió al saqueo de las Reservas del Banco Central, destruyendo virtualmente la convertibilidad. Para neutralizar la fuga de capitales del sistema financiero se actuó secuestrando los depósitos bancarios a fines del 2001 a través de aquello que se dio en llamar "corralito", masacrando el derecho de propiedad (piedra angular de la economía de mercado).

Este estado de alarma resintió aun más la gobernabilidad, que ya había quedado debilitada a partir de la renuncia del vicepresidente Carlos *Chacho* Álvarez (quien presidía el FREPASO) meses atrás, con motivo del escándalo acaecido por supuestos sobornos otorgados por el oficialismo a senadores peronistas a cambio de votar una reforma laboral. A estos episodios corrosivos, se le suman las diversas componendas golpistas promovidas por el Peronismo bonaerense, el alfonsinismo, la UIA y un poderoso multimedio que conspiraba para devaluar la moneda y así, licuar sus pasivos a costa de arruinar los ingresos de los sectores medios y asalariados.

A todo este cúmulo de adversidades, debe sumársele una inoportuna serenidad y pasividad culpable por parte del Presidente a la hora de tomar decisiones, aunque en rigor de verdad, De la Rúa careció de poder en todo momento. Además de los golpistas que operaban desde diversos ángulos, la Corte Suprema había sido ampliada por el gobierno anterior y por ende respondía al Peronismo, partido que manejaba las principales provincias del país y tenía mayoría en ambas cámaras legislativas. Sumado a esto, el malhumor se fue promoviendo desde la televisión, en donde aprovechando la plena libertad de prensa, diversos bufones ridiculizaban la investidura presidencial debilitando aún más su imagen (que nunca fue carismática). Era poco lo que De la Rúa podía hacer, máxime si ni siquiera era apoyado por su partido.

En el pabellón de un establecimiento penitenciario, ¿cuál es el más apto de los internos para comandarlo: el república moderado o el reincidente compadrito conocedor de los peores secretos de la noche? Profesor de Derecho Constitucional, medalla de oro otorgada por la Universidad de Córdoba, conocedor del mundo y sabedor de cuatro idiomas, De la Rúa se equivocó de país para ser presidente. Mientras tanto, los amotinados caudillos peronistas se preparaban para tomar el poder del pabellón otra vez. Otra vez...

Subcapítulo VI: El setentismo durante De la Rúa

Si bien De la Rúa no fue un hombre de izquierda, la Alianza UCR-FRE-PASO (por la que subió) sí lo era, y las presiones internas que arreciaban lo llevaron a efectuar desatinos tales como la conmutación de penas a los asesinos que atacaron el regimiento de La Tablada en 1989. Para liberar a los terroristas hubo presiones de diversos grupos que, obviamente, dicen defender los derechos humanos. Cuenta Acuña que *"con insistencia, el CELS (presidido por Horacio Verbitsky) organizó los reclamos por la libertad de los guerrilleros, junto con la Asamblea Permanente por los Derechos Humanos (APDH), la Liga Argentina por los derechos del hombre (LADH), el Movimiento Judío por los derechos Humanos (MJDH), el movimiento Ecuménico por los derechos Humanos), el Servicio de Paz y Justicia (SERPAJ) que preside Adolfo Pérez Esquivel, las asociaciones de Madres y abuelas de Plaza de Mayo, la agrupación HIJOS y otros tantos sellos o entidades similares creados a los efectos de impulsar la campaña política e ideológica, instrumentada para revertir los efectos de la derrota del terrorismo"*.[88]

Ante el desatino de la liberación de estos homicidas, uno de los más destacados combatientes de ese atentado, el Tcnl. Emilio Nani (quien en esa ocasión perdió un ojo y por cuya heroicidad fue condecorado), con profusa y justificada indignación se dirigió a la Casa de Gobierno a devolverle al presidente De la Rúa las condecoraciones (pues las mismas se constituían en una burla y una sinrazón al liberar alegremente a los terroristas de aquel ataque). Pero De la Rúa no lo recibió, ya que en ese momento estaba ocupadísimo en reunión "clave" con la costurera predilecta de la farándula, Elsa Serrano.

Subcapítulo VII: El gobierno de Eduardo Duhalde

Luego del golpe de estado a De la Rúa, accede al poder nuevamente el omnipresente Peronismo. Tras denodadas negociaciones legislativas diversos dirigentes se convirtieron en presidentes fugaces (duraron tan sólo horas o días en el cargo) y así Puerta, Caamaño y Rodríguez Saá (este último fue el más recordado por haber declarado el *default* con el aplauso y júbilo de la iletrada turba parlamentaria) se dieron el gusto de colocarse la banda presidencial y sacarse la foto para, en la posteridad, mostrársela a sus nietos. Finalmente, tras la renuncia de Rodríguez Saa, sería Eduardo Duhalde (que precisamente había sido derrotado por De la Rúa en la urnas) el beneficiado directo y definitivo del derrocamiento de De la Rúa y se consagraría así, de manera similar que José María Guido en 1962, en un presidente civil de facto.

En medio de una situación de gravísima inestabilidad, el Peronismo (poseedor de notable peso estructural y capacidad prebendaria) en el mismo momento de asumir logró como por "arte de magia", que todos los cacerolazos y movilizaciones sindicales o piqueteras (que tantos desmanes y dolores de cabeza le ocasionaran a De la Rúa) cesaran en un santiamén. Al asumir, Duhalde empobreció drásticamente al asalariado con una dramática devaluación de más del 300% por ciento llegando a cuatriplicar el precio del dólar en una semana. Como el desprestigio de Duhalde ante la opinión pública no le daba margen para quedarse mucho tiempo en el sillón de Rivadavia, a fin de calmar los ánimos, adelantó la fecha de las elecciones y el consiguiente traspaso de mando.

El odio personal que durante los años noventa fueron gestando Menem y Duhalde ocasionó que durante la presidencia de este último se preparara una extraña componenda inconstitucional en el famoso congreso partidario de Parque Norte, impidiendo las elecciones internas en el PJ (y con ello, obstruyendo el probable triunfo de Carlos Menem) y poniendo en marcha una trampa consistente en que el Peronismo lleve tres candidatos presidenciales por el mismo partido (que fueron Carlos Menem, Néstor Kirchner y Adolfo Rodríguez Saa). De este modo, el ex vicepresidente de Menem, Eduardo Duhalde, se alió con el ex menemista Néstor Kirchner, y aquel le prestó y transfirió la estructura y los votos del burdelesco aparato bonaerense.

Este penoso espectáculo político-institucional ponía de manifiesto por enésima vez lo que históricamente ha sido y es el Peronismo. Partido bien propio de una aldea del tercer mundo (en la que nos hemos convertido) de impronta viscosa y hedionda, tan asimilable a un cajón de sastre como una bolsa de gatos. Su singular capacidad de amontonar, combinar, olvidar y de transformarse hoy en lo contrario de ayer, no sería relevante de no ser por el hecho alarmante de que los peronistas se presenten como se presenten (divididos, mal pegados, revueltos o apelotonados) y con un programa fascista, montonero, estatista o privatista (y cualquier etcétera posible) siempre ganan. El Peronismo no suma, conglomera y tiene por cierto las ventajas de lo indefinible, lo cual le permite abrirse a todas las eventualidades y a todas las expectativas. Pero ante las críticas concretas que se le efectúan al Peronismo con motivo de sus ininterrumpidos atropellos a las instituciones, al decoro, al buen gusto y al sentido común, sus punteros y dirigentes suelen justificar sus atrocidades alegando con orgullo: *"el Peronismo es así"*, frase que el periodista Victor Ordoñez analiza concluyendo que *"como no se entiende bien a qué se refiere ese 'así', tenemos derecho a preguntárnoslo. Y no hallaremos respuesta. Esa mezcolanza ambigua, inubicable, cambiante, más presa de las palabras que de las ideas, más centrada en los eslóganes que en los principios y más preocupada por la renta partidaria que por el bienestar social, no puede proveernos de ninguna salida, ni permitirnos ningún optimismo".*[89]

Lo cierto es que hecha la ley, hecha la trampa y tras este contubernio, Menem (que consiguió el 24% de los votos en la primera vuelta secundado por Kirchner, que sacó el 22%), dada su imagen negativa a pesar de haber ganado, no podía salir airoso de un *ballotage* y renunció a este. Kirchner se consagró entonces presidente con la más baja adhesión electoral en la historia de la República. En tercer lugar se ubicó el centrista López Murphy (Recrear) y más atrás quedaron Rodríguez Saa (PJ) y Elisa Carrió (Ari). La UCR (en vías extintivas) encabezada por el candidato Leopoldo Moreau arañó apenas el 2% de los votos, la peor elección en sus cien años de vida política.

Durante estos veinte años de continuidad del sistema democrático, salvo el cuestionado Menem, ningún presidente pudo terminar su mandato (y en estos caso no hubo "golpes militares" a los cuales echarles la culpa) puesto que la incapacidad de los partidócratas impidieron llevar adelante una gestión no digamos provechosa, sino al menos "terminable". En el lapso en el cual, conforme lo dicta la Constitución Nacional, tuvieron que haber pasado cuatro presidentes constitucionales, pasaron ocho.

Subcapítulo VIII: El setentismo durante el gobierno de Duhalde

Por el dramatismo y el colapso económico e institucional en el cual tuvo que asumir y por la poca duración de su gestión, Duhalde casi no tuvo tiempo para el setentismo; empero, tampoco estuvo ausente, pues 48 horas antes del traspaso de mando y como picardía final, indultó al terrorista Gorriarán Merlo, quien había sido detenido en México años atrás por su participación en el ataque al regimiento de La Tablada. Era el único subversivo preso que quedaba.

Subcapítulo IX: El gobierno de Néstor Kirchner

> *"No participo del fanatismo inexperimentado, cuan-*
> *do no hipócrita, que pide libertades políticas a manos lle-*
> *nas para pueblos que sólo saben emplearlas para crear*
> *sus propios tiranos"*
>
> Juan Bautista Alberdi

Sin demasiadas luces académicas, Néstor Kirchner, quien gusta identificarse con los pajarracos bobalicones de nuestra Patagonia (creyendo que la inclusión en tal escala zoológica lo beneficia), es un muchacho con una riqueza patrimonial inversamente proporcional a la intelectual (posee una fortuna de siete millones de pesos contando solamente lo declarado). A pesar de su acaudalada situación económica y su condición de propietario múltiple, llama poderosamente la atención que nunca en su vida haya viajado a Europa. En efecto, un viaje por Europa, si bien es un lujo de difícil acceso para el grueso de la empobrecida población argentina, para un millonario como Kirchner no es más que un trámite monetariamente insignificante. Si bien no todo potentado tiene la obligación de conocer la cuna de la civilización, que Kirchner nunca haya viajado (pudiéndolo hacer cuantas veces quisiera) denota al menos dos aspectos muy graves:

1) Ausencia total de inquietudes intelectuales y culturales (algo que además es ostensible). Lo cual resulta en exceso preocupante, ya que como lo dijera el pensador Antonio Gala: *"Los políticos incultos pasarán siempre de la demagogia a la tiranía, porque no sentirán respeto por su pueblo".*

2) Irresponsabilidad manifiesta, ya que un hombre que aspira a conducir el país no puede (teniendo medios económicos de sobra para hacerlo) no haber conocido nunca una capital europea. El primitivo personaje sólo conocería Europa por obligación, después de haber llegado a la Presidencia de la Nación y con motivo de su ejercicio.

Precisamente por la carencia de políticas de Estado, los argentinos siempre estamos "empezando a empezar", y Kirchner no fue ajeno a este vicio, pues también él impostó su papel de "presidente fundacional", y para tal fin entabló una prédica basada en "demonizar" de cabo a rabo la "década del noventa" (de la que él participó y disfrutó). Esto último le venía muy bien pues le permitía caer simpático en vastos sectores poco atentos de la sociedad, que de inmediato olvidaron que Kirchner durante los años noventa fue un efusivo defensor de las privatizaciones petroleras y se constituyó en el gobernador predilecto de Domingo Cavallo. Durante una de las recordadas visitas de Menem (cuando era presidente) a la provincia de Santa Cruz, Kirchner (a la sazón su gobernador) le armó un acto público y manifestó: "*Estoy honrado por el honor que significa para nosotros la presencia del presidente Menem*" y en alusión a la política que Menem desde hacía seis años venía llevando a cabo agregó: "*Acá está el pueblo de Santa Cruz acompañando el proceso de transformación en la periferia de la patria argentina*".[90]

Dentro de esta estrategia "fundacional", cabe reiterar que "la nueva política" (a la que Kirchner dice pertenecer) accedió al poder de la mano del gigantesco aparato bonaerense, por entonces manejado por Eduardo Duhalde. No pudo haber mejor descripción de esta caricaturesca situación como la analizada por la singular pluma del ya mencionado Ordoñez quien espetó: "*El nuevo Peronismo no es más que el viejo, esta vez asumiendo y recitando el discurso progresista que le trajo Kirchner. O sea que el Peronismo una vez más se presta para un barrido como para un fregado y no encuentra inconveniente intelectual ni moral en pasar (con la misma disciplina) del hipercapitalismo de Menem a los escarceos izquierdistas de Kirchner. El núcleo de la desgracia nacional consiste, precisamente, en la existencia de este Peronismo anfibiológico y camaleónico en el que no se puede confiar porque él mismo no cree en nada y está en constante actitud de permutar o intercalar todo, desde lo principal a lo secundario*".[91]

Acumulando poder a base de prepotencias y comprando voluntades de cualquier manera y de cualquier procedencia partidaria (*modus operandi* denominado por el propio Kirchner como "transversalidad"), Kirchner conformó un gobierno que, fiel al estilo amorfo de su partido, tenía como vicepresidente al otrora ultramenemista Daniel Scioli, al ex legislador del partido de Domingo Cavallo, Alberto Fernandez, como jefe de Gabinete, al ex duhaldista Aníbal Fernández como ministro del Interior, a un ex frepasista como Roberto Lavagna de ministro de Economía y a una abundante y protagónica presencia de terroristas de los años 70, a cuyos penosos exponentes nos referiremos más adelante.

Condicionando legisladores, intendentes, gobernadores, "piqueteros" (a los que les dio secretarías y cargos públicos) y brindando generosos espacios publicitarios al grueso de la prensa (que casualmente y a partir de allí nunca le llevaron a cabo la menor crítica), Kirchner comenzó su gestión construyendo a toda marcha un gobierno omnímodo y centralizado, cosa que no le resultó nada difícil de lograr, habida cuenta de las tácitas facilidades brindadas por las "comprables" e inorgánicas fuerzas de la "oposición".

Pero esta construcción fáctica del poder, precisaba una convalidación tangible de la que Kirchner no gozaba como consecuencia del bajísimo caudal electoral por el que subió. Por ende, ante la necesidad de revalidar títulos (oportunidad que le brindaban las elecciones legislativas de octubre de 2005) desmanteló parte de su ministerio y colocó a diversos funcionarios como candidatos. Para tal fin, el ex terrorista y colocador de bombas, Rafael Bielsa, fue sacado de su cómodo rol de viajero transatlántico y por orden de Kirchner tuvo que dedicarse a la fatigosa tarea de recolectar votos en los barrios de la ciudad de Buenos Aires (como candidato a diputado nacional en las venideras elecciones). Con desánimo, poco antes de confirmarse oficialmente tal directiva presidencial, según informó *Ámbito Financiero* el mismo Bielsa le confesó al ministro Roberto Lavagna: *"No me quiero ir del Ministerio, pero haré lo que diga Kirchner, soy un soldado montonero. Lo que significa lo mismo que en el pasado: No me gusta matar, pero si la Orga lo ordena, cumplo"*.[92]

Bielsa perdió por "paliza" las elecciones en la Capital Federal, pero la apuesta fuerte del kirchnerismo se jugó en la gigantesca provincia de Buenos Aires, en donde se incurrieron en desarreglos institucionales tales como que la senadora en ejercicio por la provincia de Santa Cruz, Cristina Fernández de Kirchner (esposa del presidente), fuera por la reelección como candidata a senadora pero por la provincia de Buenos Aires. Y todo este "mamarrachezco traspolamiento" de 3.000 km de distancia fue llevado a cabo con el objetivo no de defender los intereses "bonaerenses" (tal la función institucional de los senadores consistente en representar a sus respectivas provincias) sino para cooptar y arrebatar el aparato prebendario de Duhalde (el mismo que fuera utilizado para llevar a Kirchner a la Presidencia). Ante la inminente traición a su mentor político, el perjudicado Eduardo Duhalde puso a su mujer Hilda *Chiche* González como candidata a senadora y tomó de su propia medicina. Ya sin fondos para repartir ni votos para comprar, la prostibularia estructura del PJ bonaerense en su gran mayoría traicionó a su viejo padrino y se plegó a las huestes de la marea kirchnerista, por supuesto auxiliado por el ex ultra menemista Felipe Solá, a la sazón gobernador de la empobrecida provincia. De este modo, el PJ llevó dos listas (una oficial con *Chiche* y otra paralela llamada "Frente para la Victoria" con Cristina) y así, los bonaerenses, en su mayoría de sectores humildes o postergados (dada las pésimas administraciones provinciales que desde 1987 están en manos del Peronismo), como "ciegos a Misa" contemplaban estas burdas disputas matrimoniales y, coaccionados por los "planes sociales" acudieron a las urnas a legitimar esta teatralización de democracia.

Con el aumento progresivo de la miseria, no hay democracia verdadera y las elecciones son una parodia bianual sólo gestada para dar ropaje formal a una partidocracia populista gobernada y manipulada por un puñado de familias incultas que cuentan con un tropel de asalariados y alcahuetes que viven y se sirven del erario público. Quien tenga el poder de manejar la caja, sencillamente tiene el poder para ganar las elecciones y tanto es así que según un estudio de Martín Simonetta y Gustavo Lazzari de la Fundación Atlas: *"Alrededor de un 20 por ciento de los votantes en la Argentina dependen directamente de subsidios estatales y constituyen un "voto cautivo"*.[93] Del 20% del mentado voto cautivo y, según el mismo informe de la prestigiosa fundación: "*1,7 millones de beneficiarios de los Planes Jefes y Jefas de Hogar (abril 2004) representan un 46% de la masa total de votantes cautivos de la Argentina*".94

A diferencia de sus antecesores inmediatos, Kirchner se mostró desde el comienzo totalmente contrario a la libertad de prensa y sometió al periodismo de una forma jamás vista desde 1983. Importantes instituciones mundiales condenaron a la Argentina y así, por ejemplo, la SIP (Sociedad Interamericana de Prensa) determinó que en la Argentina "no se respeta la libertad de prensa" y ni siquiera periodistas con afinidad ideológica al régimen se salvaron del absolutismo si osaban criticar moderadamente algunos aspectos de la gestión kirchnerista. Con esta política consistente en no tolerar el menor disenso por trivial o tangencial que fuere, el periodista de izquierda Nudler fue expulsado del diario de izquierda *Página 12* por efectuar denuncias de corrupción, el periodista de izquierda Jorge Lanata denunció estar "proscripto" en televisión y el periodista de izquierda José *Pepe* Eliaschev fue expulsado de Radio Nacional (dirigida por Mona Moncalvillo) por disentir con el régimen, entre tantos otros casos conocidos y desconocidos. Tras tres años de hostigamiento, el 31 de mayo (2006), en el Hotel Panamericano destacados periodistas de diversas tendencias ideológicas se reunieron para acompañar la "acción de amparo" promovida por "Editorial Perfil" ante la justicia, con motivo de la ostensible arbitrariedad del Gobierno en cuanto al manejo de la publicidad oficial (la que sirve virtualmente para comprar periodistas) y solicitando además el cese de la discriminación informativa. Entre otros acudieron Joaquín Morales Solá, Jorge Lanata. Pacho O´Donell, Nelson Castro, Marcelo Longobardi, Luis Majul, Mónica Gutiérrez, Juan José Sebreli, Jorge Fontevecchia y Alfredo Leuco.

Las proscripciones virtuales y el amordazamiento a la prensa llevado a través de la compra embozada de periodistas con la argucia de la "publicidad oficial", le han servido al Gobierno para ocultar o "tapar" escándalos de corrupción institucional, manipulando el desvío de la información a efectos de entretener a la población con otras temáticas. Dentro de este *modus operandi*, el Gobierno suele efectuar encendidas diatribas inventando enemigos inexistentes y distrayendo a la opinión pública con diferentes alternativas, esquivando así costos políticos sobre episodios escandalosos tales como el nunca aclarado uso de los "fondos de Santa Cruz" (comprendidos en más de quinientos millones de dólares), en donde el mismo Kirchner le informó a la Argentina y al mundo *"durante la Cumbre de las Américas, llevada a cabo en Monterrey, Méjico, que en la crisis de 2001 él había decidido depositar los fondos en cuestión en la Reserva Federal de Los Estados Unidos. La confesión no tendría nada de malo, salvo por un detalle: es falsa, porque la Reserva Federal norteamericana no obra como banco de inversión y el dinero santacruceño nunca pudo haber sido depositado allí"*.95 Asimismo, otro dato que pone de manifiesto el rosario de sugestivas contradicciones en el episodio de marras, es que Kirchner no desvió los fondos en el año 2001 como "consecuencia de la crisis", sino en el año 1993.

Pero el gran ataque de Kirchner a la división de poderes se dio (además de la constante compra de diputados) al desmantelamiento de la Corte Suprema (derrocando a los miembros que no se subordinaban al Ejecutivo y colocando amigos) y la posterior reforma del Consejo de la Magistratura (a efectos de controlar también el nombramiento y ascenso del resto de los jueces del Poder Judicial).

La libertad religiosa tampoco se salvó de la intolerancia y el Vaticano calificó a la Argentina con el rango de "Sede Impedida", tipificación canónica que la Iglesia sólo ha puesto a países en donde existe abierta persecución religiosa (tal como sucedió en las tiranías comunistas o en algunos países de Medio Oriente). Siempre ensañado con su adolescente setentismo, Kirchner fustigaba a la Iglesia denunciando al vacío que "hubo sacerdotes que confesaban torturadores", imputación absurda que pone de manifiesto la supina ignorancia del Primer Mandatario, en este caso en materia religiosa. En primer lugar porque Kirchner no puede saber tal cosa, ya que el secreto confesional impide informar el contenido de la confesión cualquiera sea y en segundo término, porque el Art. 843 parágrafo 1 del Código de Derecho Canónico en vigencia, declara: *"Los ministros sagrados no pueden negar los sacramentos a quienes los pidan de modo oportuno"*. O sea que aun el canalla más atildado puede confesarse sin que dicho sacramento le sea denegado; por ende, hasta Kirchner puede concurrir a dicho beneficio.

En materia económica, Kirchner mantuvo al ministro de Economía de Duhalde, Roberto Lavagna, quien aplicando una paridad cambiaria de valor tres pesos por dólar y en un contexto internacional totalmente favorable e inusual de la que goza la región como consecuencia de factores externos (tras el aumento de la demanda y del precio internacional de *comidities*), el desabrochado patagón se ufanaba de "su" nuevo tipo de cambio, que él denominaba "dólar competitivo" (que no fue un invento de su autoría sino que lo heredó del gobierno anterior). Es curioso el nuevo modo de pensar de Kirchner en este tema ya que, pocos meses antes de que Duhalde lo consagrara presidente, declaró ante la revista *Noticias* haber rechazado ser jefe de Gabinete de Duhalde alegando *"no estar de acuerdo con la devaluación"*.[96]

En el plano internacional, no dejó pelea por ocasionar ni conflicto por generar. Con su conocido porte de orillero "compadrito" de cantina, constantemente provocó innecesarios inconvenientes con diversos mandatarios, personalidades y países de la comunidad internacional, que a la postre generaron que las inversiones lejos de recuperarse, se terminaran de ahuyentar. Pero el escándalo más relevante al respecto se dio en el caso de las "papeleras" uruguayas instaladas en Fray Bentos (ciudad colindante con Gualeguaychú), las cuales presuntamente contaminarían el Río Uruguay. Lo cierto es que en el fragor del conflicto se llevó a cabo un congreso de presidentes en Viena (por un tema ajeno a susodicho episodio), en donde el más acabado buen gusto y solemnidad priman. Fue en ese momento en el cual los sesenta mandatarios concurrentes posaban para sacarse la foto protocolar, cuando burlando la vigilancia apareció sorpresivamente y semidesnuda (ante la mirada festiva de Kirchner y bajo el patrocinio de los activistas de Greenpeace) la reina del carnaval de Gualeguaychú, señorita Evangelina Carrozo, con un cartel portador de consignas ecologistas. Las extravagantes imágenes recorrieron el mundo entero y la Argentina otra vez fue noticia mundial al servicio del ridículo, pero la mejor definición del ordinario episodio la brindó el abogado y dirigente radical Humberto Bonanata desde las páginas de *Notiar:* "*Si el fundamento argentino ante una disputa internacional son buenas tetas y un buen culo para defender nuestros derechos soberanos, ello es la síntesis de cómo la Cancillería en manos del asesino Jorge Taiana defiende jurídicamente nuestra política internacional*".[97] Al momento de escribir este libro, la señorita Carrozo aún no forma parte del *staff* "*artístico*" del empresario Gerardo Sofovich.

Kirchner, fuera de su rígido antimilitarismo y sus simpatías para con los terroristas (a los que indemniza, homenajea y ofrece cargos públicos tal como lo veremos en el acápite subsiguiente), es un personaje enigmático capaz de abrazarse con George Bush, Fidel Castro o el grotesco charlatán Hugo Chávez. Y con esta politiquería mercenaria (que los peronistas llaman "pragmatismo") ha sido capaz de hacerse el guapetón con el FMI, pero, corazón a la izquierda y billetera a la derecha, le canceló la deuda por adelantado al citado organismo de crédito.

Si en verdad tuviésemos que definir a Kirchner ideológicamente, bien le cabe entonces el mote de "populista de izquierda" (versión siglo XXI). Puesto que el millonario patagón no parece demasiado ideólogo, más allá de sus ampulosos gestos burdos, su libreto "filozurdo" y su tropel de ministros absurdos.

Subcapítulo X: El setentismo kirchnerista

Hegemonía, persecución y resentimiento

En materia de setentismo, Kirchner ha sido inigualable y esta política ha sido su prioridad. Una vez asentado en el poder, intoxicó la administración pública con personajes como Eduardo L. Duhalde (ex montonero, ex abogado de Santucho y operador político del ataque a La Tablada en 1989) en el paradójico e increíble cargo de "secretario de Derechos Humanos"; el ex montonero Enrique Albistur ocuparía la Secretaría de Comunicación; el ex montonero Carlos Kunkel en la Subsecretaría de la Presidencia; el ex montonero Juan Carlos Dante Gullo, asesor presidencial; el ex montonero Eduardo Sigal, subsecretario de Integración Americana; el ex montonero Juan González Gaviola, interventor del PAMI; el ex montonero Jorge Taiana (quien según informó *Ambito Financiero* asesinó a un mozo colocando una bomba en una confitería de Buenos Aires), secretario de Relaciones exteriores; la ex montonera Patricia Vaca Narvaja, secretaria de Defensa del Consumidor y, como frutilla del postre, en un Ministerio clave, tal como lo es el de Relaciones Exteriores, se designó como canciller al ex montonero Rafael Bielsa, quien se ufanó orgulloso de "*haber participado de hechos de violencia*", y admitió "*haber participado de ataques contra sectores militares y del establishment de los 70*" y "*en la colocación de bombas a 'aristócratas' de esa época*".[98]

La Cancillería, en manos primero de Bielsa y luego de Taiana, mostró (tanto por el prontuario de sus miembros como en sus acciones ministeriales) un inocultable perfil en pro del terrorismo local y foráneo. Tanto es así que la prestigiosa periodista María Anastasia O´Grady, desde su columna en el diario *Wall Street Journal*, acusó a la Argentina de haberse constituido en "un refugio del terrorismo internacional". Pero después de las ya citadas elecciones de octubre de 2005, el desfile de personajes vinculados a la subversión en los cargos públicos prosiguió en expansión y se incorporó a Nilda Garré (cuñada del asesino material de Aramburu) como ministra de Defensa y al ex montonero, Juan Manuel Abal Medina, como subsecretario en la Jefatura de Gabinete, entre otros. No sólo delincuentes terroristas se beneficiaron de cargos públicos, sino que la delincuencia piquetera también tuvo sus premios, siendo el más beneficiado el hábil incendiario de comisarías Luis D´elía, a quien tras ser derrotado en las urnas de modo aplastante, le fue inventada una secretaría con trescientos millones de pesos de presupuesto (dependiente del polémico ministro De Vido), tendiente a avalar y legitimar la ocupación de predios y propiedades.

En materia jurídica, la política "revanchista" de Kirchner principió con la derogación de un decreto (sancionado por De la Rúa) que prohibía la extradición de los militares argentinos y seguidamente, desarticuló a los altos mandos de las FF.AA. colocando en su lugar a militares sin estatura profesional ni moral. Por esas fechas, además, fueron encarcelados (solo por unas horas) los ex jerarcas montoneros Perdía y Vaca Narvaja, pero no por haber dirigido una organización terrorista y homicida, sino por imputárseles haber entorpecido los fines delictivos de la banda al sospecharse el haber colaborado con el Estado delatando a terroristas que desde el exterior regresaban al país para la contraofensiva de 1979. Durante la brevísima y simbólica detención, la batifondera pandilla defensora de los "derechos humanos" (obviamente) conocida como HIJOS apoyó a los delincuentes de marras bajo las proclamas: "*Libertad a los compañeros montoneros presos*" y "*exigimos la inme-*

Imagen bochornosa: obrando de "changarín", el general Bendini subido a un banquito bajando uno de los cuadros en el Colegio Militar.

diata libertad de los compañeros Fernando Vaca Narvaja y Roberto Cirilo Perdía, así como también el cese de la persecución al compañero Mario Eduardo Firmenich" y con la mesura y el espíritu conciliador y democrático que los caracteriza agregan: *"No olvidamos. No perdonamos. No nos reconciliamos. Reivindicamos las lucha revolucionaria de nuestros viejos y sus compañeros".* ¿A que lucha "de nuestros viejos" se refería el comunicado de HIJOS, acaso a la del boleto estudiantil?

El primer 24 de marzo de su gestión (año 2004) Kirchner expropió el predio de la Escuela Mecánica de la Armada (sitio emblemático, pues allí eran alojados parte de los prisioneros de guerra en los años 70), a efectos de construir allí un museo apologista del terrorismo. Para evitar resistencias por parte de la Marina ante la inminente humillación, previamente Kirchner se ocupó de colocar como cabeza de esta fuerza al almirante Jorge *Chirolita* Godoy. Ese 24, las habituales hordas de extrema izquierda desfilaron enarbolando banderas del *Che* Guevara, cantando loas al terrorismo y destrozando gran parte de los recintos del predio.

Como el olor putrefacto a multitud no podía estar ausente en un acto de ese tenor (que la sociedad nunca pidió), temerosos los organizadores acerca de la convocatoria, decoraron el encuentro con un festival de "música popular", a efectos de que "cholulos" y faranduleros se acerquen y pudieran abultar el número de aunados. Personajes del espectáculo comprometidos con los "derechos humanos" (tal como llaman los idiotas útiles a todo "artista" apologista del marxismo y del terrorismo) animaron la festividad, haciéndose presente, por ejemplo, Soledad Silveyra (por entonces conductora del insufrible culebrón llamado *El gran hermano*) quien para la ocasión dejó su habitual indumentaria de vampiresa nocturna y fue vestida de modo más recatado. No obstante, brindó un discurso en donde su inelegante y conventillero timbre de voz se constituyó en uno de los sucesos más glamorosos de la velada. Además, entre los cantautores con "conciencia social" que participaron, se destacó la presencia del inefable Víctor Heredia y de exportación se trajo a Joan Manuel Serrat (ex financista montonero),[99] quien además de sus conocidos temas comerciales de inspiración marxista (cuyas ventas les permiten vivir como un buen burgués) posee una canción particularmente desconocida que se llama *La Montonera*, cuyos "profundos versos" rezan: *"Con esas manos de quererte tanto / Pintaba las paredes 'luche y vuelve' / Manchando de esperanza y de canto / Las veredas de aquel 69 / ¿Cómo quiere usted que no ande de aquí para allá cargando la primavera cayéndose y volviéndose a levantar la montonera?".*

A pesar de los medios de transporte colocados al efecto y del festival gratis a "todo trapo", la convocatoria fue un verdadero fracaso: se esperaban unas cien mil personas y los aunados fueron menos de diez mil. Después de la función, el cronograma de actividades revanchistas proseguía y la muchedumbre se trasladó junto a Kirchner hacia el Colegio Militar. Escoltado entonces por un enardecido tropel de comparsas y murgas guevaristas, Kirchner gozoso allí donde la repugnancia prima, ordenó sacar los cuadros de los ex presidentes Jorge Rafael Videla y Reynaldo Bignone. El cuadro original de Videla había sido "hurtado" por cadetes de *motu proprio* días antes, a fin de preservarlo del sainete. Pero como nuestro "primer mocasín" no podía dejar de hacer su papel de guapetón, tuvieron que mandar hacer de último momento una gigantografía del ex presidente Videla con el objeto de colgarla en reemplazo de la original (que ya no estaba) y luego ordenar sacarla delante de las cámaras de televisión a efectos de arrancar el aplauso de la turba servil. Para la proeza, Kirchner contó con la presencia de un hombre mediocre y rastrero como el general Roberto *Manteca* Bendini, a quien por su ropaje verde y su vocación de títere, sus subordinados lo llaman cariñosamente *la rana René* (simpático personaje de la clásica serie de muñecos llamada *The Muppets*).

El periodista Mariano Grondona relató el episodio narrando que *"cuando ordenó al nuevo jefe del Ejército, el general Bendini, descolgar cuadros de antiguos jefes del Colegio Militar cual si fuera un ordenanza y cuando éste aceptó solícito el encargo, infiriendo al Ejército la peor de las humillaciones, se confirmó el nuevo designio, no ya de reintegrar a las Fuerzas Arma-*

das a la democracia, sino de vengarse de ellas. Es que a los Montoneros armados derrotados cruelmente en los años setenta habían venido a reemplazarlos los Montoneros desarmados, para los cuales la cuenta de los años setenta aún no se había saldado".[100]

Escasos días después del desopilante episodio, Hebe de Bonafini, en gesto de sinceridad, quejosamente acusó al futuro "museo" de insuficiente al afirmar que: *"Ahí no van a estar los FAL (fusiles) que usaban nuestros hijos, ni las estrategias que usaban cuando ellos quisieron hacer la revolución. Siempre pensé en mis hijos como guerrilleros y revolucionarios, con un gran orgullo. Si en un museo no va a estar cómo fue la organización, las luchas que hubo, los hechos que realizaron, no sirve".*[101]

En cuanto a la persecución del régimen sobre los que disienten con la visión oficial de los años 70, se llegó al extremo de encarcelar o perjudicar a civiles o militares por el delito de opinar distinto y así fueron apresados el Tcnl. Emilio Nani; el fallecido escritor y C.F. en retiro Horacio Salduna; el general Vega (por efectuar palabras recordatorias de soldados muertos por la subversión); se intentó remover de su cargo al obispo castrense Basseoto por el solo hecho de citar la Biblia, intentona que quedó sin éxito pues (mal que le pese a Kirchner) los obispos dependen del Papa y no de él; militares de diverso rango fueron apresados o dados de baja por el hecho de que sus esposas hayan opinado; se expulsó de la función pública del Dr. Sánchez Herrera (por haber sido abogado de un militar); se impidió el acceso como rector de la UBA al Dr. Héctor Alterini (acusado de haber ejercido su profesión de abogado durante el proceso cívico-militar); y todo un cúmulo de inacabables persecuciones a las que el diario *La Nación* completaba: *"El pase a retiro del general de brigada Gonzalo Palacios, la exclusión del doctor José María Dagnino Pastore como profesor de una maestría en la Facultad de Derecho de la Universidad de Buenos Aires (UBA) y los ya comentados intentos por impedirle al diputado nacional electo Luis Abelardo Patti ocupar la banca parlamentaria* [proscripción que finalmente lograron] *son síntomas de un peligroso crecimiento de la intolerancia, basado en la persecución ideológica".*[102] Con respecto a la proscripción del diputado electo Luis Patti, vale aclarar que dicha componenda intolerante fue promovida por el terrorista indultado Miguel Bonasso, en connivencia con el hijo de Estela de Carlotto (ignoto personaje llamado Remo que ya vivía del Estado en la Secretaría de Derechos Humanos de la provincia de Buenos Aires) quien gracias a los oficios influyentes de su madre puede ahora trabajar como diputado y así, con el respaldo de toda la ralea peronista (que ahora había recibido la orden del ejecutivo de proscribir a un diputado por ser considerado de "derecha"), la partidocracia a pleno una vez más se pasó por el trasero la (tan reivindicada por ellos) "voz del pueblo".

En cuanto al negocio ya analizado consistente en resarcir terroristas y afines, este no se detuvo y el delincuente montonero Julio Urien (que se había infiltrado en la Marina) resultó premiado con quinientos millones de pesos y un relevante cargo en la administración pública. Este episodio fue llevado a cabo mediante un acto ceremonioso en presencia (nada más y nada menos) del inefable almirante *Chirola* Godoy. El festivo evento fue cubierto por el diario *La Nueva Provincia* el 4 de diciembre de 2005, que rezaba en su editorial: "*Días atrás, ante la pasividad cómplice del jefe del Estado Mayor General de la Armada, almirante Jorge Godoy, se desarrolló en la Casa Rosada un acto verdaderamente vergonzoso, que puso en evidencia la crisis de valores que hoy aqueja a las Fuerzas Armadas. Se trató de la devolución del rango, la promoción y el pago indemnizatorio al ex teniente de la Infantería de Marina Julio Cesar Urien, quien, hace 33 años protagonizó un acto incalificable. Junto a un grupo de oficiales del arma (pertenecientes a la organización terrorista Montoneros), intentó tomar el arsenal de la Escuela de Mecánica de la Armada, para lo cual asesinó por la espalda a un suboficial que estaba de guardia. Oportunamente, por ese delito fue juzgado, condenado y luego amnistiado por Héctor Cámpora, en 1973. Que el gobierno de Kirchner busque la revancha de la derrota que sufrieron las bandas terroristas en la década del '70 no debería extrañar. Al fin y al cabo, el presidente de la Nación, en más de una oportunidad, las ha reivindicado. Que el almirante Godoy se haya hecho presente y haya escuchado, sin inmutarse, que Urien, al recibir su premio, se declarase montonero, tampoco debería extrañar, porque ésas son sus cualidades morales*".

Con motivo del impacto psicológico que generan los "números redondos", el día 20 de marzo de 2006 (en víspera del 30 aniversario del "golpe") –no sabemos si en carácter de día festivo (tal como el pueblo argentino lo vivió en 1976) o de día de luto (tal como está impuesto en los calendarios de hoy)– por Ley 26.085 se declaró "feriado nacional el 24 de marzo".

Días antes de la sanción de esta última ley (1 de marzo del 2006), en el discurso inaugural de la Asamblea Legislativa, el presidente Néstor Kirchner, ante la mirada servil de sus subordinados (o sea del grueso de los parlamentarios), arengaba: "*Estamos a 23 días de recordar una fecha que mancilló las instituciones y que consolidó 30 mil desapariciones por pensar diferente en la Patria [...], Y eso se materializó el 24 de marzo de 1976. Por eso, en el cierre de este discurso que me toca, el anteúltimo como presidente de la República en mi mandato que termina el 10 de diciembre de 2007, si ustedes me permiten señores legisladores, yo quiero rendir un homenaje grande y sincero a la Argentina y a esos 30 mil argentinos*".[103] Como vemos, la mentira oficial en su máxima expresión.

Derogación de las leyes de Obediencia debida y Punto final

Por las consecuencias que traería aparejadas, la agresión más virulenta de Kirchner a las FF.AA. fue sin duda la derogación y anulación de las leyes de Obediencia debida y Punto final. Para tal fin, le ordenó al disciplinado Congreso de la Nación que anule las citadas leyes de amnistía (sancionadas por el mismo Congreso años atrás), lo que constituyó una actitud abiertamente inconstitucional, porque sólo el Poder Judicial en forma exclusiva y excluyente tiene la prerrogativa de anular una ley y quitarle los efectos jurídicos vertidos. Pero como la "anulación" de las leyes de Obediencia debida y Punto final por el Congreso era un mamarracho antijurídico demasiado ostensible, Kirchner ordenó su anulación y derogación (con efecto retroactivo) pero esta vez por parte de la Corte Suprema, lo cual también constituía un afrenta antijurídica, aunque más sutil y embozada que la declaración del Congreso.

Para lograr ese objetivo, Kirchner precisaba obtener los votos favorables de la Corte Suprema de Justicia, pero los números no le favorecían. Entonces necesitaba cambiar a sus miembros a través de un derrocamiento virtual. En consecuencia, valiéndose de la "cadena nacional" y utilizando numerosas fundas de látex a sueldo (diputados y senadores), los jueces de la corte fueron amedrentados bajo amenaza de que si no renunciaban a sus cargos, serían removidos por "juicio político" por el Congreso y, con esto, los magistrados ni siquiera podrían gozar de haberes previsionales. Se forzó así la renuncia de los magistrados no oficialistas bajo el absurdo pretexto de Kirchner de querer erradicar "la corte adicta". ¿Adicta a quién preguntamos? A Menem, según acusaba Kirchner en las barricadas. Pero Menem no gobernaba el país desde 1999, de modo que el vicio de "adicción" ya no existía. Ocurre que la corte no era adicta a Kirchner, y por ende este precisaba armar una nueva a su talla.

Una vez arrancadas las renuncias y producidas las vacantes, se impuso en la corte al polémico abolicionista, evasor fiscal y activista pro gay Dr. Eugenio Zaffaroni, quien tiene como socio, amigo y asesor al Dr. Jacobo Grossman, ex terrorista que estuvo condenado a trece años de prisión por secuestros extorsivos. Seguidamente, se colocó a la abortista confesa Carmen Argibay (quien como ya fuera dicho, figura como desaparecida en los desacreditados listados de la CONADEP) y así, junto con otros juristas como la Dra. Elena Higton y el Dr. Ricardo Lorenzetti, armó su nuevo órgano satélite (denominado Corte Suprema de Justicia) para llevar adelante sus propósitos revanchistas y políticos.

Si bien ante el mismo planteo la corte dictaminó exactamente lo contrario varias veces, en esta ocasión y en cumplimiento de lo que ya venía planificando desde hacía años el CELS capitaneado por Horacio Verbtisky (asesor virtual del Gobierno), Kirchner atropelló nuevamente con todas las garantías jurídicas y el Estado de Derecho.

¿Y en qué se basó la nueva corte oficialista para declarar la nulidad e inconstitucionalidad de las citadas leyes? El principal argumento consistió en que, en la reforma constitucional de 1994, la Argentina incorporó la "Convención Americana de Derechos Humanos" y que la misma impide amnistiar delitos de "lesa humanidad", y como las leyes de Obediencia debida y Punto final eran de amnistía, por ende chocaban con la normativa impuesta desde 1994.

Pero ocurre que hasta un rústico conocedor de los principios generales del derecho sabe que las leyes no pueden aplicarse retroactivamente (el artículo 18 de la Constitución Nacional afirma: *"Ningún habitante de la Nación puede ser penado sin juicio previo fundado en ley anterior al hecho del proceso"*), y por ende, este tratado rige para hechos posteriores a su entrada en vigencia, y no para considerar episodios acaecidos dos décadas atrás. Ergo, el fallo de la corte es erróneo por dos circunstancias: primero porque no existió "lesa humanidad" por parte de las FF.AA. (sí por los terroristas tal como ya lo hemos visto), y segundo porque aunque efectivamente hubiese habido "lesa humanidad", este tratado no podría aplicarse sino a hechos acaecidos desde su entrada en vigencia y no antes (es decir desde 1994 y hacia el futuro) conforme al principio de irretroactividad ya explicado. Esto trajo como consecuencia persecución y encarcelamientos masivos a centenares de militares ya retirados que, a modo de "caza de brujas", están siendo perseguidos y apresados a lo largo y ancho de todo el país, por el sólo hecho de haber estado en actividad durante la guerra civil de los años 70.

Para que podamos notar el grado de ideologismo de la corte kirchnerista, tengamos en cuenta que en el año 2005, el tribunal determinó insólitamente (en el caso del pedido de extradición del terrorista de la ETA Lariz Iriondo –vinculado a Hebe de Bonafini–) que, a diferencia de lo que ocurre con el denominado "terrorismo de Estado", no cabe imputación de "lesa humanidad" para el caso de delitos de "terrorismo privado", sobre los cuales, a su novedoso entender, "no ha mediado consenso entre los estados para encuadrarlos en la categoría de imprescriptibles". Pero la exculpación de los delitos de terrorismo es absolutamente desacertada, puesto que la definición de "crimen de lesa humanidad" tipificada en la legislación internacional (tal como ya lo hemos analizamos más arriba) también comprende a las bandas armadas ajenas al Estado; por consiguiente, la hemiplejía jurídica con la que actuó la nueva corte adicta no posee siquiera sutilezas, puesto que, además de no juzgar a los terroristas de raíz marxista, tampoco juzgó al terrorismo peronista de la AAA y mucho menos a los funcionarios del Gobierno constitucional (en manos del Partido Justicialista) que entre 1975 y el primer trimestre de 1976 fueron responsables de la desaparición de novecientos terroristas. El problema no es jurídico, puesto que por la vía jurídica es inviable encarcelar a los miembros de las FF.AA. partícipes de la guerra antiterrorista, más allá de los malabarismos dialécticos y enrevesadas interpretaciones que se quieran dar. El problema es eminentemente político e ideológico. No impera el poder del derecho y la razón, sino de lo "fáctico".

¿Y cuál fue la reacción del Ejército ante el infausto fallo inconstitucional?, pues el general Bendini (alias *la Rana René*) salió a apoyar a los agresores de las FF.AA. diciendo: *"A partir de ahora se inicia el reencuentro tan ansiado por todos los argentinos"* y que lo importante es que *"a partir de ahora se va a juzgar y con ese juzgamiento se condenará a los responsables de todo lo que fue la secuela de la década del 70"*.

El diario *Ámbito Financiero*, que reproducía las declaraciones del experimentado descolgador de cuadros, agregó: *"Interesa su declaración porque nunca desde los 70 hasta que llegó al kirchnerismo, o sea en 30 años, [Bendini] jamás había desplegado sus ideas al respecto. Pero es bueno que se pronuncie por el juzgamiento: también a él le cabe el tema, ya que en Santa Cruz, por una serie de irregularidades cometidas bajo su administración en un cuartel, el magistrado ha guardado la causa con tanto esmero que hasta se volvió sospechosa su inactividad. Se supone que esta repentina devoción por la Justicia lo acercará al tribunal y éste, por fin, decidirá si a Bendini le alcanza o no el procesamiento"*.[104]

El próximo paso del revanchismo setentista de Kirchner consistirá en derogar (siempre con el inconstitucional efecto retroactivo) los indultos dados a militares, aunque en este caso las hordas marxistas tienen un pequeño obstáculo (que de todos modos será subsanado con cualquier argumento fabricado), que consiste en que dentro de los decretos de indultos a militares sancionados en los años 90 se llevaron a cabo también (de manera conjunta y en el mismo texto) indultos a numerosos terroristas marxistas; por ende, anular el decreto dejaría por añadidura sin efecto los beneficios a diversos asesinos y delincuentes subversivos, tal el caso de Miguel Bonasso. Pero con la afectuosa ayuda y colaboración de las cúpulas castrenses actuales (agosto 2006), los defensores de los terroristas ya se las ingeniarán para argumentar y determinar cuales indultos del decreto resultan válidos y cuales inválidos.

El comienzo de la reacción

Al momento de concluir el libro, el episodio más reciente (que precisamente ha sido un verdadero punto de inflexión) y que comenzó a preocupar al Gobierno se dio el 24 de mayo del 2006, en donde en un acto en Plaza San Martín en la Capital Federal, más de diez mil personas (sin choripán, ni micros, ni "plan social", ni punteros del conurbano bonaerense, ni propaganda televisiva, ni tampoco la guitarra pueril de algún "trovador") se aunaron a recordar a los muertos por la subversión. En el acto fueron oradores el Grl. Miguel Giuliano, Ana Lucioni (hija de un militar muerto por la subversión) y Karina Mujica (presidenta de Memoria Completa).

Como nota distintiva, al masivo y espontáneo evento acudieron un grupo de oficiales en actividad a recordar a sus muertos. La *rana Rene* los encarceló y castigó gravemente y los retirados que osaron homenajear a sus camaradas muertos por el terrorismo fueron sumariados. Si bien los episodios son muy recientes como para efectuar análisis agudos y apreciar consecuencias concretas, de todos modos ciertas vacilaciones comenzaron a notarse en el ambiente gubernamental, pues luego de este evento el Gobierno dio marcha atrás con sus objetivos consistentes en cerrar los liceos militares. Cierta vez, el escritor Jorge Asís con su notable verborragia manifestó que Kirchner es *"un duro en el arte de arrugar"*, veremos si se cumple tal definición.

Valentía tardía

De todos los presidentes que hemos padecido desde 1983, por lejos, el más furioso en materia de setentismo ha sido Néstor Kirchner. Pero esta obstinación no se explica tanto a partir de su militancia juvenil, puesto que nunca fue montonero, nunca participó de ningún activismo riesgoso, ni tampoco se le conoce adherencia intelectual a escritores o pensadores de izquierda. Pues es de suponer que Kirchner, dada su escasa dedicación a lo libros, sólo de oídas conozca a los principales exponentes del pensamiento marxista. Sin embargo, involuntariamente ha cumplido en gran parte algunos de los mandamientos escritos por Lenin: *"Hay que estar preparados para hacer toda clase de sacrificios, aún mentir, engañar, hacer operaciones ilegales, omitir o suprimir la verdad. Esto, por supuesto, es difícil [...] sin embargo, se puede y se debe hacer sistemáticamente"*.[105]

En puridad, la naturaleza de las políticas pro terroristas y antimilitares de Kirchner obedecen al síndrome conocido como la "valentía tardía", que por definición es peor que la cobardía. En efecto, durante la guerra de los años 70, Kirchner era un adherente a distancia de la guerrilla y el terrorismo. Nunca se animó a pelear ni formó parte integrante de sus cuadros. Por aquellos aciagos años, se fue a Santa Cruz a convertirse en millonario (objetivo que logró) utilizando al efecto (según lo explica y documenta el periodista Daniel Gatti en su libro *El amo del feudo*) el negocio de la usura y la extorsión, mientras sus amigos y camaradas, con más agallas e ideales que él se quedaron peleando en el campo de batalla.

A diferencia de los guerrilleros que murieron y combatieron, la congoja que genera el cargo de conciencia por no haberse jugado por sus ideales, a destiempo y a efectos de calmar su complejo y culpa interna, Kirchner trata de compensar su cobardía de ayer con frenéticos discursos setentistas de hoy.

Por el contrario, los guerrilleros que verdaderamente estuvieron en pie de guerra poniendo el pecho por sus principios y no huyeron movilizados por el afán de lucro, lejos del "revanchismo" tardío, hoy tienen una actitud y una mirada bien distinta sobre el pasado. Pues el mismo Firmenich (quien confesó no haber conocido ni oído hablar nunca de Kirchner en la militancia) reflexiona: *"En el plano estrictamente personal, yo no tengo el más mínimo rencor, ni odio. Alguna vez he dicho que si de algo me arrepentía es de haber sentido odio, no tengo resquemores de ninguna especie con nadie y como es público y notorio no soy un militante de revanchismo la sociedad argentina en la medida que niegue sus protagonismos en las luchas violentas que ha vivido durante décadas, pues entonces corre el riego de reiterarlo".*[106]

Notas

[1] Bonasso, Miguel. *Diario de un clandestino*. Buenos Aires, Planeta, 2000, p. 233.

[2] Ley de la provincia de Buenos Aires 11.782.

[3] Ver Márquez, Nicolás. *La otra parte de la verdad. La respuesta a los que han ocultado y deformado la verdad histórica sobre la década del 70 y el terrorismo.* 5º ed. Buenos Aires, Edición del autor, 2006.

[4] Ley provincial 10.671, 31 de agosto de 1988.

[5] Ley 13.179, 31 de marzo de 2004.

[6] Ley 12.498. Registro único de la verdad, 21 de septiembre de 2000.

[7] Ley Nacional 25.633, 1 de agosto de 2002.

[8] Dino, Marta y otros. *Historia. La Argentina contemporánea*. Felipe Pigna (Coord.). Buenos Aires, A-Z, Serie Polimodal.

[9] Dino, Marta y otros. *Historia. El mundo contemporáneo*. Felipe Pigna (Coord.). Buenos Aires, A-Z, Serie Polimodal.

[10] Dino, Marta y otros. *ob. cit.* supra, nota 8.

[11] Miranda, Emilio y Edgardo Colombo. *Historia argentina contemporánea*. Buenos Aires, Kapelusz, Biblioteca del Polimodal.

[12] Alonso, María Ernestina y otros. *Historia. La Argentina del Siglo XX*. Buenos Aires, Aique Grupo Editor.

[13] Dino, Marta y otros. *ob. cit.* supra, nota 8.

[14] *Idem.*

[15] *Idem.*

[16] *Idem.*

[17] Alonso, María Ernestina y otros. *ob. cit.* supra, nota 12.

[18] *Idem.*

[19] *Idem.*

[20] Rins, E. Cristina y María Felisa Winter. *Historia argentina contemporánea*. Buenos Aires, Santillana, 2000.

[21] Dino, Marta y otros. ob. cit. supra, nota 8.

[22] Seoane, María y Vicente Muleiro. *El dictador. La historia secreta y pública de Jorge Rafael Videla*. Buenos Aires, Sudamericana, 2001.

[23] Díaz Araujo, Enrique. *Internacionalismo salvaje, revolución marxista en América*. Buenos Aires, Ediciones La rosa blanca, 2005, p. 99.

348

24 Sebreli, Juan José. *Crítica a las ideas políticas argentinas*. 4° ed. Buenos Aires, Suda-mericana, 2002, p. 369.

25 Laprida, Mario Horacio. *Los increíbles radicales*. Buenos Aires, Edición del autor.

26 *Ibidem*. p. 166.

27 *Ibidem*. p. 97.

28 Diario *La Prensa*.

29 Diario *La Prensa*. Argentina, 1986. Citado en Laprida, Mario Horacio. *Los increíbles radicales*. Buenos Aires, Edición del autor, p. 85.

30 Laprida, Mario Horacio. *ob. cit.* supra, nota 25. p. 136.

31 Mensaje al Congreso de la Nación, 8 de julio de 1986. Citado en Laprida, Mario Hora-cio. *Los increíbles radicales*. (Buenos Aires, Edición del autor, p. 106).

32 Laprida, Mario Horacio. *ob. cit.* supra, nota 25. p. 106.

33 Diario *La Prensa*. Argentina, 23 de julio de 1990.

34 Diario *La Prensa* (editorial). Argentina, 31 de diciembre de 1989. Citado en Laprida, Mario Horacio. *Los increíbles radicales*. (Buenos Aires, Edición del autor, p. 121).

35 Laprida, Mario Horacio. *ob. cit.* supra, nota 25. p. 133.

36 *Ibidem*. p. 176.

37 Gorriarán Merlo, Enrique. *Memorias. De los setenta a La Tablada*. Buenos Aires, Pla-neta, 2003.

38 "Informe de la Side", *La Prensa*. Argentina, 19 de julio de 1989.

39 Laprida, Mario Horacio. *ob. cit.* supra, nota 25. p. 204.

40 *Cabildo*. Argentina, febrero de 1987. Nota reproducida por la misma revista en febrero de 1989.

41 *In Memoriam*. Tomo III. Buenos Aires, Círculo Militar, 2000.

42 Botana, Helvio. *Memorias tras los dientes del perro*. Buenos Aires, Peña Lillo editor, 1977. Citado García Montaño, Diego. *Responsabilidad compartida*. (Buenos Aires, Ediciones El copista, 2003, p. 254).

43 Viotto Romano, Leandro. *Silencio de mudos. La subversión en la Argentina (1959-2005). De las armas al poder institucional y político*. Buenos Aires, Editorial Dunken, 2005, p. 30.

44 Rojas, Guillermo. *Años de Terror y pólvora. El proyecto cubano en la Argentina (1959-1970)*. Buenos Aires, Editorial Santiago Apóstol, 2001, p. 162.

45 *La Nación*. Argentina, 27 de mayo 1983. Citado en Rojas, Guillermo. *30.000 desapare-cidos, realidad, mito y dogma*. (Buenos Aires, Editorial Santiago Apóstol, 2003, p. 296).

46 Gorbato, Viviana. *Montoneros. Soldados de Menem. ¿Soldados de Duhalde?* 2° ed. Buenos Aires, Sudamericana, 1999, p. 79.

47 Vigo Leguizamón, Javier. *Amar al enemigo. Un diálogo de reconciliación entre argen-tinos*. Buenos Aires, Ediciones Pasco, 2001, p. 324.

48 García Montaño, Diego. *Responsabilidad compartida*. Buenos Aires, Ediciones El co-pista, 2003, p. 240.

49 *Ibidem*. p. 241.

50 Etchecolatz, Miguel. *La otra campana del Nunca más*. Buenos Aires, Edición del autor, 1997.

51 Laprida, Mario Horacio. *ob. cit.* supra, nota 25. p. 249.

52 Rojas, Guillermo. *30.000 desaparecidos, realidad, mito y dogma*. Buenos Aires, Edito-rial Santiago Apóstol, 2003, p. 331.

53 Acuña, Carlos Manuel. *Por amor al odio. Crónicas de guerra: de Cámpora a la muer-te de Perón*. Tomo II. Buenos Aires, Ediciones del Pórtico, 2003, p. 114.

54 García Montaño, Diego. ob. cit. supra, nota 48. p. 257.

55 "La subversión está en el Poder", *Cabildo*, 2° época, Año X, N° 93. Argentina, 08 de oc-tubre de 1985.

56 Rojas, Guillermo. *ob. cit.* supra, nota 52. p. 323.

57 *Ibidem.* p. 327.

58 Curuchet, Ricardo. "Strassera", *Cabildo*. Argentina, 2006.

59 Despacho N° 39.986, Fiscalía 19 de marzo de 1979. Fiscal federal Julio C. Strassera. Dictamen Dr. Julio. Strassera en el Habeas Corpus a favor de Jorge Cepernic. Juzgado Federal N° 2, Secretaria N° 5 de la Capital Federal/ Autos "Cepernic Jorge C/ Eestado Nacional" - Juzgado Constencioso Aadministrativo Federal N° 1, Secretaría N° 1.

60 Tabeada, Gabril· *La Prensa*. Argentina, 2 de marzo de 1989. Citado en Laprida, Mario Horacio. *Los increíbles radicales*. Buenos Aires, Edición del autor, p. 116.

61 Beccar Varela, Cosme. *Curiosidades. Panorama de la historia argentina. Diccionario político y manual práctico para destruir el poder de los corruptos*. Buenos Aires, Edición de autor, 1991.

62 Diario *La Prensa*. Argentina, 10 de mayo de 1988. Citado en Laprida, Mario Horacio. *Los increíbles radicales*. Buenos Aires, Edición del autor.

63 Diario *La Prensa*. Argentina, 4 de septiembre de 1985.

64 Diario *La Prensa*. Argentina, 6 de julio de 1989. Citado en Laprida, Mario Horacio. *Los increíbles radicales*. Buenos Aires, Edición del autor, p. 83.

65 Rojas, Guillermo. *ob. cit.* supra, nota 52. p. 271.

66 Gorbato, Viviana. *ob. cit.* supra, nota 46. p. 122.

67 Capítulo I, Cuestiones de hechos N° 1 y 2. p. 71.

68 *Ibidem.* p. 77.

69 *Ibidem.* p. 74

70 Capítulo II, Cuestiones de hecho N° 3, 4, 5, 6, 20, 21, 23, 24, 26 y 27. pp. 78-79.

72 Capítulo III, Cuestiones de hecho N° 7, 9, 10, 11, 13, 19 y 25. pp. 85, 87 y 89.

73 Capítulo VI, Cuestiones de hecho N° 15 y 16. p. 98

74 Capítulo VIII, Cuestiones de hecho N° 17, 18, 31, 32, 34, 35, 39 y 40 y complementarias aportadas por las defensa. p. 100-101.

75 Páginas 1542, 1543, 1544

76 Capítulo VII, Cuestiones de hecho N° 29 y 30. p. 99

77 Capítulo XI, Cuestiones de hecho N° 53, 56, 57, 58, 59, 60, 61, 62, 64, 65, 66, 91, 92 y complementarias. p. 309, 316.

78 Criterios en el Tratamiento de las Cosas, punto 4, p. 309. Fallos de la Corte Suprema de Justicia de la Nación.

79 Sexto. Examen de las causas de justificación alegadas. p. 1532, 1533.

80 Capítulo I, Cuestiones de hechos N° 1 y 2. p. 72.

81 Sexto. Examen de las causas de justificación alegadas. a.2) La respuesta normativa en ese período. p. 1534.

82 Página 1561.

83 Página 1561.

84 Monteverde, Agustín. "Caminando entre la asfixia y la evasión", *La Nación*. Argentina, 24 de octubre de 2004. p. 28.

85 Reportaje a Álvaro Vargas Llosa, *Infobae*. Argentina, 26 de septiembre de 2004. p. 35.

86 Larraquy, Marcelo y Roberto Caballero. *Galimberti. De Perón a Susana, de Montoneros a la CIA*. Buenos Aires, Grupo Editorial Norma, 2000, p. 484.

87 Gorbato, Viviana. *ob. cit.* supra, nota 46. p. 17.

88 Acuña, Carlos Manuel. *Verbitsky de La Habana a la Fundación Ford*. 2° Reimp. Buenos Aires, Ediciones del Pórtico. 2003. p. 167.

89 V.E.O. *Cabildo*. Argentina, septiembre de 2005.

90 "Kirchner sí conoce a Menem", *La Nueva Provincia*.

91 VEO. "La iniquidad se ha instalado", *Cabildo*. Argentina, octubre-noviembre de 2003.

92 *Ámbito Financiero*. Argentina, 21 de marzo de 2005.

[93] Oppenheimer, Andrés. "El peligroso aumento del voto cautivo", *Nuevo Herald de Miami*, 2 de julio de 2004. p. 110.

[94] Simonetta, Martín. "El Gobierno Nacional retiene las exportaciones de quince provincias", *Infobae*. 10 de agosto de 2004. p. 89.

[95] *Nueva Provincia*, 7 de agosto de 2005.

[96] Revista *Noticias*, 29 de junio de 2002.

[97] Bonanate, Humberto. "372.843 veces democracia". http:\\ www.notiar.com.ar. 4 de mayo de 2006.

[98] *La Capital de Rosario* y diario de Río Negro. Argentina, 8 de marzo de 2001.

[99] Larraquy, Marcelo y Roberto Caballero. *ob. cit.* supra, nota 86.

[100] Grondona, Mariano. "La democracia no ha resuelto la cuestión militar", *La Nación*. Argentina, 11 de junio de 2006.

[101] *La Nación*. Argentina, 02 de abril de 2004.

[102] "Intolerancia y persecución ideológica", *La Nación*. Argentina, 14 de diciembre de 2005.

[103] Mensaje del presidente Néstor Kirchner ante la Asamblea Legislativa. 01/03/2006, Buenos Aires, Congreso de la Nación.

[104] "General con sentido de oportunidad", *Ámbito Financiero*. Argentina, 15 de junio de 2005.

[105] Urriaga, Salvador. *El Comunismo residual.* p. 15.
Obras. 3° e. Tomo XXV. Moscú, p. 199.

[106] Vigo Leguizamón, Javier. *ob. cit.* supra, nota. 47. p. 268.

Capítulo VII

¿Quién ganó la guerra?

A pesar de los años trascurridos, la reconciliación nacional lamentablemente no solo no puede llevarse a cabo, sino que la perspectiva indica que las grietas se irán profundizando. En efecto, dicho reencuentro solo puede concretarse si ambos sectores tuviesen la firme voluntad de hacerlo (que no es el caso de los terroristas y sus defensores). Para generar conflicto, solo basta la voluntad de uno solo de los bandos. En cambio, para lograr concordia, es indispensable que la voluntad sea bilateral. Los setentistas no solo no quieren ninguna "reconciliación", sino que, además, económica y políticamente no les conviene.

A lo largo de toda la década del 70, tal como lo hemos visto más arriba, la subversión sumando muertos en combate y terroristas ejecutados tras su detención (desaparecidos) tuvo un total de bajas ligeramente superior a las ocho mil. A *contrario sensu* y según lo dictaminado por la Cámara Federal que juzgó a la junta de comandantes en 1985, el terrorismo asesinó a 1.501 personas entre civiles, militares y miembros de las fuerzas de seguridad. Los terroristas pretendieron asaltar el aparato estatal a efectos de imponer un totalitarismo comunista. El objetivo no fue logrado. El pueblo argentino representado en sus instituciones le impidió a la delincuencia marxista esa posibilidad y ganó la guerra. Y la ganó para siempre.

Sin embargo, la guerra no se ganó como se quiso, puesto que la formidable proliferación de filmes distorsionadores, de libros falsarios, de indemnizaciones espurias, de discursos imbéciles y de museos amnésicos ha provocado que lo sucedido por entonces, hoy sea totalmente desdibujado y desnaturalizado de su esencia verdadera. A todo esto, debe sumársele la violación permanente de los principios fundamentales del derecho contemplados en la Constitución a efectos de llevar adelante encarcelamientos masivos a miembros del sector definitivamente triunfante.

Pero más allá de estos irritantes contratiempos, nunca se va a instalar el Comunismo en la Argentina. En todo caso el país padece transitoriamente a un gobierno manipulado por un enardecido guarango que se recuesta en la militancia del terrorismo supérstite, que le resulta funcional. Pero al fin y al cabo, Kirchner no es más que un populista de izquierda. No es Castro, ni Stalin, no habrá purgas, ni reforma agraria. Pasará sin pena ni gloria con "pobres triunfos pasajeros" como dice el tango y a la postre caerá abatido preso de su descenso en la popularidad (que no tardará en manifestarse) puesto que exceptuando al presidente De la Rúa (quién padeció un golpe de estado sin participación de las FF.AA), todos los presidentes desde 1983 a esta parte han gozado durante lo primeros tres o cuatro años de gestión de importante cuota de adhesión popular, la cual en el caso de Kirchner se halla sostenida por el coyuntural crecimiento de la región, circunstancia favorable cuyo mérito no es adjudicable a él, obviamente. O sea, que si hubieran estado en el sillón de Rivadavia Ricky Maravilla, Carlitos Tevez, la *Tota* Santillán o la *Mona* Jiménez, el crecimiento económico hubiera sido el mismo. Todos los países del mundo sin excepción están creciendo (Haití incluido) y cuanto más atrasados estaban los países, mayor crecimiento poseen, porque así lo ordena el contexto en cierne. Los que menos crecen son los que ya tenían un alto grado de desarrollo.

Pero Kirchner no tardará en perder terreno, puesto que como bien lo decía Otto von Bismark: "*Todo hombre es tan grande como la ola que ruge debajo de él*", y debajo de Kirchner, "su ola" no está compuesta por lealtades impolutas, sino por una runfla de alcahuetes, mercenarios y asalariados circunstanciales de diversas jerarquías que, en la primera de cambio lo traicionarán sin la menor sutileza, tal como lo han hecho cuando ayer "trabajaban" para Menem y luego para Duhalde.

Pero volvamos a la pregunta de origen: ¿Quién ganó la guerra? Imaginemos el escenario inverso al ocurrido. Supongamos por un momento, que en los años 70 los terroristas hubiesen derrotado a las FF.AA. y se hubiesen adueñado del país e instaurado un sistema tal como el que actualmente esclaviza a Cuba, pero en lugar de Castro, tendríamos el yugo de ilimitado poder capitaneado por Mario Firmenich, Miguel Bonasso, Cirilo Perdía, Juan Gelman, Gorriarán Merlo y otros. ¿Qué hubiese pasado? Pues hasta muchos guerrilleros a la distancia reconocen hoy que hubiesen instalado un sistema de barbarie. El mismísimo montonero Martín Caparrós confiesa: "*¿Si ganábamos nosotros, las cosas hubieran sido mejores?, ¿nos hubiera gustado vivir en un país donde hubiéramos ganado? Yo dudo de que hubiese durado mucho tiempo en un país gobernado por Montoneros*".[1]

Jorge Massetti, haciendo lo propio, dice: "*Por suerte no obtuvimos la victoria, porque de haber sido así, teniendo en cuenta nuestra formación y el grado de dependencia de Cuba, hubiésemos ahogado al continente en una barbarie generalizada*".[2] En efecto, de haber triunfado los atildados "militantes sociales", la Constitución Nacional por la fuerza se hubiese cambiado por una similar o igual a la que ha regido en diversos totalitarismos marxistas. Los disidentes, ante el hipotético régimen erpiano-montonero, en lugar de escapar a Miami habrían buscado refugio quizás en Montevideo. Desde allí, hubiesen constituido diversas ONG y si se contara con consenso internacional, de tanto en tanto se detendría algún que otro terrorista y se lo extraditaría a la jurisdicción que fuera. Las librerías de Montevideo estarían minadas de libros y bibliografía antiterrorista, los galanes de cine filmarían películas a favor de la guerra antisubversiva y se mostrarían y enseñarían en los institutos educativos el horror padecido por la población ante los ataques del terrorismo marxista y sus respectivos crímenes de lesa humanidad. Vale decir: se haría lo mismo que actualmente hacen los defensores del terrorismo subversivo, aunque con la diferencia que en los libros, documentales y filmes, no habría necesidad de mentir.

Todos los civiles defensores de las instituciones, los disidentes a la eventual tiranía marxista y los integrantes de la familia castrense estarían contentos y haciendo catarsis desde Montevideo al poder escribir la historia de modo fidedigno y conmemorar sus feriados. Pero resulta que más allá o mas acá de este ropaje, la patria argentina habría caído bajo las garras del comunismo, los terroristas tendrían el pleno e imprescriptible poder del Estado, se habría instaurado la reforma agraria, se habrían expropiado masivamente los inmuebles (Kirchner en este caso saldría económicamente muy perjudicado), se hubiese desterrado el sistema republicano, la propiedad privada, la actividad religiosa, existiría un solo diario o radio estatal, no se podría entrar a visitar hermanos, hijos, nietos o amigos, los disidentes serían asesinados en purgas masivas y de tanto en tanto, se recibirían en las costas de Montevideo a algún audaz que escapó de las balas de la gendarmería montonera al cruzar en balsa el Río de la Plata.

Pues nada, absolutamente nada de eso ocurrió ni ocurrirá. ¿Por qué? Porque más allá de la mentira oficial (que es imprescindible desenmascararla) y sus deletéreas consecuencias, la guerra la ganó el pueblo argentino representado en sus instituciones fundacionales y naturales: las FF.AA. y policiales.

Que cobren los oportunistas las indemnizaciones que obtengan, que cuenten los farsantes las historietas que quieran, que construyan los desmemoriados los museos que su imaginación les confiera y que practiquen los revanchistas las felonías que puedan. Al fin y al cabo, la guerra la perdieron y estos logros menores y tangenciales alcanzados por el resentimiento setentista, no es más que un puñado de injustos "premios consuelos" para los derrotados de ayer y de siempre.

Pero más allá o más acá de este montaje, la mentira oficial no podrá mantenerse eternamente, porque no tiene razón y porque tal como lo decía Abraham Lincoln: *"Se puede engañar alguna gente todo el tiempo, y a toda la gente por algún tiempo, pero no se puede engañar a toda la gente todo el tiempo".*

La guerra antiterrorista no se ganó como se quiso, pero se ganó, y se ganó para siempre.

Notas

[1] Gorbato, Viviana. *Montoneros. Soldados de Menem. ¿Soldados de Duhalde?* 2° ed. Buenos Aires, Sudamericana, 1999, p. 327.

[2] Massetti, Jorge. *El furor y el delirio. Itinerario de un hijo de la Revolución Cubana.* Barcelona, Tusquets editores, 1999.

Bibliografía y fuentes consultadas

Abuelas de Plaza de Mayo. *Niños desaparecidos / jóvenes localizados: en la Argentina desde 1976 a 1999*. Buenos Aires, Temas Grupo Editorial, 1999.

Acuña, Carlos Manuel. *Por amor al odio. La tragedia de la subversión en la Argentina*. Tomo I. 3° ed. Buenos Aires, Ediciones del Pórtico, 2003.

Acuña, Carlos Manuel. *Por amor al odio. Crónicas de guerra: de Cámpora a la muerte de Perón*. Tomo II. Buenos Aires, Ediciones del Pórtico, 2003.

Acuña, Carlos Manuel. *Verbitsky de La Habana a la Fundación Ford*. 2° Reimp. Buenos Aires, Ediciones del Pórtico. 2003.

Aguinaga, Carlos y Roberto Azaretto. *Ni década ni infame. Del 30' al 43'*. Buenos Aires, Ediciones Jorge Baudino, 1991.

Alsogaray, Álvaro. *Experiencias de cincuenta años de política y economía argentina*. Buenos Aires, Planeta, 1993.

Asociación Unidad Argentina (AUNAR). *La subversión: la historia olvidada*. 2° ed. Buenos Aires, 1997.

Beccar Varela, Cosme. *Curiosidades. Panorama de la historia argentina. Diccionario político y manual práctico para destruir el poder de los corruptos*. Buenos Aires, Edición de autor, 1991.

Benegas Lynch, Alberto. *Las oligarquías reinantes. Discurso sobre el doble discurso*. Buenos Aires, Editorial Atlántida, 1999.

Bignone, Reynaldo. *El último de facto II. Quince años después, memoria y testimonio*. Buenos Aires, Edición del autor, 2000.

Blaustein, Eduardo y Martín Zubieta. *Decíamos ayer, la prensa argentina bajo el proceso*. Buenos Aires, Colihue, 1999.

Bonasso, Miguel. *Diario de un clandestino*. Buenos Aires, Planeta, 2000.

CONADEP. *Nunca más*. Buenos Aires, Eudeba, 1984.

CONADEP. *Nunca más. Anexo*. Buenos Aires, Eudeba, 1984.

Correa de Oliveira, Plinio. *Nobleza y elites tradicionales análogas en las alocuciones de Pío XII al patriciado y a la nobleza romana*. Buenos Aires, Ediciones Tradición, Familia y Propiedad, 1993.

Correa de Oliveira, Plinio. *Revolución y contrarrevolución*. Buenos Aires, Ediciones Tradición, familia y propiedad. 1992.

Correa de Oliveira, Plinio. *Trasbordo ideológico inadvertido y diálogo*. Santiago de Chile, Corporación Cultural Santa Fe, 1985.

De Santis, Daniel. *El ERP-PRT y el Peronismo*. Buenos Aires, Nuestra América, 2004.

De Vita, Alberto. *Malvinas, ¿cómo, por qué?* Buenos Aires, Instituto de Publicaciones Navales, 1994.

356

Díaz Araujo, Enrique. *Internacionalismo salvaje, revolución marxista en América.* Buenos Aires, Ediciones La rosa blanca, 2005.

Díaz Araujo, Enrique. *La rebelión de la nada o los ideólogos de la subversión cultural.* Buenos Aires, Cruz y Fierro Editores, 1983.

Díaz Bessone, Ramón Genaro. *Guerra revolucionaria en la República Argentina (1959-1978).* Buenos Aires, Círculo Militar.

Esteban Edgardo. *Malvinas, diario del regreso. Iluminados por el fuego.* Buenos Aires, Sudamericana, 1999.

Etchecolatz, Miguel. *La otra campana del Nunca más.* Buenos Aires, Edición del autor, 1997.

Fallos de la Corte Suprema de Justicia de la Nación.

FORES (Foro de estudios sobre la administración de Justicia). *Definitivamente, Nunca más. La otra cara del informe CONADEP.* Buenos Aires, 1985.

Fundación Atlas. *Claves para interpretar la Argentina.* Buenos Aires, Editorial El grito sagrado, 2004.

García Montaño, Diego. *Responsabilidad compartida.* Buenos Aires, Ediciones El copista, 2003.

Gasparini, Juan. *La fuga del Brujo. Historia criminal de José López Rega.* Buenos Aires, Grupo Editorial Norma, 2005.

Gillespie, Richard. *Montoneros. Soldados de Perón.* Buenos Aires, Editorial Grijalbo, 1988.

Giussiani, Pablo. *Montoneros. La soberbia armada.* Buenos Aires, Sudamericana, 2003.

Gorbato, Viviana. *Montoneros. Soldados de Menem. ¿Soldados de Duhalde?* 2° ed. Buenos Aires, Sudamericana, 1999.

Gorriarán Merlo, Enrique. *Memorias. De los setenta a La Tablada.* Buenos Aires, Planeta, 2003.

Grondona, Mariano. *Las condiciones culturales del desarrollo económico.* Buenos Aires, Planeta, 1999.

Handel, Michael. *Sun Tzu y Clausewitz. El arte de la guerra y De la guerra, comparados.* Buenos Aires, Instituto de Publicaciones Navales, 1997.

In Memoriam. Tomo I. Buenos Aires, Círculo Militar, 1998.

In Memoriam. Tomo II. Buenos Aires, Círculo Militar, 1999.

In Memoriam. Tomo III. Buenos Aires, Círculo Militar, 2000.

Insúa, José María. *Réquiem para la Nación.* Buenos Aires, Huemul, 1988.

Jauretche, Ernesto. *Violencia y política en los 70. No dejés que te la cuenten.* Buenos Aires, Ediciones del pensamiento nacional, 1997.

Diccionario de la lengua española. Buenos Aires, Kapelusz, 1979.

Laprida, Mario Horacio. *Los errores de los militares en el siglo XX.* Buenos Aires, Edición del autor, 2001.

Laprida, Mario Horacio. *Los increíbles radicales.* Buenos Aires, Edición del autor.

Lanata, Jorge. *Argentinos.* Tomo II. Buenos Aires, Editorial Vergara, 2003.

Larrabure, Arturo Cirilo. *Un canto a la Patria.* Buenos Aires, Edición del autor, 2005.

Larraquy, Marcelo y Roberto Caballero. *Galimberti. De Perón a Susana, de Montoneros a la CIA.* Buenos Aires, Grupo Editorial Norma, 2000.

Los 70', violencia en la Argentina. Buenos Aires, Círculo Militar, 2001.

Luna, Félix. *Perón y su tiempo. La Argentina era una fiesta (1946-1949)*. Buenos Aires, Sudamericana, 1993.

Márquez, Nicolás. *La otra parte de la verdad. La respuesta a los que han ocultado y deformado la verdad histórica sobre la década del 70 y el terrorismo*. 5° ed. Buenos Aires, Edición del autor, 2006.

Massetti, Jorge. *El furor y el delirio. Itinerario de un hijo de la Revolución Cubana*. Barcelona, Tusquets editores, 1999.

Massot, Vicente. *El poder de lo fáctico*. Buenos Aires, Ediciones Ciudad Argentina, 2001.

Massot, Vicente. *La excepcionalidad argentina. Auge y ocaso de una Nación*. Buenos Aires, Emecé, 2005.

Massot, Vicente. *Matar y morir*. Buenos Aires, Emecé, 2003.

Page, Joseph. *Perón, una biografía*. Buenos Aires, Ediciones Vergara, 1984.

Pigna, Felipe. *Lo pasado pensado. Entrevistas con la historia argentina (1955-1983)*. 2° ed. Buenos Aires, Planeta, 2005.

Rojas, Guillermo. *Años de Terror y pólvora. El proyecto cubano en la Argentina (1959-1970)*. Buenos Aires, Editorial Santiago Apóstol, 2001.

Rojas, Guillermo. *30.000 desaparecidos, realidad, mito y dogma*. Buenos Aires, Editorial Santiago Apóstol, 2003.

SADTFP. *Los Kerenskys argentinos. Manifiesto de la Sociedad Argentina de Defensa de la tradición, familia y propiedad*. Buenos Aires, Ediciones Tradición, Familia y Propiedad, 1972.

Sebreli, Juan José. *Crítica a las ideas políticas argentinas*. 4° ed. Buenos Aires, Sudamericana, 2002.

Seoane, María y Vicente Muleiro. *El dictador. La historia secreta y pública de Jorge Rafael Videla*. Buenos Aires, Sudamericana, 2001.

Thatcher, Margaret. *Los años de Downing Street*. 2° ed. Buenos Aires, Sudamericana, 1994.

Turolo, Carlos M. *De Isabel a Videla. Los pliegues del poder*. Buenos Aires, Sudamericana, 1996.

Varela, Florencio. *Persecución de la Justicia federal a las FF.AA.* [conferencia en COFA]. Buenos Aires, Asociación Unidad Argentina (AUNAR), 2003.

Vigo Leguizamón, Javier. *Amar al enemigo. Un diálogo de reconciliación entre argentinos*. Buenos Aires, Ediciones Pasco, 2001.

Viotto Romano, Leandro. *Silencio de mudos. La subversión en la Argentina (1959-2005). De las armas al poder institucional y político*. Buenos Aires, Editorial Dunken, 2005.

Revistas

Cabildo
Gente
El Combatiente
El Porteño
La Nación
Noticias
SADTFP

Tiempo Militar
Primera Línea
Revista de la Cámara de Comercio de Guatemala
Tiempo Argentino
Tres Puntos

Diarios
Ámbito Financiero
Clarín
Crónica
Infobae
El Cronista Comercial
La Capital de Rosario
La Nación
La Nueva Provincia
La Opinión
La Prensa
La Razón
Río Negro
Página 12

Libros de texto (EGB y Polimodal)
Dino, Marta y otros. *Historia. La Argentina contemporánea.* Felipe Pigna (Coord.). Buenos Aires, A-Z, Serie Polimodal.
Dino, Marta y otros. *Historia. El mundo contemporáneo.* Felipe Pigna (Coord.). Buenos Aires, A-Z, Serie Polimodal.
Alonso, María Ernestina y otros. *Historia. La Argentina del Siglo XX.* Buenos Aires, Aique Grupo Editor.
Miranda, Emilio y Edgardo Colombo. *Historia argentina contemporánea.* Buenos Aires, Kapelusz, Biblioteca del Polimodal.
Rins, E. Cristina y María Felisa Winter. *Historia argentina contemporánea.* Buenos Aires, Santillana, 2000.

Sitios web
http://www.desaparecidos.org/arg/conadep/lista-revisada
http://www.elortiba.org/gmerlo.html#Entrevista_a_Gorriarán_Merlo
http://www.ladecadadel70.com.ar
http://www.notiar.com.ar
http://www.nuncamas.org/testimon/carlottoest_20040317.htm
http://members.fortunecity.com/foroverdad/introduccion.htm
http://www.memoriacompleta.com.ar
http://www.seprin.com.ar
http://www.yendor.com/vanished/vanished/cels-list.html
http://www.72.41.7.70/portal2/notas/los_aparecidos.htm

Esta edición de 5.000 ejemplares se terminó de imprimir en
Buenos Aires, Argentina, en octubre de 2006.